Britannica®
ENCICLOPEDIA UNIVERSAL ILUSTRADA

antihistamínico

Barrault

Britannica
ENCICLOPEDIA UNIVERSAL ILUSTRADA

Edición en español de BRITANNICA CONCISE ENCYCLOPEDIA

Edición promocional para América Latina desarrollada, diseñada y publicada por Sociedad Comercial y Editorial Santiago Ltda., Avda. Apoquindo 3650, Santiago, Chile.

ISBN 956-8402-79-9 (Obra completa)
ISBN 956-8402-81-0 (Volumen 2)

Impreso en Chile, Printed in Chile.
Código de barras 978 956840281 - 5

antihistamínico Droga sintética que contrarresta los efectos de la HISTAMINA que se libera en el cuerpo. Los antihistamínicos compiten con la histamina en uno de los tres tipos de receptores de histamina, previniendo las crisis alérgicas (ver ALERGIA) o la INFLAMACIÓN. Algunos antihistamínicos también previenen los MAREOS y el VÉRTIGO. La somnolencia es un efecto colateral frecuente. Los antihistamínicos H_2, que se ligan con el segundo tipo de receptor, se utilizan para controlar la secreción de ácido gástrico (ver ESTÓMAGO) y para tratar las ÚLCERAS PÉPTICAS.

antiinflamatorios no esteroidales ver AINE

Antikomintern, pacto Acuerdo concertado primero entre Alemania y Japón (25 nov. 1936) y luego entre Italia, Alemania y Japón (6 nov. 1937). El pacto, impulsado por ADOLF HITLER, aunque supuestamente dirigido contra el KOMINTERN, estaba específicamente diseñado contra la Unión Soviética. Fue uno de una serie de acuerdos conducentes a la formación de las POTENCIAS DEL EJE. Japón renunció al pacto en 1939, pero más tarde suscribió el pacto Tripartito de 1940, que obligaba a Alemania, Japón e Italia a brindarse asistencia mutua.

Antilíbano, cordillera del Cadena montañosa en el límite entre Siria y Líbano. Se extiende paralela a la cordillera del LÍBANO, su altitud media es de 2.000 m (6.500 pies). Debido a la pobreza de sus suelos y a sus pronunciadas pendientes, está escasamente poblada.

Antillas Holandesas ver ANTILLAS NEERLANDESAS

Antillas Mayores y Menores Dos grupos de islas de las INDIAS OCCIDENTALES que delimitan el mar Caribe por el norte y el este, respectivamente. Las Antillas Mayores compreden las islas más grandes (Cuba, Jamaica, La Española y Puerto Rico); las Antillas Menores son un conjunto de islas mucho más pequeñas. El nombre Antilia originalmente se refería a las tierras semimíticas ubicadas en alguna parte al oeste de Europa, al otro lado del Atlántico. Después de los descubrimientos de CRISTÓBAL COLÓN, se les asignó conjuntamente el nombre Antillas a las nuevas tierras; "mar de las Antillas" se usa como nombre alternativo del mar Caribe en varios idiomas europeos.

Fondeadero de English Harbour, zona de atracción turística de Antigua, Antillas Menores.
FOTOBANCO

Antillas Neerlandesas *o* **Antillas Holandesas** *ant.* **Curação** Grupo de cinco islas (pob., est. 2002: 197.000 hab.) del mar CARIBE. Territorio autónomo de los PAÍSES BAJOS desde 1954. Tienen una superficie conjunta de 800 km² (309 mi²). Las Antillas Neerlandesas constan de dos grupos insulares muy separados: el grupo del norte (San Eustaquio, la zona sur de SAN MARTÍN y SABA) en el extremo norte de las islas de SOTAVENTO; y en el grupo del sur, unos 800 km (500 mi) al sudoeste, frente a la costa de Venezuela (CURAÇÃO y Bonaire, ARUBA hasta 1986). La capital, en Curação, es WILLEMSTAD. Las islas fueron avistadas por CRISTÓBAL COLÓN en 1493 y fueron declaradas españolas. En el s. XVII, los holandeses las ocuparon y, en 1845, las islas pasaron a ser las Antillas Neerlandesas. En 1954 se convirtieron en parte integral de los Países Bajos, con plena autonomía en los asuntos internos. Aruba se separó del grupo en 1986.

antílope Cualquiera de las numerosas especies de BÓVIDOS pastoreadores o ramoneadores del Viejo Mundo, que se caracterizan por ser veloces, estilizados y gráciles habitantes de las llanuras. El BERRENDO norteamericano se considera a veces un antílope. La mayoría de los antílopes son africanos; el resto, a excepción del berrendo, son euroasiáticos. En los antílopes, la alzada fluctúa entre 25–175 cm (10–170 pulg.). Es característico del macho y, en ocasiones de la hembra, poseer cuernos curvados hacia atrás. Ver también ALCÉFALO; ANTÍLOPE ACUÁTICO; ANTÍLOPE SALTARÍN; BONGO; DIK-DIK; DUIKER; ELAND; GACELA; IMPALA; KUDÚ; NIALA; ÑU; ORYX.

Antílope acuático (*Kobus ellipsiprymnus*).
© ENCYCLOPÆDIA BRITANNICA, INC.

antílope acuático Especie de ANTÍLOPE (*Kobus ellipsiprymnus*) que vive en manadas, habitualmente cerca del agua, en llanuras, vegas, bosques y pantanos del África subsahariana. Tiene una alzada de casi 1,5 m (5 pies). Los machos tienen cuernos largos, anillados y curvos hacia atrás y arriba. Su pelaje tosco e hirsuto es de color grisáceo y en el anca tienen un anillo de color blanco.

antílope saltarín Especie de ANTÍLOPE (*Antidorcas marsupialis*), originario de las planicies sin árboles de África del sur. Es el emblema nacional de Sudáfrica. Su alzada es de unos 80 cm (30 pulg.); ambos sexos tienen cuernos anillados en forma de lira. Desde la mitad del lomo hasta la grupa posee un pliegue cutáneo que al abrirse, exhibe un penacho blanco. El dorso del animal, de color pardo rojizo tiene, a ambos lados, una ancha banda horizontal parda oscura. El vientre, cabeza, cola y el anca son blancos. Cuando se excita, baja la cabeza, junta las patas y arquea el lomo, realizando una serie de saltos rígidos y verticales de hasta 3,5 m (12 pies) de altura.

antimasón, movimiento Movimiento popular en EE.UU. en la década de 1830 contrario a la MASONERÍA. El movimiento nació en 1826 con la desaparición y presunto asesinato de un albañil de Nueva York, ex masón que tenía supuestamente la intención de revelar los secretos de la orden. La reacción en contra de la masonería invadió la parte nororiental de EE.UU. En 1831, por primera vez en EE.UU., el Partido Antimasónico surgió como tercer partido del país y fue el primero en celebrar una convención nacional. Condenó a la masonería por su carácter secreto y no democrático. Su candidato ganó en Vermont en la elección de 1832. A fines de esa década, el movimiento antimasónico había sido absorbido por el PARTIDO WHIG.

antimateria Sustancia compuesta de partículas elementales que tienen la MASA y la CARGA ELÉCTRICA de la materia ordinaria (como los ELECTRONES y PROTONES), pero para las cuales la carga y las propiedades magnéticas afines tienen el signo opuesto. La existencia de la antimateria fue postulada por la teoría del electrón de P.A.M. DIRAC. En 1932 se detectó el POSITRÓN (antielectrón) en los RAYOS CÓSMICOS, seguido del antiprotón y el antineutrón, detectados mediante el uso de ACELERADORES DE PARTÍCULAS. Los positrones, antiprotones y antineutrones, llamados en conjunto antipartículas, son las antipartículas de los electrones, protones y neutrones, respectivamente. Cuando la materia y la antimateria están muy próximas entre sí, la ANIQUILACIÓN ocurre en una fracción de segundo, liberándose una gran cantidad de ENERGÍA.

antimetabolito Sustancia que compite en la CÉLULA con un compuesto específico, o lo reemplaza o lo inhibe, con lo cual se perturba el funcionamiento celular. Dado que su estructura se parece a la del compuesto, la célula lo acepta, pero no reacciona de la misma manera con la ENZIMA que actúa sobre el compuesto usual. Puede inhibir a la enzima o convertirse en un compuesto químico aberrante. Muchos antimetabolitos son útiles para tratar enfermedades, como las SULFAS, que en las enfermedades bacterianas desestabilizan el METABOLISMO bacteriano, pero no el humano; otros antimetabolitos (p. ej., metotrexato, 5-fluorouracilo) se utilizan en el tratamiento de diversos tipos de cáncer.

antimonio ELEMENTO QUÍMICO semimetálico a metálico (ver METAL), de símbolo químico Sb y número atómico 51. De sus varios ALÓTROPOS, el más común es uno sólido lustroso, azulado, quebradizo y escamoso. En la naturaleza, el antimonio se encuentra principalmente como el SULFURO ESTIBNITA, Sb_2S_3 de color gris. El antimonio metálico puro no tiene usos importantes, pero sus ALEACIONES y compuestos son muy útiles. Algunas aleaciones de antimonio tienen la rara cualidad de expandirse al solidificar; estas se usan para fundición y vaciado de metal, antiguamente también para moldes tipográficos. Las aleaciones con plomo se utilizan en BATERÍAS de automóviles, proyectiles y fundas de cable. Las aleaciones con estaño y plomo antifricción (metales *babbitt*) se emplean como componentes de rodamientos de máquina. Los COMPUESTOS de antimonio (VALENCIAS 3, 4 y 5) se utilizan ampliamente como pirorretardantes en pinturas, plásticos, caucho y textiles; otros se usan como pigmentos de pintura.

antimonopolios, ley Toda LEY que limite las prácticas comerciales que se consideran injustas o monopólicas. En EE.UU., la más conocida es la ley antimonopolio SHERMAN de 1890, que declaró ilegal "todo contrato, asociación... o conspiración que restrinja el intercambio o el comercio". La ley Clayton antimonopolios, de 1914, modificada en 1936 por la ley Robinson-Patman, prohíbe toda discriminación entre los clientes basada en el precio u otros medios; también prohíbe las fusiones o adquisiciones cuando ellas puedan tener por consecuencia una "disminución sustancial de la competencia". Los sindicatos también están sujetos a las leyes antimonopolios.

antinovela Tipo de novela vanguardista que se aparta de las convenciones tradicionales del género al ignorar elementos como la trama, el diálogo y el interés humano. En busca de doblegar los hábitos de los lectores y desafiar sus expectativas, los antinovelistas deliberadamente anulan toda injerencia de la personalidad, preferencias o valores del autor. Si bien el término fue acuñado por JEAN-PAUL SARTRE en 1948, el enfoque es al menos tan antiguo como los escritos del autor dieciochesco LAURENCE STERNE. Algunos escritores con obras similares son NATHALIE SARRAUTE, CLAUDE SIMON, ALAIN ROBBE-GRILLET, Uwe Johnson y Rayner Heppenstall.

Antíoco I Sóter (c. 324–261 AC). Rey seléucida de Siria oriental (¿292?–281 AC) y posteriormente de todo el país (281–261). Hijo de SELEUCO I, consolidó el reino de la dinastía SELÉUCIDA, fundó numerosas ciudades y expandió las rutas del comercio. En 281 se enfrentó a revueltas en Siria y en el norte de Anatolia y libró una guerra con ANTÍGONO II GONATAS. Con la derrota de los gálatas en Grecia (279), él y Antígono firmaron un pacto de no intervención. Los galos de Asia Menor no fueron derrotados hasta 275, luego de lo cual fue aclamado como Sóter ("Salvador") por los agradecidos jonios. Estableció a los griegos en Asia Menor y Persia para contrarrestar las invasiones y se esforzó por revivir la cultura babilónica. Aun cuando ganó Fenicia y la costa de Asia Menor a los egipcios, perdió pronto esos territorios y en 261 Pérgamo le arrebató gran parte del norte de Asia Menor.

Antíoco III *llamado* **Antíoco el Grande** (242–187 AC, cerca de Susa, Irán). Rey SELÉUCIDA del Imperio sirio (223–187 AC). Luego de sofocar una rebelión de Aqueo, su gobernador en Asia Menor (213), Antíoco marchó al este hacia India (212–205). Forjó una alianza pacífica con Armenia y otras impuestas con Partia y Bactriana, acallando la resistencia a su campaña. Tras la muerte de Tolomeo IV, Antíoco y FILIPO V de Macedonia se dividieron buena parte de su imperio, quedándose Antíoco con las tierras meridionales y orientales, incluida Palestina (c. 202). Entonces marchó contra Egipto, y estableció la paz en 195, mediante la cual adquirió el sur de Siria y los territorios de Tolomeo en Asia Menor. Roma se enojó con Antíoco por admitir en su corte a ANÍBAL de Cartago; cuando Antíoco usó la fuerza para defender a los etolios contra Roma, esta luchó y contraatacó, derrotándolo finalmente en Magnesia (189). Entregó a los romanos las tierras occidentales de Asia Menor y los reinos helénicos de Europa, pero se quedó con Siria, Mesopotamia e Irán occidental. Fue asesinado mientras recaudaba tributos muy necesarios cerca de Susa.

Antíoco III, moneda, fines del s. III–inicios del s. II AC; Museo Británico.

GENTILEZA DEL DIRECTORIO DEL MUSEO BRITÁNICO; FOTOGRAFÍA, J.R. FREEMAN & CO. LTD.

Antíoco IV Epífanes (c. 215–164 AC, Tabae, Irán). Rey SELÉUCIDA del reino helénico sirio (175–164 AC). Hijo de ANTÍOCO III, fue llevado como rehén a Roma (189–175), donde aprendió sobre las instituciones romanas. Al ser liberado, derrocó a un usurpador para apoderarse de Siria. Conquistó Egipto, excepto Alejandría (169), y lo gobernó como regente a nombre de su sobrino Tolomeo VI. La derrota por Roma de sus aliados macedonios neutralizó sus victorias en Chipre y Egipto (168), y fue forzado a abandonar ambos, aunque se quedó con el sur de Siria. Tomó Jerusalén (167) e impuso su helenización; los ritos judíos fueron prohibidos bajo pena de muerte. En 164, JUDAS MACABEO y los judíos contrarios a los griegos conquistaron Judea, a excepción de Acra en Jerusalén (164), destruyeron el altar de Zeus y volvieron a consagrar el Templo. Antíoco se dedicó entonces a defender su imperio contra los partos en el Oriente, retomó Armenia y siguió a la costa arábiga antes de fallecer en Persis.

Antioquía *turco* **Antakya** Ciudad (pob., 1997: 139.046 hab.) del sur de Turquía. Fundada en 300 AC por la dinastía SELÉUCIDA, Antioquía fue el centro del poder seléucida hasta 64 AC, cuando se convirtió en capital de la provincia de Siria bajo el dominio de la República e Imperio de ROMA. Centro cristiano primitivo, la ciudad fue la sede de la actividad de san PABLO c. 47–55 DC. A pesar de haber sido brevemente ocupada por los persas en el s. VI, siguió formando parte del Imperio bizantino hasta la invasión árabe del s. VII. A partir de entonces, volvió al dominio bizantino (969) y fue tomada por la dinastía turca SELYÚCIDA (1084), siendo luego capturada por los cruzados en 1098 (ver CRUZADAS). Desde 1268 fue gobernada por la dinastía de los MAMELUCOS. En 1517, absorbida por el Imperio OTOMANO, permaneció bajo su control hasta la primera guerra mundial (1914–18), época en la que fue transferida a Siria. En 1939 fue incorporada a la república de Turquía. La economía de la ciudad actual se basa en la agricultura y la industria manufacturera liviana.

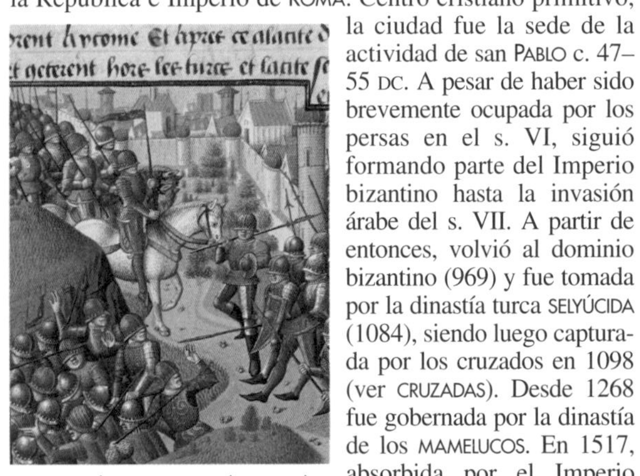

Conquista de Antioquía por los cruzados en 1098; ilustración policroma.

FOTOBANCO

antioxidante Cualquiera de varios COMPUESTOS que se agregan a ciertos alimentos, al caucho natural y sintético, a las gasolinas y otros productos para retardar la autoxidación (combinación con el OXÍGENO del aire a temperatura ambiente) y sus efectos. Los COMPUESTOS AROMÁTICOS, como las AMINAS aromáticas, FENOLES y aminofenoles, retardan la pérdida de elasticidad del caucho y de los depósitos gomosos de la gasolina. Los preservantes, como el tocoferol (VITAMINA E), el propilgalato, el hidroxitolueno butilado (BHT) y el hidroxianisol butilado (BHA), impiden la ranciedad de las GRASAS, ACEITES y alimentos grasos. En el cuerpo, los antioxidantes como las VITAMINAS C y E y el SELENIO pueden reducir la oxidación causada por los RADICALES LIBRES.

antipapa En el CATOLICISMO ROMANO, una persona que intenta ocupar el lugar del papa legítimamente electo. Algunos antipapas fueron elegidos por facciones en disputas doctrinales y otros fueron escogidos en elecciones dobles arbitradas por autoridades seculares o bien fueron escogidos como terceros candidatos en un esfuerzo por resolver tales disputas. El primero de los antipapas surgió en el s. III. Durante la QUERELLA DE LAS INVESTIDURAS, ENRIQUE IV designó un antipapa, y por los siguientes doscientos años, varios otros antipapas reivindicaron el trono papal como resultado de elecciones reñidas o bien por prolongadas tensiones entre la jerarquía eclesiástica y los gobernantes seglares. El apogeo de los antipapas sobrevino durante el s. XIV, luego de que la corte papal se trasladó de Roma a Aviñón (ver papado de AVIÑÓN), situación que condujo al gran CISMA DE OCCIDENTE ocurrido entre 1378 y 1417. Durante ese período, los papas que hoy son considerados canónicos eran elegidos en Roma y los antipapas eran nombrados en Aviñón.

Antípatro *o* **Antípater** (m. 43 AC). Fundador de la dinastía herodiana en Palestina. Nacido en Idumea, una región del sur de JUDEA, llegó al poder colaborando con los romanos y, en retribución, JULIO CÉSAR lo nombró procurador de Judea en 47 AC. Aunque fue asesinado por un rival cuatro años más tarde, su hijo, HERODES, fue nombrado rey de Judea.

antisemitismo Hostilidad o discriminación contra los judíos como grupo religioso o "raza". Aunque el término *antisemitismo* es de uso corriente, algunos lo consideran inapropiado, pues implica discriminación contra todos los semitas, incluidos los árabes y otros pueblos que no son blanco del antisemitismo propiamente tal. En la antigüedad, la hostilidad contra los judíos surgió a causa de diferencias religiosas, situación que empeoró como resultado de la competencia con el cristianismo. En el s. IV, los cristianos tendían a considerar a los judíos como un pueblo extraño, cuyo repudio de Cristo los había condenado a un perpetuo peregrinar. Durante la Edad Media, a los judíos les fue negada la ciudadanía y sus derechos en gran parte de Europa (aunque algunas sociedades fueron más tolerantes) o fueron forzados a usar ropa distintiva, y en ese período hubo expulsiones forzadas de judíos de varias regiones. Durante la Edad Media se desarrollaron muchos de los estereotipos acerca de los judíos (p. ej., la difamación de la sangre, la supuesta avaricia, la conspiración contra la humanidad) que han persistido hasta hoy. En el s. XVIII, la Ilustración y la Revolución francesa trajeron una nueva libertad religiosa a Europa, pero no redujeron el antisemitismo, pues los judíos siguieron considerándose extraños. En el s. XIX, la discriminación violenta se intensificó (ver POGROM) y surgió el llamado "racismo científico", que basaba la hostilidad contra los judíos en sus supuestas características biológicas, reemplazando a la religión como la causa principal del antisemitismo. En el s. XX, los trastornos políticos y económicos provocados por la primera guerra mundial intensificaron el antisemitismo, floreciendo el racismo antisemita en la Alemania nazi. La persecución nazi de los judíos llevó al HOLOCAUSTO, en el que fueron exterminados una cifra estimada de seis millones de judíos. A pesar de la derrota de los nazis en la segunda guerra mundial, en el s. XXI el antisemitismo continúa siendo un problema en muchas partes del mundo.

antiséptico Cualquiera de una variedad de agentes que se aplican sobre el tejido vivo para destruir o inhibir el crecimiento de microorganismos infecciosos. La eficiencia de un antiséptico depende de la concentración, tiempo y temperatura. Es más valioso en la desinfección de heridas contaminadas o superficies de piel cuando existe un amplio margen entre la concentración a la cual es germicida y la concentración a la cual es tóxico para las células del organismo. Muchos antisépticos destruyen tipos específicos o formas de microorganismos (p. ej., BACTERIAS, pero no ESPORAS). Entre las principales familias de antisépticos están los ALCOHOLES, FENOLES, CLORO y compuestos de YODO, tinturas a base de MERCURIO, ciertos COLORANTES de acridina y algunos ACEITES ESENCIALES. Los antisépticos se diferencian de los desinfectantes, que son agentes germicidas que se utilizan para destruir microorganismos en superficies inertes. Ver también ANTIBIÓTICO.

antisísmica, estructura Construcción diseñada para impedir su colapso total, preservar las vidas de sus ocupantes y minimizar los daños en caso de un terremoto o temblor. Los terremotos ejercen fuerzas laterales y verticales, y la respuesta de las estructuras a los movimientos aleatorios que provocan, por lo general repentinos, es una tarea compleja que recién se comienza a comprender. Las estructuras antisísmicas absorben y disipan los movimientos inducidos por un sismo mediante una combinación de recursos: la amortiguación disminuye la amplitud de las oscilaciones de la estructura vibrante, mientras que el uso de materiales dúctiles (p. ej., acero) permite que resista deformaciones inelásticas considerables. Si un rascacielos tiene una estructura demasiado flexible, se pueden producir tremendas oscilaciones en los pisos superiores durante un terremoto. La construcción debe contar con una tolerancia incorporada para afrontar algunos daños estructurales, resistir cargas laterales (arrostramiento diagonal) y permitir que partes de ella se muevan en forma relativamente independiente.

Cañón del avión antitanque A-10 Thunderbolt.
FOTOBANCO

antitanque, arma Cualquiera de las diversas ARMAS DE FUEGO, MISILES o minas destinadas a destruir TANQUES de guerra. En la primera guerra mundial se emplearon para destruir tanques, MINAS TERRESTRES, ARTILLERÍA corriente y otros proyectiles. Durante la segunda guerra mundial ya se habían desarrollado cañones antitanques, la mayoría de los cuales disparaba munición especial, como proyectiles huecos que explotaban con gran fuerza de penetración al impactar. Varios tipos de misiles antitanques y dispositivos de lanzamiento, como la BAZUCA, se usaron también en la guerra.

antitoxina ANTICUERPO formado en el organismo como reacción a una TOXINA bacteriana, capaz de neutralizarla. Las personas que se han recuperado de enfermedades bacterianas a menudo desarrollan antitoxinas específicas que les proporcionan INMUNIDAD contra recidivas. La inoculación de un animal (habitualmente caballos) con dosis crecientes de una toxina, produce altas concentraciones de antitoxina en su sangre. Los preparados resultantes de estas en altas concentraciones se llaman antisuero. La primera antitoxina desarrollada (1890) era específica para la DIFTERIA. Hoy se usan también antitoxinas para tratar el BOTULISMO, la DISENTERÍA, la GANGRENA gaseosa y el TÉTANOS.

ANTK ver TUPOLEV

antocerote Cualquier miembro de cuatro a seis géneros de plantas rastreras anuales o perennes de la clase Anthocerotopsida. Los antocerotes crecen normalmente en suelos húmedos o en rocas de las regiones tropicales y templadas cálidas. El GAMETOFITO típico es una estructura aplanada cubierta con lóbulos irregulares pequeños; el ESPOROFITO forma un cilindro ahusado (ver ALTERNANCIA DE GENERACIONES). Los rizoides (estructuras parecidas a raíces) subterráneas anclan la planta. Las cavidades del gametofito contienen a veces colonias de la cianobacteria *Nostoc* (ver CIANOBACTERIA, NOSTOC). Los antocerotes tienen una región de crecimiento permanente en la base del esporofito y un pie irregular y grande. El tallo que une el pie con el esporangio (cápsula con esporas) en las HEPÁTICAS no existe en los antocerotes.

La Portada (al fondo, derecha), monumento natural con forma de arco en la costa de Antofagasta, norte de Chile.

ARCHIVO EDIT. SANTIAGO

Antofagasta Puerto marítimo (pob., est. 1999: 243.038 hab.), capital de la región homónima del norte de Chile. Ubicada en bahía Moreno, fue una ciudad boliviana hasta que Chile la ocupó en 1879 (ver guerra del PACÍFICO). Su temprano crecimiento se debió al auge del salitre en 1866 y al descubrimiento de la mina de plata de Caracoles en 1870. Es la ciudad más grande del norte de Chile y constituye una importante fuente de abastecimiento para la minería, en especial del cobre, así como un centro de comunicaciones en la carretera PANAMERICANA.

antofilita ANFÍBOL, silicato de magnesio y hierro, que se encuentra en rocas alteradas, como los esquistos cristalinos de Kongsberg, Noruega; Groenlandia del sur y Pensilvania, EE.UU. Generalmente, la antofilita se produce por METAMORFISMO regional de rocas ultrabásicas (ver ROCAS ÁCIDAS Y BÁSICAS).

Antonello da Messina ver Antonello da MESSINA

Antonescu, Ion (15 jun. 1882, Pitesti, Rumania–1 jun. 1946, cerca de Jilava). General rumano. Ascendió en el ejército rumano hasta alcanzar el rango de general y jefe de Estado Mayor (1934), convirtiéndose luego en ministro de defensa (1937–38). Nombrado primer ministro en 1940, estableció una dictadura fascista y apoyó en forma abierta a las potencias del Eje. Inicialmente, gozó de amplio apoyo debido a las reformas internas que impulsó y por la declaración de guerra contra la Unión Soviética (1941), pero más tarde este apoyo se debilitó. Derrocado su régimen en 1944, fue más tarde ejecutado como criminal de guerra.

Antonino, muro de Barrera fronteriza romana en Gran Bretaña. Recorría 59 km (36 mi) a través de Escocia, entre el río Clyde y el estuario de Forth. Encomendada por ANTONINO PÍO y construida en 142 DC por el gobernador de Britania, tenía cerca de 5 m (15 pies) de ancho y 3 m (10 pies) de alto; un foso de 12 m (40 pies) de ancho y 4 m (12 pies) de profundidad discurría al frente suyo, y un camino lo hacía por detrás. Estaba controlada por 19 fuertes situados a intervalos de 3 km (2 mi). Su construcción desplazó la frontera norte de la Britania romana del muro de ADRIANO al interior de la actual Escocia, y sirvió de defensa contra las tribus norteñas. El muro fue abandonado en 196, pero aún se conservan vestigios.

Antonino Pío *latín* **Caesar Titus Aelius Hadrianus Antoninus Augustus Pius** (19 sep. 86 DC, Lanuvium Lacio–7 mar. 161, Lorium, Etruria). Emperador romano (138–161). De origen galo, sirvió como cónsul (120) antes de asignársele funciones judiciales administrativas en Italia. Posteriormente gobernó la provincia de Asia (c. 134). Se convirtió en asesor de ADRIANO y en 138 fue nombrado su sucesor. Al momento de asumir declaró dios al emperador fallecido; por tales actos de respeto fue nombrado Pío. Sofocó rebeliones en Britania y otras provincias y construyó el muro de ANTONINO

Antonino Pío, busto de mármol; Museo Británico.

REPRODUCCIÓN POR GENTILEZA DEL DIRECTORIO DEL MUSEO BRITÁNICO

Antonio Abad, san (251, Koma, cerca de al- Minyā, Heptanomis, Egipto–¿17? ene. 356, Dayr Mārī la ermita de Antonio, cerca del mar Rojo; festividad: 17 de enero). Eremita egipcio considerado el fundador del MONACATO cristiano organizado. Antonio comenzó la práctica del ascetismo a la edad de veinte años, y desde 286 hasta 305 vivió en total soledad en el monte Pispir. Salió de su retiro para organizar la vida monástica de los ermitaños que se habían establecido en las cercanías. Cuando el Edicto de Milán (313) acabó con la persecución a los cristianos, Antonio se fue vivir al desierto, entre el Nilo y el mar Rojo. La regla monástica de san Antonio se recopiló a partir de escritos y discursos atribuidos al santo, según consta en la *Vida de san Antonio* de Atanasio y en el *Apophthegmata patrum*, y era todavía observada en el s. XX por monjes coptos y armenios. Las tentaciones infernales que soportó Antonio en su retiro de ermitaño han sido un tema recurrente para artistas de todos los tiempos.

Antonio de Padua, san (1195, Lisboa, Portugal–13 jun. 1231, Arcella, Verona; canonizado en 1232; festividad: 13 de junio). Fraile FRANCISCANO, doctor de la Iglesia y santo patrono de Portugal. En 1210 ingresó a la orden de los monjes AGUSTINOS y probablemente fue ordenado sacerdote. Se unió a los franciscanos en 1220, con el objeto de dar la vida por la doctrina y sufrir el martirio a manos de los musulmanes. Pero, en cambio, llegó a ser maestro de teología en Bolonia, Italia, y en el sur de Francia. Antonio fue el más querido de los seguidores de san FRANCISCO DE ASÍS y se le recuerda como gran predicador y obrador de milagros. Fue sepultado en Padua, Italia, y es el patrono de esa ciudad. Su nombre es invocado para encontrar objetos perdidos.

Antonioni, Michelangelo (n. 29 sep. 1912, Ferrara, Italia). Director y productor de cine italiano. Escribió comentarios de películas y estudió cine antes de dirigir su primer cortometraje, *La gente del valle del Po* (1947). A su primera película importante, *Las amigas* (1955), le siguieron otras de éxito internacional como *La aventura* (1960), *Eclipse* (1962) y *Blow-up* (1966). Entre sus otros largometrajes se cuentan *El desierto rojo* (1964), *Zabriskie Point* (1970) y *El pasajero* (1974). En los filmes de Antonioni la trama y los diálogos están subordinados a la imagen visual, que se convierte más bien en una metáfora de la existencia humana que en un registro de la misma.

antracita *o* **carbón duro** Carbón que contiene más carbono fijado que cualquier otro CARBÓN y la menor cantidad de material volátil (de rápida evaporación), dándole el mayor poder calorífico. Es el más valioso de los carbones, también el más escaso, pues constituye menos del 2% de toda las reservas carboníferas de EE.UU., en donde la mayoría de los yacimientos conocidos se encuentran en el este. Las antracitas son negras y tienen un lustre brillante, casi metálico. Son duras y quebradizas y se pueden pulir y usar con fines decorativos. Son difíciles de encender, pero arden con una llama azul pálida y requieren poca atención para mantener la combustión. Antes se utilizaban para la calefacción doméstica, pero en la actualidad han dado paso a otras formas de energía. (p. ej., gas natural y electricidad).

antracnosis Enfermedad de las plantas propia de zonas calurosas y húmedas, causada por un HONGO (generalmente *Colletotrichum* o *Gloeosporium*). Este infecta varias plantas, desde árboles hasta hierbas. Los síntomas incluyen manchas hundidas de varios colores en hojas, tallos, frutos o flores, que llevan, frecuentemente, a la marchitez y muerte de los tejidos. La antracnosis del CORNEJO, causada por el hongo *Discula destructiva*, medra en climas fríos; en las regiones montañosas de EE.UU. ha causado graves pérdidas en bosques naturales de esta especie. Esta enfermedad se controla destruyendo el tejido dañado del árbol con semillas indemnes y variedades resistentes, aplicando FUNGICIDAS y controlando insectos y ácaros que diseminan el hongo de una planta a otra.

ántrax Enfermedad infecciosa de los animales de sangre caliente, producida por el *Bacillus anthracis*, una bacteria que, en su forma de espora, puede conservar su virulencia durante muchos años en suelos contaminados o en otros materiales. Afecta principalmente a los herbívoros, aunque la infección puede ser adquirida por personas que manipulan lana, pelo, pieles, huesos y carcasas de animales afectados. La infección puede producir la muerte del animal por complicaciones respiratorias y cardíacas (en 1–2 días si es aguda), o este puede recuperarse. En seres humanos, la infección por ántrax ocurre por vía cutánea, pulmonar o intestinal. La forma más común es por vía cutánea y puede producir una septicemia mortal. El cuadro pulmonar es generalmente fatal. Un entorno laboral higiénico es crucial para prevenir el ántrax en trabajadores susceptibles. El diagnóstico y el tratamiento precoces son también de gran importancia. En décadas recientes, varios países han intentado desarrollar el ántrax como un arma de GUERRA BIOLÓGICA. Muchos factores, incluida su extrema potencia (mucho mayor que cualquier otro agente de guerra químico) lo hacen el agente preferido para la guerra biológica. La preocupación por el ántrax aumentó en 2001, después de haberse encontrado en cartas enviadas a miembros del gobierno de EE.UU. y a agencias noticiosas.

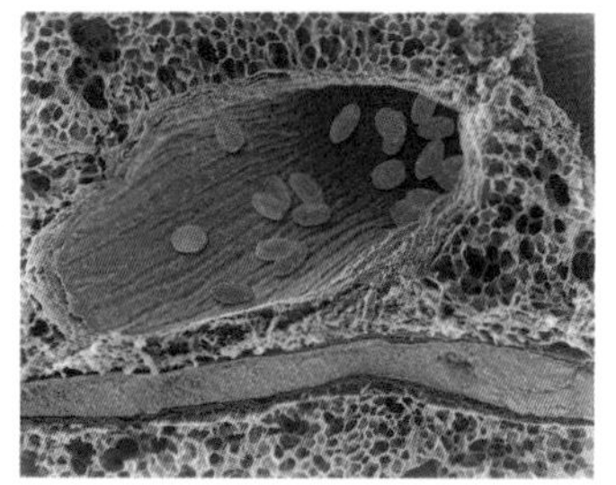

Microfotografía del *Bacillus anthracis*, bacteria que en su forma de espora provoca el ántrax.
FOTOBANCO

Antrim Ciudad y distrito (pob., 2001: 48.366 hab.) de Irlanda del Norte. También es el nombre de un antiguo condado de esa división. La ciudad se ubica a orillas del lago NEAGH. En 1798 fue el escenario de una batalla en la cual varios miles de nacionalistas insurgentes dirigidos por Henry J. McCracken fueron derrotados por los británicos. Hoy un activo mercado, antiguamente fue un importante centro de la industria textil del lino. En la zona existe evidencia de asentamientos humanos que datan de c. 6000 AC. Aventureros anglonormandos llegaron en el s. XII DC y la zona devino parte del condado de Ulster. La invasión por Edward Bruce desde Escocia en 1315 causó una merma del poder británico en la región. Con la reorganización administrativa de Irlanda del Norte en 1973, el condado fue dividido en varios distritos.

antropología Estudio del hombre y de los grupos humanos. Los antropólogos estudian a los seres humanos en aspectos que abarcan desde la biología e historia evolutiva del *Homo sapiens* hasta los caracteres sociales y culturales que diferencian, en forma concluyente, a los seres humanos de las otras especies animales. Debido a la extensión y diversidad de los temas que aborda, la antropología se ha transformado, en especial desde mediados del s. XX, en una serie de disciplinas más especializadas. La ANTROPOLOGÍA FÍSICA es la rama que se concentra en la biología y en la evolución de la humanidad. Las ramas que se ocupan del estudio de las construcciones sociales y culturales de los grupos humanos componen lo que se denomina ANTROPOLOGÍA CULTURAL (o etnología), antropología social, antropología lingüística y antropología psicológica. La ARQUEOLOGÍA, concebida como un método de investigación de las culturas prehistóricas, ha sido una parte integral de la antropología desde que se transformó en una disciplina propiamente tal en la segunda mitad del s. XIX.

antropología cultural Rama de la ANTROPOLOGÍA que se ocupa del estudio de la CULTURA. Esta disciplina utiliza los métodos, conceptos y datos de la ARQUEOLOGÍA, ETNOGRAFÍA, FOLCLORE, LINGÜÍSTICA y otros campos afines en sus descripciones y análisis de los diversos pueblos existentes en el mundo. Denominada antropología social en Gran Bretaña, hasta mediados del s. XX su campo de investigación estaba en gran medida restringido a las sociedades de pequeña escala (o "primitivas") no occidentales, que comenzaron a identificarse primero durante la época de los grandes descubrimientos. En la actualidad, su campo de estudio se extiende a todas las formas de asociación humana, desde las comunidades pequeñas hasta las culturas corporativas, así como a las pandillas urbanas. Las dos perspectivas clave que utiliza son el holismo (que entiende a la sociedad como un todo complejo e interactivo) y el relativismo cultural (la apreciación de los fenómenos culturales dentro de su propio contexto). Tradicionalmente las áreas de estudio han comprendido la estructura social, el derecho, la política, la religión, la magia, el arte y la tecnología.

antropología filosófica Estudio de la naturaleza humana realizado según los métodos de la filosofía. Trata de cuestiones como la condición de los seres humanos en el universo, el propósito o significado de la vida humana, y de si la humanidad puede ser objeto de estudio sistemático. Entre las obras más importantes de antropología filosófica destacan *El puesto del hombre en el cosmos* (1928), de MAX SCHELER; *The Levels of the Organic and Man* [Los niveles de lo orgánico y el hombre] (1928), de Helmuth Plessner; *Ser y tiempo* (1929), de MARTIN HEIDEGGER; *Der Mensch* [El ser humano] (1940), de Arnold Gehlen; y *Antropología Filosófica* (1944), de ERNST CASSIRER.

antropología física Rama de la ANTROPOLOGÍA que se ocupa del estudio de la EVOLUCIÓN HUMANA y de la variación biológica de los seres humanos. La investigación sobre la evolución humana entraña el descubrimiento, el análisis y la descripción de restos humanos fosilizados. Dos objetivos clave de esta disciplina son la identificación de las diferencias entre los humanos y sus ancestros humanos y no humanos, y el esclarecimiento del surgimiento biológico de la humanidad. Para ello se utiliza una gama de métodos cuantitativos, que incluye el análisis comparativo de los códigos genéticos. Previamente, la investigación de la variación biológica entre los humanos contemporáneos se basaba bastante en el concepto de RAZA, pero en la actualidad, los principios de la GENÉTICA y el análisis de factores como la CLASIFICACIÓN DE LA SANGRE han eliminado en gran medida a la raza como una categoría científica.

antroposofía Filosofía basada en el concepto de que el intelecto humano tiene la aptitud de contactarse con mundos espirituales. Fue formulada a principios del s. XX por RUDOLF STEINER e influenciada por la TEOSOFÍA. Steiner quiso desarrollar una facultad para la percepción espiritual independiente de los sentidos, que creía latente en todos los seres humanos, y con este fin fundó en 1912 la Sociedad Antroposófica. Con sede en Dornach, Suiza, dicha sociedad tiene hoy ramas en todo el mundo.

anturio Cualquier planta del género *Anthurium* que comprende alrededor de 600 especies herbáceas tropicales de la familia de las ARÁCEAS, muchas de las cuales son populares por su follaje ornamental. Algunas especies son ampliamente cultivadas para floristerías, por sus flores vistosas y duraderas, como el *A. andraeanum*, que ostenta una flor rojo-salmón y el *A. scherzeranum*, con una flor escarlata.

antyesti Ritos funerarios hindúes. Por lo general, implican la cremación del cadáver seguida de la dispersión de las cenizas en un río sagrado. Tan pronto sobreviene la muerte, los restos son llevados a los sitios de cremación, normalmente ubicados en una ribera. El hijo mayor del difunto y un sacerdote realizan los ritos finales. Durante diez días, los dolientes son considerados impuros mientras realizan un complejo ritual que pretende proporcionar un nuevo cuerpo espiritual al alma del difunto para la próxima vida. En una fecha prescrita, los huesos se reúnen y se sepultan, o se sumergen en un río.

Anu Deidad celestial mesopotámica. Perteneció a una tríada que incluía a BEL y Ea. Aunque Anu fue el dios supremo, tuvo escaso papel en mitos, himnos y cultos mesopotámicos. Anu es el padre de todos los dioses, espíritus malignos y demonios, así como el dios de reyes y del calendario, representado con tocado y cuernos que significan fuerza. Su contraparte sumeria, An, era concebida en su origen como un toro formidable y probablemente su comienzo fue como divinidad de pastores.

Anu, Chao (1767–1835, Bangkok, Siam). Gobernante del reino de Vientiane (r. 1804–29), en la región central de Laos. En su juventud, Anu combatió junto a los siameses contra los birmanos, y se ganó el respeto de estos últimos por su pericia militar. Escogido por ellos para ser rey de Vientiane, emprendió grandes obras públicas y cultivó buenas relaciones con Vietnam. Logró que los siameses designaran a su hijo como gobernante del principado de Champassak, en el sur de Laos. Planificó una rebelión para conseguir la independencia de Laos, logrando que sus ejércitos llegaran cerca de Bangkok. La revuelta fue finalmente sofocada, Vientiane saqueada y luego arrasada. Anu huyó a los bosques, pero fue capturado, castigado y ejecutado.

anual Cualquier planta que completa su ciclo vital en una TEMPORADA DE CRECIMIENTO. La SEMILLA latente es la única parte de la planta anual que sobrevive de una temporada de crecimiento a la siguiente. Las plantas anuales incluyen a numerosas MALEZAS, FLORES SILVESTRES, plantas de jardín y HORTALIZAS. Ver también BIENAL, PERENNE.

anualidad Pago realizado a intervalos fijos. Un ejemplo común es el pago que reciben los jubilados por concepto de su plan de PENSIÓN. Existen dos tipos principales de anualidades: las anualidades ciertas y las anualidades contingentes. Bajo la anualidad cierta se realiza un número fijo de pagos, después de lo cual la anualidad cesa. En el caso de las anualidades contingentes, cada pago depende de la continuidad de un estatus determinado; por ejemplo, una anualidad vitalicia continuará sólo en la medida en que el beneficiario siga vivo. Las anualidades contingentes, como los planes de pensión o los seguros de VIDA, dependen del riesgo compartido. Todas las personas pagan un monto fijo hasta que la anualidad comienza; sin embargo, algunos no viven lo suficiente como para recibir de vuelta todo el dinero que pagaron, en tanto que otros viven lo suficiente como para recaudar más de lo que pagaron.

Anubis Antiguo dios egipcio de los muertos representado como un chacal o como un hombre con la cabeza de un chacal. En el período dinástico temprano y durante el Imperio Antiguo, Anubis fue una deidad que prevaleció en su calidad de señor de los muertos, pero posteriormente fue desplazado por OSIRIS. A Anubis se le asoció con el cuidado de los muertos y se le atribuyó la invención del embalsamamiento, arte que practicó por primera vez en el cadáver de Osiris. Más tarde, a Anubis se le asignó el papel de conductor de las almas hacia ultratumba. En el mundo grecorromano a veces se le identificaba con HERMES.

anulación Doctrina que sostenía el derecho de todo estado de EE.UU. a declarar nula una ley del gobierno federal. Se proclamó por primera vez en las resoluciones de VIRGINIA Y KENTUCKY (1798) y JOHN C. CALHOUN la amplió en respuesta al Arancel de 1828. Calhoun sostenía que la "intervención" de un estado podía impedir la aplicación de una ley federal. La legislatura de Carolina del Sur accedió a aprobar la ordenanza de anulación (1832) y amenazó con la secesión si el gobierno federal exigía la cobranza de derechos en virtud del arancel de 1828. El pdte. ANDREW JACKSON hizo valer la supremacía del gobierno federal. El congreso aprobó un proyecto de ley arancelaria de consenso que reducía los derechos aduaneros, pero también aprobó un proyecto de ley de fuerza, que autorizaba al gobierno federal a hacer cumplir la ley. La legislatura de Carolina del Sur revocó su ordenanza, pero el conflicto puso de relieve el peligro de la anulación.

Anuradhapura (c. siglo III AC–s. X DC). Reino cingalés con sede en Anuradhapura, Sri Lanka. Aunque acosado por invasiones desde el sur de India (que varias veces tomó el control del reino) y por conflictos internos entre clanes guerreros, el reino de Anuradhapura alcanzó un alto grado de desarrollo cultural. Su complejo sistema de riego es con frecuencia considerado su principal realización. La actual ciudad de Anuradhapura (pob., est. 2001: 56.632 hab.) posee extensas ruinas budistas, además de una higuera de agua (árbol sagrado) que creció de un esqueje del árbol bajo el cual se dice que el BUDA histórico alcanzó la iluminación.

Buda reclinado, en el templo de Isurumuniya, Anuradhapura, Sri Lanka.
BRUNO MORANDI/ROBERT HARDING/GETTY IMAGES

Anvers ver AMBERES

Anzán Ciudad y territorio del antiguo ELAM, localizados al norte de la actual SĪRĀZ, Irán. Anzán adquirió importancia hacia 2350 AC, pero su apogeo fue durante los s. XIII–XII AC cuando, en su calidad de reyes de Anzán y Susa, los gobernantes elamitas atacaron periódicamente las ciudades de BABILONIA. El territorio cayó aparentemente bajo el dominio de los persas hacia 675 AC. En sus ruinas se han efectuado importantes hallazgos, entre ellos, muestras de escritura elamita primitiva.

Anzio Puerto marítimo y centro de veraneo (pob., est. 2001: 36.468 hab.) al sudeste de Roma, Italia. De acuerdo a la leyenda, fue fundado por Telégono, hijo de ODISEO y CIRCE. En el s. V AC fue un bastión de los VOLSCOS. Conquistado por Roma en 338 AC, Antium (como era conocido entonces) se convirtió en un centro de veraneo de los romanos adinerados. NERÓN y CALÍGULA nacieron ahí. Fue destruido por los SARRACENOS en los s. IX–X y permaneció virtualmente abandonado hasta 1698, cuando el papa Inocencio XII construyó un nuevo puerto en sus cercanías. En 1944 fue el escenario de un sangriento pero exitoso desembarco anfibio de las fuerzas aliadas durante la segunda guerra mundial.

ANZUS, pacto *ofic.* **Tratado de seguridad del Pacífico** Tratado de seguridad del Pacífico sur suscrito en 1951 por Australia, Nueva Zelanda y EE.UU. (de ahí su acrónimo). EE.UU. inicialmente sugirió a Australia suscribir un pacto a raíz del Tratado de Seguridad suscrito con Japón y ante los temores de un rearme japonés. Los países signatarios acordaron mantener una relación consultiva para su seguridad colectiva. En la década de 1980, Nueva Zelanda rehusó permitir el atraque de barcos con armamento nuclear en sus puertos; EE.UU. se negó a identificar sus buques con armamento nuclear y en 1986 suspendió sus obligaciones con Nueva Zelanda, que prescribía el tratado, situación que se mantiene hasta la fecha.

Desfile de mujeres con trajes ceremoniales y abanicos durante la celebración del Año Nuevo chino, Hong Kong.
FOTOBANCO

año Tiempo requerido para que la Tierra dé una vuelta alrededor del Sol, que corresponde a poco menos de 365¼ días. Este número fraccionario exige el ajuste periódico de los días en cualquier calendario que se desee mantener sincronizado con las estaciones. En el calendario GREGORIANO, un año común tiene 365 días y cada cuatro años se tiene un año bisiesto de 366 días, a excepción de todos los años divisibles por 100, pero no divisibles por 400 (p. ej., 1900 no fue un año bisiesto).

año 2000, problema del *o* **problema del milenio** *inglés* **Y2K bug** Uno de los potenciales problemas que se temieron podrían ocurrir en las computadoras y en las redes computacionales al iniciarse el año 2000. Hasta la década de 1990, la mayoría de los programas computacionales usaban únicamente los últimos dos dígitos para designar el año; los primeros dos dígitos estaban fijos en 19. Con el advenimiento del año 2000, muchos programas debieron ser parcialmente reescritos o reemplazados para impedir que se interpretara "00" como 1900, en lugar de 2000. Se temía que tal error de lectura conduciría a fallas en el *software* y *hardware* de las computadoras utilizadas en áreas estratégicas como la banca, los servicios públicos, los archivos gubernamentales y otros, con la potencial diseminación del caos a partir del 1 de enero de 2000. Se estima que pueden haberse invertido hasta 200 mil millones de dólares (la mitad de esta cifra en EE.UU.) para actualizar computadoras y programas de aplicación que fueran compatibles con el problema del año 2000. A pesar de la alarma internacional, hubo pocas fallas mayores, en parte debido a que estas medidas fueron efectivas y también porque se exageró la probable incidencia de la falla.

Año Nuevo, día del Primer día del año nuevo celebrado alrededor del mundo con observancias religiosas, sociales y culturales. Generalmente implica ritos y ceremonias que simbolizan despedir el año viejo y alegrarse por el nuevo. En gran parte del mundo se reconoce la fecha del 1 de enero como el comienzo del nuevo año, dado que el calendario gregoriano, instaurado por el papa Gregorio XIII en 1582, ha llegado a ser la referencia internacional de tratados, contratos corporativos y demás documentos legales. No obstante, se han mantenido numerosos calendarios religiosos o nacionales. Por ejemplo, en el calendario persa (usado en Irán y Afganistán), el día del Año Nuevo recae en el equinoccio de primavera (20 ó 21 de marzo del calendario gregoriano). El calendario islámico (Hijrī) más utilizado se basa en doce meses lunares, de 29 ó 30 días cada uno; de ese modo, el Año Nuevo musulmán se aproxima en forma gradual al del calendario gregoriano. El Año Nuevo hindú comienza el día siguiente a la primera luna nueva que ocurre al tiempo, o inmediatamente luego del equinoccio de primavera. El Año Nuevo chino coincide con el ocaso del primer día de luna nueva en el signo de Acuario (a fines de enero o comienzos de febrero). El calendario hebreo se basa en los doce meses lunares de 29 ó 30 días, que acumulan un decimotercer mes cada doce años. El día del Año Nuevo hebreo o ROSH HASHANAH puede caer en cualquier día entre el 6 de septiembre y el 5 de octubre del calendario gregoriano.

año-luz Distancia recorrida por la LUZ en un año, desplazándose en el vacío, a una velocidad de 299.792 km/s (186.282 mi/s). Es equivalente a unos 9,5 billones de km (5,9 billones de mi), 63.240 unidades ASTRONÓMICAS o 0,307 PARSECS.

aorta ARTERIA que transporta sangre desde el corazón hacia todos los órganos y estructuras del cuerpo. En el lugar donde el ventrículo izquierdo desemboca en la aorta, una válvula impide el reflujo de sangre hacia el corazón. La aorta asciende desde el corazón, se arquea sobre él hacia la izquierda y luego desciende al tronco. Las arterias emergen y se ramifican a lo largo de ella hasta que finalmente se divide a nivel de la cadera, en las arterias que van a las piernas

aorta, coartación de la Trastorno congénito que consiste en la estenosis de un corto segmento del arco aórtico sobre el corazón. Produce un soplo característico, presión sanguínea anormalmente alta en los brazos y baja en el abdomen, pelvis y piernas. Aumenta la carga de trabajo del ventrículo izquierdo, que generalmente se dilata. La reconstrucción o el reemplazo quirúrgico (según la edad de la persona) de la zona estenosada es muy efectiva en los jóvenes.

Aosta Ciudad (pob., 2001: 33.926 hab.), capital de la región del Valle de AOSTA, en el noroeste de Italia. Ubicada en la unión de los pasos del Gran y Pequeño San Bernardo, que cruzan los ALPES, era un bastión de los salassi, una tribu celta dominada por los romanos en 25 AC. En 24 AC, CÉSAR AUGUSTO fundó una ciudad romana ahí. Muchas de las estructuras romanas de la ciudad se han conservado, entre estas, las murallas, dos puertas y un arco de triunfo en honor a César Augusto. Aosta fue el lugar de nacimiento de san ANSELMO DE CANTERBURY.

Aosta, Valle de Región autónoma (pob., est. 2001: 119.356 hab.) del noroeste de Italia. Cubre una superficie de 3.262 km^2 (1.259 mi^2) y los ALPES la rodean por tres de sus lados; su capital es AOSTA. Originalmente territorio de los celtas salassi, fue anexada por los romanos. Después de la caída del Imperio romano de Occidente en el s. V, formó parte de los reinos burgundio y franco. Fue adquirida en el s. XI por la casa de SABOYA. La región autónoma del Valle de Aosta fue creada en 1945 en reconocimiento a su particular orientación lingüística y cultural francesa. Tiene importancia por su producción láctea y por el turismo.

AP ver ASSOCIATED PRESS

apache Indígena norteamericano del sudoeste de EE.UU. Su nombre es un vocablo zuni que significa "enemigo". La mayoría de ellos viven en cinco reservas indígenas en Arizona y Nuevo México, EE.UU. Culturalmente se dividen en apaches del este, que incluyen a los mezcaleros, jicarillas, chiricahuas y lipanes; y en apaches del oeste, que comprenden a los cibecues. Los del este eran predominantemente sociedades de CAZADORES Y RECOLECTORES, mientras su contraparte del oeste dependía más de la labranza. Sus ancestros provenían del norte, como queda de manifiesto por sus lenguas, que poseen un parentesco lejano con otros idiomas atapascos hablados en Canadá. Se asentaron en las llanuras, pero con la introducción del caballo se vieron forzados a emigrar al sur y al oeste por la presión ejercida por los COMANCHES y los UTES. Intentaron amistarse con los españoles, los mexicanos y, tiempo después, con los estadounidenses. En 1861, sin embargo, se inició una confrontación que se extendería por un cuarto de siglo entre las fuerzas militares de EE.UU. y los apaches y NAVAJOS. Estas guerras fueron de las más feroces libradas en la frontera. La última terminó en 1886, con la rendición de JERÓNIMO. Los apaches chiricahuas fueron evacuados del oeste, para ser reubicados, sucesivamente, en Florida, Alabama y Oklahoma. El censo estadounidense de 2000 consignó la existencia de 57.000 personas que declararon ser descendientes puros de los apaches. Ver también COCHISE.

apaciguamiento Política exterior tendiente a pacificar una nación agraviada mediante la negociación con el fin de impedir una guerra. El ejemplo más patente de apaciguamiento lo constituyó la política de Gran Bretaña hacia la Italia fascista y la Alemania nazi en la década de 1930. NEVILLE CHAMBERLAIN se mostró complaciente tras la invasión de Etiopía por Italia en 1935 y no tomó ninguna medida cuando Alemania absorbió Austria en 1938. Cuando ADOLF HITLER se alistaba para anexar una parte de Checoslovaquia con una población mayoritariamente de origen alemán, Chamberlain negoció el tristemente famoso acuerdo de MUNICH.

Apalaches, montes Cadena montañosa del este de Norteamérica. Los Apalaches, que se encuentran entre las montañas más antiguas de la Tierra, se extienden casi 3.200 km (2.000 mi) en dirección nordeste-sudoeste desde la provincia canadiense de Terranova y Labrador hasta Alabama en EE.UU. En ellas se encuentran los montes WHITE en New Hampshire, los GREEN MOUNTAINS en Vermont, los montes CATSKILL en Nueva York, los montes ALLEGHENY en Pensilvania, los montes BLUE RIDGE en Virginia y Carolina del Norte, los montes GREAT SMOKY en Carolina del Norte y Tennessee, y la meseta de CUMBERLAND en Tennessee. Su cumbre más alta es el monte MITCHELL en Carolina del Norte. Ver también APPALACHIAN NATIONAL SCENIC TRAIL; GEOSINCLINAL APALACHENSE.

Apamea Cibotos Ciudad de la FRIGIA helenística, situada cerca de la moderna Dinar, Turquía. Fue edificada en el s. III AC por ANTÍOCO I SÓTER, a orillas del río MENDERES. Ubicada en una posición estratégica de la gran ruta comercial este-oeste de la dinastía SELÉUCIDA, reemplazó a la ciudad fortificada de Celene. En el s. II AC cayó bajo dominio de la República e Imperio de ROMA, llegando a ser un importante centro para comerciantes italianos y judíos. Después del s. III DC decayó, fue capturada por invasores turcos en 1070, y luego destruida por un terremoto.

aparcería Sistema agrícola en el que los propietarios de la tierra dan en arrendamiento sus tierras a granjeros a cambio de dinero o de una parte del producto. Los propietarios de la tierra también pueden aportar CAPITAL de explotación y administración. De acuerdo con un contrato, llamado contrato de aparcería, el propietario de la tierra provee la totalidad del capital y en ocasiones también suministra alimentos y vestuario, cubre los gastos médicos del aparcero e incluso puede supervisar el trabajo. El aparcero paga entonces al propietario de la tierra con una parte del producto cultivado. En otras formas de aparcería, el aparcero puede proveer todo el equipamiento necesario y tener una autonomía considerable respecto de la explotación de la granja. Los aparceros y sus familias constituyen probablemente dos quintos de la población mundial dedicada a la agricultura. La aparcería puede ser altamente eficiente, como se ha demostrado en Inglaterra y Gales. Los abusos se producen cuando los propietarios de la tierra cuentan con un poder excesivo y los aparceros son pobres o de una situación social inferior.

aparejo En construcción, la disposición sistemática de ladrillos u otras unidades constructivas (p. ej., bloques de concreto, bloques de vidrio o tejas de arcilla) para asegurar la estabilidad de la construcción. Cuando las unidades se disponen con su dimensión mayor perpendicular a la cara del muro, están de cabeza; si están con su largo paralelo al muro, están de soga. Los tipos más comunes son el aparejo inglés (hiladas de bloques de cabeza y de soga alternadas), el aparejo flamenco u holandés (bloques de cabeza y de soga dispuestos alternadamente en cada hilada, con cada bloque de cabeza centrado sobre el bloque de soga inferior) y el aparejo americano (cada quinta o sexta hilada consiste en bloques de cabeza, siendo las restantes de soga). Ver también ALBAÑILERÍA.

apartheid (afrikáans: "separación"). Política de SEGREGACIÓN RACIAL y discriminación política y económica contra los grupos no europeos en Sudáfrica. El término fue usado por primera vez como nombre de la política oficial del PARTIDO NACIONAL en 1948, aunque la segregación racial, sancionada por ley, ya era ampliamente practicada. La ley de segregación territorial de 1950 estableció sectores residenciales y comerciales en áreas urbanas para cada "raza" y fortaleció las ya existentes leyes de "pase" que obligaban a los no blancos a portar documentos de identificación. Otras leyes prohibieron la mayoría de las relaciones sociales entre los descendientes de europeos y el resto, autorizaron los servicios públicos segregados, establecieron estándares educacionales diferenciados, asignaron a cada grupo cierto tipo de trabajos, eliminaron los sindicatos de trabajadores no blancos, negaron la participación de los no blancos en el gobierno nacional, y establecieron varias unidades territoriales (bantustanes) para africanos negros, parcialmente autogobernadas, aunque dependientes en términos políticos y económicos de Sudáfrica. Los llamados bantustanes no fueron reconocidos por los demás gobiernos del mundo. El *apartheid* siempre fue objeto de críticas internas y fue causa de muchas protestas violentas, huelgas y actos de sabotaje; también recibió la censura internacional. En 1990–91, la mayor parte de la legislación que sostenía el *apartheid* fue abolida, aunque la segregación permanece profundamente arraigada en la sociedad sudafricana. Ver también CONGRESO NACIONAL AFRICANO; RACISMO.

apatita Perteneciente al grupo de los minerales fosfatados (ver FOSFATO), representa la mayor fuente mundial de fósforo. Se encuentra bajo la forma de cristales vidriosos, masas o nódulos de diversos colores. Gran parte de la apatita posee una composición química que se aproxima a $Ca_5(PO_4)_3(F,Cl,OH)$. Si no fuera tan blanda, la apatita sería una gema popular; parte del material encontrado es claro, pero frágil y difícil de cortar y pulir.

Cristales vidriosos de apatita. FOTOBANCO

Apatosaurus Dinosaurio herbívoro gigante, uno de los animales terrestres más grandes de todos los tiempos. El *Apatosaurus* vivió entre 147 y 137 millones de años atrás durante el jurásico tardío y comienzos del cretácico en Europa y Norteamérica. Pesaba 30 t y tenía una longitud de unos 21 m (70 pies), incluidos el larguísimo cuello y cola. Antiguamente conocido como *Brontosaurus*, debido a evidencia fósil incompleta, su cabeza fue reproducida hasta 1978 como maciza, de nariz chata y dientes acucharados. Los científicos saben ahora que el animal tenía un cráneo delgado y alargado y dientes largos ganchudos. La evidencia del esqueleto indica que, a pesar de su gran tamaño, el *Apatosaurus* fue principalmente un animal terrestre.

APEC *sigla de* **Asia-Pacific Economic Cooperation** *español* **Cooperación Económica de Asia y del Pacífico** Agrupación comercial fundada en 1989, en respuesta a la creciente interdependencia de las economías de la región del Asia-Pacífico y al advenimiento de bloques económicos regionales (como la Unión Europea y el Tratado de Libre Comercio de América del Norte) en otras partes del mundo. La APEC persigue mejorar el estándar de vida y los niveles de educación a través de un crecimiento económico sustentable y fomentar el sentido de comunidad y de apreciación de intereses comunes entre los países del Asia-Pacífico. A fines de la década de 1990, la APEC contaba, además de sus doce miembros fundadores (Australia, Brunei, Canadá, EE.UU., Filipinas, Corea del Sur, Indonesia, Japón, Malasia, Nueva Zelanda, Singapur y Tailandia) con Chile, China, Hong Kong, México, Papua Nueva Guinea, Perú, Rusia, Taiwán y Vietnam). El Consejo de Cooperación Económica del Pacífico, el Foro del Pacífico Sur y la Secretaría de la Asociación de Naciones del Sudeste Asiático mantienen la calidad de observadores. La agrupación de la APEC representa cerca del 40% de la población mundial, el 40% del comercio mundial y el 50% del producto nacional bruto mundial. Ver también ACUERDO COMERCIAL; OMC; TLC.

apelación Recurso judicial en virtud del cual se pide a un tribunal superior que revise lo resuelto por un tribunal inferior, o a cualquier tribunal que revise lo actuado por un órgano administrativo. Por lo general, su alcance es limitado. En EE.UU., el tribunal superior solamente revisa aquello que consta en el expediente original y no pueden presentarse nuevas pruebas. La Corte Suprema de los ESTADOS UNIDOS DE AMÉRICA conoce recursos de apelación cuando considera que tienen consecuencias importantes; de lo contrario, las apelaciones generalmente terminan en las Cortes de Apelaciones de los ESTADOS UNIDOS DE AMÉRICA. Algo similar ocurre en Europa continental y en América Latina, donde la judicatura está organizada sobre la base del sistema de doble instancia, de acuerdo con el cual las cortes de apelaciones o tribunales de segunda instancia revisan lo actuado por los tribunales inferiores o de primera instancia. La Corte Suprema opera como un tribunal de casación y sólo se puede recurrir a ella para solicitar la invalidación de una sentencia cuando esta fue dictada con infracción grave de la LEY que haya influido sustancialmente en lo dispositivo del fallo. El recurso de apelación se interpone ante el tribunal que dictó la resolución recurrida para que conozca de él el tribunal superior. Ver también CERTIORARI.

Apeles (floreció fines del s. IV–inicios del s. III AC). Pintor griego. Fue discípulo de Pánfilo y pintor de la corte de FILIPO II de Macedonia y de su hijo ALEJANDRO MAGNO. Entre sus obras notables figuran un retrato de Alejandro, una pintura alegórica de la Calumnia y una pintura de Afrodita saliendo del mar. Fue un maestro de la composición y el claroscuro y se destacó por sus mejoras técnicas. Utilizó un barniz oscuro para preservar sus pinturas y suavizar sus colores. A pesar de que no se conserva ninguna de sus obras ni tampoco copias de estas, fue considerado en la antigüedad el mejor de todos los pintores griegos.

apella Antigua asamblea espartana, similar a la ECLESIA de otros estados griegos. La *apella*, cuyas reuniones mensuales estaban abiertas a los ciudadanos mayores de 30 años de edad, no formulaba propuestas. Solamente podía considerar los asuntos presentados por los ÉFOROS o la GERUSÍA. La votación se hacía a viva voz. Sus actividades incluían los tratados, las guerras y la sucesión; nombraba comandantes, elegía a los ancianos y éforos, y votaba los cambios en las leyes.

apéndice *p. ext.* **apéndice vermiforme** Tubo vestigial unido al ciego del INTESTINO GRUESO. El apéndice humano, habitualmente de 8–10 cm (3–4 pulg.) de largo y menos de 1,3 cm (0,5 pulg.) de ancho, no tiene funciones digestivas. Sus paredes musculares expulsan sus propias secreciones mucosas y cualquier contenido intestinal que ingrese en él. El bloqueo de su abertura puede impedir la expulsión y causar apendicitis: se acumula líquido, se propagan las bacterias, el apéndice se distiende e inflama; su tejido comienza a necrosarse y el órgano puede reventar causando PERITONITIS. Los síntomas pueden comenzar con dolor moderado en el abdomen alto, alrededor del ombligo o en todo el abdomen. Luego pueden sobrevenir náuseas y vómitos. El dolor puede desplazarse hacia el abdomen inferior derecho. La fiebre es habitual, pero raras veces alta en las fases iniciales. Para distinguir la apendicitis aguda de otras causas de dolor abdominal es preciso un examen meticuloso. El tratamiento consiste en la extirpación del apéndice (apendicectomía).

Apeninos Cordillera de Italia central. Se extiende unos 1.350 km (840 mi) desde las cercanías de Savona en el noroeste hasta REGGIO DI CALABRIA en el sur. Su anchura varía entre 40–130 km (25–80 mi). El monte Corno es su más alta cumbre con 2.915 m (9.560 pies). La mayor parte de los ríos de Italia nacen en los Apeninos, entre ellos el ARNO, el TÍBER, el Volturno y el Garigliano. Son famosas sus ciudades con edificaciones sobre colinas, entre las que se cuentan FLORENCIA, Arezzo, L'AQUILA y Benevento.

Apgar, puntaje Procedimiento de calificación para identificar recién nacidos que necesitan asistencia médica de apoyo vital. Fue elaborado en 1952 por Virginia Apgar (1909–1974). Cinco signos, cuyas iniciales corresponden al apellido de su creadora, Aspecto (color), Pulso, Gesto (irritabilidad refleja), Actividad (tono muscular) y Respiración miden la adaptación fuera del útero. El puntaje máximo es 10. Si un minuto después de nacer y cinco minutos más tarde el puntaje total es menor que 7, la criatura es reevaluada cada cinco minutos durante 20 minutos o hasta que se obtengan dos puntajes sucesivos de 7 o más.

Apia Ciudad portuaria (pob., 2001: 38.836 hab.) y capital de Samoa, ubicada en la costa septentrional de la isla Upolu. Su economía se centra en la exportación de bienes a SAMOA ESTADOUNIDENSE. El escritor ROBERT LOUIS STEVENSON está enterrado en las cercanías del monte Vaea; Vailima, su antiguo hogar, es ahora la residencia del jefe de Estado.

Apia, vía *latín* **Via Appia** La primera y más famosa de las antiguas calzadas romanas, que iba de Roma a Campania e Italia del sur. Empezada a construir en 312 AC por el censor Apio Claudio (llamado el Ciego), originalmente tenía 212 km (132 mi) hasta la antigua Capua; en 244 AC, se extendía 370 km (230 mi) hasta el puerto de Brundisium (Brindisi), en el taco de la bota itálica. Construida con bloques de lava perfectamente ajustados, dispuestos encima de una pesada fundación de roca, la calzada brindaba una superficie muy duradera para el transporte de mercadería a esos puertos (y de ahí por barco hacia Grecia y el Mediterráneo oriental). Aún se conservan restos de ella en las afueras de Roma.

apicultura Cuidado y manipulación de las ABEJAS COMUNES para que produzcan y almacenen mayor cantidad de miel de la que necesitan y así poder recoger el excedente. Es una de las formas más antiguas de zootecnia. Los primeros intentos para recolectar miel significaban destruir la colmena; los apicultores modernos usan extractores para vaciar las celdillas del panal sin dañarlas. Para cosechar la miel, necesitan un casco protector velado, una herramienta para cortar el panal y un

Apicultura: inspección de un panal para evaluar la madurez de la miel.
FOTOBANCO

ahumador para tranquilizar las abejas. El mantenimiento de la colmena incluye la protección de la colonia contra enfermedades, parásitos y predadores.

apio Hierba (*Apium graveolens*) de la familia de las Umbelíferas (ver PEREJIL), nativa de las regiones del Mediterráneo y del Medio Oriente. Las variedades con tallos grandes, rectos, carnosos y suculentos fueron desarrolladas a fines del s. XVIII. El apio generalmente se come cocido en Europa y crudo en América. Su semilla, o fruto, tiene el mismo aroma y sabor que la planta y se usa para sazonar.

Apio (*Apium graveolens*).

apio nabo Tipo de APIO (*Apium graveolens*, variedad *rapaceum*) que se cultiva por su raíz engrosada o papa, la cual se come cruda o cocida. Originalmente se cultivaba en la región del Mediterráneo y norte de Europa, luego en el s. XVIII fue introducida en Gran Bretaña y América.

Apis En la antigua religión egipcia, deidad adorada en Menfis bajo la forma de un toro sagrado. El origen del culto se remonta a lo menos a la primera dinastía (c. 2925–c. 2775 AC). En sus comienzos, Apis pudo haber sido un dios de la fertilidad, pero con el tiempo fue asociado a PTAH, y también a OSIRIS y Sokaris, dioses de los muertos. Cuando moría un toro Apis era sepultado con gran pompa y su lugar en el santuario de Menfis era ocupado por el ternero que le debía suceder. Los sacerdotes de Apis formulaban augurios basándose en el comportamiento del toro, ORÁCULOS que tenían gran reputación. El culto de Serapis (una combinación de Osiris y Apis) probablemente surgió en Menfis en el s. III AC y llegó a ser uno de los cultos orientales más extendidos en el Imperio romano.

aplastamiento, lesión por Resultado de la compresión del cuerpo (p. ej., en el derrumbe de un edificio). Las víctimas de lesiones torácicas y abdominales graves habitualmente mueren antes de recibir ayuda. En los sobrevivientes, el pulso y la presión sanguínea suelen ser normales inicialmente, pero la pérdida de sangre que proviene de los vasos rotos provoca choque e hinchazón local y la presión cae. La liberación de proteínas de los músculos aplastados puede producir insuficiencia renal uno o dos días después. Posteriormente se forman EMBOLIAS, de las gotitas de grasa que se han fusionado, luego de haber sido exprimidas de las células adiposas y de la médula ósea.

aplita Cualquier ROCA ÍGNEA de composición simple, como el granito compuesto sólo por feldespato alcalino, mica moscovita y cuarzo; en un sentido más estricto, son rocas ígneas de grano fino uniforme (menor que 2 mm o 0,08 pulg.), ligeramente coloreadas y de una textura granular característica. A diferencia de la PEGMATITA, que es similar pero de grano más grueso, la aplita se encuentra en cuerpos pequeños que rara vez contienen zonas de minerales diferentes. Ambas rocas pueden encontrarse juntas y se supone que se formaron simultáneamente de MAGMAS similares.

Apo, monte Volcán activo de la isla de MINDANAO, Filipinas. Ubicado al oeste de la ciudad de Davao, es la cumbre más alta de Filipinas con 2.954 m (9.690 pies). En 1939, sus laderas y sectores colindantes fueron incorporados al parque nacional del monte Apo, el cual incluye numerosas cimas y valles, así como las cataratas Malasita y el lago Sibulao.

apocalipsis En muchas tradiciones religiosas occidentales, período de trastorno catastrófico que se espera ocurra en víspera del fin del mundo, cuando Dios venga a juzgar a la humanidad. La creencia de que el mundo llegará a su término con un violento cataclismo existe en el judaísmo y en el cristianismo, así como en el zoroastrismo. Varias de las obras proféticas de las Escrituras hebreas contienen visiones del apocalipsis, en particular el libro de DANIEL. El APOCALIPSIS DE SAN JUAN o Libro de la Revelación describe un oscuro y dramático cuadro del fin del tiempo, momento en que los malvados serán castigados y los justos triunfarán gracias a la intervención de Dios. La proximidad de los últimos días sería anunciada por hambrunas, guerras, terremotos, plagas y otros desastres naturales, junto con señales en los cielos. En la actualidad, la temática apocalíptica es destacada por varios grupos religiosos (p. ej., cristianos fundamentalistas) y también ha sido tratada por escritores de ciencia ficción. Ver también ESCATOLOGÍA; MILENARISMO.

Apocalipsis de san Juan *o* **Libro de la Revelación** Último libro del NUEVO TESTAMENTO. Consta de dos partes principales: la primera contiene amonestaciones morales a varias iglesias cristianas de Asia Menor y la segunda está compuesta de visiones extraordinarias, alegorías y símbolos que han sido objeto de variadas interpretaciones a lo largo de la historia. Una interpretación popular es que el Apocalipsis de san Juan trata de una crisis de fe contemporánea, posiblemente como resultado de las persecuciones romanas. Exhorta a los cristianos a permanecer constantes en su fe y a mantenerse firmes en la esperanza de que Dios finalmente vencerá a sus enemigos. La referencia a los "mil años" ha llevado a algunos a contar con que la victoria final sobre el mal vendrá después de que se cumpla un milenio (ver MILENARISMO). En la actualidad, algunos eruditos sostienen que el libro no fue escrito por san JUAN EVANGELISTA, sino por varios autores anónimos de fines del s. I DC. Ver también APOCALIPSIS.

Apocináceas Familia de plantas del orden GENCIANÁCEAS, con alrededor de 1.000 especies de árboles, arbustos, enredaderas leñosas y plantas herbáceas, situados principalmente en zonas tropicales y subtropicales. Tienen un zumo lechoso, a menudo venenoso y, por lo general, presentan inflorescencias vistosas. Las especies ornamentales incluyen la VINCAPERVINCA, la ADELFA, la adelfa amarilla (*Thevetia*), el FRANCHIPÁN, el jazmín crespón (*Tabernaemontana coronaria*) y especies del género *Carissa*. Algunas especies africanas son SUCULENTAS. De muchas especies se obtiene veneno para flechas y los ALCALOIDES venenosos de algunas se usan en medicamentos.

apócrifos En la literatura bíblica, obras que están fuera de un canon aceptado de escritura (ver ESCRITURAS). El uso moderno del término se refiere a antiguos libros judíos que no son parte de la BIBLIA hebrea, pero que son considerados canónicos por el CATOLICISMO ROMANO y por la ORTODOXIA ORIENTAL. Entre los distintos libros se cuentan Tobías, Judit, Baruc, los Macabeos así como el Eclesiastés y el Libro de la Sabiduría de Salomón. Las Iglesias protestantes siguen la tradición judía al juzgar estos trabajos como apócrifos o no canónicos. El término deuterocanónico se usa para referirse a obras aceptadas en un canon, pero no en todos. Los pseudoepígrafos son trabajos espurios que reivindican la autoría bíblica.

Apollinaire, Guillaume *orig.* **Guillelmus (o Wilhelm) Apollinaris de Kostrowitzky** (26 ago. 1880, ¿Roma?, Italia–9 nov. 1918, París, Francia). Poeta francés de origen polaco-italiano. Al llegar a París a los 20 años, Apollinaire mantuvo en reserva sus primeros años. En su corta vida formó parte de todos los movimientos vanguardistas que florecieron en los inicios del s. XX. Su poesía se caracterizó por experimentos técnicos atrevidos e incluso escandalosos. Debido a sus intentos por producir efectos sorpresivos, mediante asociaciones verbales inusitadas y poemas visuales, es considerado a menudo el precursor del SURREALISMO. Su obra poética maestra fue *Alcoholes* (1913). Murió a causa de una herida en la cabeza, recibida en la primera guerra mundial.

Apolo El más venerado de los dioses griegos. Fue quien comunicaba la voluntad de ZEUS, su padre, hacía a los humanos tomar conciencia de su culpa y los purificaba de ella, presidía la ley religiosa y civil y presagiaba el futuro. Su arco simbolizaba distancia, muerte, terror y temor reverencial; su lira, música, poesía y baile. Como patrono de las artes, Apolo era asociado a menudo con las MUSAS. Era también un dios de las siembras y del ganado. Se le relacionó con el Sol e incluso se le identificó con HELIOS, el dios Sol. Además, se le asoció con la sanación y fue considerado el padre de ASCLEPIO. Según la tradición, Apolo y su gemela ARTEMISA nacieron de LATONA en la isla de Delos. El oráculo de Apolo fue instaurado en DELFOS; los JUEGOS PÍTICOS conmemoraban su hazaña infantil de matar la serpiente Pitón para conquistar el santuario. Sus numerosas amantes tuvieron mala suerte: la escurridiza DAFNE terminó convertida en un laurel, la infiel Coronis fue muerta por Artemisa y CASANDRA, quien osó rechazarlo, fue condenada a revelar profecías verdaderas que nadie le creería.

"Apolo de Belvedere", copia romana, restaurada del original griego atribuido a Leocares, s. IV AC; Museos y Galerías del Vaticano, Roma.
LINARI–ART RESOURCE/EB INC.

Apolo, asteroide ver ASTEROIDE CON ÓRBITA DE IMPACTO POSIBLE

Apolo, programa Proyecto de la NASA de las décadas de 1960 y 1970 para llevar al hombre a la LUNA. Las naves Apolo, con sus propios propulsores de baja potencia, podían frenar al acercarse a la Luna y entrar en su órbita. También podían desprender parte de la nave, el módulo lunar, provisto a su vez de propulsores que le permitían alunizar con ASTRONAUTAS a bordo y luego devolverlos a la órbita lunar. En julio de 1969, el Apolo 11 realizó el primer alunizaje (ver EDWIN ALDRIN; NEIL ARMSTRONG). En 1970, el Apolo 13 resultó dañado por la explosión de un tanque de oxígeno, pero pudo regresar a la Tierra con la tripulación a salvo. Las misiones Apolo posteriores exploraron extensamente la superficie lunar, recolectando muestras de rocas lunares e instalando instrumentos de investigación. El Apolo 17, la última misión del programa, tuvo lugar en 1972. En total, 12 astronautas estadounidenses caminaron en la Luna durante seis misiones de alunizaje exitosas.

Astronauta en la superficie de la Luna durante la misión Apolo 15.
ARCHIVO EDIT. SANTIAGO

Apolo, teatro Centro de la música popular afroamericana durante y después del renacimiento de HARLEM, ubicado en la calle 125, en el distrito de Harlem en la ciudad de Nueva York. Construido en 1914, recibió a intérpretes como BILL ROBINSON, BILLIE HOLIDAY, BESSIE SMITH, ETHEL WATERS, DUKE ELLINGTON y otros durante las décadas de 1930–40; estrellas como ELLA FITZGERALD, SARAH VAUGHAN y JAMES BROWN fueron descubiertos en las noches de aficionados de los miércoles. En la década de 1960, el Apolo presentó a artistas *soul* como The SUPREMES, STEVIE WONDER y MARVIN GAYE. Convertido en sala de cine en 1975, fue reabierto en 1983 como sala de espectáculos.

apologética Rama de la TEOLOGÍA cristiana dedicada a la defensa intelectual de la fe. En el PROTESTANTISMO, la apologética se distingue de la polémica, que es la defensa de una secta en particular. En el CATOLICISMO ROMANO, la apologética se refiere a la defensa de toda la enseñanza de la Iglesia católica. La apologética ha argumentado tradicionalmente de manera positiva para calmar las dudas de los creyentes y de forma negativa contra las creencias opuestas que dificultan la conversión. Su intención es acoger seriamente las objeciones al cristianismo, pero sin dar cabida al escepticismo. Los apologéticos bíblicos exaltaron el cristianismo como la culminación del JUDAÍSMO, con Jesús como el MESÍAS. En los s. II y III varios escritores cristianos defendieron la fe contra las críticas de la cultura grecorromana. En el s. V, san AGUSTÍN escribió su obra monumental, *La ciudad de Dios*, en respuesta a nuevas críticas hacia el cristianismo, surgidas después del saqueo de Roma, en 410. La "teología natural" de JUAN CALVINO intentó establecer verdades religiosas por medio del argumento racional. El argumento de fines del s. XVIII, que planteaba que el universo que manifiesta un diseño debía tener un diseñador, continúa vigente; los apologistas también han debido lidiar con los desafíos del DARWINISMO, MARXISMO y el PSICOANÁLISIS. Ver también APOLOGISTA.

apología En literatura, forma discursiva en que la defensa –propia o ajena– o la alabanza constituyen el marco en el que se analizan las creencias personales de un autor. Algunos ejemplos son la *Apología* de PLATÓN (s. IV AC), en la que este responde a los acusadores de SÓCRATES, ofreciendo un relato de su vida y de sus compromisos morales, y la *Apologia pro Vita Sua* (1864) de JOHN HENRY NEWMAN, un examen de los principios que inspiraron su conversión al catolicismo.

apologista Cualquiera de los escritores cristianos, principalmente del s. II, que intentaron defender el cristianismo de la cultura grecorromana. Muchos de sus escritos fueron dirigidos a los emperadores romanos y presentados formalmente a la burocracia gubernativa para defender las creencias y prácticas cristianas. Los apologistas intentaron demostrar la antigüedad del cristianismo, como cumplimiento de la profecía anunciada en el Antiguo Testamento, y sostuvieron que los adoradores de dioses mitológicos eran verdaderamente ateos. También insistieron en la naturaleza filosófica de su fe y de su alta exigencia ética. JUSTINO MÁRTIR y san CLEMENTE DE ALEJANDRÍA se encuentran entre los apologistas griegos, y TERTULIANO entre los apologistas latinos del s. II. Ver también APOLOGÉTICA.

Apolonio de Pérgamo (c. 240 AC, Pérgamo, Anatolia–c. 190 AC, Alejandría, Egipto). Matemático conocido como "El gran geómetra". Su obra *Las cónicas* fue uno de los tratados científicos más grandes del mundo antiguo. En él introdujo los términos *parábola*, *elipse* e *hipérbola*. Debido a que *Las cónicas* fue fundamental para avances posteriores en óptica y astronomía en el mundo islámico, se conservó una traducción árabe del s. IX, que permitió reconstruir algo del texto original griego que se encuentra perdido. Sus otros escritos en general perduran sólo como títulos.

Apolonio de Rodas (n. c. 295 AC). Poeta y gramático griego. Fue bibliotecario de la famosa BIBLIOTECA DE ALEJANDRÍA. Su obra *Las argonáuticas*, epopeya en cuatro libros sobre los ARGONAUTAS, está tomada de HOMERO y enriquecida con sugestivos símiles, vívidas descripciones de la naturaleza y un nuevo tratamiento de los episodios antiguos.

Apolonio Díscolo (floreció s. II DC). Gramático griego. Apolonio es considerado el fundador del estudio sistemático de la gramática. PRISCIANO basó su trabajo en los escritos de

Apolonio. Subsisten cuatro obras de Apolonio: *Sintaxis,* y los tratados breves *Sobre los pronombres*, *Sobre las conjunciones* y *Sobre los adverbios*.

apomixis Reproducción sin FECUNDACIÓN mediante tejidos especiales. La partenogénesis en animales (en el cual un nuevo individuo se desarrolla de un huevo no fecundado) y la apogamia en plantas (en la cual el tejido generador puede ser un GAMETOFITO o un ESPOROFITO) son ejemplos de apomixis. Esta permite la preservación de rasgos favorables para la supervivencia de los individuos, pero elimina las ventajas evolutivas a largo plazo de la contribución genética de ambos padres.

apoptosis *o* **muerte celular programada** Mecanismo que permite a las CÉLULAS autodestruirse cuando son incitadas por el detonante apropiado. Puede iniciarse cuando una célula ya no es necesaria, cuando una célula deviene en amenaza para la salud del organismo por otras razones. La inhibición o inicio aberrantes de la apoptosis contribuyen a muchos procesos patológicos, entre ellos el CÁNCER. Aunque hacía mucho tiempo que los embriólogos estaban familiarizados con el proceso de la muerte celular programada, sólo en 1972 se reconoció el significado más amplio del mecanismo. La apoptosis se distingue de la necrosis, una forma de muerte celular causada por lesión.

apóstol Cualquiera de los doce discípulos escogidos por JESÚS. Ellos eran Simón, PEDRO y ANDRÉS, SANTIAGO el Mayor y JUAN Evangelista (ambos hijos de Zebedeo), Felipe, BARTOLOMÉ (o Natanael), MATEO, TOMÁS, Santiago el Menor (hijo de Alfeo), Judas Tadeo (hijo de Santiago), Simón el Cananeo (o el Zelote) y JUDAS ISCARIOTE. Los doce tuvieron el privilegio de asistir continuamente a Jesús y recibir sus enseñanzas. Pedro, Santiago y Juan formaron un círculo íntimo y se les permitió ser testigos de eventos como la Transfiguración y la agonía de Jesús en Getsemaní. Después de la deserción y muerte de Judas Iscariote, Matías fue elegido apóstol. PABLO también reclamó para sí el título de apóstol de Cristo sobre la base de haber visto al Señor y de haber sido llamado por Él.

apostólica, sucesión En el cristianismo, la doctrina que declara que los OBISPOS representan una línea ininterrumpida de sucesión desde los APÓSTOLES de JESÚS. Esta sucesión otorga a los obispos poderes especiales, como el derecho de confirmar a los miembros de la Iglesia, ordenar sacerdotes, consagrar obispos y gobernar el clero y los fieles de una diócesis. Clemente, obispo de Roma, instituyó esta doctrina ya en 95 AC y fue aceptada por la Iglesia católica, la Iglesia ortodoxa oriental, la vieja Iglesia católica y varias otras más. Algunas iglesias protestantes sostienen, en cambio, que la sucesión es espiritual y doctrinal en lugar de ritual e histórica.

apoteosis Elevación a la condición de un dios. El término reconoce que algunos individuos cruzan la línea divisoria entre lo humano y lo divino. La antigua religión GRIEGA era propensa a creer en héroes y semidioses y algunas figuras históricas fueron a veces adoradas como dioses. Hasta el fin de la República, los romanos aceptaron sólo una apoteosis, cuando identificaron al dios QUIRINO con RÓMULO. El emperador AUGUSTO ordenó reconocer a Julio CÉSAR como un dios y con ello comenzó la tradición de deificar a los emperadores.

apotropaico, ojo Pintura de uno o más ojos grandes para prevenir o alejar el mal. El símbolo aparece con mayor frecuencia en vasos griegos del s. VI AC, posiblemente con la intención de impedir la entrada de espíritus peligrosos al beber vino. Este símbolo también se usa en el arte turco y egipcio.

Appalachian National Scenic Trail Sendero en los APALACHES en EE.UU. Considerado el más largo del mundo, se extiende por unos 3.200 km (2.000 mi) desde el monte Katahdin en Maine, hasta el monte Springer en Georgia, siguiendo las cumbres montañosas. El sendero cruza 14 estados, ocho bosques nacionales y dos parques nacionales. Excursionistas y voluntarios mantienen los refugios y sitios para acampar. El punto más alto de la senda es Clingmans Dome (2.025 m [6.643 pies]) en los montes GREAT SMOKY. Originalmente establecido por excursionistas en la década de 1930, se incorporó al National Trail System, establecido por el Congreso de EE.UU. en 1968.

Appaloosa Raza equina de color, popular en EE.UU. Se dice que descienden de los caballos salvajes originarios del territorio indio norteamericano de Nez Percé, los que a su vez descienden de aquellos traídos por los conquistadores españoles. Tienen todos los colores presentes en cualquier caballo, pero distribuidos en patrones característicos. Su alzada es de 14–16 palmos (alrededor de 142–163 cm [56–64 pulg.]) y su peso es de 450–500 kg (1.000–1.100 lb). Aun cuando son ligeros, son también vigorosos.

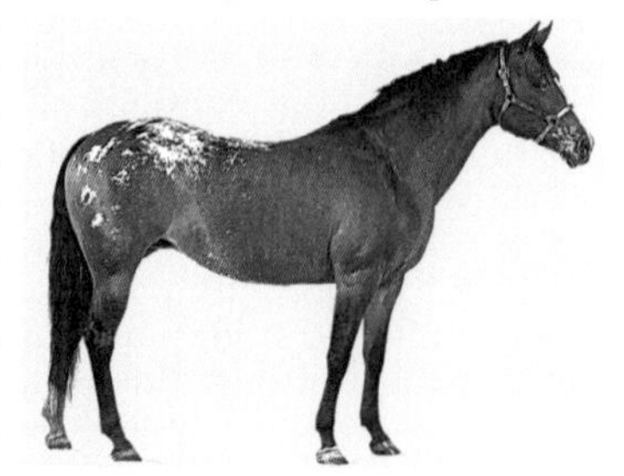

Appaloosa hembra de color bayo.
© SCOTT SMUDSKY

Appel, Karel (n. 25 abr. 1921, Amsterdam, Países Bajos). Pintor, escultor y artista gráfico neerlandés. Asistió a la Academia Real de Bellas Artes de Amsterdam (1940–43) y fue cofundador del grupo COBRA, integrado por expresionistas europeos nórdicos. En 1950 se trasladó a París y ya en la década de 1960 se había instalado en Nueva York. Exponente de la abstracción expresionista, desarrolló un estilo de pintura caracterizado por gruesas capas de pigmento, color y pincelada violenta, figuras toscas y reductivas. Sus esculturas figurativas están hechas en metal y madera. Pintó retratos de músicos de jazz y una serie de obras públicas, como un mural en el edificio de la UNESCO en París.

Apple Computer Inc. Empresa dedicada al diseño y fabricación de microcomputadoras y la primera empresa exitosa de COMPUTADORAS PERSONALES. Fue fundada en 1976 por STEVEN P. JOBS y STEPHEN G. WOZNIAK, quienes fabricaron la primera computadora en el garaje de la familia Jobs. El Apple II (1977), con su gabinete de plástico y gráficos en color, lanzó a la compañía al éxito, generando ganancias para Apple por más de 100 millones de dólares en 1980. Ese mismo año, Apple realizó su apertura en la bolsa de valores. La aparición en 1981 del PC de IBM CORP., que utilizaba el sistema operativo de MICROSOFT CORP., marcó el comienzo de una competencia a largo plazo para Apple en el mercado del PC. El modelo Macintosh ("Mac"), introducido en 1984, fue la primera computadora personal que utilizó una INTERFAZ GRÁFICA DE USUARIO y un RATÓN. El "Mac" tuvo reducidas ventas al principio, lo que llevó a Jobs a dejar la empresa en 1985. Sin embargo, encontró a la postre su nicho en el mercado de las computadoras de escritorio en la industria de publicaciones. Mientras tanto, el sistema operativo WINDOWS de Microsoft mermaba la participación de Apple en el mercado. En 1997, Apple volvió a llamar a Jobs, quien recuperó la rentabilidad de la empresa mediante la introducción de productos más innovadores, como el iMAC.

Steven Jobs, cofundador de Apple Computer Inc.
FOTOBANCO

Appomattox Court House Antigua ciudad del centro-sur de Virginia, EE.UU., lugar de la rendición de ROBERT E. LEE ante ULYSSES S. GRANT, el 9 abril de 1865, fecha en que terminó definitivamente la guerra de SECESIÓN. Fue virtualmente abandonada luego de trasladar la sede del condado a la nueva ciudad de Appomattox en 1892. Fue declarada monumento histórico nacional en 1940 y parque histórico nacional en 1954.

APRA *sigla de* **Alianza Popular Revolucionaria Americana** Partido fundado por Víctor Raúl HAYA DE LA TORRE (1924), cuyos postulados se vieron influidos por las revoluciones soviética y mexicana. El APRA ha tenido y tiene un peso gravitante en la política peruana hasta hoy y es en gran medida sinónimo del movimiento aprista. En 1962 Haya de la Torre fue elegido presidente, pero el ejército anuló las elecciones. En los comicios para la Asamblea Constituyente de 1978, el APRA fue el partido más votado, con lo cual Haya de la Torre asumió su conducción. Al fallecer en 1979, fue reemplazado en el cargo por Luis Alberto Sánchez. Convertido en partido socialdemócrata, ganó las elecciones presidenciales en 1985 y su líder, Alan García Pérez, gobernó hasta 1990. Durante su administración se produjo una hiperinflación que sumió al país en una gran crisis económica y social. Ver también INDIGENISMO.

apraxia Trastorno en la ejecución de actos motores aprendidos, causado por una lesión en la CORTEZA CEREBRAL; las capacidades motoras y mentales permanecen intactas. La apraxia motriz es la incapacidad para ejecutar actos motores finos. La apraxia ideatoria es la pérdida de la habilidad para planear hasta las acciones más simples. En la apraxia ideocinética, no hay coordinación entre la formación de ideas y la actividad motora; los afectados pueden hacer ciertas cosas de manera automática pero no deliberadamente. La apraxia constructiva es la incapacidad para reunir elementos que formen un todo que tenga sentido.

aprendizaje Entrenamiento en un arte, negocio u oficio según un acuerdo legal que define la relación entre el maestro y el aprendiz, así como la duración y condiciones de la misma. Conocido desde la antigüedad, el aprendizaje adquirió importancia en la Europa medieval con el surgimiento de los GREMIOS de artesanos. El aprendizaje promedio duraba siete años. Durante la REVOLUCIÓN INDUSTRIAL surgió un nuevo tipo de aprendizaje en el cual el empleador era el dueño de la fábrica y el aprendiz, luego de un período de capacitación, pasaba a ser obrero de la misma. La creciente necesidad de obreros semicalificados llevó al surgimiento de escuelas vocacionales y técnicas en Europa y EE.UU., especialmente después de la segunda guerra mundial. Algunas industrias de EE.UU., como la de la construcción, continúan contratando trabajadores bajo un acuerdo de aprendizaje.

Aprendizaje de oficios en la Europa medieval; escena del manuscrito lombardo *De Sphaera*, s. XV.
FOTOBANCO

aprendizaje Proceso mediante el cual por medio de la experiencia, la práctica o la ejercitación, se adquieren modificaciones de los conocimientos, destrezas, hábitos o tendencias ya existentes. El aprendizaje entraña procesos asociativos (ver ASOCIACIÓN; CONDICIONAMIENTO), discriminación de los datos sensoriales (ver DATOS DE LOS SENTIDOS), aprendizaje psicomotor y perceptual (ver PERCEPCIÓN), imitación, formación de CONCEPTOS, SOLUCIÓN DE PROBLEMAS y aprendizaje por *insight* (darse cuenta). El aprendizaje animal ha sido estudiado por etólogos y psicólogos comparados. Estos últimos han efectuado, a menudo, paralelos explícitos con el aprendizaje humano (ver PSICOLOGÍA COMPARADA; ETOLOGÍA). Los primeros experimentos sobre el aprendizaje asociativo fueron realizados por IVÁN PÁVLOV en Rusia y por EDWARD L. THORNDIKE en EE.UU. Los críticos de las teorías iniciales estímulo-respuesta (E-R), como EDWARD C. TOLMAN, sostenían que eran excesivamente reduccionistas y que ignoraban las actividades internas del individuo. Los investigadores de la psicología de la GESTALT llamaron la atención acerca de la importancia del patrón y de la forma, tanto en la percepción como en el aprendizaje. En cambio, los lingüistas estructurales argumentaban que el aprendizaje del lenguaje estaba cimentado en una "gramática" genéticamente heredada. Psicólogos del desarrollo, como JEAN PIAGET, destacaron la existencia de estadios evolutivos en el aprendizaje. En el último tiempo, los científicos cognitivos han investigado el aprendizaje como una forma de PROCESAMIENTO DE LA INFORMACIÓN, mientras que algunos investigadores del cerebro humano, como GERALD MAURICE EDELMAN, proponen que el aprendizaje y el pensamiento implican un proceso permanente de construcción de vías cerebrales. Temas de investigación afines son la ATENCIÓN, la COMPRENSIÓN, la MOTIVACIÓN la transferencia del APRENDIZAJE. Ver también; CONDUCTISMO; GENÉTICA DEL COMPORTAMIENTO; IMPRONTA; INSTINTO; INTELIGENCIA; PSICOLOGÍA EDUCACIONAL.

aprendizaje social En teoría psicológica, un cambio de comportamiento controlado por influencias medioambientales más que por fuerzas internas o innatas. En zoología, el aprendizaje social se presenta en innumerables especies de aves y mamíferos, los cuales modifican su comportamiento al observar e imitar a los adultos que los rodean. El CANTO de las aves es un comportamiento social aprendido.

aprendizaje, transferencia de En psicología, efecto de aprender una actividad mientras se desempeñan otras. Hay transferencia positiva cuando una habilidad previamente adquirida facilita el desempeño de una nueva. Por el contrario, hay transferencia negativa cuando la habilidad previamente adquirida perjudica el intento de dominar una nueva.

aprendizaje, trastornos del Dificultades crónicas que presenta una persona para aprender a leer, escribir, deletrear o calcular y que se cree tienen un origen neurológico. A pesar de que aún no se comprenden del todo sus caracteres y causas, hay consenso de que la existencia de un trastorno del aprendizaje no es un indicador de una inteligencia subnormal. Más bien, se cree que el individuo con un trastorno del aprendizaje tiene una dificultad neurológica para procesar el lenguaje o las figuras, la que debe ser compensada mediante la utilización de estrategias de aprendizaje especiales o esfuerzos adicionales y tutorías. Algunos tipos de trastornos del aprendizaje comprenden dificultades en la lectura (DISLEXIA), en la escritura (disgrafía) y en matemática (discalculia). Los trastornos del aprendizaje pueden ser diagnosticados mediante pruebas y los niños pueden ser incorporados en programas que ofrecen ayuda especializada. Si el trastorno del aprendizaje no se diagnostica, este no sólo tiene como resultado un mal rendimiento académico, sino también una baja autoestima y la presencia de conductas disociadoras.

April Fools' Day *o* **All Fools' Day** (inglés: "día de los tontos de abril"). Primer día de abril, llamado así por la costumbre de hacer bromas pesadas en esa fecha. Aunque se ha celebrado durante siglos en varios países como Francia y Gran Bretaña, su origen es desconocido. Tiene semejanzas a la fiesta Hilaria de la antigua Roma (25 de marzo) y a la fiesta de HOLI en India (que concluye el 31 de marzo). La costumbre de hacer bromas pesadas en el "día de los tontos de abril" fue llevada a EE.UU. por los británicos.

aproximación lineal En matemática, el proceso de encontrar una recta que se ajuste bien a una curva (FUNCIÓN) en alguna parte de ella. Expresada como la ecuación lineal $y = ax + b$, los valores de a y b son elegidos de modo que la recta toque la curva en el lugar o valor de x seleccionado, y la PENDIENTE de la recta iguale la tasa de variación de la curva (DERIVADA de la función) en ese lugar. Para la mayoría de las curvas, sólo son satisfactorias las aproximaciones lineales muy próximas al *x* elegido. Sin embargo, gran parte de la teoría del CÁLCULO, incluido el teorema fundamental del CÁLCULO y los teoremas del VALOR MEDIO para derivadas, se basa en tales aproximaciones.

apuestas Arriesgar cierta suma de dinero o algún objeto de valor en virtud del resultado de un evento o juego. Generalmente están vinculadas con la HÍPICA, el BOXEO, variados juegos de naipes o DADOS, las PELEAS DE GALLOS, el JAI ALAI, el BILLAR y los juegos de DARDOS, el BINGO y la LOTERÍA. En la mayoría de los juegos sujetos a apuestas, se suele expresar los pronósticos en términos de "probabilidades de triunfo". En EE.UU. y en muchas otras partes del mundo, las apuestas de casino, otrora muy restringidas, actualmente son legales en casi todo el planeta. Las loterías, en tanto, son utilizadas en diversos países como una forma de aumentar el erario público. Internet también se ha convertido en una plataforma para la colocación de apuestas. Ver también corretaje de APUESTAS; CASINO.

apuestas combinadas *francés* **pari-mutuel** Sistema de apuestas compartidas, en el que quienes apuestan, juegan a aquellos que deberían ocupar los tres primeros lugares. Quienes aciertan se reparten el total apostado, menos un porcentaje para quien administra la apuesta. Este sistema se introdujo primero en Francia c. 1870, y pronto se convirtió en una de las formas más populares de apuestas hípicas a nivel internacional. En la actualidad, las computadoras calculan el pozo de la apuesta y el dividendo probable de cada caballo, y se muestran las cifras al público a intervalos regulares. Las apuestas combinadas también se practican en las carreras de perros y el JAI ALAI.

apuestas, corretaje de Práctica de juego que consiste en recibir y pagar apuestas en función de los resultados de eventos deportivos u otras competencias. En EE.UU., la hípica es probablemente la que más se asocia a esta actividad, pero el boxeo, béisbol, fútbol, baloncesto y otros deportes también han sido materia de interés de los corredores de apuestas y apostadores. Los pronósticos matinales, entregados por corredoras legales de apuestas, se publican diariamente en las páginas de deportes de los periódicos de todo EE.UU. Las operaciones de corredoras de apuestas ilegales han estado habitualmente vinculadas con el CRIMEN ORGANIZADO. Ver también HANDICAP.

Apuleyo, Lucio (c. 124 DC, Madauros, Numidia–¿después de 170?). Filósofo platónico, retórico y escritor romano. Su libro *El asno de oro*, narración de las escabrosas aventuras de un joven que se convierte en burro, ejerció una prolongada influencia. Esta novela es valorada por describir las costumbres y los misterios religiosos de la antigüedad. Los tratados filosóficos de Apuleyo incluyen tres libros sobre PLATÓN, dos de los cuales se conservan.

Apulia *italiano* **Puglia** Región autónoma del sudeste de Italia. Está ubicada entre el mar Adriático, los APENINOS y el golfo de Taranto. Gobernada a principios de la Edad Media por los godos, lombardos y bizantinos, alcanzó su mayor prosperidad bajo el dominio de los emperadores de HOHENSTAUFEN, principalmente en el s. XIII, durante el reinado del emperador germánico FEDERICO II. En 1861 pasó a formar parte del reino de Italia. La región es principalmente agrícola. En el valle y en las zonas más fértiles de las mesetas se cultivan trigo, cebada y avena, mientras que más al sur se producen aceitunas, uva, almendras, higos y verduras; el tabaco es una especialidad del valle de Lecce. Los vinos de Apulia son los más fuertes de Italia y se utilizan para fortificar otras variedades más suaves. Existen industrias de productos químicos y petroquímicas en BARI y plantas de hierro y acero en TARENTO. La capital de Apulia (pob., 2001 est.: 3.983.487 hab.) es Bari; la región tiene 19.348 km^2 (7.470 mi^2) de superficie.

Apure, río Río del oeste de Venezuela. El mayor afluente navegable del ORINOCO, nace en la cordillera de Mérida y recorre 820 km (510 mi) hacia el nordeste y este a través del corazón de los Llanos venezolanos, la principal zona ganadera del país.

Apurímac, río Río del sur del Perú. Nace en la cordillera de los ANDES en el Perú y es la fuente más distante del río AMAZONAS. Corre en dirección noroeste y confluye con el río URUBAMBA para formar el río UCAYALI. Recorre casi toda su extensión de 700 km (430 mi) a través de angostos cañones y su curso es interrumpido por cascadas y rápidos. Cortos trechos de su curso inferior reciben el nombre de río Ene y río Tambo.

Aqaba, golfo de Brazo nororiental del mar ROJO, entre Arabia Saudita y la península del SINAÍ. Su anchura varía entre los 19 y 27 km (12 y 17 mi) y tiene una longitud de 160 km (100 mi). En su extremo comparte costas con Egipto, Israel, Jordania y Arabia Saudita. Su único puerto protegido es Dahab, Egipto. Jordania e Israel crearon los puertos de Al-ʿAqaba y Elat, respectivamente, como salidas al mar Rojo y al océano ÍNDICO.

Aqhat, epopeya de Antigua leyenda semítica occidental que explica la aridez de la tierra durante los meses secos del verano, conocida sólo en forma fragmentaria gracias a tres tablillas excavadas en el norte de Siria que datan de c. s. XIV AC. En ellas se relata el nacimiento de un príncipe, Aqhat, en respuesta a las oraciones. Siendo joven, Aqhat se hace poseedor de un arco destinado a la diosa ANATH, quien lo asesina ante la negativa de Aqhat de desprenderse de él. La leyenda dice que la muerte del joven trajo hambruna y que su padre y hermana salieron a vengarlo, pero allí termina el texto.

aquaturma *o* **topinambur** MARAVILLA (*Helianthus tuberosus*) originaria de Norteamérica y cultivada por sus TUBÉRCULOS comestibles. La parte aérea de la planta es perenne tosca, por lo general de muchas ramas y sensible a las heladas, de 2–3 m (7–10 pies) de alto. Las cabezuelas, numerosas y llamativas, tienen flores radiadas amarillas y flores discadas amarillas, parduzcas o púrpuras. Los tubérculos subterráneos varían en forma, tamaño y color. En Europa, el aquaturma se consume popularmente como vegetal cocido y en Francia se ha cultivado por mucho tiempo como pienso. Rara vez se cultiva en EE.UU.

aquavit (del latín *aqua vitae*, "agua de vida"). LICOR DESTILADO transparente, de origen escandinavo, saborizado con semillas de alcaravea. Destilado de caldos fermentados a base de papas o granos, filtrado con carbón vegetal y embotellado sin envejecer, el aquavit tiene un contenido alcohólico de 42-45% por volumen. La mayoría de los aquavits son dulces y aromáticos. Se sirve usualmente frío y sin mezclar, en vasos pequeños.

aquea, Liga Confederación de ciudades de Acaya, zona septentrional del Peloponeso en la antigua Grecia. En el s. IV AC doce ciudades se unieron para combatir la piratería, pero se disolvió luego de la muerte de ALEJANDRO MAGNO. Diez ciudades restablecieron la liga en 280 AC, admitiendo posteriormente ciudades no aqueas para defenderse de Macedonia, luego de Esparta y finalmente de Roma. Esta última disolvió la liga después de derrotarla en 146 AC. Con posterioridad se formó una liga menor que subsistió hasta el período imperial romano.

Aqueloos, río *griego* **Akheloos** El río más largo de Grecia. Nace en la cordillera del Pindo y corre hacia el sur unos 220 km (140 mi) hasta el mar Jónico. Algunas represas hidroeléctricas aprovechan su flujo en Kastraki y Kremasta. En la mitología antigua, Aqueloos era una veleidosa divinidad fluvial dominada por Hércules.

aqueménida, dinastía (559–330 AC). Antigua dinastía persa. Su nombre deriva de Aquemenes, de quien se cree vivió a principios del s. VII AC. De su hijo Teispes descendieron dos linajes reales. El linaje más antiguo incluye a Ciro I, Cambises I, CIRO II (el Grande) y Cambises II; el segundo linaje comienza con DARÍO I y finaliza con la muerte de Darío III después de ser derrotado por ALEJANDRO MAGNO (330 AC). Sus gobernantes más importantes fueron Ciro II (r. 559–c. 529 AC), quien estableció el Imperio persa, y cuyo reinado marca el inicio de este; Darío I, quien aseguró las fronteras contra las amenazas externas; y JERJES I, quien completó muchas de las obras públicas de Darío. En su apogeo, el Imperio aqueménida se extendía desde Macedonia hasta el norte de India y desde las montañas del Cáucaso hasta el golfo Pérsico. Las ruinas de una de sus capitales, PERSÉPOLIS, aún perduran desde su edad de oro.

aqueo Cualquier miembro de un antiguo pueblo griego identificado por HOMERO como aquellos que, junto a los dánaos y los argivos, atacaron Troya. Algunos los identifican con los MICÉNICOS de los s. XIV–XIII AC; otros dicen que llegaron con las invasiones dóricas en el s. XII. Habrían tenido el poder sólo por unas pocas generaciones antes de ser reemplazados por los DORIOS. HERÓDOTO sostiene que los posteriores aqueos del norte del Peloponeso (ver Liga AQUEA) descendían de estos aqueos primigenios.

aquilegia Cualquiera de unas 70 especies de plantas herbáceas perennes, que constituyen el género *Aquilegia*, pertenecientes a la familia de las Ranunculáceas (ver RANÚNCULO), nativas de Europa y Norteamérica. Se caracterizan por sus flores de cinco pétalos con largos espolones extendidos hacia atrás. Los sépalos y los pétalos tienen colores brillantes. *A. caerulea* y *A. chysantha* son nativas de las montañas Rocosas. La aquilegia silvestre de Norteamérica (*A. canadensis*) tiene flores rojas con toques de amarillo y crece en bosques y arrecifes rocosos desde Canadá meridional hacia el sur. Muchos híbridos se cultivan como plantas de jardín por sus vistosas flores.

Aquilegia silvestre (*A. canadensis*).

Aquiles En la mitología GRIEGA, el más valeroso y fuerte de los guerreros griegos que participaron en la guerra de TROYA. Debido a que su madre lo había sumergido en las aguas del ESTIGIO, Aquiles era invulnerable, excepto en el talón por el cual su madre lo sujetaba. Durante la guerra contra Troya, Aquiles capturó doce ciudades aledañas, pero luego de una disputa con AGAMENÓN rehusó continuar en la contienda. Aquiles permitió a su entrañable primo Patroclo combatir vistiendo su armadura y, cuando HÉCTOR mató a Patroclo, Aquiles regresó a la batalla. Tras un épico combate mató a Héctor y arrastró su cuerpo alrededor de los muros de Troya. HOMERO menciona el funeral de Aquiles, pero no las circunstancias de su muerte; Arctino, poeta posterior, relata que PARIS lo hirió gravemente en el talón con una flecha guiada por APOLO, causándole la muerte.

Aquiles, pintor de (floreció c. siglo V AC). Pintor griego de jarrones, nombrado así debido a que se le atribuye una ánfora decorada con una pintura de Aquiles y Briseis. Realizó su obra en Atenas, en la época de PERICLES, y fue contemporáneo de FIDIAS. Su jarrón de Aquiles (c. 450 AC) es uno de los ejemplos más notables que se han conservado de la CERÁMICA DE FIGURAS ROJAS del período clásico. También es conocido por sus *lekitos* (jarrones funerarios con figuras coloreadas sobre un fondo blanco), considerados la documentación más confiable de la pintura griega monumental. Se le atribuyen más de 200 pinturas de jarrones que aún se conservan.

Aquino, (María) Corazón *orig.* **María Corazón Cojuangco** (n. 25 ene. 1933, Manila, Filipinas). Presidenta de Filipinas (1986–92). Nacida en el seno de una familia de gran figuración política, contrajo matrimonio con Benigno Simeón Aquino, Jr. (n. 1932–m. 1983), quien se convirtió en el principal opositor del pdte. FERDINAND MARCOS. Benigno fue asesinado en 1983 a su regreso del exilio y Corazón se convirtió en la candidata de la oposición a la presidencia en 1986. Aunque Marcos fue proclamado oficialmente como ganador, hubo numerosas acusaciones de fraude electoral; altos oficiales militares apoyaron a Aquino y Marcos abandonó el país. Como presidente, Aquino promulgó una constitución que tuvo gran apoyo popular. Con el tiempo, su popularidad declinó en medio de acusaciones de corrupción e inequidad económica.

Corazón Aquino, presidenta de Filipinas (1986–92).

Aquino, santo Tomás de (1224/25, Roccasecca, cerca de Aquino, Terra di Lavoro, reino de Sicilia–7 mar. 1274, Fossanuova, cerca de Terracina, Lacio, Estados Pontificios; canonizado 18 jul. 1323; festividad: 28 de enero; anteriormente: 7 de marzo). El más eminente filósofo y teólogo de la Iglesia católica. De origen noble, estudió en la Universidad de Nápoles, se unió a los DOMINICOS y enseñó en una escuela dominica en la Universidad de París. Su permanencia en París coincidió con la llegada de la ciencia aristotélica, recientemente descubierta en traducciones árabes; su gran logro fue integrar al pensamiento cristiano el rigor de la filosofía de ARISTÓTELES, así como los primeros padres de la Iglesia habían integrado el pensamiento de PLATÓN al cristianismo primitivo. Santo Tomás sostenía que la razón era capaz de operar dentro de la fe; mientras el filósofo confía sólo en la razón, el teólogo acepta la fe como su punto de partida y luego llega a una conclusión a través del uso de la razón. Este punto de vista era polémico, como lo era su creencia en el valor religioso de la naturaleza. Apoyado en lo anterior, sostuvo que denigrar la perfección de la creación era equivalente a denigrar al creador. San BUENAVENTURA fue un opositor a sus ideas. En 1277, después de su muerte, los maestros de París condenaron 219 proposiciones, 12 de ellas de santo Tomás. No obstante, fue nombrado doctor de la Iglesia en 1567 y declarado campeón de la ortodoxia durante la crisis modernista de fines del s. XIX. Escritor prolífico, produjo más de 80 obras, entre ellas sus dos principales tratados *Summa contra gentiles* (1261–64) y *Summa theologica* (1265–73). Ver también TOMISMO.

Aquisgrán *alemán* **Aachen** *francés* **Aix-la-Chapelle** Ciudad (pob., est. 1995: 247.000 hab.) de Alemania, al sudoeste de Colonia. Fue habitada por los romanos en el s. I DC. Centro de la cultura carolingia y la segunda ciudad del Imperio de CARLOMAGNO, quien instaló en ella su palacio. La catedral construida por Carlomagno c. 800 fue el lugar de coronación de la mayoría de los reyes germánicos entre los s. X–XVI; su capilla y tumba permanecen como parte de la catedral gótica actual de mayor tamaño. Aquisgrán formó parte de Francia en 1801–15. Es famosa por sus numerosas fuentes de aguas termales.

Aquisgrán, Congreso de (1 oct.–15 nov. 1818). El primero de cuatro congresos celebrados por Gran Bretaña, Austria, Prusia, Rusia y Francia para abordar los problemas europeos después de las guerras NAPOLEÓNICAS. En Aquisgrán (actual Aachen, Alemania), los participantes aceptaron el ofrecimiento de Francia de pagar la mayor parte de las indemnizaciones de guerra debidas a los aliados a cambio del retiro de sus ejércitos de ocupación. Además, Francia fue aceptada como miembro de la nueva Quíntuple Alianza.

Aquisgrán, tratado de (18 oct. 1748). Tratado que puso fin a la guerra de sucesión AUSTRÍACA. Negociado en gran parte por Gran Bretaña y Francia, estuvo marcado por la mutua restitución de conquistas, incluidas la fortaleza de Louisbourg (en Nueva Escocia) a Francia y de Madrás (actual Chennai, en India) a Inglaterra. Preservó el derecho de MARÍA TERESA a sus posesiones austríacas, pero los Habsburgos se vieron debilitados por la retención prusiana de SILESIA. El tratado no resolvió la guerra comercial colonial entre Inglaterra y Francia, por lo que no condujo a una paz duradera.

Aquitania Región histórica del sudoeste de Francia. Corresponde aproximadamente a la división romana de la Galia sudoccidental, conformada por la región comprendida entre los PIRINEOS y el río GARONA. Fue conquistada por CLODOVEO I en 507 DC, posteriormente CARLOMAGNO la convirtió en un reino menor en el s. VIII. Luego de la decadencia de los carolingios, se convirtió en un poderoso ducado que en el s. X controlaba la mayor parte de Francia, al sur del LOIRA. Pasó a los capetos cuando LEONOR DE AQUITANIA se casó con LUIS VII (1137); con su segundo matrimonio con ENRIQUE II de Inglaterra (1152) pasó a la dinastía inglesa de los Plantagenet. El nombre GUYENA, una aberración lingüística de Aquitania, comenzó a ser usado en el s. X, y la historia posterior de Aquitania se fusiona con la de GASCUÑA y de Guyena.

AR-15 ver M16 FUSIL

Ara Pacis (Augustae) (latín: "Altar de la paz de Augusto"). Monumento público construido por César AUGUSTO en el Campo de Marte de Roma (13–9 AC) para conmemorar su victorioso regreso de Hispania y Galia. Consiste en un altar sobre un podio enmarcado por muros. Su profusa decoración escultórica se sitúa entre los ejemplos más notables del arte romano; los relieves que representan la procesión ceremonial en la dedicación del altar son los primeros del arte occidental que pueden ser llamados en rigor documentales, ya que muestran individuos identificables en un evento contemporáneo.

árabe Miembro de los pueblos de lengua ÁRABE nativos del Medio Oriente y África del norte. Antes de la expansión del Islam en la década de 630, el término designaba a los pueblos semíticos en gran parte nómadas de la península ARÁBIGA. Luego se aplicó a los pueblos de lengua árabe desde las costas de Mauritania y Marruecos en el oeste hasta Irak, y la península Arábiga en el este y Sudán en el sur, después de su conversión al Islam. Tradicionalmente algunos árabes son pastores nómadas que viven en el desierto (ver BEDUINO), mientras que otros viven en oasis y en pequeñas aldeas agrícolas aisladas. Aunque la mayor parte de los árabes son musulmanes, algunos son cristianos. El término también ha sido usado en un sentido político por nacionalistas árabes para designar un ideal étnico o sociolingüístico de mayor alcance ("la nación árabe"). Ver también PANARABISMO.

árabe Lengua SEMÍTICA antigua, cuyos dialectos se hablan a través del Medio Oriente y norte de África. Aun cuando se encuentran palabras y nombres propios árabes en inscripciones arameas, comienza a abundar la documentación de la lengua sólo con el desarrollo del ISLAM, cuyos textos principales están escritos en árabe. Desde el s. VIII en adelante, los gramáticos codificaron esta lengua en una forma conocida como árabe clásico, un argot de literatos y escribas, que difería notoriamente de la lengua vernácula hablada. En los s. XIX y XX, la expansión de la gama estilística y léxica del árabe clásico condujo a la creación del árabe estándar moderno, que sirve hoy de LINGUA FRANCA entre los árabes. Sin embargo, los hablantes de árabe, que se estiman en un número aproximado de 200 millones, usan una enorme diversidad de dialectos que, en sus formas extremas, son mutuamente ininteligibles. El árabe clásico permanece como un importante vehículo cultural y religioso en la comunidad islámica no árabe. (Ver también alfabeto ÁRABE).

árabe, alfabeto Escritura usada para escribir el árabe y varias otras lenguas, cuyos hablantes han sido influidos por la cultura árabe e islámica. El alfabeto árabe, que tiene 28 caracteres, se desarrolló a partir de una escritura empleada para escribir el ARAMEO nabateo. Puesto que el árabe tenía consonantes diferentes al arameo, se comenzaron a usar puntos diacríticos para eliminar la lectura ambigua de algunas letras, los que permanecen como una característica del alfabeto. El árabe se escribe de derecha a izquierda. Las letras denotan sólo consonantes, aunque los símbolos para *w*, *y*, e (históricamente) el cierre glotálico, cumplen una doble función como letras vocálicas para la *u*, *i*, y *a* largas. Los diacríticos adicionales, que representan vocales cortas (o la ausencia de ellas), terminaciones de casos y consonantes geminadas (duplicadas), normalmente se emplean sólo para el texto del CORÁN, para textos pedagógicos o en casos donde la lectura pudiera ser ambigua sin ellos. Debido a que la escritura árabe es en esencia cursiva, la mayoría de las letras tienen formas levemente diferentes según su ubicación: al comienzo, a la mitad o al final de una palabra. Las lenguas no semitas para las que se ha usado, o se usa actualmente alguna versión del alfabeto árabe incluyen el PERSA, curdo, pashto, URDU, algunas lenguas TURCAS, MALAYO, SWAHILI y HAUSA. El MALTÉS constituye la única forma de árabe que se escribe con el alfabeto latín.

árabe, Liga *o* **Liga de los estados árabes** Organización regional formada en 1945 y con sede en El Cairo. Inicialmente comprendía a Egipto, Siria, Líbano, Irak, Transjordania (hoy Jordania), Arabia Saudita y Yemen; más tarde se unieron Libia, Sudán, Túnez, Marruecos, Kuwait, Argelia, Bahrein, Omán, Qatar, Emiratos Árabes Unidos, Mauritania, Somalia, la OLP, Djibouti y Comores. Los objetivos iniciales de la liga eran fortalecer y coordinar los programas políticos, culturales, económicos y sociales y mediar en los conflictos; un objetivo posterior fue coordinar la defensa militar. Sus miembros con frecuencia se han dividido por problemas políticos. Egipto fue suspendido por diez años (1979–89) luego de la paz con Israel, y la primera guerra del GOLFO PÉRSICO (1990–91) también causó profundas grietas. Ver también PANARABISMO.

árabe-israelí de 1967, guerra ver guerra de los SEIS DÍAS

árabe-israelíes, guerras Serie de conflictos militares librados entre Israel y varios países árabes (1948–49, 1956, 1967, 1969–70, 1973 y 1982). La primera guerra (1948–49) comenzó cuando Israel se proclamó Estado independiente después de que las Naciones Unidas dividieron PALESTINA. En protesta por esta medida, cinco países árabes (Egipto, Irak, Jordania, Líbano y Siria) atacaron Israel. El conflicto finalizó con la victoria de Israel, que conquistó un territorio considerable. La crisis del canal de SUEZ de 1956 comenzó después de que Egipto nacionalizó el canal de SUEZ. Una coalición franco-anglo-israelí atacó Egipto y ocupó la zona del canal, pero pronto debió retirarse debido a la presión internacional. En la guerra de los SEIS DÍAS de 1967, Israel atacó a Egipto, Jordania y Siria. La guerra finalizó con la ocupación israelí de grandes extensiones de territorio árabe. Una guerra no declarada de desgaste (1969–70) se libró entre Egipto e Israel a lo largo del canal de Suez y finalizó con la ayuda de la diplomacia internacional. Egipto y Siria atacaron a Israel en 1973 (guerra de Yom Kippur), pero no obstante el éxito árabe inicial, el conflicto finalizó sin resultados concluyentes. En 1979, Egipto firmó la paz con Israel. En 1982, Israel invadió el Líbano con el fin de expulsar a las guerrillas palestinas establecidas allí. Israel se retiró de la mayor parte del Líbano en 1985, pero conservó una angosta faja de seguridad en ese país hasta 2000. Ver también YĀSIR ʿARAFĀT; ḤĀFIẒ AL-ASSAD; MENAHEM BEGIN; DAVID BEN GURIÓN; acuerdos de CAMP DAVID; MOSHÉ DAYÁN; HEZBOLÁ; GAMAL ABDEL NASSER; ITZHAK RABIN; masacres de SABRA Y SHATILA; ANWAR EL-SĀDĀT.

árabes primitivas, religiones Religiones politeístas de Arabia previas al surgimiento del ISLAM. La mayoría de las deidades de las tribus árabes eran dioses del cielo, asociados con cuerpos celestes como el Sol y la Luna, que tenían el poder de asegurar fecundidad, protección o venganza. A la cabeza del panteón de Arabia meridional estaba ʿAthtar, un dios de tormentas y lluvias. Cada reino tenía también su propia deidad de quien esa nación decía descender. En lugares elevados se tallaban santuarios en roca viva donde se erigía un betilo ("piedra levantada"), o estatua del dios, en un recinto al aire libre accesible sólo a personas purificadas a través del ritual. En el norte de Arabia, en cambio, los santuarios se encontraban en recintos amurallados con un altar techado o bien cercado, similar a la KAʿBA musulmana. Se realizaban libaciones, sacrificios de animales y otras ofrendas en honor a los dioses, en tanto sacerdotes interpretaban ORÁCULOS y realizaban adivinaciones. Los fieles peregrinaban anualmente a santuarios importantes y participaban en ritos que incluían la purificación, el uso de vestimentas rituales, la abstinencia sexual, la abstención de derramar sangre y el rito de circunvalar el objeto sagrado.

Estilo arabesco de la cúpula de la madraza ("escuela") Madar-i-Shah, inicios del s. XVIII, Isfahán, Irán.
RAY MANLEY–SHOSTAL ASSOC./EB INC.

arabesco Estilo de decoración que se caracteriza por el entrelazado de formas vegetales y motivos curvilíneos abstractos. Es propio de la ornamentación islámica de c. 1000. La palabra fue utilizada por primera vez en el s. XV o XVI cuando los europeos se interesaron en las artes islámicas, pero el motivo en sí mismo proviene de los artesanos helenísticos de Asia Menor. También se aplicaban arabescos a la decoración de manuscritos iluminados, paredes, mobiliario, trabajos en metal, alfarería, trabajos en piedra, mayólica y tapicería del Renacimiento hasta el s. XIX.

ʿArabī, Ibn al- (28 jul. 1165, Murcia, Valencia–16 nov. 1240, Damasco). Místico y teólogo musulmán. Viajó mucho por España y África del norte en búsqueda de maestros del SUFISMO. En 1198 comenzó una peregrinación a Medio Oriente, y visitó La Meca, Egipto y Anatolia antes de establecerse en Damasco en 1223. Afamado y honrado como maestro espiritual, pasó el resto de su vida en contemplación, enseñando y escribiendo. Su obra principal fue *Revelaciones escritas en La Meca*, una enciclopedia personal que comprende todas las ciencias esotéricas del Islam y su propia vida interior. También escribió una de las obras más importantes de la filosofía mística islámica, *La sabiduría de los profetas* (1229).

Arabia, desierto de Región desértica de la península ARÁBIGA. Abarca una superficie de aprox. 2.330.000 km² (900.000 mi²), casi la totalidad de la península. Se ubica mayoritariamente en ARABIA SAUDITA, pero importantes extensiones de este desierto se encuentran en Jordania, Irak, Kuwait, Qatar, Emiratos Árabes Unidos, Omán y Yemen. Posee un relieve interrumpido por cadenas montañosas que alcanzan altitudes de 3.700 m (12.000 pies) y está limitado en tres de sus bordes por altos acantilados. A lo menos un tercio de este desierto está cubierto de arena; allí se encuentra el RUBʿ AL-JALI, que posee uno de los climas más inhóspitos del mundo. Carece de cuerpos de agua permanentes, pese a que el sistema hidrográfico del TIGRIS y ÉUFRATES se sitúa en el nordeste, y el Wadi Ḥajr (curso intermitente de agua) se encuentra en el sur, en Yemen. La zona ha estado habitada desde el pleistoceno.

Arabia, mar de Parte noroccidental del océano Índico, entre India y la península ARÁBIGA. Tiene una superficie de aprox. de 3.862.000 km² (1.491.000 mi²) y una profundidad media de 2.734 m (8.970 pies). El golfo de OMÁN lo comunica con el golfo PÉRSICO a través del estrecho de ORMUZ, mientras que el golfo de ADÉN lo une con el mar ROJO a través del estrecho de BAB AL-MANDAB. El INDO es el más importante de los ríos que desembocan en el mar de Arabia. En sus aguas se encuentran las islas SOCOTORA y LAKSHADWEEP, entre otras. Sus principales puertos son MUMBAI (Bombay), en India; KARACHI, en Pakistán y ADÉN, en Yemen. Durante siglos ha formado parte de la principal ruta comercial entre Europa e India.

ARABIA SAUDITA

- **Superficie:** 2.149.690 km² (830.000 mi²)
- **Población:** 23.230.000 hab. (est. 2005)
- **Capital:** RIYAD
- **Moneda:** rial saudita

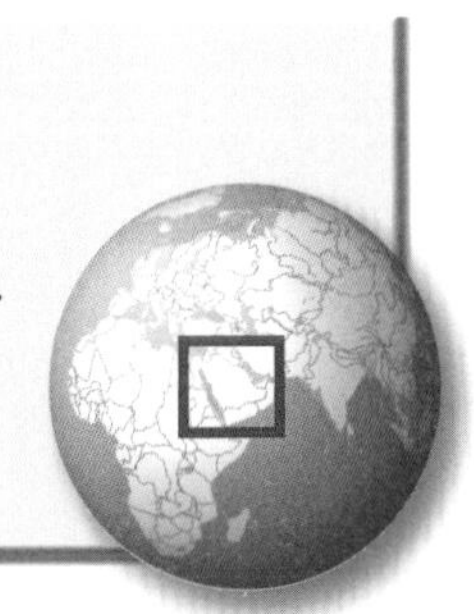

Arabia Saudita *ofic.* **Reino de Arabia Saudita** País del Medio Oriente. Ocupa el 80% de la península ARÁBIGA y está rodeado por el mar Rojo y el golfo Pérsico. La población es mayoritariamente árabe. Idioma: árabe (oficial). Religión: Islam (oficial), principalmente sunní. El país se ubica en una gran meseta, con imponentes franjas montañosas que se elevan desde la angosta costa del mar Rojo. Más de 90% del territorio es desértico, en el que se encuentra la superficie continua de arena más extensa del mundo, el RUBʿ AL-JALI ("media luna vacía"). Siendo el principal productor de petróleo de la OPEP y el tercer productor de crudo más grande del mundo, Arabia Saudita posee reservas que representan un cuarto del total mundial. Sus otros productos son gas natural, yeso, dátiles, trigo y agua desalinizada. Es una monarquía; el jefe de Estado y de Gobierno es el rey. Arabia Saudita es la cuna histórica del ISLAM. Desde antes de los tiempos modernos, los gobernantes locales así como las potencias foráneas combatieron por el control de la región. En 1517, el Imperio otomano logró el control nominal de la mayor parte de la península. En los s. XVIII–XIX un grupo reformista islámico conocido como los WAHABÍES se unió con la dinastía SAUDÍ para tomar el control de la mayor parte de Arabia central. En 1904, a pesar de contratiempos políticos, reconquistaron gran parte del territorio. Los británicos mantuvieron las tierras sauditas como un protectorado (1915–27), después de lo cual reconocieron la soberanía de los reinos de Hiyaz y Nayd. En 1932, ambos reinos fueron unificados para formar el reino de Arabia Saudita. Desde la segunda guerra mundial (1939–45), los gobernantes del reino han apoyado la causa palestina en el Medio Oriente y mantenido estrechas relaciones con EE.UU. En 2000, Arabia Saudita y Yemen resolvieron un largo conflicto limítrofe.

Mezquita del Profeta en Medina, segundo santuario del Islam, Arabia Saudita.
FOTOBANCO

Arábiga, península Región peninsular del sudoeste de Asia. En conjunto con sus islas, cubre aprox. 2.600.000 km^2 (1.000.000 mi^2). Los países que la componen son: Bahrein, Kuwait, Omán, Qatar, Emiratos Árabes Unidos, Yemen y Arabia Saudita, el de mayor tamaño. Su clima es predominantemente árido y casi la totalidad de su superficie está cubierta por el desierto de ARABIA. Su economía está basada en la explotación del petróleo y del gas natural, encontrándose allí las mayores reservas comprobadas del mundo. En la península Arábiga el profeta MAHOMA inició su consolidación política y fue la sede del califato ortodoxo hasta 661, cuando este pasó a manos de la dinastía OMEYA en DAMASCO. Después de 1517, gran parte de la región fue dominada por el Imperio OTOMANO. Sin embargo, la población de la península, que seguía siendo principalmente tribal y nómada, se rebeló reiteradamente, hasta la disolución del Imperio otomano, durante la primera guerra mundial (1914–18). De allí en adelante, las naciones-estados individuales resultantes siguieron su propio camino, a pesar de que mantuvieron estrechos lazos con las potencias europeas, como el Reino Unido.

Aráceas Familia de plantas compuesta por unas 2.000 especies, muchas de las cuales son populares como plantas ornamentales y por su follaje. Son nativas sobre todo de los trópicos y subtrópicos, aunque algunas especies crecen en zonas templadas. Los géneros *Philodendron* y *Monstera* se cultivan por su hábito trepador y sus grandes hojas verdes. Otras especies que se cultivan como plantas ornamentales son la CALA de los floristas y la cala acuática (*Calla palustris*). El ARÍSARO (*Arisaema triphyllum*) es característico de los bosques de Norteamérica y la maloliente COL APESTOSA (*Symplocarpus foetidus*), de los pantanos orientales del mismo continente. El género *Arum* comprende cerca de 15 especies perennes, distinguibles por sus brácteas infundibuliformes y sus hojas lustrosas sagitadas. La savia de estas especies puede ser venenosa.

Aracné En la mitología GRIEGA, hija del tintorero Idmón de Colofón. Aracné fue una bordadora y tejedora que adquirió tan exquisita habilidad que se atrevió a desafiar a ATENEA a una competencia. Atenea tejió un tapiz que mostraba el esplendor de los dioses, mientras que Aracné los representó en sus aventuras amorosas. Enfurecida con la perfección del trabajo de su rival, Atenea lo destruyó. Desesperada al ver su obra reducida a pedazos, Aracné se ahorcó. En un gesto de piedad Atenea soltó la soga, la que se volvió una telaraña y la diligente tejedora fue transformada en araña.

arácnido Cualquier miembro de la clase Arachnida, principalmente ARTRÓPODOS carnívoros que tienen una cabeza bien desarrollada, exoesqueleto duro y cuatro pares de patas ambulatorias. La mayoría de las especies tienen el cuerpo segmentado, a excepción del OPILIÓN. Su tamaño varía desde 0,08 mm (0,003 pulg.) de un ÁCARO hasta 21 cm (8 pulg.) del ESCORPIÓN negro de África. Para llegar al estado adulto deben mudar varias veces (ver MUDA). La mayoría son incapaces de digerir alimentos internamente. En lugar de ello, inyectan a sus presas fluidos digestivos y luego succionan los restos licuados. Se encuentran distribuidos por todo el mundo y en casi todos los hábitats. La mayoría son de vida libre, pero algunos ácaros y GARRAPATAS son parásitos capaces de transmitir graves enfermedades a los animales y al hombre. Las ARAÑAS venenosas y los escorpiones pueden plantear un peligro para los seres humanos. Sin embargo, la mayoría de los arácnidos son inofensivos y consumen insectos que constituyen PLAGAS.

Aracosia Provincia antigua de la región oriental del Imperio persa. Abarcaba gran parte de lo que ahora es el sur de Afganistán, donde se encuentra la ciudad de Kandahār. Fue conquistada por ALEJANDRO MAGNO c. 330 AC.

arado El implemento agrícola más importante desde el principio de la historia, usado para voltear y desmenuzar el SUELO, para enterrar residuos de CULTIVO y ayudar a combatir las MALEZAS. El precursor del arado es el palo cavador prehistórico. Los primeros arados fueron indudablemente palos cavadores con manillas para jalar o empujar. En la época romana, los arados eran tirados por bueyes o caballos y hoy son arrastrados por TRACTORES.

'Arafāt, Yāsir *orig.* **Muḥammad 'Abd al-Ra'ūf al-Qudwah al-Ḥusaynī** (1929–11 nov. 2004, París, Francia). Líder palestino. La fecha y el lugar de su nacimiento son discutidos. Un certificado de nacimiento registrado en El Cairo, Egipto, indica el 24 ago. 1929, pero algunas fuentes apoyan su afirmación de haber nacido en Jerusalén el 4 ago. 1929. Se graduó en la Universidad de El Cairo de ingeniero civil y sirvió en el ejército egipcio durante la crisis del canal de SUEZ de 1956. Ese año, mientras trabajaba como ingeniero en Kuwait, cofundó la organización guerrillera al-FATAH, que se convirtió en el principal componente militar de la OLP, que dirigió desde 1969. En 1974, la OLP fue formalmente reconocida por la ONU y 'Arafāt se convirtió en el primer líder de una organización no gubernamental en pronunciar un discurso en la ONU. En 1988 reconoció el derecho de Israel a existir y en 1993 reconoció formalmente a Israel durante las conversaciones directas sostenidas sobre el territorio controlado por Israel desde la guerra de los SEIS DÍAS. En 1994 compartió el Premio Nobel de la Paz con los israelíes ITZHAK RABIN y SHIMON PERES. En 1996 se convirtió en el presidente de la nueva Autoridad Palestina.

Yāsir 'Arafāt, líder palestino.
FOTOBANCO

Aragón Comunidad autónoma (pob., 2001: 1.204.215 hab.) del nordeste de España. Abarca aproximadamente la misma extensión que el reino histórico de Aragón, con una superficie de 47.720 km^2 (18.425 mi^2). Su capital es ZARAGOZA. El relieve orográfico al norte y al sur del río EBRO, que divide Aragón en dos, está dominado por montañas, entre las que se encuentran los PIRINEOS. Establecido en 1035 por Ramiro I, el reino histórico creció con la reconquista de tierras a los moros: Zaragoza, la capital del reino de los ALMORÁVIDES, fue recuperada por Alfonso I de Aragón en 1118, y la reconquista total de lo que hoy es Aragón se logró a fines del s. XII. En los s. XIII–XV llegó a gobernar Sicilia, Cerdeña, Nápoles y Navarra. En el s. XV, FERNANDO II se casó con ISABEL I de Castilla, uniendo los reinos de Aragón y Castilla y conformando el núcleo de la España moderna. El antiguo reino subsistió como unidad administrativa hasta 1833, cuando fue dividido en provincias. Las actividades económicas más relevantes son la agricultura, la minería y la industria, esta última concentrada en Zaragoza.

Aragon, Louis *orig.* **Louis Andrieux** (3 oct. 1897, París, Francia–24 dic. 1982, París). Poeta, novelista y ensayista francés. Introducido por ANDRÉ BRETON en los círculos vanguardistas, lo acompañó como cofundador de la revista surrealista *Littérature* en 1919. Desde 1927 comenzó gradualmente a transformarse en activista político y vocero comunista, lo que provocó su ruptura con los surrealistas. Entre sus obras figura la tetralogía *El mundo real*, 4 vol. (1933–44), novela que describe la lucha de clases del proletariado; la extensa novela *Los comunistas*, 6 vol. (1949–51); novelas autobiográficas en clave; y volúmenes de poesía de expresivo patriotismo y amor por su mujer. Fue editor del semanario comunista de arte y literatura, *Les Lettres françaises*, 1953–72.

aragonita Mineral CARBONATO, la forma estable del carbonato de calcio ($CaCO_3$) a altas presiones. Es algo más dura y posee un peso específico ligeramente más alto que la CALCITA. La aragonita se encuentra en depósitos recientes formados a bajas temperaturas, cerca de la superficie terrestre, y en cavernas, como estalactitas; con minerales metálicos, en serpentina y otras rocas básicas (ver ROCAS ÁCIDAS Y BÁSICAS), y en sedimentos. La aragonita es el mineral que comúnmente se encuentra en las perlas y aparece en algunas conchas de animales. Es polimórfica (fórmula química igual, pero distinta estructura cristalina) con la calcita y vaterita y, con el tiempo geológico, se transforma en calcita, incluso en condiciones normales.

Araguaia, río Río del centro de Brasil. Nace en las tierras altas brasileñas y sigue su curso al norte por unos 2.600 km (1600 mi) hasta unirse con el río TOCANTINS, en São João do Araguaia. En su curso medio se divide en canales a ambos lados de la isla del Bananal, que tiene unos 320 km (200 mi) de largo y en la que se ubica el parque nacional de Araguaia. A pesar de que el río recorre una amplia zona del interior de Brasil, no es una buena vía de transporte debido a sus numerosas cascadas.

Arai Hakuseki (24 mar. 1657, Edo [Tokio], Japón–29 jun. 1725, Edo). Erudito japonés del CONFUCIANISMO y funcionario de gobierno de mediados del período de los TOKUGAWA. Arai fue tutor y después consejero de Tokugawa Ienobu, el sexto SOGÚN Tokugawa. Escribió sobre geografía, filosofía e instituciones legales japonesas, y es considerado uno de los más grandes historiadores de Japón. Entre sus obras más conocidas figuran *Tokushi yoron*, una historia de Japón, y *Koshitsū*, un estudio de fuentes documentales primitivas. Ver también cultura EDO; período GENROKU.

Arakchéiev, Alexéi (Andréievich), conde (4 oct. 1769, provincia de Nóvgorod, Rusia–3 may. 1834, Gruzino, provincia de Nóvgorod). Militar y estadista ruso. Nombrado inspector general de artillería en 1803, reorganizó esa rama del ejército. Fue luego ministro de guerra (1808–10). En la guerra ruso-sueca de 1808–09, obligó personalmente a las renuentes fuerzas rusas a cruzar el congelado golfo de Finlandia para atacar las islas Åland, lo que finalmente provocó la cesión sueca de Finlandia a Rusia. Fue el principal consejero militar del zar ALEJANDRO I en las guerras NAPOLEÓNICAS. Después de las guerras, dirigió los asuntos internos de Rusia con una eficiencia brutal y despiadada, por lo que ese período (1815–25) fue conocido como "Arakcheievshchina". Pero también participó en la emancipación de los siervos en las provincias bálticas y creó un sistema de colonias militares agrícolas.

Araks, río ver río ARAS

Aral, mar de Extenso lago salado entre KAZAJSTÁN y UZBEKISTÁN. Antiguamente cubrió 66.457 km² (25.659 mi²) y fue el cuarto cuerpo de agua interior más grande del planeta; sin embargo, a partir de 1960, se ha producido una gran disminución de su superficie debido a la desviación, para riego, de las aguas de los ríos SYR DARYÁ y AMU DARYÁ. Su volumen se ha reducido en un 75%, lo que ha provocado un incremento de su salinidad. Salvo la costa meridional, está deshabitado.

Embarcación encallada en lo que otrora fue el lecho del mar de Aral.
FOTOBANCO

Aram Antigua región de Asia meridional. Se extendía desde las montañas del Líbano hasta allende el río ÉUFRATES. Fue bautizado por los ARAMEOS, quienes salieron del desierto sirio para invadir Siria y la alta MESOPOTAMIA (c. siglo XIV AC) y construyeron numerosas ciudades-reino, como DAMASCO. Le da su nombre al idioma ARAMEO.

Aramco *sigla de* **Arabian American Oil Company** Compañía petrolera fundada por la Standard Oil Co. de California (Chevron) en 1933, cuando el gobierno de ARABIA SAUDITA le otorgó una concesión. Otras compañías de EE.UU. se le unieron después que se descubrió petróleo cerca de Dhahran en 1938. En 1950, Aramco inauguró un oleoducto desde Arabia Saudita hasta el puerto libanés de Sidón, en el Mediterráneo. Fue cerrado en 1983, excepto para abastecer una refinería en Jordania. En 1981 se terminó un oleoducto más exitoso, con destino al golfo Pérsico. En 1951 la compañía descubrió el primer yacimiento petrolífero submarino del Medio Oriente. En las décadas de 1970 y 1980, el control de la empresa pasó gradualmente al gobierno saudita, el que finalmente tomó posesión de ella y la rebautizó Saudi Aramco en 1988.

arameo Miembro de cualquier pueblo perteneciente a la confederación de tribus que migraron desde la península ARÁBIGA hasta la MEDIA LUNA FÉRTIL c. 1500–1200 AC. Entre ellos estaban las matriarcas bíblicas Lía y RAQUEL, esposas de Jacob. El ARAMEO y la cultura aramea se difundieron a través del comercio internacional. Alcanzaron su apogeo cultural durante los s. IX–VIII AC. En 500 AC, el arameo se había convertido en la lengua universal del comercio, la cultura y la política en toda la Media Luna Fértil, y permaneció así hasta la época de JESÚS y en ciertas áreas hasta el s. VII.

arameo Lengua SEMÍTICA hablada originalmente por los antiguos ARAMEOS. Los textos arameos más antiguos son inscripciones realizadas con un alfabeto de origen fenicio de c. 850–600 AC, encontrado en el norte del Levante. El arameo tuvo una notable expansión en el período 600–200 AC, lo que condujo al desarrollo de una forma estándar conocida como arameo imperial. En siglos posteriores, esta forma, denominada "arameo literario estándar", llegó a ser un modelo lingüístico. El arameo posterior (o clásico) (c. 200–1200 DC) posee una abundante literatura, tanto en siríaco como en mandeo (ver MANDEÍSMO). Con el auge del Islam, el árabe reemplazó rápidamente al arameo como lengua vernácula en Asia meridional. El arameo moderno (neoarameo) comprende el neoarameo occidental, que se habla en tres pueblos al nordeste de Damasco, Siria, y el neoarameo oriental, un grupo de lenguas que se habla en asentamientos dispersos de judíos y cristianos en el sudeste de Turquía, en el norte de Irak y en el noroeste de Irán, y también por mandeos modernos en el río SHATT AL-ARAB. Desde c. 1900, las persecuciones forzaron a la mayor parte de los hablantes contemporáneos de neoarameo oriental, cuyo número alcanza varios cientos de miles, a diseminarse por todo el mundo.

Aran, islas Islas (pob., 2001: 543 hab.) de la bahía de Galway, en el oeste de Irlanda. Este pequeño grupo de islas con una superficie conjunta de unos 47 km² (18 mi²), incluye Inishmore (o Aranmore), Inishmaan e Inisheer. Su poblado principal es Kilronan en Inishmore. Las islas contienen impresionantes fuertes prehistóricos y cristianos primitivos. El novelista LIAM O'FLAHERTY nació en Inishmore.

arancel *o* **derecho de aduana** Impuesto aplicado sobre bienes al momento de cruzar las fronteras de un país, generalmente cobrados por el gobierno del país importador. Los términos *aranceles* y *derechos* se usan indistintamente. Los aranceles suelen gravar las importaciones, no obstante se pueden aplicar tanto a la totalidad de los bienes extranjeros o sólo a los bienes que se producen fuera de las fronteras de una UNIÓN ADUANERA. Un arancel puede ser cobrado directamente en la frontera o, en forma indirecta, a través de la obligación de compra de una licencia o permiso de importación de cantidades especificadas de un bien. Dentro de los ejemplos de aranceles figuran los derechos de tránsito y los impuestos de importación o exportación, los que pueden aplicarse a bienes que se encuentren de paso por la aduana en camino a otro destino. Los aranceles, además de ser una fuente de ingresos, representan un medio efectivo de protección de la industria local al recargarse el precio de los productos importados que compiten con los productos nacionales. Esta práctica permite que los productores locales, o bien, cobren más por sus productos o capitalicen su menor carga impositiva, disminuyendo los precios de manera de atraer a más clientes. Los aranceles se usan a menudo para proteger las "industrias nacientes" o, para salvaguardar industrias maduras en decadencia. A veces, estos aranceles son criticados porque imponen costos ocultos a los consumidores locales e incentivan la ineficiencia de las industrias nacionales. Los aranceles son materia de negociación y de tratados entre naciones (ver ACUERDO COMERCIAL; GATT; OMC).

arándana Fruto de cualquiera de las pequeñas plantas rastreras o trepadoras del género *Vaccinium* (familia de las ERICÁCEAS), relacionadas con el ARÁNDANO. La arándana de fruto pequeño o arándana norteña, *V. oxycoccus*, se encuentra en tierras pantanosas de Norteamérica septentrional, en Asia y en el norte y centro de Europa. Sus bayas carmesíes, del tamaño de una grosella y frecuentemente manchadas, tienen un gusto ácido. La arándana americana (*V. macrocarpon*), presente en forma silvestre en la mayor parte del nordeste de EE.UU. y cultivada extensamente en Massachusetts, Nueva Jersey y Wisconsin y cerca de la costa del Pacífico en Washington y Oregón, es más vigorosa que *V. oxycoccus*; tiene bayas más grandes, que van de rosadas a rojas muy oscuras o moteadas con rojo y blanco. Las arándanas se usan en bebidas, salsas, mermeladas y pasteles.

arándano Cualquiera de varios arbustos nativos de Norteamérica del género *Vaccinium* de la familia de las ERICÁCEAS. Son muy apreciados por sus frutos comestibles dulces, fuente de vitamina C y hierro. Los arándanos sólo crecen en suelos muy ácidos y bien drenados, pero húmedos. El arándano arbustivo alto (*V. corymbosum*) es la especie más importante, desde el punto de vista económico y ornamental. Se cultiva en EE.UU., principalmente en Maine, Nueva Jersey, en el sudoeste de Michigan y en el este de Carolina del Norte. En Chile, los suelos del sur son excelentes para su cultivo.

arándano negro Arbusto (*Vaccinium myrtillus*) deciduo bajo, de la familia de las ERICÁCEAS, que crece en los bosques y matorrales, principalmente en zonas montañosas de Gran Bretaña, el norte de Europa y Asia. Presenta tallos rígidos con pequeñas hojas aovadas y florecillas rosadas con matices verdes. Las bayas cerosas de color azul oscuro son un alimento importante para el UROGALLO y se usan en tartas y conservas. Producen un solo fruto, a diferencia de los ARÁNDANOS cultivados de EE.UU. (*V. australe*), los cuales producen largos racimos de frutos, por lo que son más productivos.

arándano rojo Fruto de una pequeña planta rastrera (*Vaccinium vitis-idaea*) de la familia de las ERICÁCEAS, relacionada con el ARÁNDANO y la ARÁNDANA. El arándano rojo es una planta silvestre usada para preparar jaleas y jugos por los europeos del norte y los escandinavos establecidos en EE.UU. Las plantas crecen densamente en el sotobosque y, al igual que las arándanas, pueden ser cosechadas por rastrillaje.

Arantes do Nascimento, Edson ver PELÉ

Arany János (2 mar. 1817, Nagyszalonta, Hungría–22 oct. 1882, Budapest). Poeta épico húngaro. Su obra principal es la trilogía *Toldi* (1847), *Los amores de Toldi* (1848–79) y *El ocaso de Toldi* (1854). Al recrear las aventuras de un joven del s. XIV, de gran fuerza física, fue recibido con entusiasmo por un público deseoso de una literatura nacional de calidad en un lenguaje que todos pudiesen comprender. Otros trabajos suyos incluyen el fragmento de una epopeya, *Bolond Istók* (1850) y *La muerte de Buda* (1864), la primera parte de una trilogía proyectada sobre los hunos. El *Oszikék*, escrito justo antes de morir, refleja conmovedoramente sus sentimientos de insatisfacción y soledad. Es considerado el más grande poeta épico húngaro.

araña Cualquiera de las casi 34.000 especies de ARÁCNIDOS predadores, mayoritariamente terrestres, pertenecientes al orden Araneida, abundantes en todo el mundo, a excepción de la Antártida. Su cuerpo está dividido en dos partes principales; tienen ocho patas, dos apéndices venenosos en forma de pinzas (quelíceros) y dos órganos hilanderos (hileras). Su tamaño varía desde menos de 2,5 mm (1 pulg.) hasta 9 cm (3,5 pulg.) de largo. En contados casos (p. ej., la ARAÑA MARRÓN), su veneno es dañino para los seres humanos. La mayoría de las especies cazan su presa (insectos) enredándola en una tela de seda (telaraña) secretada por las hileras. Durante su vida experimentan pocos cambios, con excepción de su tamaño. Las especies se clasifican en gran medida de acuerdo con el número y disposición de los ojos y el tipo de telaraña. Ver también ARAÑA LOBO EUROPEA; TARÁNTULA; VIUDA NEGRA.

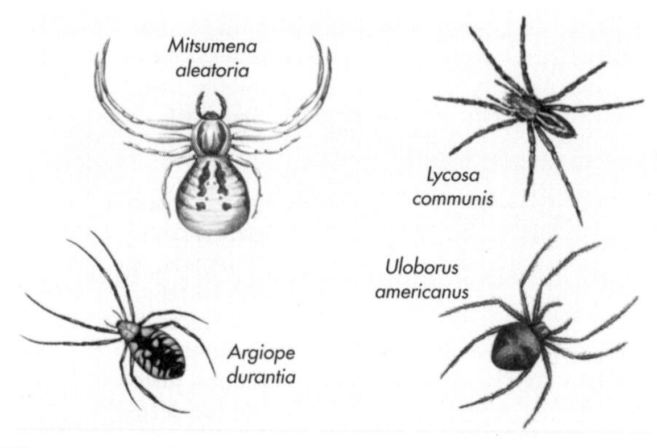

Diferentes especies de araña.

araña de rincón ver ARAÑA MARRÓN

araña lobo europea Nombre que originalmente designaba una especie de ARAÑA (*Lycosa tarentula*) de Europa meridional, pero que ahora denota más de 175 especies de arañas (familia Lycosidae) en América del Norte, Europa y al norte del círculo polar ártico. El cuerpo de la *L. tarentula*, la especie más grande, mide cerca de 2,5 cm (1 pulg.) de largo. La mayoría de las especies tienen un cuerpo largo, ancho y peludo color marrón, patas largas y robustas y mandíbulas fuertes y prominentes. Las arañas lobo europeas persiguen y se lanzan sobre su presa, cazando principalmente de noche. La mayoría de las especies construyen en la tierra un nido tubular forrado en seda, el que cavan con sus pesadas patas delanteras. Unas pocas especies tejen telarañas. La mordedura de la *L. tarentula* no produce efectos nocivos en los humanos.

araña marrón *o* **araña violinista** ARAÑA venenosa, (*Loxosceles reclusa*) muy común en el oeste y sur de EE.UU. Es de color marrón pálido, con un diseño oscuro en forma de violín en el dorso, por lo que a veces se denomina araña violinista. De unos 7 mm (0,25 pulg.) de largo, con las patas estiradas llega a medir 2,5 cm (1 pulg.). Se ha propagado a zonas del norte de EE.UU. y suele encontrarse debajo de las piedras o en rincones oscuros de las casas. Al mismo género pertenece la llamada araña de rincón de Sudamérica y otras arañas venenosas distribuidas por todo el mundo. Su veneno destruye las paredes de los vasos sanguíneos alrededor de la picadura, provocando a veces una úlcera cutánea de lenta cicatrización. Ocasionalmente, su picada es fatal.

arañita roja ver ACARINA

arao Cualquiera de ciertas aves marinas blanquinegras (género *Uria*, familia Alcidae) que mide unos 40 cm (16 pulg.) de largo y se reproduce desde el círculo ártico hasta Nueva Escocia, California, Portugal y Corea. Anidan en gran número en acantilados escarpados. En la mitad de su crecimiento, el polluelo entra al mar en compañía de sus progenitores para escapar de las gaviotas y GAVIOTAS PARDAS. En otoño migran hacia el sur. Ver también GUILLEMOT.

arapajó Pueblo indígena de las LLANURAS norteamericanas, que vive mayormente en Oklahoma y Wyoming, EE.UU. Se cree que alguna vez habitaron en forma permanente aldeas en las tierras boscosas del este. Su idioma pertenece a las lenguas ALGONQUINAS. Como otros grupos de las llanuras, eran nómadas que vivían en TIPIS y dependían de la caza de búfalos para su subsistencia. Después de 1830 se escindieron en dos grupos, los norteños y los sureños. Eran sumamente religiosos y practicaban la DANZA DEL SOL. Su organización social incluía sociedades militares jerarquizadas por edad, así como sociedades masculinas de chamanes. Comerciaban con los MANDANS y los arikaras, al tiempo que solían guerrear con los SHOSHONES, UTES y PAWNEES. Una rama sureña sostuvo una larga alianza con los CHEYENES, y lucharon juntos contra el coronel GEORGE CUSTER en LITTLE BIGHORN, en 1876. En el censo estadounidense de 2000, unas 7.000 personas declararon ser descendientes puros de los arapajós.

Arar, río ver río SAONA

Ararat, monte *turco* **Ağrı Dağı** Macizo volcánico apagado de Turquía oriental, provincia de Agri, cercano a la frontera con Irán. Posee dos cumbres: el gran Ararat, de 5.137 m (16.853 pies), que es la máxima altura de Turquía, y el pequeño Ararat, de casi 4.000 m (13.000 pies). Tradicionalmente se lo relaciona con la montaña donde varó el arca de Noé al final del diluvio bíblico. Una aldea en sus faldeos, justo en el lugar en el que NOÉ habría construido un altar, fue destruida por un terremoto en 1840.

Aras, río *o* **río Araks** Río de Turquía, Armenia, Azerbaiján e Irán. Nace en las montañas al sur de Erzurum, Turquía, y fluye hacia el este hasta unirse con el río KURA en Azerbaiyán, aprox. a 95 km (60 mi) de su desembocadura. Desde una crecida en 1897, un brazo separado del Aras desemboca también en el mar CASPIO. Tiene una longitud de aprox. 915 km (570 mi) y constituye parte del límite entre Armenia y Turquía, Armenia e Irán y Azeibaiyán e Irán. Artaxata, localizada en su ribera, fue la capital de Armenia entre 180 AC y 50 DC.

Arato de Sición (271–213 AC). Estadista grecohelenístico, diplomático y soldado. Democratizó SICIÓN (251) y, como líder de la Liga AQUEA (en años alternados desde 245), estableció democracias en las ciudades de la liga y contribuyó a la liberación de Atenas de Macedonia (229). Bajo su mandato, la liga se opuso a Esparta; con la ayuda de Macedonia, derrotó a Etolia (217). Sin embargo, Arato desafió la política antirromana de FILIPO V de Macedonia; es más probable que su muerte, tradicionalmente vinculada a Filipo, haya sido causada por la tuberculosis.

araucano ver MAPUCHE

araucaria Árbol conífero (ver CONÍFERA) parecido al pino, perteneciente al género *Araucaria* (familia Araucariaceae). Se encuentra en Sudamérica, islas PHOENIX y Australia. Las araucarias son árboles SIEMPREVERDES magníficos, con ramas verticiladas y hojas tiesas, aplanadas y puntiagudas. Las especies más conocidas son el PEHUÉN (*A. araucana*) y la ARAUCARIA DE NORFOLK (*A. excelsa*, o *A. heterophylla*), esta última a menudo cultivada en jardines. Ver también PINO.

Pehuén (*A. araucana*), especie de araucaria, originaria de Sudamérica.
FOTOBANCO

araucaria de Norfolk CONÍFERA (*Araucaria excelsa*, o *A. heterophylla*) siempreverde de importancia maderera y ornamental, de la familia Araucariaceae, nativa de la isla de Norfolk, en el océano Pacífico sur. En su ambiente natural, este árbol puede crecer hasta 60 m (200 pies), con un tronco que a veces alcanza un diámetro de 3 m (10 pies). La madera de los árboles grandes se usa en construcción, mueblería y embarcaciones. En estado juvenil se emplea en muchas partes del mundo como planta o árbol ornamental de parques y jardines, en regiones con clima mediterráneo. El PEHUÉN (*A. araucana*) es otra especie del mismo género.

arawak Amerindios de las Antillas Mayores y de América del Sur que hablaban lenguas del grupo lingüístico arawak. Los TAÍNOS eran uno de los grupos arawak. Aparentemente, los arawak habrían sido los nativos con los cuales CRISTÓBAL COLÓN entró primero en contacto en 1492. Los arawak de Sudamérica habitaban el norte y el oeste de la cuenca del río Amazonas, donde cazaban, pescaban y cultivaban la tierra. Su sociedad tendía a una organización no jerárquica. Si bien los arawak campa vivían en las estribaciones de la cordillera de los Andes, permanecieron al margen de la influencia de las civilizaciones ANDINAS.

arawak, lenguas *o* **lenguas maipuran** La mayor familia de las lenguas amerindias. Se estima que la familia comprende 65 lenguas conocidas, de las cuales al menos 30 se encuentran extinguidas. Las lenguas arawak se extienden desde la costa caribeña de América Central hasta el Gran CHACO y el sur de Brasil, y desde el oeste del Perú hasta las Guayanas y el centro de Brasil. El taíno, una lengua arawak de las Antillas, ahora extinta, fue la primera lengua amerindia con que se encontraron los europeos. Las lenguas arawak todavía en uso comprenden el guajiro en Colombia y Venezuela, las lenguas amuesha, machiguenga y campa en el Perú, y la lengua terena en Brasil.

Arbenz (Guzmán), Jacobo (14 sep. 1913, Quezaltenango, Guatemala–27 ene. 1971, Ciudad de México, México). Militar y presidente de Guatemala (1951–54). Hijo de un inmigrante suizo, Arbenz se sumó a los oficiales militares de izquierda que derrocaron al dictador Jorge Ubico (n. 1878–m. 1946) en 1944. Elegido presidente en 1951, hizo de la REFORMA AGRARIA su principal proyecto. Sus esfuerzos por expropiar las tierras ociosas de la UNITED FRUIT CO. y sus presuntos vínculos con el comunismo condujeron a una invasión patrocinada por la CIA de EE.UU. Cuando el ejército se negó a defender su gobierno contra lo que parecía una fuerza superior, renunció y partió al exilio; en su reemplazo, la CIA instaló como presidente al líder del ejército, el coronel Carlos Castillo Armas (n. 1914–m. 1957).

Arber, Werner (n. 3 jun. 1929, Gränichen, Suiza). Microbiólogo suizo y catedrático de la Universidad de Basilea. Compartió el Premio Nobel en 1978 con DANIEL NATHANS y HAMILTON O. SMITH por el descubrimiento y empleo de las enzimas de restricción, que dividen las grandes moléculas de ADN en fragmentos lo suficientemente pequeños como para aislarlos y estudiarlos en forma individual, pero lo bastante grandes como para conservar cantidades significativas de información genética de la sustancia original. También observó que los bacteriófagos causan mutaciones en sus huéspedes bacterianos y experimentan a su vez mutaciones hereditarias.

arbitraje Operación comercial que consiste en la compra de MONEDA extranjera, oro, instrumentos financieros o mercancías en una plaza y su venta casi simultánea en otra, con el fin de lucrar con el diferencial de precios que existe entre ambos mercados. En la década de 1980 apareció una forma de especulación que se llamó arbitraje de riesgo, mediante la cual los especuladores intentaban identificar empresas que fueran candidatas a ser compradas por terceros, para así adquirir paquetes de ACCIONES de dichas empresas, los que posteriormente eran revendidos con ganancia cuando la compra era finalmente anunciada y el precio de la acción subía de valor. Ver también abuso de INFORMACIÓN PRIVILEGIADA; VALOR.

arbitraje Modo de resolver una controversia o agravio fuera del ámbito de los tribunales de justicia, sometiéndolo a la decisión de un tercero imparcial. Por lo general, ambas partes en conflicto deben estar de acuerdo por anticipado en la elección del árbitro y certificar que acatarán lo resuelto por este. En la Europa medieval, el arbitraje se utilizaba para dirimir controversias entre comerciantes, en la actualidad, comúnmente se emplea para resolver conflictos mercantiles, laborales e internacionales. Los procedimientos son distintos de los usados en los tribunales, en especial en lo que se refiere al peso de la prueba y a la presentación de esta. El arbitraje evita pleitos costosos y permite resolver los conflictos en forma relativamente rápida, además de que protege la intimidad de las partes en conflicto. Su principal inconveniente es la dificultad de establecer criterios generales y, en consecuencia, el resultado suele ser menos previsible que la sentencia judicial. Ver también MEDIACIÓN.

árbol Planta perenne leñosa. La mayoría de los árboles tienen un tronco único con tejidos leñosos como punto de apoyo. En la mayoría de las especies, el tronco produce tallos secundarios denominados ramas. Los árboles aportan varios productos importantes, especialmente MADERA, uno de los principales materiales de construcción en el mundo, y pulpa de madera, usada en la fabricación de papel. La madera es también una fuente importante de combustible. Los árboles proporcionan FRUTOS y NUECES comestibles. Además, sus hojas absorben dióxido de carbono y liberan oxígeno durante la FOTOSÍNTESIS. Sus sistemas radiculares ayudan a retener el agua y afirmar el suelo, previniendo las inundaciones y la erosión. Los árboles y los bosques sirven de hábitat para una amplia variedad de animales y embellecen tanto los paisajes naturales como los intervenidos. Los ANILLOS DE CRECIMIENTO del tronco, indican la edad de la mayoría de los árboles. Los árboles más altos son las SECUOYAS de la costa del Pacífico de EE.UU.; la especie más longeva es el pino de Colorado de EE.UU. (*Pinus longaeva*), entre cuyos ejemplares se cuentan algunos que tienen más de 4.000 años de edad. Ver también ÁRBOL DECIDUO; ARBUSTO; CONÍFERA; BOSQUE; MADERA BLANDA; SIEMPREVERDE.

árbol de Judea Cualquiera de los arbustos o árboles pequeños del género *Cercis* (familia Leguminosae), nativos de Norteamérica, Europa meridional y Asia, que son ampliamente utilizados como árboles ornamentales debido a sus vistosas flores de comienzos de primavera y la atractiva configuración de sus ramas. Los ramilletes de florecillas de color carmesí salen en los tallos y ramas viejas antes del despliegue de hojas. Estas, de forma acorazonada a redondeada, cambian rápidamente de un color broncíneo a un verde brillante y luego se tornan amarillas en otoño. La especie *C. canadensis* es la más resistente al frío.

árbol de Júpiter ver CRESPÓN

árbol de la cera Nombre de varios arbustos y árboles aromáticos pequeños del género *Myrica* (familia Myricaceae), especialmente *M. pennsylvanica*, que tiene bayas cerosas, grisáceas que, al hervirlas, producen una cera que se usa en la fabricación de velas. El árbol de la cera de California, o mirto de la cera de California (*M. californica*), se utiliza como arbusto ornamental en suelos arenosos de climas cálidos.

árbol de la vida Centro del mundo, un símbolo ampliamente generalizado en mitos y leyendas de varios pueblos, sobre todo en Asia, Australia y América del Norte. Tiene dos formas principales. En la tradición vertical, el árbol conecta y se extiende entre la Tierra, el cielo y el infierno; a sus pies se realizan oráculos, juicios y otras actividades proféticas. En la tradición horizontal, el árbol está plantado en el centro del mundo, lo protegen guardianes sobrenaturales y es la fuente de vida y fertilidad terrestres.

Árbol de Judea (*Cercis canadensis*).

árbol deciduo Árbol latifoliado que deja caer todas sus hojas durante una estación. Los bosques deciduos se encuentran en tres regiones de latitud media con un clima templado caracterizado por una estación de invierno y precipitaciones a lo largo de todo el año: el este de Norteamérica, el oeste de Eurasia y el nordeste de Asia. También se extienden hacia regiones más áridas bordeando las riberas y en torno a cuerpos de agua. Especies como ROBLE, HAYA, ABEDUL, CASTAÑO, ÁLAMO TEMBLÓN, OLMO, arce (ver ACERÁCEAS) y TILO AMERICANO (o TILO) son los árboles dominantes en bosques deciduos de latitudes medias. Otras plantas que dejan caer sus hojas estacionalmente también pueden denominarse deciduas. Ver también CONÍFERA; SIEMPREVERDE.

árbol del cielo Árbol de rápido crecimiento (*Ailanthus altissima*), de la familia Simaroubaceae, nativo de China y ampliamente naturalizado en otros lugares, con muchas variedades conocidas. Debido a su resistencia a la contaminación, inmunidad a la depredación por insectos y enfermedades, y capacidad de crecer en casi cualquier suelo, el árbol del cielo se planta como árbol de patio y de calle en áreas urbanas. Puede alcanzar una altura de 18 m (60 pies) o más, y produce largas hojas compuestas que emiten un olor desagradable cuando son magulladas. Los árboles masculinos presentan flores malolientes. Los árboles femeninos producen frutos alados que son de color anaranjado cuando están maduros.

arboreto Lugar donde se cultivan árboles, arbustos y a veces plantas herbáceas con fines científicos y educativos. Un arboreto puede ser una colección en sí misma o parte de un JARDÍN BOTÁNICO. En EE.UU. existen importantes arboretos como el Arnold Arboretum de la Universidad de Harvard (Jamaica Plain, Mass.) y el Arboreto Nacional de EE.UU. en Washington, D.C.

arboricultura Cultivo de árboles, arbustos y plantas leñosas con fines decorativos y para proporcionar sombra. La arboricultura abarca todos los aspectos del cultivo, mantenimiento e identificación de las plantas, el arreglo de plantaciones por su valor ornamental y la remoción de árboles. El bienestar de cada planta es la mayor preocupación de la arboricultura, a diferencia de la SILVICULTURA y la AGRICULTURA, en las cuales el principal interés es el bienestar de un gran grupo de plantas en su conjunto.

arbotante Estructura de albañilería que consiste, por lo general, en una barra inclinada, apoyada en un medio arco que se extiende (vuela) desde la parte superior de un muro hasta un pilar situado a cierta distancia, y descarga el empuje de un techo o bóveda. Generalmente, el pilar está coronado por un piñón (ornamento vertical de forma piramidal o cónica), para agregar peso y así darle mayor estabilidad. El arbotante se usó en el gótico y evolucionó a partir de elementos de apoyo ocultos más simples usados con anterioridad. El diseño del arbotante mejoró la capacidad soportante del CONTRAFUERTE y permitió la construcción de las iglesias de naves elevadas, típicas de la arquitectura GÓTICA.

arbovirus Grupo de virus que se desarrolla en artrópodos (principalmente mosquitos y garrapatas). El nombre deriva del inglés *arthropod-borne virus*. La partícula viral esferoidal está envuelta en una membrana grasa, contiene ARN y no causa daño aparente al artrópodo huésped. Los arbovirus se transmiten por picaduras a los huéspedes vertebrados, en los cuales producen infecciones y completan su ciclo de crecimiento. Incluyen a los agentes de la FIEBRE AMARILLA y la ENCEFALITIS equina. Ver también TOGAVIRUS.

Arbus, Diane *orig.* **Diane Nemerov** (14 mar. 1923, Nueva York, N.Y., EE.UU.–26 jul. 1971, Nueva York). Fotógrafa estadounidense. Hermana del poeta y crítico Howard Nemerov. Trabajó como fotógrafa de modas en la década de 1950. De 1955 a 1957 estudió con la fotógrafa documentalista Lisette Model. Publicó su primer ensayo fotográfico para *Esquire* en 1960. En la década de 1960 comenzó a explorar los temas que la mantendrían ocupada la mayor parte de su carrera: individuos que vivían en los márgenes de la sociedad y la "normalidad", como nudistas, travestis, enanos y personas mental y físicamente discapacitadas. De su propia y evidente intimidad con los sujetos de sus fotos resultaban imágenes que comprometían la compasión y la connivencia del observador, provocando una respuesta intensa. Durante este período afianzó su técnica de utilizar un formato cuadrado e iluminación de flash, lo que dio a su obra un sentido de teatralidad y surrealismo. En 1971, Arbus se suicidó.

arbusto Cualquier planta leñosa que tiene varios tallos, ninguno de los cuales es dominante, y suele medir menos de 3 m (10 pies) de altura. Si es muy ramificada y tupida, puede llamarse matorral. Entre los arbustos y los árboles están las plantas arborescentes o arbustos arboriformes, con una altura de 3–6 m (10–20 pies). Los ÁRBOLES se definen por lo general como plantas leñosas de más de 6 m (20 pies) de altura, con un tallo o tronco dominante, y una forma definida de la copa. Sin embargo, estas distinciones no son confiables; por ejemplo, en condiciones ambientales especialmente favorables, algunos arbustos pueden alcanzar el tamaño de una planta arborescente o incluso el de un árbol pequeño.

Arca de la Alianza En el judaísmo y cristianismo, el cofre de madera recubierto de oro que en tiempos bíblicos guardó las dos Tablas de la Ley, entregadas por Dios a MOISÉS. Los levitas llevaron el Arca durante el tiempo en que los hebreos erraron por el desierto. Tras la conquista de CANAÁN, el Arca fue llevada a Silo, pero en ocasiones era transportada por los israelitas a las batallas. DAVID la trasladó a Jerusalén y SALOMÓN la instaló en el templo de JERUSALÉN, donde permanecía en el SANCTASANCTÓRUM para ser vista sólo por el sumo sacerdote durante el YOM KIPPUR. Se cree que fue capturada cuando Jerusalén cayó en manos de los babilonios en el año 586 AC y se desconoce su destino ulterior.

arcada Serie de arcos, soportados por columnas o pilares, unidos por sus extremos formando una hilera. Cuando soporta un techo, la arcada puede servir de pasillo adyacente a un muro sólido de vereda cubierta que da acceso a tiendas colindantes, o como un elemento de transición que rodea a un patio interior descubierto. Ver también COLUMNATA.

Arcadia País de la antigüedad en el centro del PELOPONESO, Grecia. Montañosa y sin litoral, Arcadia no fue conquistada por los DORIOS durante su ocupación de Grecia (1100–1000 AC). Su aislamiento y su carácter pastoril explican en parte por qué la poesía bucólica griega y romana la representaban como un paraíso. Fue escenario de conflictos durante la guerra de independencia de GRECIA (1821–29). El actual departamento griego de Arcadia cubre prácticamente la misma superficie que el país antiguo.

Arcadia, Liga de Confederación de las antiguas ciudades-estado griegas de Arcadia. Los pueblos arcadios habían sido forzados a aliarse con ESPARTA hacia 550 AC y la mayor parte de los arcadios siguieron fieles a esta durante la guerra del PELOPONESO (431–404 AC). En un esfuerzo por contener a Esparta, EPAMINONDAS de Tebas fundó la ciudad-estado de MEGALÓPOLIS en 371–368 AC, como sede de la Liga de Arcadia. La liga unió a los arcadios durante unas cuantas décadas hasta que los desacuerdos internos desintegraron la confederación.

Arcángel ver ARJÁNGUELSK

arce negundo Árbol resistente y de crecimiento rápido (*Acer negundo*) de la familia de las ACERÁCEAS, nativo del centro y del este de EE.UU. Sus hojas compuestas (raras entre los arces) tienen tres, cinco o siete folíolos toscamente dentados. Su única semilla se encuentra dentro de una sámara (fruto seco alado). Debido a su crecimiento rápido y su resistencia a la sequía, fue plantado en gran cantidad como árbol de sombra por los primeros colonos en las regiones de las praderas de EE.UU. El jarabe y el azúcar de arce a veces se obtienen de este árbol. Su madera se utiliza para fabricar jabas, muebles, pasta papelera y carbón vegetal.

archaebacteria Grupo de BACTERIAS cuyos miembros difieren de las EUBACTERIAS en ciertas características físicas, fisiológicas y genéticas (p. ej., los componentes de la pared celular). Las archaebacterias son microorganismos acuáticos o terrestres que presentan una diversidad de formas: esférica, baciliforme o espiral. Sobreviven en medios extremos: muy salobres, o con temperaturas muy elevadas. Algunas requieren oxígeno y otras no. Algunas producen metano como producto final, mientras que el metabolismo de otras depende del azufre.

Arches, parque nacional Reserva en el este de Utah, EE.UU. Ubicada en el río COLORADO, al norte de Moab, la reserva fue establecida como monumento nacional en 1929 y como parque nacional en 1971. Su superficie es de 298 km² (115 mi²). La piedra caliza roja del parque ha sido erosionada tomando formas inusuales, como Courthouse Towers, Fiery Furnace y Devils Garden, donde se encuentra Landscape Arch, de 89 m (291 pies), el puente rocoso natural más largo del mundo.

archibebe Cualquiera de dos especies de aves costeras (género *Tringa*, familia Scolopacidae). Tienen un cuerpo estilizado, con vetas de color gris pardusco y blanco, pico largo y patas largas de color amarillo brillante. Ambas especies se reproducen en Canadá e invernan en Sudamérica. Se alimentan de pececillos y otros organismos acuáticos. El más pequeño (*T. flavipes*) mide unos 25 cm (10 pulg.) de largo. Durante su migración suele detenerse en grandes bandadas en marismas y tiene un reclamo plano de sólo una o dos notas. El gran archibebe (*T. melanoleuca*) es menos común y mide unos 35 cm (14 pulg.) de largo. Tiene el pico más largo y fuerte, levemente curvado hacia arriba. Su reclamo es un silbido claro de tres notas.

Archibebe (*Tringa flavipes*), el menor de dos especies.
MARY M. TREMAINE–ROOT RESOURCES

Archipenko, Alexander (30 may. 1887, Kíev, Ucrania–25 feb. 1964, Nueva York, N.Y., EE.UU.). Escultor ucraniano-estadounidense. En 1908 se trasladó a París para estudiar en la école des Beaux-Arts y muy luego se transformó en un activo participante de círculos radicales, como el movimiento cubista (ver CUBISMO). Comenzó a explorar la interacción entre vacíos y sólidos entrelazados, y entre superficies convexas y cóncavas, formando una equivalencia escultórica de las pinturas cubistas que superponían planos, proceso que revolucionó la escultura moderna. Hacia 1912 introdujo el concepto de *collage* en la escultura y siguió desafiando la tradición con sus "escultopinturas", obras en las cuales introdujo el color, pintado sobre los planos de intersección de sus esculturas. En 1923 se trasladó a Nueva York, donde trabajó y enseñó la mayor parte de su vida.

archivos Depósito de un conjunto de registros organizados. Los archivos son producidos o recibidos por una entidad pública, semipública, institucional o comercial en la transacción de sus asuntos, y son preservados por esta o por sus sucesores. La moderna institución de archivos y la administración de estos se remonta a fines del s. XVIII, cuando se establecieron en Francia los archivos nacionales y departamentales. En EE.UU., el Archivo Nacional fue instituido en 1934 para conservar los registros dados de baja del gobierno nacional; la ley federal de registros de 1950 autorizó la creación de depósitos regionales de registros. Cada estado de EE.UU. tiene su propia agencia de archivos. Para manejar sus registros, los archiveros del s. XX gradualmente han ido incorporando nuevas tecnologías, como registros informáticos y películas, así como los registros de empresas, instituciones y personas.

arcilla Partículas de SUELO con diámetros inferiores a 0,005 mm, así como también un material compuesto esencialmente de partículas de arcilla (ver mineral de ARCILLA). En los suelos, las arcillas proporcionan el medio para casi todo crecimiento vegetal. El uso de arcilla en la ALFARERÍA se remonta a la prehistoria. Los LADRILLOS de arcilla (cocidos y en forma de ADOBE) han sido utilizados desde épocas remotas como materiales de construcción. El caolín se requiere para los materiales cerámicos más finos (ver CERÁMICA); al usarlo para satinar papel y darle peso, le otorga a este un brillo que permite una reproducción de alta calidad, aumentamdo la opacidad del papel. Los materiales arcillosos tienen muchos usos en ingeniería; las represas de tierra se impermeabilizan al agua por medio de un núcleo de arcilla y las pérdidas de agua en los canales se pueden reducir revistiendo el fondo con arcilla (llamado revestimiento con arcilla batida). Entre las materias primas esenciales del cemento PORTLAND figuran las arcillas.

arcilla, mineral de Grupo de aluminosilicatos hidratados con estructura estratificada y partículas muy finas (menos de 0,005 mm o microscópicas). Por lo general, son producto de la meteorización. Los minerales de arcilla se presentan extensamente en rocas sedimentarias, como lodolitas, lutitas y pizarras arcillosas; en sedimentos marinos y en suelos. Diferentes ambientes geológicos producen distintos tipos de minerales de arcilla a partir de la misma roca madre. Los minerales de arcilla se usan en la industria del petróleo (como lodo de perforación y como catalizadores en la refinación) y en el procesamiento de aceites minerales y vegetales (como agentes decolorantes).

Arcimboldo, Giuseppe (c. 1527, Milán–1593, Milán). Pintor italiano. Comenzó su carrera como pintor y diseñador de vitrales para la catedral de Milán. En 1562 se trasladó a Praga donde llegó a ser pintor de la corte de los emperadores Fernando I y Rodolfo II. Pintó también escenografías para el teatro de la corte y se hizo experto en imaginería ilusionista que contenía alegorías, trabalenguas y chistes. Es conocido por sus excéntricas y grotescas composiciones manieristas (ver MANIERISMO), donde utiliza frutas, vegetales, animales, paisajes y objetos dispuestos de tal manera que asemejan formas humanas. El estilo se consideró de mal gusto hasta que los surrealistas (ver SURREALISMO) revivieron el arte del chiste o ironía visual en la década de 1920.

"Verano," pintura sobre lienzo de Giuseppe Arcimboldo, 1573.

GENTILEZA DEL KUNSTHISTORISCHES MUSEUM, VIENA; FOTOGRAFÍA, ERWIN MEYER

arcipreste de Hita ver Juan RUIZ

arco Estructura curva que salva la luz entre dos pilares o columnas y soporta cargas de la estructura superior. El arco de albañilería es el eslabón entre el sistema de PILAR Y VIGA y la BÓVEDA, y fue usado ampliamente por los romanos. Su construcción consiste en una serie de bloques cuneiformes (dovelas), dispuestos en una curva semicircular o a lo largo de la intersección de dos arcos (como en el arco ojival). La dovela central se llama clave, y los dos puntos donde el arco descansa en sus apoyos se conocen como puntos del salmer. Un arco puede soportar una carga mucho mayor que una viga horizontal de igual tamaño y material, ya que la carga vertical fuerza a las dovelas a mantenerse unidas en lugar de separarse. El empuje resultante hacia el exterior debe ser resistido por los soportes del arco. Los actuales arcos monolíticos (de una pieza) de bajo peso de acero, concreto o madera laminada, son muy rígidos y así minimizan el empuje horizontal.

arco de triunfo Estructura monumental, originada en la antigua Roma, atravesada por al menos una vía y erigida para honrar a una persona importante o para conmemorar un acontecimiento significativo. Por lo general, era construido de manera que un ejército victorioso pudiera pasar bajo él en su desfile triunfal. La mayoría fue construida durante el período imperial. La forma básica consistía en dos pilares conectados por un arco, coronado por una superestructura o ático, que servía de base para estatuas o inscripciones labradas en él. El gran arco central podía también estar flanqueado por dos arcos de menor tamaño. El arco de triunfo romano tenía una fachada de columnas de mármol, y la arcada y lados estaban adornados con esculturas en relieve. Entre los construidos después del Renacimiento destaca el ARCO DE TRIUNFO en París.

El Arco de Triunfo, el más grande del mundo y uno de los monumentos más conocidos de París, Francia.

ARCHIVO EDIT. SANTIAGO

Arco de Triunfo El ARCO DE TRIUNFO más grande del mundo. Obra maestra del romanticismo clásico, es uno de los monumentos más conocidos de París. Se levanta en el centro de la plaza Charles de Gaulle, en el extremo occidental de los CAMPOS ELÍSEOS. Iniciado por NAPOLEÓN I, diseñado por JEAN-FRANÇOIS-THÉRÈSE CHALGRIN y construido entre 1806–36, el monumento tiene 50 m (164 pies) de alto y 45 m (148 pies) de ancho. Las esculturas decorativas en relieve, que celebran las campañas militares victoriosas de Napoleón I, fueron realizadas en el arco por FRANÇOIS RUDE, Jean-Pierre Cortot y Antoine Etex.

arco insular Cadena de ISLAS oceánicas, larga y curva, asociadas con una actividad sísmica y volcánica intensa y a procesos de orogénesis. Algunos de ellos son el arco Aleutiano-Alaska y el arco Kuril-Kamchatka. La mayoría de los

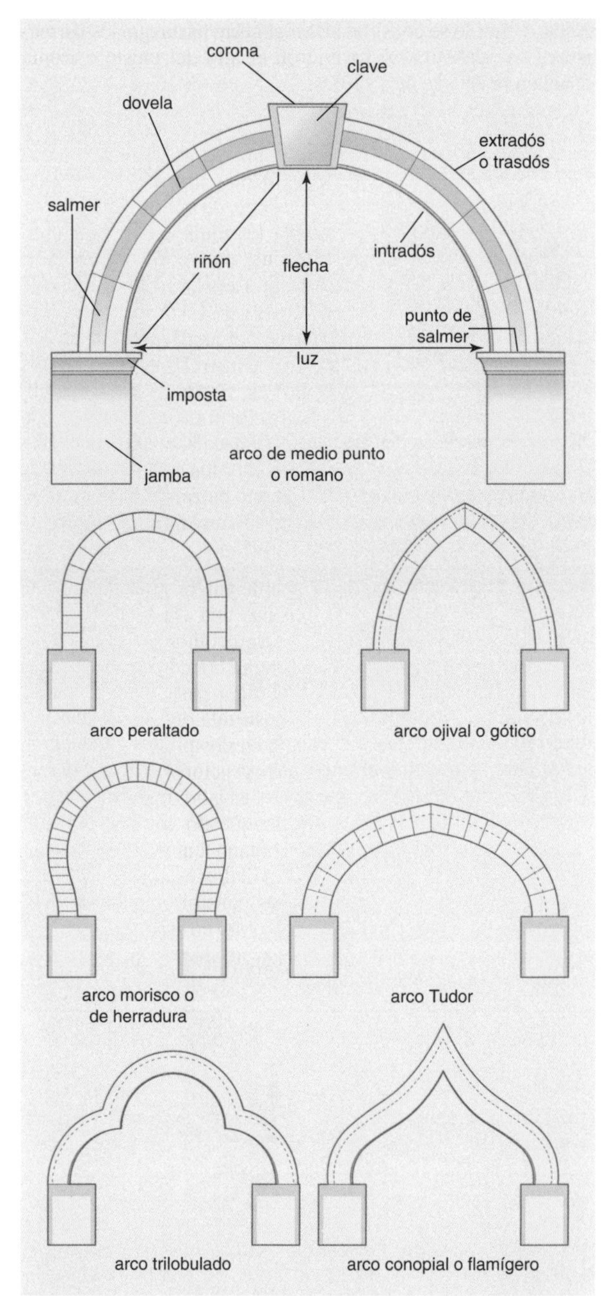

El arco soporta una carga vertical fundamentalmente por una compresión axial de sus dovelas cuneiformes. Como se puede apreciar en el arco de medio punto, la primera dovela, o salmer, descansa en la imposta, en la parte superior de la jamba. El riñón de bóveda, que se eleva desde la imposta hasta la corona (punto más elevado), está definido por una curva interior, o intradós, y una curva exterior o extradós, también llamado, trasdós. La altura del arco de medio punto, que tiene intradós semicirculares, mide exactamente la mitad de la luz. Abajo se muestran ejemplos de arcos curvados (izquierda) y en punta (derecha). El arco peraltado tiene costados verticales. El arco morisco se ensancha sobre los puntos del salmer. Los intradós del arco trilobulado tienen tres hendiduras o lóbulos. El arco ojival o gótico termina en punta y, por lo general, tiene dos riñones con igual radio de curvatura. En el caso del arco Tudor, la curvatura es mayor cerca de los salmeres que de la punta. En el arco conopial cada riñón tiene doble curvatura.

arcos insulares están formados por dos hileras paralelas de islas. La hilera interior es una cadena de volcanes y la exterior está constituida por islas no volcánicas. En el caso de los arcos simples, muchas de las islas poseen volcanes activos. Un arco insular normalmente cuenta en su lado cóncavo con una masa de tierra o un mar muy somero encerrado en forma parcial. A lo largo del lado convexo por lo general existe una FOSA OCEÁNICA larga y angosta.

arco iris Serie de arcos concéntricos cromáticos que se observa cuando la luz de una fuente distante, por lo general el Sol, ilumina una concentración de gotas de agua como la lluvia, un chorro vaporizado o la niebla. Los rayos coloreados del arco iris son causados por la REFRACCIÓN y REFLEXIÓN interna de los rayos de luz que entran en la gota, donde los rayos de cada color se doblan en un ángulo ligeramente distinto. Por lo tanto, los colores combinados están separados al dejar la gota. El arco iris más brillante y más común se llama arco primario; resulta de la luz que emerge de la gota después de una reflexión interna. Los colores del arco (desde afuera hacia adentro) son rojo, naranjo, amarillo, verde, azul, índigo y violeta. Ocasionalmente, se puede observar un arco secundario menos intenso; este tiene su secuencia de colores invertida.

arco largo inglés El arma más importante para lanzar proyectiles de los ingleses desde el s. XIV hasta entrado el s. XVI. Probablemente de origen galés, con frecuencia medía 2 m (6 pies) de altura y arrojaba flechas de casi 1 m de longitud. Los mejores arcos eran hechos de madera de TEJO, que podían requerir de una fuerza de 45 kg (100 lb) para tensarlos y tenían un alcance efectivo de 180 m (200 yd). Fueron usados por arqueros ingleses en la guerra de los CIEN AÑOS; el arma desempeñó un papel importante en las batallas de CRÉCY, Poitiers y AGINCOURT. Ver también ARCO Y FLECHA; BALLESTA.

arco natural ver PUENTE NATURAL

arco y flecha Arma consistente en un fleje de madera o de otro material flexible, curvado y mantenido en tensión por una cuerda. La flecha, una varilla larga de madera con una punta aguzada, es estabilizada en su trayectoria mediante plumas dispuestas en su cola. Una escotadura en el extremo de la flecha permite engancharla en la cuerda y al tirar de ella hacia atrás se produce la tensión del arco, la que propulsa la flecha al soltar la cuerda. Los materiales con que se hacen los arcos varían desde madera, hueso y metal, hasta plásticos y fibra de vidrio; las puntas de flecha han sido fabricadas de piedra, hueso y metal. Los orígenes del arco y la flecha son prehistóricos. El arco fue un arma militar fundamental desde el tiempo de los egipcios hasta la Edad Media en el mundo del Mediterráneo y en Europa, y aun hasta más tarde, en China y Japón. Los hunos, turcos, mongoles y otros pueblos de las estepas euroasiáticas sobresalieron en combate como arqueros montados; los arqueros ecuestres constituyeron el arma más mortífera de las guerras anteriores al uso de la pólvora. La BALLESTA, el arco compuesto y el ARCO LARGO INGLÉS hicieron de la flecha un proyectil formidable en el campo de batalla. El potente arco turco tenía un gran impacto en combate hacia fines de la Edad Media. En muchas culturas, el arco ha tenido más valor como arma de caza que como arma bélica. Todavía se usa a veces en la caza recreativa. Ver también TIRO CON ARCO.

arcón *o* **arxón** En el GNOSTICISMO, cualquiera de los varios poderes que gobiernan el mundo, creados con el mundo material por el DEMIURGO. Dado que los gnósticos suponían que el mundo material era malvado o producto del error, los arcones fueron considerados fuerzas del mal. Eran siete o a veces doce, y se les identificó con los siete planetas conocidos en la antigüedad o con los doce signos del ZODÍACO. Se creía que en la creación material habían apresado la chispa divina de las almas humanas. La gnosis, que emana de los reinos de luz divina a través de Jesús, habría permitido a los iniciados en el gnosticismo atravesar las esferas de los arcones hacia los reinos de la luz.

arcón *o* **baúl nupcial** Baúl, generalmente de madera, destinado a contener la dote de una novia o ser entregado como regalo de bodas. Era la pieza de mobiliario de decoración más elaborada en la Italia renacentista. En el s. XV, las familias florentinas adineradas emplearon a artistas como SANDRO

BOTTICELLI y PAOLO UCCELLO para decorar arcones con pinturas. Solían hacerse en pares, con los respectivos escudos de armas de la novia y el novio. Aunque los arcones se fabricaron en muchos países, los más finos provienen de Italia.

arconte En la antigua Grecia, el magistrado o magistrados gobernantes en una ciudad-estado, del período Arcaico en adelante. En ATENAS, nueve arcontes se dividían los deberes de Estado: el arconte *epónimo* presidía la BULÉ y la ECLESIA, el polemarca comandaba las tropas y juzgaba los litigios entre ciudadanos y extranjeros, el *arconte rey* presidía la religión estatal y el AREÓPAGO, y los seis arcontes restantes se ocupaban de variadas materias judiciales. Al comienzo solamente los aristócratas elegidos podían servir estos cargos que eran vitalicios; con posterioridad, los períodos se limitaron a un año. Los arcontes eran elegidos por una combinación de elección y sorteo. En el s. V AC la autoridad de los arcontes declinó a medida que los generales elegidos asumieron la mayor parte de sus poderes.

arcosa ARENISCA gruesa formada por la desintegración de granito sin una descomposición apreciable. Por ende, consta sobre todo de granos de cuarzo y feldespato. A falta de estratificación, la arcosa puede parecerse superficialmente al granito y algunas veces se ha descrito como granito, reconstituido o lavado. Al igual que el granito del cual se formó, la arcosa es rosada o gris.

arcosaurio Cualquiera de varios REPTILES evolucionados de la subclase Archosauria ("reptiles dominantes"), incluidos todos los tecodontos, PTEROSAURIOS, DINOSAURIOS, aves y cocodrileos. Los primeros arcosaurios conocidos aparecieron 242–227 millones de años atrás durante el TRIÁSICO. Todos los arcosaurios primitivos tenían tobillos especializados que les ayudaban a mantener una posición erguida y la mayoría tenía extremidades posteriores largas y extremidades anteriores cortas. A diferencia de los dientes de los primeros reptiles, los cuales se encontraban en un surco poco profundo, los dientes de los arcosaurios estaban (y están) implantados en alvéolos.

Ardea Antigua ciudad de Italia. Ubicada al sur de Roma, Ardea fue gobernada por el pueblo rútulo y un importante centro del culto a JUNO. En 444 AC, la ciudad firmó un tratado con los romanos, quienes la colonizaron a modo de barrera contra los VOLSCOS. Comenzó a decaer durante las guerras civiles romanas del s. I AC.

Arden, Elizabeth *orig.* **Florence Nightingale Graham** (31 dic. 1884, Woodbridge, Ontario, Canadá–18 oct. 1966, Nueva York, N.Y., EE.UU.). Mujer de negocios de origen canadiense-estadounidense, fundadora de una importante cadena de salones de belleza. Se trasladó a Nueva York c. 1908, lugar donde abrió un salón de belleza bajo el nombre de Elizabeth Arden. Influyó de manera decisiva para que los cosméticos tuvieran aceptación entre las mujeres respetables de la sociedad. En 1915 inició la comercialización internacional de sus productos cosméticos. A su muerte, existían más de 100 salones de belleza Elizabeth Arden en el mundo entero.

Arden, John (n. 26 oct. 1930, Barnsley, Yorkshire, Inglaterra). Dramaturgo británico. Estudió arquitectura en Cambridge y en el College of Art de Edimburgo. Sus obras combinan la poesía y las canciones con discursos coloquiales de una manera teatral atrevida, y entrañan fuertes conflictos que quedan a propósito sin resolver. Las obras de Arden comprenden *All Fall Down* (1955), *La danza del sargento Musgrave* (1959), *El burro del hospicio* (1963), *Vandaleur's Folly* (1978) y la serie de radio *¿De quién es el reino?* (1988).

Ardenas Región de meseta boscosa del noroeste de Europa. Cubre más de 10.000 km² (3.860 mi²) e incluye partes de Bélgica, Luxemburgo y el valle del río MOSA en Francia. Su altitud media es de unos 488 m (1.600 pies). Aunque la mitad está cubierta de bosques, el suelo es generalmente yermo y solamente sustenta el brezo. Está ubicada en medio de un triángulo densamente poblado, formado por PARÍS, BRUSELAS y COLONIA. Durante la primera y segunda guerras mundiales, la región fue el escenario de cruentas luchas en 1914, 1918 y 1944 (ver campaña de las ARDENAS).

Ardenas, campaña de las (16 dic. 1944–16 ene. 1945). Última ofensiva alemana en cuña en el frente occidental durante la segunda GUERRA MUNDIAL, que intentó sin éxito dividir las fuerzas aliadas y evitar la invasión de Alemania. En diciembre de 1944, las fuerzas aliadas fueron sorprendidas por un contraataque alemán en la boscosa región de las Ardenas, en el sur de Bélgica. El ataque alemán, encabezado por la división PANZER de GERD VON RUNDSTEDT, en un principio exitoso, fue finalmente detenido por la resistencia aliada y los refuerzos encabezados por GEORGE S. PATTON. Los alemanes retrocedieron en enero de 1945, pero ambos bandos sufrieron fuertes pérdidas.

Ardhanarisvara Figura andrógina que representa al dios hindú SHIVA y a su consorte PARVATI. En muchas esculturas indias y del Sudeste asiático, la mitad derecha es masculina y la izquierda es femenina. La figura simboliza la unidad inseparable, opuesta y complementaria, de los principios masculino y femenino.

ardilla Cualquiera de unas 260 especies incluidas en 50 géneros (familia Sciuridae) de ROEDORES en su mayoría diurnos, que habitan en casi todo el mundo. Muchas especies son arborícolas y algunas terrestres. Todas tienen fuertes patas traseras y cola poblada. La forma y el color son muy variados, y su largo total oscila entre 10 cm (4 pulg.), de la ardilla pigmea africana, y 90 cm (35 pulg.), de las ardillas gigantes de Asia. Las especies arborícolas viven en agujeros de los árboles o en nidos y son activas durante todo el año. Las especies terrestres viven en madrigueras en el suelo y muchas se aletargan en invierno (hibernan) o en verano. La mayoría son vegetarianas y aficionadas a las semillas y nueces. Otras se alimentan de insectos o suplementan su dieta con proteína de origen animal. Ver también ARDILLA LISTADA; ARDILLA VOLADORA; ARDILLA TERRESTRE; MARMOTA; PERRO DE LA PRADERA.

ardilla listada Cualquiera de las 17 especies de ROEDORES terrestres de la familia Sciuridae (ver ARDILLA). La *Tamias striatus* se encuentra en el este de Norteamérica; tiene un largo de 14–19 cm (5,5–7,5 pulg.) sin considerar la cola (8–10 cm [3–4 pulg.]). Es de color pardo rojizo con cinco franjas de color negro alternadas con dos franjas pardas y dos blancas. Las otras especies (todas del género *Eutamia*) se encuentran en el oeste de Norteamérica y en Asia central y oriental. Son

Ardilla de Albert (*Sciurus alberti*)

Ardilla roja americana (*Sciurus hudsonicus*)

Ardilla listada del Oriente (*Tamias striatus*)

Ardilla voladora (*Glaucomys volans*)

Principales especies de ardilla.

más pequeñas y presentan diferentes patrones de franjas. Son activas moradoras de madrigueras y consumen principalmente semillas, bayas y plantas tiernas. Almacenan semillas bajo tierra, acarreándolas en amplios abazones. Emiten un chirrido estridente o un sonido chillón.

ardilla terrestre Cualquiera de los numerosos ROEDORES terrestres de patas relativamente cortas de la familia Sciuridae (ver ARDILLA), que habitan en Norteamérica, México, África, Europa y Asia. El nombre se aplica a menudo a la ARDILLA LISTADA. Pertenecen a los géneros *Ammospermophilus*, *Xerus*, *Atlantoxerus* y *Spermophilus*. Viven en madrigueras y a veces en colonias. Aunque son principalmente herbívoras, algunas se alimentan de insectos, de otros animales pequeños y de carroña. Muchas de las especies recolectan el alimento, que transportan en sus abazones y almacenan en sus madrigueras. Aquellas que viven en zonas frías pueden hibernar y las que viven en zonas áridas y secas pueden aletargarse en verano. Incluida la cola, su largo varía entre los 17 y 52 cm (7–20 pulg.).

ardilla voladora Cualquier miembro de dos grupos distintos de ROEDORES capaz de saltar y planear mediante membranas, parecidas a un paracaídas, que conectan los miembros posteriores con los anteriores de cada lado. Las norteamericanas y euroasiáticas, de la familia Sciuridae (ver ARDILLAS), son delgadas, de miembros largos, arborícolas y tienen la piel suave y grandes ojos. Miden 8–60 cm (3–24 pulg.) de largo sin considerar su cola a menudo plana. Se alimentan de nueces, frutas y otros vegetales e insectos. Rara vez descienden al suelo. Pueden planear unos 60 m (200 pies) o más, entre un árbol y otro. Las ardillas africanas de cola escamosa (familia Anomaluridae) tienen hileras de escamas bajo su cola penachuda, que les ayudan a trepar y agarrarse de los árboles. Son similares a las ardillas de la familia Sciuridae en apariencia y hábitos de alimentación y miden unos 10–40 cm (4–16 pulg.) de largo, sin incluir la cola.

Ards Distrito (pob., 2001: 73.244 hab.) de Irlanda del Norte. Aunque antiguamente formaba parte del condado de Down, Ards fue establecido como distrito en 1973. Gran parte de su territorio está destinado a cultivos y pastizales. Su centro administrativo e industrial es NEWTOWNARDS, que fue poblado por escoceses (c. 1608). Donaghadee es un balneario popular de este distrito.

área ver LONGITUD, ÁREA Y VOLUMEN

Arecibo, observatorio de OBSERVATORIO astronómico cerca de Arecibo, Puerto Rico, lugar donde se encuentra el RADIOTELESCOPIO con antena individual más grande del mundo (a diferencia de muchos radiotelescopios interferométricos [ver INTERFEROMETRÍA] como el VERY LARGE ARRAY). El reflector paraboloide fijo de 300 m (1.000 pies) de diámetro, está instalado en un valle; las fuentes celestes son rastreadas en el cielo con el desplazamiento de estructuras secundarias suspendidas a una distancia de cerca de 150 m (500 pies) sobre el reflector. El observatorio ha confeccionado mapas radáricos detallados de la superficie de VENUS y de asteroides cercanos a la Tierra (ver ASTEROIDE CON ÓRBITA DE IMPACTO POSIBLE). Realizó estudios detallados sobre la IONOSFERA terrestre, y sus aportes en el estudio de los PULSARES y el contenido de hidrógeno gaseoso en GALAXIAS fueron muy importantes.

Radiotelescopio con antena individual más grande del mundo, observatorio de Arecibo, Puerto Rico.
FOTOBANCO

arena Partículas de mineral, roca o suelo de 0,02–2 mm (0,0008–0,08 pulg.) de diámetro. En la arena se encuentran la mayoría de los minerales litogénicos, pero el CUARZO es lejos el más común. La mayoría de las arenas contienen también una pequeña cantidad de FELDESPATO, así como MICA blanca. Todas las arenas contienen cantidades pequeñas de minerales pesados litogénicos, como granate, turmalina, circón, rutilo, topacio, piroxenos y anfíboles. En las industrias del vidrio y de la loza se emplean arenas de cuarzo muy puro como fuente de sílice. Se usan arenas similares para recubrir los hogares de los hornos de fundición de acero. Los moldes utilizados en fundiciones para vaciar el metal están hechos de arena con una arcilla adherente. Las arenas de cuarzo y granate se usan como abrasivos. Entre sus muchos usos, la arena común es un ingrediente básico del mortero, cemento y concreto. Ver también ARENA BITUMINOSA.

arena ver ANFITEATRO

arena bituminosa *o* **arena alquitranada** Depósito de arena suelta o ARENISCA parcialmente consolidada, saturado con BITUMEN de alta viscosidad. El petróleo recuperado de las arenas bituminosas, por lo general llamado crudo sintético, es una forma potencialmente importante de COMBUSTIBLE FÓSIL. Los yacimientos más grandes conocidos de arena bituminosa se encuentran en el valle del río Athabasca, en Canadá, donde se desarrollan proyectos comerciales para la producción de petróleo sintético.

arena movediza Estado en el cual la arena, saturada de agua, pierde su capacidad de soporte y adquiere las características de un líquido. Las arenas movedizas se encuentran, por lo general, en hondonadas formadas en la desembocadura de un río grande, o a lo largo de un tramo plano de un arroyo o playa, donde los charcos se han llenado parcialmente con arena, y una capa subyacente de arcilla dura u otro material denso impide el drenaje. Las mezclas de arena, lodo y vegetación existentes en pantanos, a menudo actúan como verdaderas arenas movedizas. Cualquier arena puede convertirse en "movediza" si su peso útil es sustentado por agua intergranular. En ese caso, incluso una pisada puede hacer colapsar esta estructura suelta. La suspensión de agua-arena es más densa que un cuerpo animal o humano, de modo que el cuerpo no se puede hundir bajo la superficie, pero el forcejeo puede causar la pérdida del equilibrio y el ahogamiento.

arena negra Acumulación de fragmentos de minerales duraderos, por lo general, oscuros y pesados (aquellos con densidad superior a la del cuarzo). Estas acumulaciones se encuentran en lechos fluviales o en playas donde el flujo del agua y la energía de las olas son suficientes para arrastrar el material de baja densidad, pero no los minerales pesados. Por lo tanto, los minerales pesados resistentes a la meteorización y a la abrasión se concentran en dichas áreas, aunque sólo sean constituyentes menores de las rocas continentales. De la explotación de placeres de dichos yacimientos se obtiene magnetita, casiterita y circón, así como oro, platino y otros metales raros.

Arendt, Hannah (14 oct. 1906, Hannover, Alemania–4 dic. 1975, Nueva York, N.Y., EE.UU.). Teórica política estadounidense de origen alemán. Obtuvo su doctorado en la Universidad de Heidelberg. Forzada a huir de los nazis en 1933, fue asistente social en París y luego huyó nuevamente a Nueva York en 1941. En su obra principal, *Orígenes del totalitarismo* (1951), plantea que el TOTALITARISMO proviene del antisemitismo del s. XIX, del imperialismo y de la desintegración del Estado-nación tradicional. Enseñó en la Universidad de Chicago (1963–67) y desde entonces en la New School for Social Research. Su controvertida obra *Eichmann en Jerusalén* (1963) sugiere que ADOLF EICHMANN, líder de las SS y principal responsable del exterminio de los judíos, fue una figura banal más que demoníaca.

arenisca Roca sedimentaria formada por granos del tamaño de la arena (0,06–2 mm o 0,0025–0,08 pulg., de diámetro). Los espacios entre los granos pueden estar vacíos o llenos, con un cemento químico de mineral de SÍLICE o carbonato de CALCIO, o con una matriz de grano fino de partículas de limo y arcilla. Los principales componentes minerales de la estructura granular son CUARZO, FELDESPATO y fragmentos de roca. Las canteras de arenisca se explotan como piedra de construcción. Debido a su abundancia, diversidad y mineralogía, las areniscas también son importantes para los geólogos como indicadores de procesos de erosión y deposición. Ver también GRAUVACA.

arenisca sucia ver GRAUVACA

arenque Cualquiera de las subespecies del Atlántico o Pacífico de *Clupea harengus* (consideradas anteriormente como dos especies distintas), peces nórdicos, de cuerpo comprimido, cabeza pequeña y estilizada, con flancos de color plateado brillante y dorso azul oscuro metálico. El mismo nombre alude también a algunos otros miembros de la familia Clupeidae. Los especímenes adultos miden de 20 a 38 cm (8–15 pulg.). Como es una de las especies de peces más abundantes, los arenques se desplazan en enormes bancos. Se alimentan de crustáceos planctónicos y larvas de peces. En Europa son procesados y vendidos como arenque salado y ahumado. En el este de Canadá y nordeste de EE.UU., la mayoría del arenque utilizado corresponde a ejemplares juveniles enlatados como sardinas. Los arenques capturados en el Pacífico se usan principalmente para fabricar aceite y harina de pescado.

Arenque del Atlántico o Pacífico (*Clupea harengus*).

Areópago Tribunal supremo de la antigua ATENAS. Fue denominado así porque sesionaba en el Areópago ("Colina de Ares"). Se inició como el consejo del rey; según el código de DRACÓN (c. 621 AC) estaba constituido por antiguos ARCONTES, pero SOLÓN (594) abrió las candidaturas a cualquier ciudadano. Tenía amplios poderes judiciales. Su prestigio fue fluctuante desde mediados del s. VI hasta mediados del s. IV AC. Con posterioridad recuperó su poder y continuó bajo el dominio romano cuando volvió a adquirir amplias funciones administrativas.

Arequipa Ciudad (pob., est. 1998: 710.103 hab.) del sur del Perú. Ubicada en la cordillera de los Andes, se encuentra a una altura de 2.303 m (7.557 pies) a los pies del volcán MISTI (5.821 m o 19.098 pies). Ha estado expuesta a terremotos, generalmente asociados con la actividad volcánica, y fue destruida en gran parte por el terremoto de 1868. Durante el Imperio INCA, Arequipa fue un lugar importante en la ruta del CUZCO hacia la costa. Arequipa es actualmente el centro comercial del sur del Perú.

Ares Dios griego de la guerra. A diferencia de MARTE, su equivalente romano, su culto no estaba tan difundido. Ares, hijo de ZEUS y HERA, fue considerado desde tiempos de HOMERO una de las deidades del Olimpo, pero detestado por los demás dioses. Su culto se dio principalmente en el norte de Grecia. Desde temprano se le asoció con AFRODITA, ocasionalmente representada como su legítima esposa y otras veces como su amante. A las batallas lo acompañaban su hermana Eris (la discordia) y dos de sus hijos con Afrodita, Fobos y Deimos (el terror y el temor).

Ares, escultura clásica; Museo Nacional de Roma.

Aretino, Pietro (20 abr. 1492, Arezzo, República de Florencia [Italia]–21 oct. 1556, Venecia). Poeta, prosista y dramaturgo italiano. Fue célebre en su tiempo en toda Europa por sus audaces y violentos ataques literarios contra los poderosos. Sus ardientes cartas y diálogos son de gran interés tanto biográfico como temático. Sus obras teatrales, relativamente libres de agresiones virulentas, incluyen cinco comedias y una tragedia, *Orazia* (1546), tal vez la mejor tragedia italiana del s. XVI.

Arévalo (Bermejo), Juan José (10 sep. 1904, Taxisco, Guatemala–6 oct. 1990, Ciudad de Guatemala). Presidente de Guatemala (1945–51). A poco de haber obtenido su doctorado, se trasladó a la Argentina, donde se desempeñó en varios cargos académicos. Después del derrocamiento del dictador guatemalteco Jorge Ubico, fue elegido presidente con el 85% de los votos a su favor. Instauró la libertad de expresión y de prensa; su gobierno inauguró un sistema de seguridad social, un código laboral e importantes programas educacionales y de salud. Sus políticas favorecieron a los trabajadores urbanos y rurales, así como a la población indígena. Abandonó el poder voluntariamente al término de su mandato. Un golpe militar le impidió volver a participar en las elecciones presidenciales de 1963.

Argel *árabe* **al-Yazā'ir** *francés* **Alger** Ciudad (pob., 1998: 1.519.570 hab.), principal puerto marítimo y capital de Argelia. Situada en la bahía de Argelia, primero fue ocupada por fenicios, pasando con posterioridad a ser gobernada por los romanos. En el s. V DC fue destruida por los VÁNDALOS, pero renació en el s. X bajo una dinastía bereber. A comienzos del s. XVI, bajo asedio español, el emir local pidió ayuda al corsario otomano BARBARROJA, quien expulsó a los españoles y puso a Argel bajo la autoridad del Imperio OTOMANO. Argel fue durante 300 años la principal base de los piratas de la costa de BERBERÍA, cuyas actividades fueron finalmente interrumpidas en 1818 por una fuerza estadounidense comandada por STEPHEN DECATUR. Los franceses tomaron la ciudad en 1830 y establecieron allí los cuarteles generales de su imperio colonial africano. Durante la segunda guerra mundial (1939–45), Argel se convirtió en el cuartel general de las fuerzas aliadas en el norte de África, siendo por algún tiempo la capital provisional de Francia. Durante la década de 1950 fue el centro de la lucha por la independencia de Argelia; una vez conquistada esta, Argel se desarrolló como el centro político, económico y cultural del país.

ARGELIA

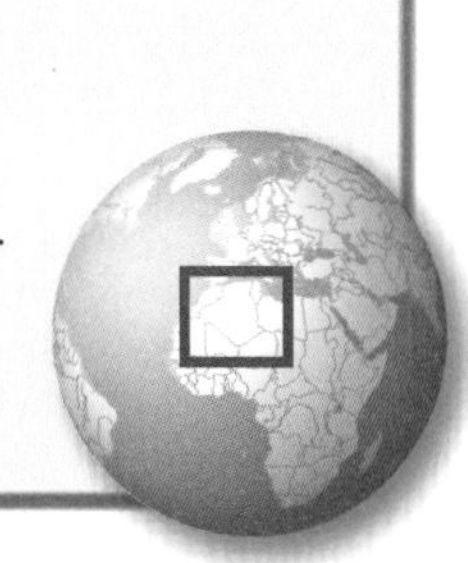

- **Superficie:** 2.381.741 km² (919.595 mi²)
- **Población:** 32.854.000 hab. (est. 2005)
- **Capital:** ARGEL
- **Moneda:** dinar argelino

Argelia *ofic.* **República Democrática Popular de Argelia** País de África del norte. En términos tanto étnicos como lingüísticos, la mayoría de la población es árabe; el grupo minoritario más importante son los bereberes. Idiomas: árabe (oficial), francés, bereber. Religión: Islam (oficial). Argelia es el segundo país de mayor superficie del continente (después de Sudán). La costa posee algunas ensenadas, y los ríos del país son pequeños y por lo general, de régimen estacional. La región septentrional de Argelia es montañosa y la atraviesan los montes ATLAS de este a oeste; su cumbre más alta es el monte Chelia, de 2.328 m (7.638 pies). En Argelia central y meridional se ubica gran parte del SAHARA septentrional. Argelia tiene una economía de planificación centralizada, basada principalmente en la producción y exportación de petróleo y gas natural. Después de alcanzar su independencia, el país nacionalizó gran parte de su economía, pero desde la década de 1980 ha privatizado parte de esta. Argelia es una república bicameral; el jefe de Estado es el presidente y el jefe de Gobierno, el primer ministro. Durante el primer milenio AC, comerciantes fenicios se establecieron en la región. Varios siglos más tarde, fue invadida por los romanos, y hacia el 40 DC ya tenían el control de la costa mediterránea. La caída de Roma en el s. V llevó a que los VÁNDALOS la invadieran y a la posterior reocupación por el Imperio BIZANTINO (Romano de Oriente). En el s. VII comenzó la invasión islámica. Hacia el 711, toda África del norte estaba bajo el control de los califas de la dinastía OMEYA. Le sucedieron varios imperios islámicos bereberes, siendo los más prominentes los ALMORÁVIDES (c. 1054–1130), quienes extendieron su dominio hasta España, y los ALMOHADES (c. 1130–1269). Durante siglos, los piratas de la costa de BERBERÍA acosaron el comercio del mar Mediterráneo; sus ataques sirvieron como pretexto a Francia para ocupar Argelia en 1830. Hacia 1847, Francia había establecido el control militar en la región y hacia fines del s. XIX había instituido un gobierno civil. Los levantamientos populares contra el gobierno francés provocaron la sangrienta guerra de ARGELIA (1954–61); su independencia fue alcanzada luego de la realización de un referéndum en 1962. A principios de la década de 1990, fundamentalistas islámicos opositores a la autoridad laica provocaron el estallido de una guerra civil entre el ejército y diversos grupos extremistas islámicos.

Oasis de Kerzaz, en el Gran Erg occidental, Argelia.
FOTOBANCO

Argelia, Asociación de ulemas de Grupo de estudiosos de la religión musulmana fundado en 1931, que se propuso crear una identidad musulmana argelina. Los ulemas abrieron escuelas y fomentaron la enseñanza del árabe. Se le oponían la elite educada en Francia y la jerarquía musulmana tradicional, que se sintieron amenazados por sus tendencias puristas religiosas. Durante la guerra de independencia (1954–62) se unió al FRENTE DE LIBERACIÓN NACIONAL y más tarde participó en el gobierno provisional de Argelia. Ver también JÓVENES ARGELINOS.

Argelia, guerra de *o* **guerra de independencia de Argelia** (1954–62). Guerra por la independencia de Argelia del dominio francés. El movimiento independentista se inició durante la primera guerra mundial (1914–18) y cobró impulso cuando las promesas francesas de una mayor autonomía no se cumplieron después de la segunda guerra mundial (1939–45). En 1954, el FRENTE DE LIBERACIÓN NACIONAL (FLN) inició una guerra de guerrillas contra Francia y buscó el reconocimiento diplomático de la ONU para establecer un Estado argelino soberano. Aunque los combatientes actuaban en las zonas rurales, particularmente a lo largo de las fronteras, los combates más intensos tuvieron lugar en Argel y sus alrededores, donde los miembros del FLN lanzaron una serie de violentos ataques urbanos conocidos como la batalla de Argel (1956–57). Las fuerzas francesas (que aumentaron a 500.000 efectivos) consiguieron recuperar el control, pero sólo mediante la aplicación de medidas brutales. El nivel de ferocidad alcanzado en la guerra minó la voluntad política de los franceses para continuar el conflicto y en 1959 CHARLES DE GAULLE declaró que los argelinos tenían el derecho a determinar su propio futuro. A pesar de los actos terroristas cometidos por argelinos de origen francés que se oponían a la independencia y de un intento de golpe de Estado en Francia organizado por miembros del ejército francés, en 1962 se firmó un acuerdo mediante el cual Argelia se convirtió en un Estado independiente. Ver también RAOUL SALAN.

ARGENTINA

- **Superficie:** 2.780.092 km² (1.073.400 mi²) Reivindicación del territorio antártico e islas del Atlántico sur: 981.664 km² (379.022 mi²)
- **Población:** 38.592.000 hab. (est. 2005)
- **Capital:** BUENOS AIRES
- **Moneda:** peso argentino

Argentina *ofic.* **República Argentina** País del sudeste de América del Sur. Superficie: 2.780.092 km² (1.073.400 mi²); la Argentina reivindica además 981.664 km² (379.022 mi²) del territorio antártico, las islas Malvinas (Falkland), las islas Orcadas del Sur, las islas Sandwich del Sur y las islas Georgias del Sur. Población (est. 2005): 38.592.000 hab. Capital: BUENOS AIRES. La población es en su mayoría de ancestro europeo, especialmente español, pero aún con presencia de grupos indígenas. Idioma: español (oficial). Religión: católica (oficial). Moneda: peso argentino. La Argentina puede dividirse

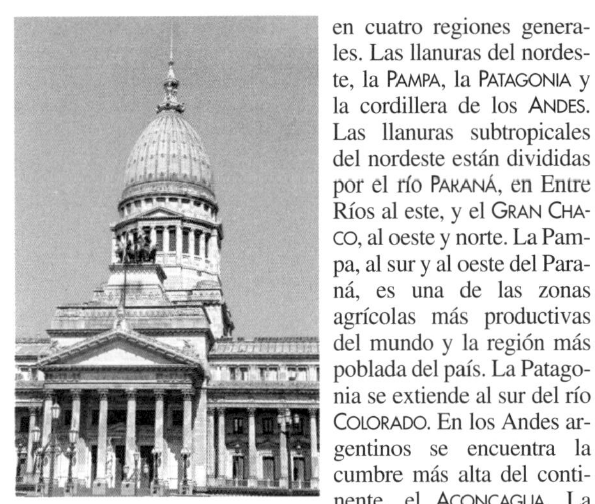
Edificio del Congreso, sede del parlamento nacional, Buenos Aires, Argentina.
ARCHIVO EDIT. SANTIAGO

en cuatro regiones generales. Las llanuras del nordeste, la PAMPA, la PATAGONIA y la cordillera de los ANDES. Las llanuras subtropicales del nordeste están divididas por el río PARANÁ, en Entre Ríos al este, y el GRAN CHACO, al oeste y norte. La Pampa, al sur y al oeste del Paraná, es una de las zonas agrícolas más productivas del mundo y la región más poblada del país. La Patagonia se extiende al sur del río COLORADO. En los Andes argentinos se encuentra la cumbre más alta del continente, el ACONCAGUA. La hidrografía de la Argentina está conformada por los ríos Paraná, URUGUAY y PILCOMAYO, que desembocan en el RÍO DE LA PLATA. La Argentina posee una economía en vías de desarrollo basada, en gran medida, en la industria y la agricultura; es el mayor exportador de América Latina de ganado vacuno y sus subproductos. Es una república con un poder legislativo bicameral; el jefe de Estado y de Gobierno es el presidente. Poco se conoce acerca de las poblaciones indígenas anteriores a la llegada de los europeos. La primera exploración española de la zona fue llevada a cabo por SEBASTIANO CABOTO (1526–30); en 1580 ya habían sido colonizadas ASUNCIÓN, Santa Fe y Buenos Aires. La Argentina, primero fue dependiente del virreinato del PERÚ (1620), luego formó parte junto con las regiones de los actuales Uruguay, Paraguay y Bolivia del virreinato del RÍO DE LA PLATA, cuya capital fue Buenos Aires (1776). Con el establecimiento de las Provincias Unidas del Río de la Plata en 1816, la Argentina logró su independencia de España, pero sus límites no se establecieron sino hasta principios del s. XX. En 1943, el gobierno fue derrocado por los militares; el coronel JUAN DOMINGO PERÓN asumió el poder en 1946. Fue depuesto a su vez en 1955 y regresó en 1973 después de dos décadas tumultuosas. Su segunda esposa, Isabel, devino presidenta a su muerte en 1974, pero perdió el poder luego de otro golpe de Estado militar en 1976. El gobierno militar trató de ocupar las islas MALVINAS (Falkland) en 1982, pero fue derrotado por los británicos en la guerra de las MALVINAS, hecho que contribuyó a restablecer el régimen civil en 1983. El gobierno de RAÚL ALFONSÍN se esforzó por poner término a los abusos de los derechos humanos que caracterizaron a los gobiernos anteriores. Sin embargo, la hiperinflación generó disturbios públicos y la derrota electoral de Alfonsín en 1989; su sucesor PERONISTA, CARLOS SAÚL MENEM, instituyó la política del liberalismo en materia económica. En 1999, Fernando de la Rúa, perteneciente a la Alianza, coalición de centro-izquierda, fue elegido presidente. Su administración luchó contra el desempleo creciente, una deuda externa abultada y la corrupción gubernamental. A fines de 2001 y en medio de una grave crisis económica y social, se sucedieron una serie de gobiernos de corta duración ligados al peronismo. En 2003 fue elegido Néstor Kirchner, también peronista, quien recuperó la gobernabilidad del país.

Argerich, Martha (n. 5 jun. 1941, Buenos Aires, Argentina). Pianista argentina. Niña prodigio, comenzó a dar conciertos antes de los diez años. En 1955 se fue a Europa, donde tuvo como profesor, entre otros, a Arturo Benedetti Michelangeli (n. 1920–m. 1995). Ganó dos prestigiosos concursos a los 16 años y el concurso Chopin en 1965. Su técnica excepcionalmente brillante, su profundidad emocional y su brío le brindaron un entusiasta reconocimiento internacional.

arginina Uno de los AMINOÁCIDOS esenciales, particularmente abundante en las HISTONAS y otras PROTEÍNAS asociadas con los ácidos NUCLEICOS. Tiene una función metabólica importante en la síntesis de la UREA, la forma principal en la cual los mamíferos excretan compuestos nitrogenados. La arginina se utiliza en medicina y en investigación bioquímica, en productos farmacéuticos y como suplemento dietético.

argón ELEMENTO QUÍMICO, de símbolo químico Ar y número atómico 18. Incoloro, inodoro e insípido, es el más abundante de los GASES NOBLES en la Tierra y el que más se utiliza en la industria. Constituye aproximadamente el 1% del aire y se obtiene por DESTILACIÓN del aire líquido. El argón proporciona un escudo protector de gas inerte en la soldadura corriente y fuerte, en bombillas y láseres, en contadores Geiger y en la producción y fabricación de ciertos metales. Dado que una forma radiactiva de argón se produce como resultado de la desintegración de un ISÓTOPO de POTASIO radiactivo que se da en la naturaleza, se puede utilizar para datar rocas y muestras que tengan más de 100.000 años. Ver DATACIÓN POR POTASIO-ARGÓN.

argonautas En la leyenda griega, banda de 50 héroes que acompañaron a JASÓN en la nave Argos con el fin de capturar el vellocino de oro del bosque de ARES en la Cólquida. Corrieron muchas aventuras antes de llegar a la Cólquida, de donde se vieron obligados a huir, apremiados por Aetes, padre de la hechicera MEDEA. El Argos volvió finalmente a Yolcos, el reino de Jasón, y fue colocado en un bosque consagrado a POSEIDÓN. Jasón murió aplastado por su proa, cuando esta se derrumbó sobre él mientras descansaba a su sombra.

"Los argonautas", detalle de una pintura de Lorenzo Costa; Museo Cívico de Padua, Italia.
SCALA – ART RESOURCE

Argos Antigua ciudad-estado del nordeste del PELOPONESO, Grecia. Bajo el rey tirano Fidón, fue la ciudad-estado dominante del Peloponeso durante el s. VII AC hasta el surgimiento de ESPARTA. Después de sufrir incursiones desde MACEDONIA, Argos se unió a la Liga AQUEA en 229 AC. Más tarde cayó en manos de los romanos. La ciudad prosperó en tiempos bizantinos, pero finalmente fue sometida por el Imperio OTOMANO en el s. XVI. Durante la guerra de independencia de GRECIA (1821–29), el primer parlamento griego libre se reunió en Argos. Actualmente la ciudad (pob., 1991: 22.429 hab.) es un centro agrícola.

Arguedas, Alcides (15 jul. 1879, La Paz, Bolivia–8 may. 1946, Chulumani). Político, diplomático, periodista y escritor boliviano. Se licenció en derecho y ciencias políticas. Fue varias veces diputado, y representó a su patria en París, Londres y Madrid. Colaboró en prestigiosos diarios y revistas de América y Europa. Como escritor, enfocó los problemas de su país a través de ensayos y novelas. Entre los primeros –unas veces, históricos, y otras, portadores de un polémico ideario sociológico y político– se cuentan *Pueblo enfermo* (1909), *La fundación de la República* (1920), *Historia general de Bolivia* (1922), *Los caudillos letrados* (1923), *La plebe en acción* (1924), *La dictadura y la anarquía* (1926) y *Los caudillos bárbaros* (1929). Entre sus novelas se encuentran *Pisagua* (1903), *Wuata Wuara* (1904), *Vida criolla* (1912) y *Raza de bronce* (1919), que se alza como una de las más vigorosas expresiones del INDIGENISMO. En 1934 cerró su producción literaria con sus memorias, *La danza de las sombras*.

argumento cosmológico Forma de argumento empleado en TEOLOGÍA natural para probar la existencia de Dios. En la *Suma teológica*, santo TOMÁS DE AQUINO presentó dos versiones del argumento cosmológico: el argumento de la primera causa y el argumento de la contingencia. El argumento de la primera causa comienza con el hecho de que en el mundo hay cambio, y un cambio es siempre el efecto de una o varias causas. Cada causa es en sí misma efecto de otra causa o de un conjunto de causas; esta cadena se extiende en una serie que, o bien nunca termina, o bien acaba en una primera causa, la cual debe ser de naturaleza radicalmente diferente en el sentido de que ella a su vez no es causada. Tal primera causa es, un aspecto importante, aunque no la totalidad, de lo que el cristianismo entiende por Dios. El argumento de la contingencia sigue, por otra vía, un curso básico similar, desde la naturaleza del mundo hacia su fundamento último.

argumento ontológico Argumento que prueba la existencia de Dios a partir de la idea de Dios. Fue formulado claramente por primera vez por san ANSELMO DE CANTERBURY en su *Proslogium* (1077–78); RENÉ DESCARTES dio siglos después otra versión famosa. Anselmo comenzó con el concepto de Dios como aquello de lo cual nada mayor puede concebirse. Pensar en tal ser como existente sólo en el pensamiento y no en la realidad implica una contradicción, ya que un ser que carece de existencia real no es un ser del cual nada mayor puede concebirse. Un ser aún mayor sería uno con el atributo adicional de la existencia. Luego, el ser insuperablemente perfecto debe existir; de lo contrario no sería insuperablemente perfecto. Este argumento es uno de los más analizados y rebatidos en la historia del pensamiento.

argumento teleológico Argumento en favor de la existencia de Dios. Una de sus versiones dice así: El universo en su conjunto es semejante a una máquina; las máquinas tienen diseñadores inteligentes; los efectos semejantes tienen causas semejantes; por lo tanto, el universo en su conjunto tiene un diseñador inteligente, que es Dios. El argumento fue propuesto por pensadores cristianos medievales, especialmente santo TOMÁS DE AQUINO, y desarrollado con gran detalle en los s. XVII y XVIII por autores como Samuel Clarke (n. 1675–m. 1729) y, a comienzos del s. XIX, por WILLIAM PALEY. DAVID HUME lo criticó con gran vigor demostrativo en sus *Diálogos concernientes a la religión natural*, y también lo rechazó IMMANUEL KANT.

argumento trascendental En filosofía, forma de argumento que se supone procede desde un hecho a las condiciones necesarias de su posibilidad. Un argumento trascendental es simplemente una forma de deducción, con la estructura típica: Sólo si p, entonces q; q es verdadera; por lo tanto, p es verdadera. Tal como aparece esta forma de argumento en la filosofía, su interés y su dificultad no residen en el movimiento desde las premisas a las conclusiones, que es rutinario, sino en el establecimiento de la premisa mayor, es decir, en el tipo de cosas que se toman como punto de partida. Por ejemplo, IMMANUEL KANT trató de probar el principio de causalidad mostrando que es una condición necesaria en la posibilidad de emitir enunciados empíricamente verificables en las ciencias naturales.

Argún, río *chino* **Ergun He** Río del nordeste de Asia. Nace en la cadena montañosa Da Hinggan (Gran Xingan), recorre aprox. 724 km (450 mi), formando parte del límite entre el nordeste de China y Rusia y se une con el río Shilka para formar el río AMUR. En su curso superior es llamado Hailar.

arhat *o* **arahant** En el BUDISMO, aquel que ha logrado discernir la verdadera naturaleza de la existencia, que ha alcanzado el NIRVANA y ya no se reencarnará. Para el budismo THERAVADA alcanzar el nivel de arhat es considerado como la meta del progreso espiritual. Sostiene que quien busca renacer en un paraíso convertido en un arhat, debe pasar a través de tres fases previas. El budismo MAHAYANA califica de egoísta colocar como máximo objetivo el alcanzar el nivel de arhat y considera al BODHISATTVA como una meta más alta porque el bodhisattva, estando ya liberado, permanece en los ciclos de renacimiento para trabajar por el bien de otros. Esta divergencia de opinión es una de las diferencias fundamentales entre el budismo theravada y el mahayana.

Århus *o* **Aarhus** Puerto marítimo (pob., 2001: 286.688 hab.) de Jutlandia oriental, Dinamarca. Se encuentra en la bahía de Århus y posee importantes instalaciones portuarias. Aunque sus orígenes son desconocidos, se convirtió en un obispado en 948 DC y con sus múltiples instituciones religiosas prosperó durante la Edad Media. En tiempos modernos, la industrialización y la expansión de su puerto la han convertido en la segunda ciudad más grande de Dinamarca.

aria Canción para solista con acompañamiento instrumental en la ÓPERA, la CANTATA o el ORATORIO. El aria estrófica, en la cual cada estrofa nueva puede representar una variación melódica de la primera, apareció en la ópera con *Orfeo* de CLAUDIO MONTEVERDI (1607) y fue muy usada durante décadas. La forma estándar de aria c. 1650–1775 fue el aria *da capo*, en la cual la melodía y el texto iniciales se repiten después de una sección contrastante en texto y melodía (a menudo con tonalidad, tempo y metro diferentes); con frecuencia el retorno de la primera sección era embellecido por el virtuosismo del cantante. Las óperas cómicas nunca se limitaron a la forma *da capo*. Incluso en la ópera seria, desde c. 1750 se usaba una variedad de formas; GIOACCHINO ROSSINI y otros extendieron a menudo el aria, convirtiéndola en una escena musical completa, en la que se expresaban dos o más emociones en conflicto. Principalmente las óperas de RICHARD WAGNER abandonaron el aria en favor de una textura musical continua; sin embargo, la escritura de arias aún permanece.

Ariadna En la mitología GRIEGA, la hija de Pasifae y de MINOS, rey de Creta. Se enamoró de TESEO, quien se ofreció para matar al MINOTAURO, monstruo confinado en el Laberinto de Minos. Ariadna dio a Teseo un ovillo de hilo para que lo fuese desenrollando a medida que se adentraba (en otras versiones, le dio joyas relucientes que le permitieran marcar su camino) y así marcar la senda y escapar del Laberinto después de dar muerte al monstruo. Los finales de la leyenda varían: en uno, Teseo abandona a Ariadna y ella se suicida ahorcándose; en otros, Teseo la lleva a Naxos, donde ella muere o bien se casa con el dios DIONISO. Ver también FEDRA.

Arias Sánchez, Óscar (n. 13 sep. 1941, Heredia, Costa Rica). Presidente de la república (1986–90). Socialista moderado nacido en la riqueza, trabajó para el Partido de Liberación Nacional desde la década de 1960. Alcanzó la presidencia cuando la mayor parte de América Central vivía desgarrada por la guerra civil. Su plan de paz para América Central de 1987, suscrito por los líderes de El Salvador, Guatemala, Honduras y Nicaragua, incluía disposiciones para el cese del fuego, la realización de elecciones libres y una amnistía para los prisioneros políticos. Fue galardonado con el Premio Nobel de la Paz en 1987.

Oscar Arias Sánchez, presidente de Costa Rica (1986–90) y Premio Nobel de la Paz (1987).

FOTOBANCO

Aries (latín: "carnero"). En astronomía, la constelación situada entre Piscis y Tauro; en ASTROLOGÍA, el primer signo del ZODÍACO, que rige aproximadamente el período entre el 21 de marzo y el

19 de abril. Es representado por un carnero, que en ocasiones se identifica con el dios egipcio AMÓN. En la mitología griega, Aries fue identificado con el carnero que llevó al príncipe Frixo desde Tesalia hasta Cólquida. Frixo sacrificó el carnero a Zeus, quien lo instaló en los cielos como una constelación. Su vellocino de oro fue recuperado posteriormente por JASÓN.

ariete Arma medieval que consiste en una pesada viga de madera con un pomo o punta de metal en su extremo. Los arietes eran usados para derribar a golpes las puertas o muros de una ciudad o castillo sitiado. Comúnmente, eran suspendidos por medio de cuerdas del techo de un cobertizo movible; el madero era balanceado hacia delante y hacia atrás por sus operadores, de modo que golpeara contra la estructura sitiada. El techo del cobertizo estaba cubierto con pieles de animales, para proteger a los operadores del bombardeo con piedras y materiales ardientes.

arilo Cubierta especial de ciertas semillas que se desarrolla comúnmente a partir del funículo (pedúnculo de la semilla). Suele corresponder a una envoltura carnosa de color vivo en plantas leñosas como el TEJO y la NUEZ MOSCADA, y en miembros de la familia de las Marantáceas (ver ARRURUZ), del género OXALIS y del RICINO. Los animales son atraídos a los arilos y se comen las semillas, dispersándolas en sus fecas. El arilo de la nuez moscada es la fuente de la especia conocida como macís.

ario Pueblo prehistórico que se estableció en Irán y el norte de India. De su lengua, llamada aria, se originaron las lenguas indoeuropeas de Asia meridional. En el s. XIX surgió un concepto, propagado por el conde de GOBINEAU y más tarde por su discípulo HOUSTON STEWART CHAMBERLAIN, de una "raza aria": pueblos que hablaban lenguas INDOEUROPEAS, especialmente GERMÁNICAS y que vivían en Europa septentrional. La "raza aria" fue considerada como superior a todos los otros grupos raciales. Aunque esta hipótesis fue repudiada por numerosos estudiosos, como FRANZ BOAS, la noción fue recogida por ADOLF HITLER y transformada en la base de la política nazi de exterminio de judíos, gitanos y otros pueblos "no arios". Ver también RACISMO.

Arión Semilegendario poeta y músico griego. Vivió en Metimna, en la isla de LESBOS, y se lo identifica como el inventor del DITIRAMBO. Tras realizar una gira ejerciendo su arte, Arión navegaba de vuelta a su hogar cuando los marineros decidieron matarlo y robar sus pertenencias. Tras cantarse a sí mismo una canción fúnebre, saltó por la borda, pero un delfín encantado con su música lo llevó hasta la costa. Llegó a CORINTO antes que la nave, cuyos marineros, al arribar, fueron obligados a confesar y castigados por Periandro, tirano de Corinto. La lira de Arión y el delfín fueron ubicados en los cielos como las constelaciones de la Lira y del Delfín.

Ariosto, Ludovico (8 sep. 1474, Reggio Emilia, ducado de Módena [Italia]–6 jul. 1533, Ferrara). Poeta italiano. Su poema épico *Orlando furioso* (1516) es considerado la más fina expresión literaria del Renacimiento italiano. Gozó de inmediata popularidad en toda Europa y ejerció gran influencia. Escribió cinco comedias basadas en clásicos latinos, pero inspiradas en la vida de su tiempo; aunque menores, figuran entre las primeras imitaciones de la comedia latina en idioma vernáculo que luego caracterizará a toda la comedia europea. También escribió siete sátiras (1517–25) concebidas a partir de las de HORACIO.

Ludovico Ariosto, xilografía a partir de un dibujo de Tiziano de la 3° edición de *Orlando furioso*, 1532.
GENTILEZA DEL DIRECTORIO DEL MUSEO BRITÁNICO; FOTOGRAFÍA, J.R. FREEMAN & CO. LTD.

arísaro Planta de Norteamérica (*Arisaema triphyllum*) de la familia de las ARÁCEAS, famosa por la forma inusual de su flor. Es una de las flores silvestres perennes más conocidas de fines de primavera en el este de EE.UU. y Canadá. Crece en bosques y matorrales lluviosos de Nueva Escocia a Minnesota, y hacia el sur hasta Florida y Texas. Las hojas tripartitas, dispuestas sobre dos largos pedúnculos eclipsan la flor. Esta consiste en una estructura visible verde con rayas púrpuras, llamada espata, que se alza sobre un pedúnculo aparte. La espata se curva en una caperuza sobre un espádice claviforme que porta en su base diminutas flores. A fines del verano, la planta da un racimo de bayas rojas brillantes que son venenosas para los seres humanos, pero comidas por muchos animales salvajes.

Arísaro (*Arisaema triphyllum*).
© ENCYCLOPÆDIA BRITANNICA, INC.

Aristágoras (m. 497 AC). Tirano de MILETO. Asumió la regencia en reemplazo de su suegro, Histieo (m. 494 AC), quien había perdido la confianza del emperador persa DARÍO I. Posiblemente incitado por Histieo, y con el apoyo de Atenas y de Eretria, Aristágoras dirigió la revuelta de los JONIOS contra Persia. Derrotado, dejó Mileto para fundar una colonia en Tracia, donde fue asesinado por los tracios.

Aristarain, Adolfo (n. 19 oct. 1943, Buenos Aires, Argentina). Director de cine y guionista argentino. Se interesó tanto por el cine desde niño, que abandonó sus estudios y destinó su tiempo para presenciar filmaciones, mientras se ganaba la vida dando clases de inglés. Después de ejercer diversos oficios relacionados con la industria, tanto en España como en Argentina, dirigió su primera película importante, *La parte del león* (1978). Esta fue la primera cinta de una trilogía de historias policiales filmadas durante la dictadura militar argentina, con las que se forjó el respeto de la crítica y un éxito de público creciente. Entre sus películas posteriores destacan *Un lugar en el mundo* (1991), *Martín (Hache)* (1997) y *Lugares comunes* (2002), que conforman una especie de trilogía, armada en torno a las consecuencias personales que conlleva el derrumbe de las utopías políticas de izquierda y la difusa herencia que los derrotados pueden legarles a sus hijos.

Aristarco de Samos (c. 310 AC–c. 230 AC). Astrónomo griego. Se sabe de sus avanzadas ideas sobre el movimiento de la Tierra (las que afirmaban que giraba en torno al Sol) gracias a ARQUÍMEDES y PLUTARCO. Su único trabajo que se conserva es el breve tratado *Sobre las magnitudes y las distancias del Sol y de la Luna*; aunque los valores que obtuvo son imprecisos, demostró que el Sol y las estrellas están a distancias inmensas. La formación más brillante de la superficie lunar es un monte en el centro de un cráter lunar que lleva su nombre.

Aristide, Jean-Bertrand (n. 15 jul. 1953, Port Salut, Haití). Primer presidente de Haití (1991, 1994–96, 2001–04) elegido democráticamente. Sacerdote católico de la orden de los salesianos cuyo compromiso con los pobres y la oposición al duro régimen de Jean-Claude Duvalier, hijo de FRANÇOIS DUVALIER, le acarreó con frecuencia problemas con la jerarquía eclesiástica y los militares. Expulsado por los salesianos en 1988, en 1994 solicitó oficialmente ser liberado de sus deberes sacerdotales. En 1990, las fuerzas progresistas de centro, agrupadas bajo su liderazgo, le condujeron al poder. Inició reformas radicales, pero fue derrocado por un golpe militar tras sólo siete meses en el cargo. Aunque fue restituido en la presidencia en 1994 con la ayuda de las fuerzas de ocupación estadounidenses, recibió poco apoyo a la hora de abordar los males endémicos de su país. Constitucionalmente inhabilitado para postularse a otro período consecutivo, abandonó el poder en 1996, pero permaneció como la figura política más prominente de Haití. El año 2000 fue reelegido presidente entre acusaciones de fraude electoral. Un golpe de Estado contra Aristide falló en 2001, pero el descontento con su gobierno aumentó hasta que una rebelión declarada en 2004 lo forzó a huir del país.

Arístides (s. II DC). Filósofo ateniense, uno de los primeros APOLOGISTAS cristianos. Su *Apología de la fe cristiana* analiza la armonía de la creación y la naturaleza del ser divino y afirma que los bárbaros, griegos y judíos estaban equivocados en su concepción de la divinidad y en sus prácticas religiosas. Por mucho tiempo considerada extraviada, la *Apología* fue reconstruida a fines del s. XIX.

Arístides el Justo (c. 540–c. 468 AC). Estadista y general ateniense. Desterrado en 482 AC, probablemente por oponerse a TEMÍSTOCLES, fue llamado nuevamente en 480 y contribuyó a derrotar a los persas en las batallas de SALAMINA y PLATEA. En 478 ayudó a los aliados orientales de Esparta a constituir la Liga de DELOS; aliada con Atenas y sustentada en el poder naval ateniense y en la confianza que Arístides inspiraba, la liga se convirtió en el imperio ateniense.

aristocracia Originalmente, gobierno de una pequeña clase privilegiada o minoría a la que se consideraba mejor calificada para conducir. PLATÓN y ARISTÓTELES pensaban que los aristócratas eran personas superiores desde un punto de vista moral e intelectual y que, por lo tanto, tenían la aptitud para gobernar en función de los intereses del pueblo. El término ha llegado a cobrar el significado de la capa social más alta de un grupo estratificado. La mayoría de las aristocracias han sido hereditarias y muchas sociedades europeas estratificaron sus clases aristocráticas otorgando títulos de manera oficial a sus miembros, logrando con ello que el término prácticamente sea sinónimo de nobleza. Ver también OLIGARQUÍA.

Aristófanes (c. 450–c. 388 AC). Poeta cómico griego ateniense. Comenzó su carrera de comediógrafo en 427 AC. Escribió aproximadamente 40 obras, de las que se conservan 11, entre ellas, *Las nubes* (423), *Las avispas* (422), *Las aves* (414), *Lisístrata* (411) y *Las ranas* (405). La mayoría de sus piezas teatrales corresponde al modelo de la comedia antigua (de la cual son los únicos registros existentes), en que la mímica, el coro y la burla ocupaban un lugar fundamental. Su sátira, su ingenio y sus implacables comentarios lo convirtieron en el poeta cómico más grande de la antigua Grecia.

Aristolochia Género de plantas herbáceas de la familia Aristolochiaceae, con aproximadamente 500 especies que se encuentran en las regiones templadas y tropicales de Europa, Asia y América. La *Aristolochia durior* es nativa del centro y este de Norteamérica. Tiene hojas acorazonadas o reniformes y flores tubulares de color marrón amarillento o purpúreo que parecen una pipa curvada. Presenta un rápido crecimiento y a menudo se utiliza como cierre o planta ornamental en porches y pérgolas.

Aristóteles (384, Estagira–322 AC, Calcis). Filósofo y científico griego cuyo pensamiento determinó el curso de la historia intelectual de Occidente durante dos milenios. Su padre era el médico de la corte de Amintas III, abuelo de ALEJANDRO MAGNO. En 367 entró a estudiar en la Academia de PLATÓN en Atenas, donde permaneció durante 20 años. Después de la muerte de Platón en 348/347, regresó a Macedonia, donde se convirtió en tutor del joven Alejandro. En 335 fundó su propia escuela en Atenas, el Liceo. Su alcance intelectual era vastísimo; abarcaba la mayoría de las ciencias y muchas de las artes. Trabajó en física, química, biología, zoología y botánica; en psicología, teoría política y ética; en lógica y metafísica, y en historia, teoría literaria y retórica. Inventó el estudio de la lógica formal, para lo cual diseñó un acabado sistema, conocido como SILOGÍSTICA, que fue considerado la suma de la disciplina hasta el s. XIX; su trabajo en zoología, tanto empírico como teórico, tampoco fue superado hasta el s. XIX. Su teoría política y ética, especialmente su concepción de las virtudes éticas y del florecimiento humano ("felicidad"), continúa ejerciendo gran influencia en el debate filosófico. Fue un escritor prolífico; las obras más importantes que se conservan son *Organon*, *De Anima* [Acerca del alma], *Física*, *Metafísica*, *Ética a Nicómaco*, *Ética a Eudemo*, *Magna moralia*, *Política*, *Retórica* y *Poética*, así como otras obras sobre historia natural y ciencia. Ver también TELEOLOGÍA.

aritmética Rama de la matemática que trata sobre las propiedades de los NÚMEROS y las maneras de combinarlos mediante la suma, la resta, la multiplicación y la división. Inicialmente se ocupó sólo de los números naturales (que se usan para contar), pero su definición se ha ampliado para incluir todos los NÚMEROS REALES. Las propiedades aritméticas más importantes son (siendo a y b números reales) las leyes de CONMUTATIVIDAD de la adición y la multiplicación, $a + b = b + a$ y $ab = ba$; las leyes de ASOCIATIVIDAD de la adición y la multiplicación, $a + (b + c) = (a + b) + c$ y $a(bc) = (ab)c$, y la ley de DISTRIBUTIVIDAD, que conecta la adición y la multiplicación, $a(b + c) = ab + ac$. Estas propiedades incluyen la sustracción (adición de un número negativo) y la división (multiplicación por una FRACCIÓN).

aritmética, teorema fundamental de la Principio fundamental de la teoría de los NÚMEROS demostrado por CARL FRIEDRICH GAUSS en 1801. Establece que cualquier entero mayor que 1 puede expresarse como el producto de NÚMEROS PRIMOS sólo de una manera.

Arizona Estado (pob., 2000: 5.130.632 hab.) del sudoeste de EE.UU. Limita con México y los estados de Utah, Nuevo México, California y Nevada, con una superficie de 295.275 km² (114.006 mi²). Su capital es PHOENIX. Su cumbre más alta es el pico Humphrey, de 3.850 m (12.633 pies) de altura. En Arizona se encuentran los parques nacionales GRAN CAÑÓN y PETRIFIED FOREST. El estado también posee casi el 40% de las tierras tribales indígenas de EE.UU. El área fue poblada hace más de 25.000 años. Los indígenas nómadas APACHES y NAVAJOS llegaron después del colapso de las culturas ANASAZI y HOHOKAM. Fueron seguidos en el s. XVI por españoles venidos de México, exploradores como FRANCISCO VÁZQUEZ DE CORONADO, lo que estableció la reivindicación mexicana del área. En 1776, el ejército mexicano construyó la primera guarnición en TUCSON. Después de la guerra MEXICANO-ESTADOUNIDENSE, Arizona fue cedido a EE.UU. como parte de Nuevo México en 1848; la adquisición de GADSDEN se agregó en 1853. Organizado como territorio en 1863, Arizona se convirtió en el 48° estado en 1912. Aunque todavía poco habitado, su población ha aumentado rápidamente en las últimas décadas, debido en gran parte a su clima. Alrededor del 16% de la población es hispanohablante; otro 5% es indígena, incluidos navajos, HOPIS, apaches, PAPAGOS y PIMAS. Su economía diversificada comprende agricultura, minería, tecnología aeroespacial, electrónica y turismo.

Gargantas profundas y paredes rocosas del Gran Cañón del Colorado, Arizona, EE.UU.

FOTOBANCO

Arizona, Universidad de Universidad pública de EE.UU., con sede en Tucson. Fundada en 1885, del tipo *land-grant*, es decir, al amparo de la ley de concesiones de terrenos para universidades públicas (ver estatuto de 1862 LAND-GRANT COLLEGE), posteriormente incorporó escuelas de educación y derecho (década de 1920), negocios y administración pública (1934), farmacia (1949), medicina (1961) y enfermería (1964). La universidad otorga grados de licenciatura, maestría y doctorado en la mayoría de las áreas de estudio y es reconocida por sus programas de astronomía y arqueología del sudoeste del país.

Arjan (1581–1606). Quinto GURÚ de los sij (1581–1606) y su primer mártir. Compiló el corpus de escritura sij en el cual se basa el ADI GRANTH. Fue también quien completó la construcción del TEMPLO DORADO, ubicado en Amritsar, India. Arjan fue el primer Gurú que lideró temporal y espiritualmente el SIJISMO, además de haber transformado a Amritsar en un centro comercial y extendido los esfuerzos misioneros del movimiento. Arjan fue un prolífico poeta y autor de himnos religiosos. Prosperó durante el gobierno del tolerante emperador mogol AKBAR. Sin embargo, el sucesor de Akbar lo hizo torturar hasta la muerte, ante su negativa de modificar el *Adi Granth*, a fin de quitarle pasajes ofensivos para el HINDUISMO o el ISLAM.

Arjánguelsk *o* **Arcángel** Ciudad (pob., est. 1999: 366.200 hab.) del noroeste de Rusia. Localizada a orillas del mar en el delta del Dvina septentrional, tiene un gran puerto que se mantiene abierto por rompehielos durante el invierno. El lugar fue poblado por escandinavos en el s. X DC. En 1553, la visitaron expediciones inglesas que buscaban el paso del NORDESTE. Fundada en 1584 como monasterio del arcángel MIGUEL, se convirtió en una importante estación comercial de la Muscovy Co. Abierto al comercio europeo por el zar BORÍS GODÚNOV, floreció como el único puerto marítimo ruso hasta la construcción de SAN PETERSBURGO en 1703. Fue escenario del apoyo inglés, francés y estadounidense al gobierno del norte de Rusia contra los BOLCHEVIQUES en 1918–19. En la segunda guerra mundial recibió convoyes con mercancías en calidad de PRÉSTAMO Y ARRIENDO provenientes de Gran Bretaña y EE.UU. (1941–45). Es un gran puerto de exportación maderera y tiene además una amplia infraestructura para la construcción de barcos.

Muelle en Arjánguelsk, Rusia.
AGENCIA NOVOSTI

Arjuna Uno de los cinco hermanos y héroes del *Mahabharata*. La renuencia de Arjuna a entrar en batalla impulsa al dios KRISHNA, que se manifiesta como su amigo y auriga, a dar a Arjuna el discurso sobre el deber, que constituye el *Bhagavadgita*. Es un modelo de habilidad, sentido del deber y compasión, así como un buscador del conocimiento verdadero. Arjuna es una figura central de la mitología y teología hindú.

Arkansas Estado (pob., 2000: 2.673.400 hab.) del centro-sur de EE.UU. Limita con Missouri, Tennessee, Mississippi, Luisiana, Texas y Oklahoma. Abarca una superficie de 137.741 km² (53.182 mi²). Su capital es LITTLE ROCK y su punto más alto es el monte Magazine de 839 m (2.753 pies) de altura. Los primeros habitantes del lugar fueron indígenas que construyeron sus viviendas a lo largo del río Mississippi c. 500 DC. Con posterioridad, otras culturas dejaron montículos funerarios a lo largo del río. Exploradores españoles y franceses atravesaron la región entre los s. XVI y XVII; el primer asentamiento europeo permanente fue fundado en Arkansas Post en 1686. Adquirido por EE.UU. como parte de la adquisición de LUISIANA, el territorio de Arkansas fue establecido como tal en 1819; los límites actuales del estado fueron fijados en 1828. Arkansas se convirtió en el 25° estado de la Unión en 1836. En 1861 se separó para incorporarse a la Confederación durante la guerra de SECESIÓN; fue readmitido en la Unión en 1868. Luego de la RECONSTRUCCIÓN, primó una rígida política de segregación, la que perduró hasta 1957, cuando una corte ordenó que se implantara la integración en las escuelas. Otrora dominada por la agricultura, la economía estadual hoy también comprende la minería y la industria manufacturera. También promueve el turismo, especialmente en torno a las fuentes termales del parque nacional HOT SPRINGS y a los centros vacacionales existentes en los montes OZARK.

Arkansas, río Río del centro de Colorado, EE.UU. De 2.333 km (1.450 mi) de longitud, fluye al este por el sur de Kansas y al sudeste a través del nordeste de Oklahoma, biseca Arkansas, donde desemboca en el río MISSISSIPPI. Es navegable a lo largo de 1.046 km (650 mi) y sus mayores afluentes son los ríos CANADIAN y CIMARRON. Se cree que fue cruzado por FRANCISCO VÁZQUEZ DE CORONADO en 1541 cerca de Dodge City, Kan. y por Zebulon Pike en 1806.

Arkansas, Universidad de Universidad del estado de Arkansas, EE.UU., que cuenta con campus en Fayetteville (campus principal), Little Rock, Pine Bluff y Monticello. En Little Rock también se encuentra la Universidad de Arkansas de ciencias médicas. El campus de Fayetteville, que es el más grande, fue creado en 1871 como un *land-grant college*, es decir, fundado al amparo de la ley de concesiones de terrenos para universidades públicas.

Arkona Templo eslavo occidental fortificado en honor del dios de la guerra Svantevit, construido entre los s. IX y X DC y destruido en 1168–69 por los daneses cristianos, cuando asaltaron la isla de Rügen en el mar Báltico sudoccidental. Según SAXO GRAMMATICUS, era un edificio de troncos con tejado rojo, tallado y pintado con símbolos, rodeado de un patio y una empalizada. El sanctasanctórum contenía una estatua de Svantevit con cuatro cabezas y gargantas que apuntaban en direcciones opuestas. Excavaciones en 1921 demostraron la existencia real de este templo.

Arkwright, Sir Richard (23 dic. 1732, Preston, Lancashire, Inglaterra–3 ago. 1792, Cromford, Derbyshire). Industrial e inventor TEXTIL británico. Su primera máquina de hilar fue patentada en 1769 (ver LEWIS PAUL). Su HILADORA HIDRÁULICA (llamada así porque funcionaba con energía hidráulica) producía un HILO de algodón apropiado para la urdimbre (ver TEJEDURA), más resistente que la hebra producida por la HILADORA MECÁNICA y que demostró ser apropiada sólo para la trama. Introdujo el calicó enteramente de algodón en 1773. Abrió varias fábricas equipadas con maquinaria para ejecutar las fases de la fabricación textil desde el CARDADO hasta el TREFILADO.

Sir Richard Arkwright, detalle de un grabado de J. Jenkins basado en un retrato pintado por Joseph Wright.
GENTILEZA DEL SCIENCE MUSEUM, LONDRES

Arlen, Harold *orig.* **Hyman Arluck** (15 feb. 1905, Buffalo, Nueva York, EE.UU.–23 abr. 1986, N.Y.). Compositor de canciones estadounidense. En 1929, después de trabajar como intérprete y arreglista, comenzó a colaborar con el letrista Ted Koehler (n. 1894–m. 1973) en la canción "Get Happy". Hasta mediados de la década de 1930 escribieron muchas canciones que fueron presentadas en espectáculos deL COTTON CLub de Harlem. Las partituras de Arlen para los musicales de Broadway incluyen *Bloomer Girl* (1944) y *St. Louis Woman* (1946). Para filmes de Hollywood, Arlen escribió las canciones "It's Only a Paper Moon", "Let's Fall in Love" y "That Old Black Magic". Su canción más famosa es tal vez "Over the Rainbow" (letra de E.Y. HARBURG) de *El mago de Oz* (1939).

Arlequín Personaje principal de la COMMEDIA DELL'ARTE italiana. En el s. XVI era un sirviente cómico, astuto e inescrupuloso, pero a comienzos del s. XVII se convirtió en un fiel criado implicado en enredos amorosos. Su vestimenta, compuesta de ropas campesinas cubiertas con retazos de colores, evolucionó a un traje ajustado y decorado con triángulos y rombos brillantes. Portaba un *batte* o vara y usaba un antifaz negro. A mediados del s. XVIII, el arlequín inglés fue retratado por John Rich en pantomimas bailadas (ver MIMO Y PANTOMIMA). Además, fue el personaje principal de una de las formas bufonescas conocida en Inglaterra y otros países como "arlequinada".

Teatro romano en la ciudad de Arles, Francia.
ARCHIVO EDIT. SANTIAGO

Arles Ciudad (pob., 1999: 50.453 hab.) del sudeste de Francia a orillas del Ródano. Ocupada y desarrollada por los romanos en el s. I AC, se convirtió, a través del comercio, en una de las principales ciudades de la República e Imperio de ROMA. En el s. X DC fue la capital de BORGOÑA, también conocida como el reino de Arles. Aún se pueden apreciar restos de la muralla romana que circunda la ciudad vieja, y un anfiteatro romano que data del s. I DC que todavía se usa para corridas de toros y representaciones teatrales. La ciudad fue el hogar de VINCENT VAN GOGH durante uno de sus períodos más productivos. Arles sigue siendo un puerto fluvial, pero su economía se basa en gran medida en el turismo y la agricultura.

Arlington Ciudad (pob., 2000: 189.453 hab.) del norte de Virginia, EE.UU. Ubicada en la ribera del río POTOMAC frente a Washington, D.C., es la capital del condado de Arlington, que fue parte de Washington, D.C. de 1789 a 1846, cuando fue reincorporada a Virginia. Allí se encuentra el cementerio nacional de Arlington (ubicado en la antigua propiedad de ROBERT E. LEE), el aeropuerto nacional Ronald Reagan y numerosos edificios del gobierno federal, entre ellos el PENTÁGONO.

arma atómica ver ARMA NUCLEAR

arma de fuego Arma que consiste esencialmente en un tubo metálico desde el cual se dispara un misil o proyectil por la fuerza de la explosión de la PÓLVORA o mediante algún otro propelente. El término en inglés *gun* suele limitarse hoy a los así llamados grandes CAÑONES, de mayor tamaño que un *howitzer* o un MORTERO. También se puede usar para referirse a armas militares menores como el RIFLE, la AMETRALLADORA y la PISTOLA, y a armas no militares, como la ESCOPETA. A pesar de que los chinos usaban pólvora con fines bélicos desde el s. IX, las armas de fuego no se desarrollaron hasta que los europeos consiguieron la pólvora en el s. XIII. Las primeras armas de fuego (c. 1327) asemejaban antiguas botellas de soda; aparentemente eran disparadas aplicando un alambre calentado al rojo a un fogón perforado en la tapa. El hecho de separar el ánima del cañón de la cámara de pólvora dio origen a la carga por la culata, que continuó en uso hasta bien entrado el s. XVII, en las colisas y en los cañones de fortificaciones. Las armas menores, a diferencia de un cañón de mano, no existieron hasta el desarrollo de la LLAVE DE MECHA en el s. XV. Ver también LLAVE DE PEDERNAL; LLAVE DE RUEDA.

arma nuclear *o* **arma atómica** *o* **arma termonuclear** Bomba u otra ojiva que obtiene su potencia de la FISIÓN NUCLEAR, de la FUSIÓN NUCLEAR, o de ambas, y que es lanzada por una aeronave, un misil u otro sistema. Las armas de fisión, comúnmente llamadas BOMBAS ATÓMICAS, liberan energía al dividirse los núcleos de átomos de uranio o de plutonio; las armas de fusión, también llamadas BOMBAS DE HIDRÓGENO o bombas termonucleares, fusionan los núcleos de tritio o deuterio, isótopos del hidrógeno. La mayoría de las armas nucleares modernas, en realidad combinan ambos procesos. Las armas nucleares son los explosivos más potentes que se han inventado. Sus efectos destructivos son no sólo un estallido equivalente a miles de toneladas de TNT, sino que también una luz enceguecedora, un calor cauterizante y la letal precipitación RADIACTIVA. El número de armas nucleares llegó al máximo en la década de 1980, cuando EE.UU. tenía unas 33.000 y la Unión Soviética, unas 38.000. Desde el final de la guerra fría, ambos países han desactivado o desmantelado miles de cabezas nucleares. Otras potencias nucleares declaradas son Reino Unido, Francia, China, India, Pakistán y Corea del Norte. La suposición de que Israel posee armas nucleares, es generalizada; Irán e Irak han sido con frecuencia acusados de su intención de producirlas. Algunos países como Sudáfrica, Brasil y Argentina también han reconocido haber tenido intenciones de producir armas nucleares, pero han abandonado sus programas. Ver también TRATADO DE NO PROLIFERACIÓN NUCLEAR; TRATADO DE PROHIBICIÓN COMPLETA DE LOS ENSAYOS NUCLEARES.

armada *o* **marina** Naves de guerra y embarcaciones de todo tipo mantenidas por una nación para combatir en, bajo o por encima del mar. Una gran armada moderna comprende PORTAAVIONES, CRUCEROS, DESTRUCTORES, FRAGATAS, SUBMARINOS, BARREMINAS, siembraminas, cañoneras y diversos tipos de barcos de soporte, abastecimiento y reparaciones, así como bases navales y puertos. Los buques de la armada son el principal medio por el que una nación extiende su PODER NAVAL. Sus dos funciones fundamentales son controlar y resguardar el espacio marítimo. El control del espacio marítimo permite a una nación y a sus aliados mantener el comercio marítimo, efectuar asaltos anfibios y otras operaciones marítimas que pueden ser esenciales durante una guerra. El resguardo del espacio marítimo priva de poder navegar con seguridad a los barcos mercantes y buques de guerra del enemigo. Ver también Armada de los ESTADOS UNIDOS DE AMÉRICA.

Armada Invencible *o* **Invencible Armada** Gran flota enviada por FELIPE II de España en 1588 para invadir Inglaterra en conjunto con un ejército español proveniente de Flandes. El motivo de Felipe fue el deseo de restablecer la fe católica en Inglaterra y acabar con la piratería inglesa que atacaba el comercio español y sus posesiones. La armada, dirigida por el duque de Medina-Sidonia, consistía en unas 130 naves. En la batalla, de una semana de duración, los españoles fueron derrotados después de que los ingleses lanzaran brulotes hacia la flota española, rompiendo su formación y haciéndola vulnerable a la artillería pesada de las naves inglesas. Además, muchas naves españolas naufragaron durante el largo viaje de regreso y quizás unos 15.000 españoles murieron. La derrota de la armada, en la que Sir FRANCIS DRAKE tuvo un destacado papel, salvó a Inglaterra y a los Países Bajos de una posible incorporación al Imperio español.

armadillo Cualquiera de las 20 especies de mamíferos acorazados (familia Dasypodidae) emparentadas con el OSO PEREZOSO y el OSO HORMIGUERO. Los armadillos son robustos y de patas cortas, con fuertes garras curvas y una coraza o armadura protectora de color rosado a marrón formada por placas óseas revestidas de fuertes escamas córneas. Las placas están separadas por bandas de tejido flexible. En EE.UU. vive una especie, y las demás habitan en las regiones tropicales y subtropicales del sur, principalmente en Sudamérica, donde se le conoce como quirquincho o peludo. La mayoría habita a campo abierto, aunque algunos pueden encontrarse en zonas boscosas. Miden entre 16 cm (6 pulg.) y 1,5 m (5 pies) de largo. Viven solitarios, en parejas o en pequeños grupos y se alimentan de termitas u otros insectos, animales pequeños, carroña y vegetales.

Armadillo de nueve bandas (*Dasypus novemcinctus*).

armadura Vestimenta protectora que puede escudar al que la usa de la acción de armas y proyectiles. Por extensión, también se emplea el término para designar los cobertores que protegen a los animales, vehículos y otros. Los guerreros prehistóricos usaban cueros de animales y cascos. Los guerreros chinos empleaban piel de rinoceronte en el s. XI AC, y en el s. V AC la infantería griega usaba gruesas corazas (armadura que cubre el cuerpo del cuello a la cintura) hechas de varias capas de metal y lino. Durante todo el Imperio romano se usaron camisas de COTA DE MALLAS, y la malla fue la principal armadura en Europa occidental hasta el s. XIV. Los antiguos griegos y romanos usaron armaduras hechas de placas rígidas de metal, que reaparecieron en Europa alrededor del s. XIII. La armadura de placas dominó el diseño europeo hasta el s. XVII, cuando las armas de fuego empezaron a dejarlas obsoletas. Comenzaron a desaparecer en el s. XVIII, pero el casco reapareció en la primera guerra mundial y se transformó en pieza de equipamiento estándar. La armadura moderna (el chaleco antibalas) cubre el pecho y a veces la ingle; es una prenda flexible reforzada con placas de acero, fibra de vidrio, carburo de boro o múltiples capas de un tejido sintético como el KEVLAR.

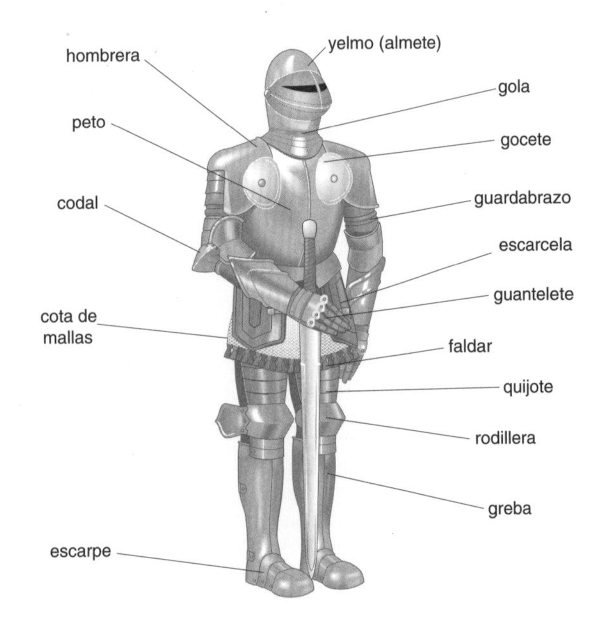

Armadura de placas europea del s. XV.

Armagedón En el NUEVO TESTAMENTO, el lugar donde los reyes de la Tierra, bajo dirección demoníaca, librarán la guerra contra las fuerzas de Dios al final de los tiempos. Armagedón sólo se menciona en el Apocalipsis de san JUAN EVANGELISTA. El nombre puede significar "la montaña de Megiddó", en referencia a la ciudad de MEGIDDÓ, que tuvo importancia estratégica en Palestina. Otras referencias bíblicas sugieren a JERUSALÉN como el lugar de la batalla.

Armagh Distrito (pob., 2001: 54.263 hab.) de Irlanda del Norte. Establecido en 1973, antiguamente formaba parte del condado de Armagh. Está situado al sur del lago NEAGH. La zona norte del distrito es la principal región frutícola de la isla; la zona sur, junto a la frontera irlandesa, fue un foco de violencia sectaria hasta fines del s. XX. La sede administrativa del distrito está en la ciudad de Armagh. De acuerdo a la tradición, san PATRICIO estableció ahí su principal Iglesia irlandesa en el s. V. La región fue el principal centro intelectual del mundo occidental en los s. V–IX. Conquistado por fuerzas inglesas protestantes en el s. XVI, Armagh se convirtió en un próspero centro para el clero y la aristocracia protestante, circunstancia que se ve reflejada en sus numerosos monumentos y edificios de estilo georgiano.

Armagnac Pequeño territorio de la histórica GASCUÑA, en el sudoeste de Francia. Una parte de él perteneció a la provincia romana de AQUITANIA. Desde c. 960 fue un condado independiente y creció hasta ocupar una zona neutral entre las tierras controladas por los reyes franceses (Toulouse) y aquellas controladas por los ingleses (GUYENA). Encabezó la resistencia a la invasión de Francia por el rey inglés ENRIQUE V, pero fue derrotado en la batalla de AGINCOURT. Anexado por primera vez a Francia en 1497, volvió a convertirse en un condado, pero finalmente, por la descendencia de los gobernantes de Navarra, regresó a la corona francesa en 1607. Nuevamente convertido en condado en 1645, fue disuelto en 1789. La región produce el famoso brandy Armagnac.

armamento, sistema de Cualquier sistema integrado para el control y operación de un tipo específico de armamento. Las armas se dividen generalmente en dos categorías: estratégicas y tácticas. Las armas estratégicas atacan la base del poder militar, económico y político del enemigo, escogiendo como blancos ciudades, fábricas, bases militares, redes de transporte y de comunicaciones y sedes del gobierno. La mayoría de las ARMAS NUCLEARES son parte de sistemas de armamento estratégico. Las armas tácticas están diseñadas en cambio para uso ofensivo o defensivo de relativamente poco alcance; por ejemplo, MISILES TELEDIRIGIDOS destinados a servir de armas antiaéreas o antitanques, u otras armas usadas en combate aéreo o naval.

Armani, Giorgio (n. 11 jul. 1934, Piacenza, Italia). Diseñador de modas italiano. Abandonó la escuela de medicina y trabajó como comprador para una tienda de departamentos (1957–64) antes de aprender diseño de modas. En 1974–75 presentó su propia marca de ropa hecha para hombres y mujeres. En 1980–81 fundó Giorgio Armani USA, Emporio Armani y Armani Jeans, y en 1989 abrió tiendas en Londres. Fue líder del movimiento hacia una silueta no estructurada y simplificada en la ropa masculina, y el responsable de las hombreras anchas para las mujeres ejecutivas. Sus diseños, habitualmente caracterizados por un glamour discreto y telas lujosas, introdujeron la comodidad y un dinamismo moderno en la vestimenta de fines del s. XX.

Armant ver ERMENT

armas estratégicas, negociaciones sobre la limitación de *inglés* **Strategic Arms Limitation Talks (SALT)** Negociaciones entre EE.UU. y la Unión Soviética dirigidas a reducir la fabricación de misiles nucleares estratégicos. La primera ronda de negociaciones empezó en 1969 y concluyó en un tratado que regulaba los MISILES ANTIBALÍSTICOS (ABM) y congelaba el número de misiles balísticos intercontinentales y los misiles balísticos que se pueden lanzar desde submarinos. Fue firmado por LEONID BRÉZHNEV y RICHARD NIXON en 1972. Una segunda ronda de negociaciones (1972–79), conocida como SALT II, se ocupó de la asimetría entre las fuerzas estratégicas de ambos bandos y terminó en un acuerdo para limitar los lanzamisiles estratégicos (ver MIRV). Firmado por Brézhnev y JIMMY CARTER, nunca fue ratificado oficialmente por el Senado estadounidense, aun cuando sus disposiciones fueron respetadas por ambas partes. Las negociaciones posteriores adoptaron el nombre de negociaciones sobre la reducción de ARMAS ESTRATÉGICAS. Ver también ARMAS NUCLEARES DE ALCANCE INTERMEDIO; TRATADO DE PROHIBICIÓN COMPLETA DE LOS ENSAYOS NUCLEARES.

armas estratégicas, negociaciones sobre la reducción de *inglés* **Strategic Arms Reduction Talks (START)** Negociaciones entre EE.UU. y la Unión Soviética dirigidas a reducir los arsenales nucleares y los sistemas de lanzamiento de ambos países. Dos grupos de negociaciones (1982–83, 1985–91) concluyeron en un acuerdo firmado por GEORGE BUSH y MIJAÍL GORBACHOV, en virtud del cual la Unión Soviética se comprometió a reducir de 11.000 a 8.000 sus armas nucleares y EE.UU. de 12.000 a 10.000. Después del colapso de la Unión Soviética (1991), un acuerdo complementario (1992) obligó a Ucrania, Belarús y Kazajstán a destruir las armas nucleares que se encontraran en sus territorios o a entregárselas a Rusia. Los esfuerzos posteriores de EE.UU. encaminados a desarrollar un sistema de defensa antimisiles amenazaron con crear nuevas complicaciones al régimen de control de armas. Ver también negociaciones sobre la limitación de ARMAS ESTRATÉGICAS.

armas nucleares de alcance intermedio Clase de ARMAS NUCLEARES con un alcance de 1.000–5.500 km (620–3.400 mi). Algunas ojivas múltiples desarrolladas por la Unión Soviética podían alcanzar varios objetivos en cualquier lugar de Europa occidental en menos de diez minutos. Por su parte, EE.UU. podía enviar una sola ojiva nuclear desde Europa central a Moscú en menos de diez minutos. Ambos tipos de armamento fueron considerados armas ofensivas de ataque preventivo. Las negociaciones soviético-estadounidenses sobre el control de armamento (1980–87) condujeron al tratado de fuerzas nucleares intermedias (INF), firmado por MIJAÍL GORBACHOV y RONALD REAGAN, a fin de retirar y desmantelar completamente estas armas y las de menor alcance.

armazón de madera Construcción de estructuras de marcos o de postes y vigas que utiliza elementos largos y pesados de madera, especialmente maderos de 13 cm (5 pulg.) como mínimo. El tipo de construcción supone rasgos estilísticos toscos. El enmaderado con relleno, en el cual los espacios entre los maderos visibles de muros interiores y exteriores se rellenan con material no estructural, como ladrillo, yeso o barro, era común en Asia y Europa. El enmaderado con relleno encuentra su máxima expresión en el estilo TUDOR. Ver también estructura de ARMAZÓN; sistema de PILAR Y VIGA.

armazón, estructura de Estructura sostenida básicamente por un esqueleto o armazón de madera, acero u hormigón armado, en lugar de muros. Los armazones rígidos tienen uniones fijas, lo que les permite resistir esfuerzos laterales. Otros armazones requieren riostras o MUROS DE CORTE y diafragmas para tener estabilidad lateral. El ARMAZÓN DE MADERA pesada fue el sistema constructivo más común en Asia oriental y el norte de Europa desde épocas prehistóricas hasta mediados del s. XIX. Fue reemplazado por el armazón sin rigidez y el de plataforma (ver construcción de ARMAZÓN LIVIANA). La resistencia del acero, cuando se utiliza en armazones, permite obtener luces mayores. Los armazones de hormigón proporcionan gran rigidez y continuidad; varios adelantos, como la introducción de muros de corte y el encofrado deslizante, han convertido al hormigón en un serio competidor del acero en la construcción de edificios en altura.

armazón liviana, construcción de Sistema de construcción que utiliza muchos elementos pequeños, espaciados estrechamente sujetos con clavos. Es el método constructor típico de las viviendas suburbanas de EE.UU. Las casas construidas con el sistema continuo revestidas en madera, inventado en Chicago en la década de 1840, contribuyeron al rápido poblamiento del oeste de EE.UU. En América del Norte, con sus abundantes bosques de madera blanda, la construcción de armazones con el sistema de plataforma tuvo un resurgimiento importante luego de la segunda guerra mundial. En el sistema de plataforma, cada piso es armado de manera independiente, a diferencia del sistema continuo, en el cual los pies derechos (elementos verticales) se prolongan a toda la altura del edificio. Sin el peso considerable de los gruesos maderos del sistema de PILAR Y VIGA, la armazón liviana facilita la construcción. Los carpinteros primero hacen el piso, hecho de vigas, y un contrapiso de madera. Los pisos normalmente sirven como plataformas de trabajo, sobre las cuales se arman los marcos

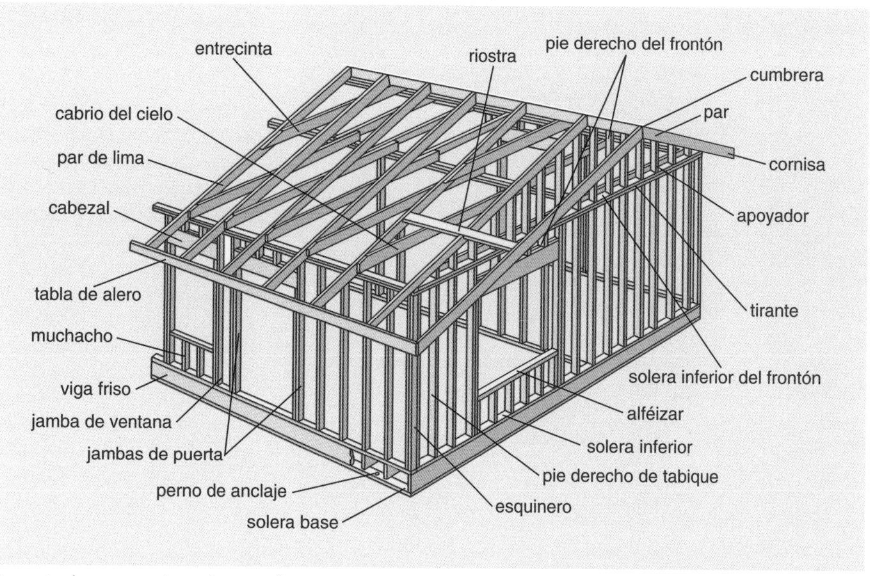

Armazón de una casa de madera sencilla. Los componentes más importantes de esta estructura son los pies derechos de tabique (montantes a los cuales se fijan el entablado, los paneles o listones); los cabrios (maderos horizontales pequeños que sostienen el piso o cielo) y los pares (vigas paralelas que sostienen el techo). Por lo general, el armazón se construye con maderos de 2 x 4 pulg. Los maderos más gruesos se usan para las vigas y otros apoyos. Tradicionalmente se construían de a uno en el mismo sitio de la casa; hoy, el armazón se produce en serie, por secciones que se ensamblan in situ. El uso de armazones livianos aún es común en la construcción de viviendas.

verticales de los muros por partes, para luego ser instalados en su lugar definitivo. Sobre estos, se coloca un segundo piso o la techumbre. El techo está formado por tijerales (vigas inclinadas) o RETICULADO de madera. El revestimiento interior de los muros es por lo general un panel de yeso (yeso cartón), el cual proporciona resistencia al fuego, estabilidad y una superficie lista para el acabado.

armazón tridimensional Estructura reticular (ver RETICULADO) tridimensional basada en la rigidez del triángulo y compuesta por elementos lineales sometidos sólo a compresión o a tracción. Su unidad espacial más simple es un tetraedro con cuatro articulaciones y seis elementos. Una armazón tridimensional es muy fuerte, gruesa y flexible y puede asumir diversas formas, rectas o curvas. La belleza de su entramado abierto de diagonales tubulares livianas que dejan pasar la luz es solamente superada por su pureza estructural. R. BUCKMINSTER FULLER usó esta tecnología en algunos de sus proyectos Dymaxion; en su bodega de la Union Tank Car, Baton Rouge, La., EE.UU. (1958), utilizó una armazón tridimensional para reforzar una enorme cúpula geodésica.

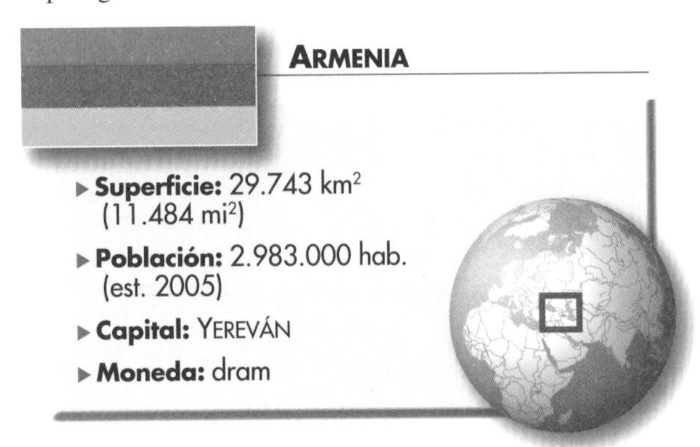

ARMENIA

- **Superficie:** 29.743 km² (11.484 mi²)
- **Población:** 2.983.000 hab. (est. 2005)
- **Capital:** YEREVÁN
- **Moneda:** dram

Armenia *ofic.* **República de Armenia** País transcaucásico. Los armenios conforman el 90% de la población; también hay pequeños grupos de azeríes, kurdos, rusos y ucranianos. Idiomas: armenio (oficial), ruso. Religión: cristianismo (apostólico armenio, católico armenio). Armenia es un país montañoso con una elevación media de 1.800 m (5.900 pies). Por el norte se extiende la cordillera del Pequeño CÁUCASO y en la parte centro-este se sitúa el lago Sevan. Armenia posee un clima seco y continental que cambia drásticamente con la altitud. A pesar del alto grado de industrialización (como resultado del desarrollo de la energía hidroeléctrica durante el dominio soviético) y de la creciente urbanización, la agricultura sigue siendo importante en el país. Armenia es el estado sucesor de una región histórica en el Cáucaso. Los límites históricos de Armenia han variado considerablemente; la antigua Armenia abarcaba el actual nordeste de Turquía y la República de Armenia. Esta región pertenecía al antiguo reino de Urartu o Van, el cual floreció c. 1270–850 AC. Después fue conquistada por los medos (ver MEDIA) y MACEDONIA y más tarde se alió con Roma. En 303 DC, Armenia adoptó el cristianismo como su religión oficial. Habiendo sido durante siglos escenario de conflictos entre árabes, selyúcidas, bizantinos y mongoles, en 1514 cayó bajo dominio del Imperio otomano. Durante los siglos siguientes, al ceder partes del territorio a otros gobernantes, surgió el nacionalismo entre los armenios que estaban dispersos; hacia fines del s. XIX, esto había causado una tensión generalizada en la región. Cuando parte de Armenia fue cedida a Rusia en 1878, las luchas entre otomanos y rusos se intensificaron y continuaron durante la primera guerra mundial (1914–18), lo que diezmó a los armenios (ver masacres ARMENIAS). Con la derrota otomana, la parte rusa fue establecida como una república soviética en 1921. En 1936, Armenia se convirtió en una república de la U.R.S.S. Cuando la U.R.S.S. comenzó a desintegrarse a fines de la década de

Yereván, capital y ciudad principal de Armenia; al fondo, el monte Ararat, en territorio turco.
FOTOBANCO

1980, Armenia declaró su independencia en 1990. En los años siguientes combatió con Azerbaiyán por el control de Alto KARABAJ hasta llegar a un cese al fuego en 1994. Alrededor del 20% de la población ha abandonado el país desde 1993 a causa de una profunda crisis energética. La tensión política se intensificó, y en 1999 disidentes armados asesinaron al primer ministro y a varios legisladores.

Armenia, Pequeña ver PEQUEÑA ARMENIA

armenias, masacres Asesinato y deportación de armenios turcos por el Imperio OTOMANO bajo ABDÜLHAMID II en 1894–96 y por el gobierno de los Jóvenes turcos en 1915–16. En 1894, cuando los armenios comenzaron a exigir autonomía territorial y a protestar contra los altos impuestos, tropas otomanas y guerreros tribales kurdos dieron muerte a miles de ellos. En 1896, con la esperanza de llamar la atención sobre su difícil situación, revolucionarios armenios se apoderaron del Banco Otomano en Estambul. Turbas de turcos musulmanes, incitados por elementos del gobierno, asesinaron en represalia a más de 50.000 armenios. Durante las siguientes dos décadas se produjeron matanzas esporádicas. Como reacción al empleo por Rusia de tropas armenias contra los otomanos en la primera guerra mundial (1914–18), el gobierno deportó a 1,75 millones de armenios a Siria y Mesopotamia. En el transcurso del viaje, unos 600.000 armenios murieron asesinados o por inanición.

armenio Lengua INDOEUROPEA de los ARMENIOS. La hablan probablemente entre cinco y seis millones de personas en el mundo. El armenio ha sufrido cambios fonéticos y gramaticales que lo hacen completamente distinto de otras ramas del indoeuropeo; el griego puede ser la lengua con la mayor afinidad, aunque esta hipótesis ha sido muy discutida. Su larga historia de contacto con las lenguas IRANIAS ha dado como resultado la adopción de muchas voces PERSAS. Según la tradición, el singular alfabeto armenio fue creado por el clérigo Mesrop Mashtots en 406 ó 407 DC. El armenio de los s. V–IX DC (denominado grabar o armenio clásico) se empleó como lengua literaria hasta los tiempos modernos. Un resurgimiento cultural del s. XIX llevó a la formación de dos nuevas lenguas literarias: el armenio occidental, basado en el habla de los armenios de Estambul; y el armenio oriental, basado en el habla de los armenios transcaucásicos. Debido a una larga tradición de emigración, además de las masacres y expulsiones durante las últimas décadas de dominación otomana, la mayoría de los hablantes de armenio occidental viven fuera de Anatolia. El armenio oriental es la lengua de la actual república de Armenia.

armenio *armenio* **hay** *plural* **hayk o hayq** Miembro de un pueblo indoeuropeo, cuyos primeros antecedentes se remontan a principios del s. VII AC, cuando se establecieron en determinadas áreas de Transcaucasia, Anatolia y del Medio Oriente, territorio que llegó a ser conocido como ARMENIA. La historia armenia ha sido de casi constantes luchas por liberarse de la dominación extranjera, primero de los medas y persas, de la dinastía SELÉUCIDA y de Roma (ver República e Imperio de ROMA), y más tarde del Imperio BIZANTINO, la dinastía SELYÚCIDA, el Imperio OTOMANO, la dinastía safawí y la Rusia zarista. A principios del s. XX, la mayor parte de los armenios fueron expulsados de Anatolia o asesinados por tropas otomanas durante las masacres ARMENIAS. La República de Armenia se estableció en 1990, después de haber sido parte de la Unión Soviética desde 1922. Más de tres millones y medio de armenios viven allí, y existe una diáspora importante en otros países de Transcaucasia, en partes del Medio Oriente y en Occidente. La cultura armenia alcanzó su apogeo en el s. XIV, destacando por su escultura, arquitectura y bellas artes altamente apreciadas. Hasta el s. XX, los armenios eran básicamente agricultores; ahora están muy urbanizados. Tradicionalmente son cristianos ortodoxos o católicos; Armenia es considerado el primer Estado cristiano.

armiño Una de las especies de la familia de los Mustélidos (ver COMADREJA) (*Mustela erminea*). Su blanco pelaje invernal ha adornado históricamente las togas reales y todavía se usa en peletería. Los armiños se encuentran en Norteamérica y el norte de Eurasia. Son más abundantes en matorrales, bosques y zonas semiarboladas. En verano son de color marrón con la garganta, pecho y vientre blanquecinos. Miden 13–29 cm (5–12 pulg.) de largo (excluida la cola que mide de 5–12 cm o 2–5 pulg.) y pesan menos de 300 g (11 oz). Carnívoros voraces, los armiños se alimentan de pequeños mamíferos, aves, huevos, sapos y, ocasionalmente, invertebrados.

armisticio (11 nov. 1918). Acuerdo suscrito entre Alemania y los aliados al término de la primera GUERRA MUNDIAL. Los representantes aliados se reunieron con la delegación alemana en un vagón de ferrocarril en Rethondes, Francia, para discutir los términos. El acuerdo fue firmado el 11 de noviembre de 1918 y la guerra finalizó a las 11:00 AM de ese día ("la undécima hora del undécimo día del undécimo mes"). El principal acuerdo fue que Alemania evacuaría Bélgica, Francia y Alsacia-Lorena. Las negociaciones que formalizaron el armisticio se llevaron a cabo en la conferencia de paz de PARÍS. Más tarde surgió en Alemania la leyenda de la "puñalada en la espalda", que aseguraba que la situación militar alemana no había sido tan desesperada y que políticos traidores habían cumplido órdenes de los aliados al firmar el armisticio.

armonía En música, sonido de dos o más notas escuchadas en forma simultánea. En un sentido más estricto, la armonía se refiere al sistema ampliamente desarrollado de acordes y a las reglas que rigen sus relaciones en la música occidental. La armonía ha existido siempre como el aspecto "vertical" (la relación entre líneas melódicas simultáneas) de la antigua música que era primariamente contrapuntística. Las reglas del CONTRAPUNTO persiguen controlar la CONSONANCIA Y DISONANCIA, aspectos fundamentales de la armonía. Sin embargo, el sentido de la armonía como rectora de las líneas contrapuntísticas individuales fue consecuencia de la invención del CONTINUO c. 1600; la línea del bajo se convirtió en la fuerza generadora sobre la cual se construían las armonías. Este enfoque fue formalizado en el s. XVIII en un tratado de JEAN-PHILIPPE RAMEAU, quien argumentó que toda la armonía está basada en la "raíz" o nota fundamental de un ACORDE. El sistema TONAL es principalmente un concepto armónico y no está basado sólo en la escala de siete notas de una TONALIDAD dada, sino en un conjunto de relaciones y progresiones armónicas fundado en tríadas (acordes de tres notas) tomadas de la escala.

armónica Pequeño instrumento de viento de forma rectangular, que consiste en lengüetas metálicas libres colocadas en las ranuras de un marco pequeño de madera y que se soplan mediante dos filas paralelas de canales de viento. Las notas sucesivas de la escala diatónica (siete notas) se obtienen soplando y aspirando en forma alternada mientras la lengua cubre los canales que no se utilizan. En los modelos de armónica cromática (12 notas), un mecanismo accionado por el dedo permite seleccionar alguna de las dos series de lengüetas, las que están afinadas con un semitono de diferencia entre ellas. La armónica fue inventada en 1821 por el berlinés Friedrich Buschmann (n. 1805–m. 1864), quien adoptó el principio básico del *sheng* chino. Se utiliza ampliamente tanto en el BLUES como en la MÚSICA FOLCLÓRICA y COUNTRY.

armónico En acústica, una nota débil más aguda contenida en casi cualquier nota musical. Un cuerpo que produce un tono (o altura) determinado, como en el caso de una cuerda tensa o una columna de aire dentro del cuerpo tubular de un instrumento de viento, no sólo vibra como una unidad sino además lo hace simultáneamente en secciones, dando como resultado la presencia de una serie de armónicos dentro de la nota fundamental (i.e., aquella nota identificada como el tono real). La serie armónica consiste en un conjunto de armónicos que resultan cuando las vibraciones parciales pertenecen a secciones idénticas (p. ej., mitades, tercios, cuartos). Los parciales corresponden a notas no armónicas, es decir, notas cuyas frecuencias se encuentran fuera de la serie armónica. Los armónicos contribuyen en gran medida al TIMBRE de una fuente sonora dada, aunque pocos oyentes tienen conciencia de escuchar otra nota que no sea la fundamental. Existen pocos y raros ejemplos de voz humana que generan armónicos, tal es el notable caso de los cantos de los monjes tibetanos y de las canciones de los cantores de garganta de Tuvan. Estos últimos pueden llegar a veces a producir dos armónicos.

armonio *o* **harmonio** Instrumento de teclado de lengüetas libres en el que el aire, procedente de un fuelle activado mediante pedales, provoca la vibración de las lengüetas. El tamaño de la lengüeta determina el tono (o altura) y no hay tubos biselados. Los conjuntos separados de lengüetas producen timbres diferentes mientras que el tamaño y la forma de la cámara de resonancia que rodea cada lengüeta determina la calidad sonora. El armonio se desarrolló entre comienzos y mediados del s. XIX en Europa y América, y fue un instrumento muy popular tanto en iglesias como en hogares hasta la década de 1930.

Armonio de Jacob Alexandre, París, s. XIX.
BEHR PHOTOGRAPHY

Armory Show *formalmente* **Exposición internacional de arte moderno** Exposición de pintura y escultura realizada en 1913, en la armería del 69° regimiento de la ciudad de Nueva York. Concebida por sus organizadores –la Asociación americana de pintores y escultores– como una selección de obras exclusivamente de artistas estadounidenses, se convirtió en una mirada global de los movimientos artísticos europeos de la época, debido en parte a la visión vanguardista del presidente de la asociación, Arthur B. Davies. De las 1.300 obras presentadas, un tercio eran europeas y registraban la evolución del arte moderno desde FRANCISCO DE GOYA hasta MARCEL DUCHAMP y VASILI KANDINSKY, con obras representativas del IMPRESIONISMO, SIMBOLISMO, POSTIMPRESIONISMO, FAUVISMO y CUBISMO. Quizás una de las obras más controvertidas fue la casi abstracta de Duchamp, *Desnudo bajando una escalera, No. 2* (1912). Los artistas estadounidenses presentes eran mayoritariamente miembros de la escuela ASH-CAN y de los OCHO. La exposición dio a conocer por primera vez al público estadounidense el arte europeo de avanzada, con lo que el arte de este país quedó en desmedro. La muestra viajó a Chicago y Boston, llegando a ser un acontecimiento determinante para el desarrollo del arte y del coleccionismo de arte en EE.UU.

Armour, Philip Danforth (16 may. 1832, Stockbridge, N.Y., EE.UU. 6 ene. 1901, Chicago, Ill.). Empresario estadounidense de gran espíritu innovador. Sus primeros éxitos empresariales los obtuvo en proyectos mineros en California. En 1875 expandió fuertemente el negocio familiar de granos y carne envasada, ubicado en la zona del Medio Oeste del país, e inició el uso de los subproductos de la carne y la venta de carne enlatada. Con la introducción de los frigoríficos en la década de 1880 (ver GUSTAVUS FRANKLIN SWIFT), Armour estableció plantas distribuidoras en los estados del este del país y comenzó a exportar sus productos cárnicos a Europa. Sus empresas Armour & Co. contribuyeron a que la ciudad de Chicago se convirtiera en la capital mundial de la carne envasada.

armoury practice Sistema de producción para el montaje de productos terminados, en este caso armas. Con la adopción del fusil modelo 1842, los militares estadounidenses lograron el montaje en gran escala de armas a partir de PIEZAS INTERCAMBIABLES uniformes. A mediados de la década de 1850, los fabricantes de armas de todo el mundo comenzaron a copiar el AMERICAN SYSTEM OF MANUFACTURE, que contribuyó a la creación del arma ligera militar moderna, especialmente después de la introducción del encendido por percusión y de los cañones estriados.

Armstrong, Edwin H(oward) (18 dic. 1890, Nueva York, N.Y., EE.UU.–31 ene./1 feb. 1954, Nueva York). Inventor estadounidense. Estudió en la Universidad de Columbia, donde diseñó un circuito retroalimentado que producía señales con una amplificación de mil veces. En su nivel máximo de amplificación, el circuito pasaba de receptor a generador primario de ondas de radio, y como tal es el núcleo de todo el sistema de transmisión de radio y televisión. Este invento le hizo acreedor a la Medalla Franklin, el más alto honor científico en EE.UU. En 1933 su invento del circuito que producía las ondas portadoras para modulación de frecuencia (FM) hizo posible la radiodifusión de alta fidelidad.

Armstrong, Gillian (n. 18 dic. 1950, Melbourne, Australia). Directora de cine australiana. Obtuvo su primer elogio internacional como directora de *Mi brillante carrera* (1979), película feminista protagonizada por una joven aspirante a escritora en la Australia de la época victoriana. Entre sus trabajos posteriores se incluyen largometrajes australianos como *Los últimos días de Chez Nous* (1993) y *Oscar y Lucinda* (1997), y filmes estadounidenses como *La Sra. Soffel* (1984), *Mujercitas* (1994) y *Charlotte Gray* (2001).

Armstrong, Lance (n. 18 sep. 1971, Plano, Texas, EE.UU.). Ciclista estadounidense, ganador en cinco ediciones del Tour de FRANCIA (1999–2003). Comenzó su carrera profesional en el CICLISMO en 1992, cuando se unió al equipo Motorola. Ganó etapas del Tour de Francia en 1993 y 1995, pero se retiró en tres de las cuatro versiones de dicho torneo en que compitió entre 1993 y 1996. Luego del Tour de 1996 se le detectó un cáncer testicular que se había extendido a los pulmones y al cerebro. Volvió a las competencias tras meses de exitoso tratamiento. En 1998 se adjudicó el Tour de Luxemburgo, y el 25 de julio de 1999 se convirtió en el segundo estadounidense en ganar el Tour de Francia y el primero en hacerlo para un equipo de su país (el tres veces campeón Greg LeMond lo hizo para equipos europeos).

Armstrong, Louis (4 ago. 1901, Nueva Orleans, La., EE.UU.–6 jul. 1971, Nueva York, N.Y.). Trompetista y cantante de jazz estadounidense. Durante su juventud en Nueva Orleans participó en bandas de desfiles, de barcos fluviales y de cabarés. Un apodo de la niñez, «Satchelmouth», fue abreviado a «Satchmo» y utilizado en el transcurso de su vida. En 1922 se trasladó a Chicago para trabajar en la Creole Jazz Band (ver DIXIELAND) de KING OLIVER. En 1924 se unió a la orquesta de FLETCHER HENDERSON en Nueva York; al año siguiente cambió la corneta por la trompeta y comenzó a grabar bajo su propio nombre con sus conjuntos Hot Five y Hot Seven. En estas grabaciones, el énfasis en la improvisación colectiva que prevalecía hasta entonces en el jazz, ceden el paso a la fuerza que desarrolla como solista y vocalista. En la época de la grabación de "West End Blues" (1928), Armstrong ya había establecido la preeminencia del solista virtuoso de jazz. Su vibrante fraseo melódico, su inventiva improvisación armónica y su concepción rítmica del *swing*, establecieron el idioma vernacular de la música de jazz. Su poderoso sonido, su amplia gama y su velocidad deslumbrante establecieron un nuevo nivel técnico. Además, fue uno de los primeros cantantes de *scat*, improvisando sílabas sin sentido a la manera de un corno. Llegó a ser algo más que un músico de jazz: un atractivo solista, director de banda, actor de películas y estrella internacional.

Louis Armstrong.
AP/WIDE WORLD PHOTOS

Armstrong, Neil (Alden) (n. 5 ago. 1930, Wapakoneta, Ohio, EE.UU.). Astronauta estadounidense. Se convirtió en piloto a los 16 años, estudió ingeniería aeronáutica y recibió tres medallas aéreas en la guerra de Corea. En 1955 pasó a ser piloto civil de pruebas para la agencia precursora de la NASA. Ingresó al programa espacial en 1962, con el segundo grupo de astronautas. En 1966, como comandante del Gemini 8 (ver programa GEMINI), y junto a David Scott, completó la primera maniobra en el espacio de acoplamiento con un cohete no tripulado Agena. El 20 de julio de 1969, como parte de la misión Apolo 11 (ver programa APOLO), se transformó en la primera persona en pisar la Luna, anunciando: "Este es un pequeño paso para el hombre, pero un gigantesco salto para la humanidad".

Neil Armstrong, primer astronauta en pisar la Luna, 1969.
FOTOBANCO

ARN *sigla de* **ácido ribonucleico** Uno de los dos tipos principales de ácido NUCLEICO (el otro es el ADN), que actúa en la síntesis de PROTEÍNA celular en todas las células vivas y reemplaza al ADN como el vehículo de la información genética en algunos virus. Como el ADN, se compone de hebras de NUCLEÓTIDOS repetidos, unidos en forma de cadena, pero las hebras son simples (excepto en ciertos virus), y contiene el nucleótido URACILO (U), donde el ADN tiene TIMINA (T). El ARN mensajero (ARNm), una hebra simple copiada de una hebra de ADN que actúa como su plantilla, transporta el mensaje del código genético del ADN (en los CROMOSOMAS) al sitio de la síntesis proteica (en los RIBOSOMAS). El ARN ribosómico (ARNr), que es parte de los elementos constitutivos de los ribosomas, participa en la síntesis de proteínas. El ARN de transferencia (ARNt), el tipo más pequeño, tiene poco más de 100 unidades de nucleótidos (los ARNm y ARNr contienen miles). Cada triplete de nucleótidos del ARNm especifica cual AMINOÁCIDO es el siguiente en la proteína que se está sintetizando, y una molécula de ARNt, con aquel complemento del triplete en su extremo sobresaliente, acarrea el aminoácido especificado hacia el sitio de la síntesis para ser unido a la proteína. También existen diversos tipos menores de ARN; al menos algunos de ellos actúan como catalizadores (ribozimas), una función por largo tiempo atribuida sólo a las proteínas.

Arndt, Ernst Moritz (26 dic. 1769, Schoritz bei Gartz, Suecia–29 ene. 1860, Bonn, Alemania). Prosista, poeta y nacionalista alemán de origen sueco. Rechazó el sacerdocio luterano a los 28 años y posteriormente fue profesor de historia en Greifswald y Bonn. Entre sus obras más importantes se cuenta su voluminoso *Geist der Zeit* [El espíritu del tiempo], 4 vol. (1806–18), una audaz exhortación a las reformas políticas que expresaron el despertar del espíritu nacionalista alemán durante la era napoleónica. No todos los poemas de Arndt fueron inspirados por ideales políticos; *Gedichte* (1804–18) contiene varios poemas religiosos de gran belleza.

Arne, Thomas Augustine (12 mar. 1710, Londres, Inglaterra–5 mar. 1778, Londres). Compositor británico. Hijo de un tapicero londinense, estudió de manera autodidacta y en secreto composición y técnicas instrumentales con la ayuda de un músico de la ópera. Impresionado con este género musical, tuvo un éxito precoz con su primera ópera *Rosamond* (1733) y luego se concentró casi exclusivamente en el teatro. Como compositor del Drury Lane Theatre y de los grandes jardines de amenidades en Londres, se convirtió en el principal compositor teatral de Gran Bretaña y, después de GEORG FRIEDRICH HÄNDEL, probablemente en el mejor compositor inglés del siglo. Entre sus cerca de 90 piezas teatrales, las más conocidas son *Comus* (1738), *The Judgment of Paris* (1740) y *Artaxerxes* (1762). Su canción "Rule, Britannia" se transformó en un himno nacional oficioso. Su hermana Susannah (n. 1714–m. 1766) fue la famosa cantante y actriz conocida como Mrs. Cibber.

Arnhem, Tierra de Región del nordeste del TERRITORIO DEL NORTE, Australia. Se extiende hacia el sur desde el golfo de Van Diemen hasta el golfo de CARPENTARIA y Groote Eylandt. Nunca explorada en su totalidad, tiene una superficie total de 96.000 km^2 (37.000 mi^2) y posee importantes minas de bauxita y uranio. Ocupada por los ABORÍGENES AUSTRALIANOS desde el PLEISTOCENO tardío, fue el explorador holandés Jan Carstensz, el primer europeo en visitarla en 1623, quien la bautizó con el nombre de su barco. El nombre remite ahora principalmente a su gran reserva aborigen.

Arnim, Bettina von *orig.* **Elisabeth Katharina Ludovica Magdalena Brentano** (4 abr. 1785, Francfort del Meno [Alemania]–20 ene. 1859, Berlín). Escritora alemana. Sus obras más conocidas son adaptaciones de su correspondencia con JOHANN WOLFGANG VON GOETHE, Karoline von Günderode y su hermano CLEMENS BRENTANO, en su gran mayoría ficticias, pero escritas con un estilo deslumbrantemente vivaz y desinhibido.

Bettina von Arnim, grabado de un artista desconocido a partir de una copia de Armgass von Arnim.

GENTILEZA DEL DIRECTORIO DEL MUSEO BRITÁNICO; FOTOGRAFÍA, J.R. FREEMAN & CO. LTD.

Arno, río Río de Italia central. Tiene una longitud de 240 km (150 mi) y corre hacia el oeste desde los APENINOS, cruza FLORENCIA y desemboca en el mar de Liguria al sur de PISA. Cerca de Arezzo se conecta con el río TÍBER por medio de su afluente canalizado, el Chiani. Sujeto a inundaciones desastrosas, en 1966 anegó Florencia y causó graves daños.

Arnold, Benedict (14 ene. 1741, Norwich, Conn., EE.UU.–14 jun. 1801, Londres, Inglaterra). Oficial de ejército estadounidense y traidor. Ingresó al ejército revolucionario norteamericano en 1775 y participó en las victorias de este en la batalla de TICONDEROGA, en Fort Stanwix, N.Y., y en la batalla de SARATOGA, en la que fue gravemente herido. Fue ascendido a general de división y estuvo al mando de Filadelfia, donde vivió con extravagancia y compartió socialmente con adinerados simpatizantes REALISTAS, de hecho se casó con una de ellas en 1779. Al recibir amonestaciones por irregularidades tributarias en las unidades bajo su mando, inició gestiones secretas con los británicos. Cuando quedó al mando del fuerte en West Point, N.Y. (1780), ofreció entregarlo a los británicos por £ 20.000. El complot quedó al descubierto cuando fue capturado JOHN ANDRÉ, su contacto británico. Huyó a Inglaterra en un barco británico y murió en la miseria en aquel país.

Benedict Arnold, grabado de H.B. Hall, 1865.

GENTILEZA DE LA BIBLIOTECA DEL CONGRESO, WASHINGTON, D.C.

Arnold, Henry (Harley) *llamado* **Hap Arnold** (25 jun. 1886, Gladwyne, Pa., EE.UU.–15 ene. 1950, Sonoma, Cal.). Oficial de aviación estadounidense. Estudió en la academia militar West Point y sirvió inicialmente en la infantería. Se ofreció como piloto voluntario y recibió instrucción de ORVILLE WRIGHT. Después de la primera guerra mundial, junto con BILLY MITCHELL, fue ferviente partidario de una fuerza aérea más poderosa. Ascendió en el Cuerpo Aéreo del Ejército de EE.UU. hasta que, en 1938, llegó a ser su comandante. Durante la segunda guerra mundial estuvo al mando de la Fuerza Aérea del Ejército estadounidense a nivel mundial, supervisó su gran crecimiento y tuvo gran influencia en estrategias de bombardeo aéreo. En 1944 ascendió a general de ejército y, cuando la ley de defensa nacional de 1947 creó una fuerza aérea independiente, fue nombrado general de aviación.

Arnold, Matthew (24 dic. 1822, Laleham, Middlesex, Inglaterra–15 abr. 1888, Liverpool). Poeta inglés, crítico literario y social. Hijo del educador THOMAS ARNOLD, estudió en Oxford y luego trabajó como inspector de colegios durante el resto de su vida. Su poesía incluye *Playa de Dover*, su obra más célebre; *Sohrab y Rustum*, poema épico romántico; *La gitana letrada* y *Thyrsis. Cultura y anarquía* (1869), su principal obra de crítica, es una obra maestra del ridículo, así como un análisis penetrante de la sociedad victoriana. En un ensayo más tardío, *Estudio de la poesía*, sostuvo que, en una época en la que los credos se desmoronan, la poesía reemplazaría a la religión y que, por ende, los lectores tendrían que entender cómo distinguir entre la poesía de calidad y la inferior.

Matthew Arnold, detalle de una pintura al óleo de G.F. Watts; National Portrait Gallery, Londres.

GENTILEZA DE LA NATIONAL PORTRAIT GALLERY, LONDRES

Arnold, Thomas *llamado* **doctor Arnold** (13 jun. 1795, East Cowes, isla de Wight, Inglaterra–12 jun. 1842, Rugby, Warwickshire). Educador británico. Erudito de los clásicos, en 1828 fue nombrado director de la escuela de Rugby, la cual estaba en decadencia. Hizo resurgir esta escuela mediante la reforma de sus programas de estudios y deportes, y de su estructura social (en el sistema de prefectura que introdujo, los estudiantes más antiguos ejercían como monitores para mantener la disciplina entre los más nuevos), convirtiéndose con esto en figura dominante de la educación británica. En 1841 fue nombrado *regius professor* de historia moderna en Oxford. Además de numerosos volúmenes de sermones, es el autor de la *Historia de Roma*, edición en tres tomos (1838–43). Fue el padre de MATTHEW ARNOLD y abuelo de la novelista Humphry Ward (n. 1851–m. 1920).

Thomas Arnold, detalle de un grabado de H. Cousins, 1840, basado en una pintura al óleo de Thomas Philips.

GENTILEZA DEL DIRECTORIO DEL MUSEO BRITÁNICO; FOTOGRAFÍA, J.R. FREEMAN & CO. LTD.

Arnolfo di Cambio ver Arnolfo di CAMBIO

Arnulfo (m. 8 dic. 899). Rey de Germania. Originalmente duque de Carintia, fue elegido rey de los francos orientales en 887, deponiendo a su tío, CARLOS III el Gordo. Los francos occidentales, Borgoña e Italia rehusaron reconocer a Arnulfo, dividiendo así el Imperio carolingio. Derrotó a los vikingos (891), dando fin a sus incursiones en el alto Rin, y mantuvo el control sobre Lotaringia (actual LORENA). Invadió Italia a instancias del papa Formoso, capturó Roma (895) y fue coronado emperador en 896. Sin embargo, una enfermedad lo obligó a regresar a Germania y el anterior emperador continuó gobernando. En sus últimos años, magiares y eslavos invadieron su reino, provocando el colapso de su antiguo poder.

aromaterapia Terapia que emplea aceites esenciales y COLOIDES acuosos, extraídos de materias vegetales para promover la salud y el equilibrio físico, emocional y espiritual. Los extractos puros o combinados pueden ser difundidos en el aire inhalado, usados en aceites de masaje o agregados al agua del baño. Las moléculas inhaladas de estos extractos estimulan el nervio olfativo y envían mensajes al sistema límbico del cerebro (asiento de la memoria, el aprendizaje y las emociones), los que desencadenarían respuestas fisiológicas (p. ej., el eucalipto alivia la congestión y la lavanda relaja). Los médicos alópatas cuestionan la afirmación de que tengan efectos fisiológicos independientes; consideran que muchos de los beneficios probablemente se deben más a respuestas condicionadas que los olores pueden reforzar o ayudan a establecer. Los aceites y las soluciones empleadas han mostrado tener ciertos efectos, pero estos no están estandarizados. El poco riesgo involucrado en el empleo de esta terapia incluye reacciones alérgicas.

Aron, Raymond (-Claude-Ferdinand) (1905–1983). Sociólogo e historiador francés. Luego de doctorarse en la École Normale Supérieure (1930), enseñó en la Universidad de Toulouse hasta 1939. Durante la segunda guerra mundial se unió a FRANCIA LIBRE y editó su periódico (1940–44). Posteriormente enseñó en la École Nationale d'Administration, en la Sorbona, y en el Collège de France. También fue columnista de *Le Figaro* (1947–77) y *L'Express* (1977–83). Aron defendió un humanismo racionalista que con frecuencia contrastaba con el existencialismo marxista de su gran contemporáneo y ex compañero de curso JEAN-PAUL SARTRE. La violencia y la guerra fueron temas recurrentes en sus escritos.

Arp, Jean *llamado* **Hans Arp** (16 sep. 1887, Estrasburgo, Alemania–7 jun. 1966, Basilea, Suiza). Pintor, escultor y poeta francés. Después de estudiar en Weimar, Alemania, y en la Academia Julian en París, participó en los movimientos artísticos más importantes de principios del s. XX: DER BLAUE REITER (El jinete azul) en Munich (1912), el CUBISMO en París (1914), el DADAÍSMO en Zurich durante la primera guerra mundial, el SURREALISMO (1925) y el Abstraction-Création (1931). Durante estos años produjo relieves policromados tallados en madera, composiciones de papel recortado y, en la década de 1930, sus trabajos escultóricos más distintivos: formas abstractas que sugieren animales y plantas. También escribió poesía.

arpa Instrumento de CUERDA de pulsación, en el que la caja de resonancia es perpendicular al plano de las cuerdas. El arpa es más o menos triangular. En las arpas antiguas y en muchas arpas folclóricas, las cuerdas son instaladas entre el "cuerpo" resonador y el "cuello". Además, esas arpas carecen de la columna, que forma el tercer lado del triángulo, que caracteriza a las arpas de marco. Esa columna permite aumentar la tensión de las cuerdas y elevar la afinación con notas más agudas. Las arpas pequeñas primitivas datan a lo menos de 3000 AC en el antiguo Mediterráneo y Medio Oriente, y en Europa llegaron a ser particularmente importantes en las sociedades célticas. La gran arpa orquestal moderna surgió en el s. XVIII. Tiene 47 cuerdas y un alcance de casi siete octavas. Por medio de siete pedales se toca la escala cromática completa (12 notas), cada uno de los cuales puede alterar el tono (o altura) de una nota (en todas las octavas) en dos semitonos, apretando o relajando las cuerdas mediante un mecanismo de horquillas; se conoce, por ende, como el arpa de doble acción. Su gran caja de resonancia permite obtener un volumen sonoro considerable. Ver también ARPA EÓLICA.

Ilustración de David, segundo rey de Israel, tocando el arpa; de un salterio del s. XII.

FOTOBANCO

arpa eólica Instrumento de cuerda accionado por el viento (el término deriva de EOLO, dios del viento). Normalmente es una caja larga, angosta y poco profunda con agujeros y diez o 12 cuerdas estiradas entre dos puentes. Estas tienen la misma longitud, pero diferente grosor y todas están afinadas en la misma altura; el viento las hace vibrar en ARMÓNICOS sucesivamente más altos. El arpa puede estar colgada o dispuesta horizontalmente bajo el marco de una ventana. La primera arpa eólica conocida fue construida c. 1650 por Athanasius Kircher (n. 1601–m. 1680).

Arpía En la mitología griega y romana, ave de rapiña con rostro de mujer. A menudo representada en tumbas, las arpías originalmente pueden haber sido concebidas como fantasmas. En la literatura griega temprana, incluso en las obras de HOMERO y HESÍODO, eran espíritus del viento, sin ser descritas como horribles o repulsivas. Sin embargo, en la leyenda de JASÓN y los argonautas, las arpías eran espantosos pájaros pestilentes con rostro de mujer, enviados a castigar a Fineo, rey de Tracia, y que descomponían su comida. En la leyenda fueron espantadas por los hijos de Bóreas.

arqueología Estudio científico de los restos materiales de vidas humanas pasadas y de sus actividades. Estos comprenden artefactos hechos por el hombre, desde los instrumentos líticos más primitivos hasta objetos humanos enterrados o desechados en la actualidad. Las investigaciones arqueológicas son una fuente primordial del conocimiento moderno acerca de las culturas prehistóricas, antiguas y extintas. La especialidad surgió como una disciplina académica a fines del s. XIX, después de siglos de erráticas recolecciones realizadas por anticuarios. Entre las principales actividades de los arqueólogos destacan la localización, la prospección y la cartografía de los lugares, como también la EXCAVACIÓN, la clasificación, la DATACIÓN y la interpretación de los restos materiales con el fin de situarlos en un contexto histórico. Las principales subespecializaciones son la arqueología clásica, el estudio de las antiguas civilizaciones del Mediterráneo y del Medio Oriente; la arqueología prehistórica, o arqueología general; y la arqueología histórica, el estudio de los restos de un período histórico destinado a incrementar los registros escritos. Ver también ANTROPOLOGÍA; industria LÍTICA; NUMISMÁTICA.

arqueópterix El animal fósil más antiguo que se conoce, aceptado generalmente como un ave (clasificado en el género *Archaeopteryx*). Apareció en el JURÁSICO tardío (159–144 millones de años atrás). Los especímenes fósiles indican que el tamaño del arqueópterix variaba desde el de un arrendajo azul hasta el de un pollo. El arqueópterix compartía características anatómicas de las aves (alas bien desarrolladas y cráneo paseriforme) y de los dinosaurios TERÓPODOS (dientes bien desarrollados y cola larga).

Arqueópterix, ave fósil.

arqueozoico *o* **eón arqueano** *o* **eón arqueozoico** La más antigua de las dos divisiones del PRECÁMBRICO. El arqueozoico (que significa "antigua vida") comenzó con la formación de la CORTEZA terrestre c. 3.800 millones de años atrás y se extendió c. 2.500 millones de años atrás, al comienzo del proterozoico, la segunda división del precámbrico. Las primeras y más primitivas formas de vida (BACTERIAS y CIANOBACTERIAS) se originaron c. 3.500 millones de años atrás, a mediados del arqueozoico.

arquetipo Imagen, modelo o patrón de circunstancias primordiales que se presenta de modo recurrente en la literatura y el pensamiento, lo suficientemente consistente como para ser considerado universal. Los críticos literarios adoptaron este término de la teoría de CARL GUSTAV JUNG sobre el INCONSCIENTE colectivo. Debido a que los arquetipos se originan en el pensamiento prelógico, subsisten con la capacidad de provocar sensaciones sorprendentemente similares tanto en el lector como en el autor. Ejemplos de símbolos arquetípicos son la culebra, la ballena, el águila y el buitre. Un tema arquetípico es el tránsito de la inocencia a la experiencia; personajes arquetípicos son el hermano de sangre, el rebelde, el abuelo sabio y la prostituta de corazón de oro.

Arquímedes (c. 290–280 AC, Siracusa, Sicilia–212–211 AC, Siracusa). Legendario inventor y matemático griego. Sus principales descubrimientos fueron el tornillo de Arquímedes, un ingenioso aparato para elevar agua, y el principio de la hidrostática o principio de ARQUÍMEDES. Sus intereses principales fueron la óptica, la mecánica, la matemática pura y la astronomía. Sus demostraciones matemáticas revelan tanto un pensamiento audazmente original como un rigor que satisface los estándares más altos de la geometría contemporánea. Su aproximación de π no fue mejorada sino hasta después de la Edad Media y las traducciones de sus obras tuvieron gran influencia en matemáticos árabes del s. IX y europeos de los s. XVI y XVII. En su ciudad natal, Siracusa, era conocido como un genio en el diseño de armas de asedio y de defensa. Fue muerto por un soldado romano durante el asalto a la ciudad.

Arquímedes, principio de Ley de flotación descubierta por ARQUÍMEDES, la cual establece que sobre cualquier objeto que esté completa o parcialmente sumergido en un fluido en reposo, actúa una fuerza hacia arriba, o de empuje de flotación. La magnitud de esta fuerza es equivalente al peso del fluido desplazado por el objeto. El volumen del fluido desplazado es igual al volumen de la porción sumergida del objeto.

Arquímedes, tornillo de Máquina para elevar agua y que se dice fue inventada por ARQUÍMEDES para extraer agua de la cala de una nave grande. Una de sus formas se compone de un tubo cilíndrico que encierra una hélice y está inclinada en un ángulo aproximado de 45°, con su extremo inferior inmerso en el agua; la rotación del dispositivo eleva el agua dentro del tubo. Otras formas se componen de una hélice que gira en un cilindro fijo o en un tubo helicoidal enrollado alrededor de un eje.

Arquitas (floreció 400–350 AC, Tarento, Magna Grecia). Científico, filósofo y matemático pitagórico griego. Se lo considera a veces el fundador de la mecánica matemática. PLATÓN, amigo personal, hizo uso de su trabajo en matemática y hay indicios de que EUCLIDES se apropió de ideas de Arquitas para el Libro VIII de los *Elementos*. Siendo una figura pública influyente, sirvió durante siete años como comandante en jefe de su ciudad, Tarentum (actual Tarento, Italia).

arquitectura Arte y técnica del diseño y la construcción de edificios, distinta de las meras técnicas asociadas con la construcción misma. La arquitectura pone énfasis en las relaciones espaciales, la ORIENTACIÓN, el apoyo a las actividades que se deberán llevar a cabo en un entorno diseñado, y la ordenación y ritmo visual de los elementos estructurales, en oposición al diseño de sistemas estructurales en sí (ver INGENIERÍA CIVIL). La adecuación, singularidad y la respuesta sensorial e innovadora a sus exigencias funcionales, junto con un sentido de pertenencia dentro de su contexto físico y social circundante, distinguen una construcción como representativa de una arquitectura propia de una cultura. Ver también EDIFICACIÓN.

arquitectura barroca ver arquitectura BARROCA

arquitectura bizantina ver arquitectura BIZANTINA

arquitectura clásica ver arquitectura CLÁSICA

arquitectura de computadora Estructura interna de una COMPUTADORA DIGITAL, incluidos el diseño y la configuración del conjunto de instrucciones y registros de almacenamiento. La arquitectura de una computadora se basa en el tipo de programas que deberá ejecutar (comercial, científico, polivalente, etc.). Sus principales componentes o subsistemas, de los que se puede decir que tienen su propia arquitectura, son entrada/salida, almacenamiento, comunicación, control y procesamiento.

arquitectura egipcia ver arquitectura EGIPCIA

arquitectura gótica ver arquitectura GÓTICA

arquitectura mogol ver arquitectura MOGOL

arquitectura neoclásica ver arquitectura NEOCLÁSICA

arquitectura renacentista ver arquitectura RENACENTISTA

arquitectura románica ver arquitectura ROMÁNICA

Arrabal, Fernando (n. 11 ago. 1932, Melilla, Marruecos español). Dramaturgo del absurdo, novelista y realizador cinematográfico francoespañol. Comenzó a escribir durante la década de 1950, y en 1955 inició sus estudios de teatro en París, ciudad en la que se estableció. Sus primeras obras, particularmente *Picnic en el campo de batalla*, captaron la atención de la vanguardia francesa. Pasada la mitad de la década de 1960, sus obras evolucionaron hacia lo que él llamó Théâtre Panique ("Teatro pánico"); característica de este período es su obra *Y pusieron esposas a las flores*. Su mundo teatral y de ficción es habitualmente violento, cruel y pornográfico.

arrabio HIERRO en bruto obtenido directamente del ALTO HORNO y fundido (colado) en moldes (ver HIERRO FUNDIDO). Luego, los lingotes en bruto, llamados lingotillos de arrabio, se refunden junto con chatarra y elementos de aleación y se vuelven a colar en moldes para producir diversos productos de hierro y de ACERO (ver AFINO; proceso BESSEMER; PUDELACIÓN).

arrastre Molino rudimentario para pulverizar la MENA argentífera a fin de aislar la PLATA mediante el PROCEDIMIENTO DE PATIO, aparentemente usado en la América precolombina. Grandes bloques de piedra, fijados mediante vigas a un poste giratorio central, eran arrastrados dentro de pozos circulares poco profundos y pavimentados con piedras. Así se trituraba y molía el mineral hasta reducirlo a un barro fino. En etapas ulteriores se procedía a aislar la plata. Inicialmente los molinos de arrastre eran movidos por personas, luego se usaron mulas y también la energía de una caída de agua.

arrastre FUERZA ejercida por una corriente fluida sobre cualquier obstáculo en su camino o experimentada por un objeto que se desplaza a través de un fluido. Su magnitud y el cómo poder reducir dicha fuerza son importantes para los diseñadores de vehículos, naves, puentes colgantes, torres de enfriamiento y otras estructuras. Las fuerzas de arrastre están convencionalmente descritas por un coeficiente de arrastre, definido sin tomar en consideración la forma del cuerpo. El ANÁLISIS DIMENSIONAL revela que el coeficiente de arrastre depende del número de REYNOLDS; la dependencia precisa debe ser aclarada experimentalmente y se puede usar para predecir las fuerzas de arrastre experimentadas por otros cuerpos en otros fluidos a otras velocidades. Los ingenieros usan este principio de semejanza dinámica cuando aplican resultados obtenidos con una estructura modelo para predecir el comportamiento de otras estructuras. Ver también LÍNEA DE FLUJO; ROZAMIENTO.

arrebato de las profundidades ver NARCOSIS POR NITRÓGENO

arrecife de coral Cadena o montículo formado en áreas oceánicas someras por los exoesqueletos de CORALES. El esqueleto está compuesto de carbonato de calcio ($CaCO_3$) o piedra caliza. Un arrecife de coral puede crecer hasta transformarse en una isla permanente, o puede adoptar una de cuatro formas principales. El arrecife costero está formado por un área de arrecife plano que rodea una isla ordinaria. Los arrecifes de barrera pueden encontrarse a un kilómetro o más de la costa, separados de esta por un canal o una laguna. Los atolones son arrecifes circulares sin una masa de tierra central. Los arrecifes parcelares poseen características irregulares con forma de mesa o de pináculo. Hay parcelas más pequeñas dentro de las lagunas de los atolones; parcelas de mayor tamaño aparecen como partes aisladas en las demás categorías de arrecife, y a veces se encuentran completamente separadas de otros arrecifes.

arrendador y arrendatario Partes en un contrato de arrendamiento de bienes raíces. El propietario o arrendador es el dueño; el arrendatario o inquilino paga una suma determinada para disfrutar de la posesión y uso de la propiedad durante un plazo estipulado. Entre las formas importantes de arrendamiento cabe mencionar el arrendamiento a plazo fijo o indeterminado, el arrendamiento por temporadas (estacional) y la locación sin plazo establecido o a plazo diferido (en virtud de la cual el arrendatario permanece en la propiedad después de terminar el contrato). Ver también derechos REALES Y PERSONALES; RENTA.

arrendajo Cualquiera de las 35–40 especies de aves (familia Corvidae) habitantes de zonas boscosas, conocidas por su conducta descarada y estridente. La mayoría se encuentra en el Nuevo Mundo, pero varias son euroasiáticas. Son prácticamente omnívoros; algunos roban huevos y la mayoría almacenan semillas y nueces para el invierno. Hacen sus nidos de ramitas, en forma de copa, en los árboles. El arrendajo azul mide 30 cm (12 pulg.); es de color azul y blanco con una delgada línea negra en el cuello y se encuentra en América del Norte al este de las montañas Rocosas. Hacia el oeste es reemplazado por el arrendajo de Steller, de color azul oscuro y de cresta negra. Otra especie abundante es el arrendajo de los matorrales, que se encuentra en el oeste de América del Norte y en Florida.

Arrendajo (*Perisoreus canadensis canadensis*).

arresto Detención de una persona efectuada por alguien (p. ej., un funcionario policial) legalmente investido de facultades para hacerlo. Un funcionario puede detener a una persona sorprendida cometiendo o intentando cometer un delito en su presencia. La detención también se permite si el policía tiene razones fundadas para creer que se ha cometido un delito y que la persona detenida es culpable. Los funcionarios judiciales pueden emitir MANDAMIENTOS JUDICIALES de arresto invocando motivos fundados. La mayoría de los estados limitan o prohíben la detención en causas civiles; excepcionalmente puede detenerse a un deudor que de otro modo podría eludir la acción de la justicia. En EE.UU. a los sospechosos deben advertírseles sus derechos en el momento de su detención (ver *MIRANDA V. ARIZONA*). El arresto ilegal se considera secuestro de persona y habitualmente invalida las pruebas que se hayan reunido respecto del acto. En general, en América Latina no se acepta la detención por sospecha y el arresto sólo procede mediante orden judicial. Ver también ACUSACIÓN; GRAND JURY; derechos del INCULPADO.

Arrhenius, Svante (August) (19 feb. 1859, Vik, Suecia–2 oct. 1927, Estocolmo). Fisicoquímico sueco. Sus teorías sobre la DISOCIACIÓN de las sustancias en solución en ELECTRÓLITOS o IONES, publicadas primero en 1884 como su tesis de doctorado, fueron recibidas inicialmente con escepticismo, pero el aumento gradual del reconocimiento en el extranjero conquistó a la oposición en Suecia. También hizo un trabajo importante sobre las VELOCIDADES DE REACCIÓN; la ecuación que describe la dependencia de las velocidades de reacción de la temperatura es a menudo llamada ley de Arrhenius, y fue el primero en reconocer el efecto INVERNADERO. Después de recibir la Medalla Davy de la Royal Society de Londres (1902), al año siguiente fue el tercer científico en recibir el Premio Nobel de Química. Se lo considera uno de los fundadores del campo de la fisicoquímica.

Svante Arrhenius, 1918.
GENTILEZA DE LA KUNGLIGA BIBLIOTEKET, ESTOCOLMO

arrianismo HEREJÍA cristiana que declara que Cristo no es verdaderamente divino sino un ser creado. Según ARRIO, presbítero de Alejandría (s. IV), sólo Dios es inmutable y existente por sí mismo; en cambio el Hijo, no es Dios, sino una criatura con un principio. El concilio de NICEA (325 DC) condenó a Arrio y declaró al Hijo como "ser consustancial con el Padre". El arrianismo tuvo numerosos defensores durante los siguientes cincuenta años, pero su aceptación se diluyó con el tiempo cuando asumieron el poder los emperadores cristianos de Roma, Graciano y Teodosio. El primer concilio de CONSTANTINOPLA (381) aprobó el credo de NICEA y proscribió el arrianismo. La herejía arriana continuó teniendo éxito entre las tribus germánicas hasta el s. VII. En la actualidad, los TESTIGOS DE JEHOVÁ y algunos adherentes del UNITARISMO sostienen creencias similares.

Arrio (c. 250, Libia–336, Constantinopla, Imperio bizantino). Sacerdote cristiano y hereje, cuyas enseñanzas dieron origen a la doctrina del ARRIANISMO. Fue el jefe de una comunidad cristiana cerca de Alejandría, Egipto, donde predicó doctrinas que combinaban el NEOPLATONISMO con una interpretación literal y racionalista de los textos bíblicos. Arrio cuestionó la divinidad de Cristo, afirmando el carácter único, absoluto e inmutable de Dios (unicidad absoluta). Sus ideas se difundieron a través de su obra mayor, *Thalía* (c. 323). En 325, el concilio de NICEA lo declaró un hereje. Mientras se esforzaba por transigir en sus ideas y por ser readmitido en la Iglesia, murió repentinamente en Constantinopla. Por varios siglos, la HEREJÍA arriana fue una amenaza para el cristianismo ortodoxo.

arritmia Alteración de la frecuencia o del ritmo normales de los latidos del CORAZÓN, causada por problemas en los MARCAPASOS cardíacos o en los nervios que conducen estas señales. Las arritmias ocasionales son normales. La TAQUICARDIA es un ritmo rápido regular; la bradicardia es un ritmo lento. Los latidos auriculares o ventriculares prematuros son contracciones extra del ritmo normal. Las arritmias progresivas de algunas enfermedades cardíacas pueden disminuir la capacidad del corazón para suministrar sangre al cuerpo y conducir a una insuficiencia cardíaca. Algunas arritmias graves pueden desencadenar FIBRILACIÓN AURICULAR o FIBRILACIÓN VENTRICULAR. Las arritmias se detectan por medio de la ELECTROCARDIOGRAFÍA y se tratan con descargas eléctricas (a menudo con un marcapaso implantado) o con medicamentos tales como la quinidina y la DIGITALINA.

Arrow, guerra del ver guerras del OPIO

Arrow, Kenneth J(oseph) (n. 23 ago. 1921, Nueva York, N.Y., EE.UU.). Economista estadounidense. Obtuvo un Ph.D. en la Universidad de Columbia, y desarrolló su carrera docente principalmente en las universidades Stanford y Harvard. Entre sus escritos se destaca *Elecciones sociales y valores personales* (1951). Su proposición más importante fue que, bajo ciertas condiciones de igualdad y racionalidad, y siempre que exista más de una persona y varias alternativas de elección, la jerarquización de las preferencias sociales no corresponderá necesariamente a la jerarquización de las preferencias individuales. En 1972 compartió el Premio Nobel con JOHN R. HICKS.

arroz Nombre del CEREAL comestible rico en almidón y de la HIERBA anual (*Oryza sativa*, familia Poaceae o Gramineae) que lo produce. Cerca de la mitad de la población mundial, incluido casi todo el este y sudeste de Asia, dependen del arroz como alimento básico. En sus orígenes fue cultivado en India hace más de 4.000 años, e introducido en forma gradual hacia Occidente. Hoy se planta profusamente en campos inundados (arrozales) y deltas fluviales de las regiones tropicales, semitropicales y templadas. Mide cerca de 1,2 m (4 pies) de alto, sus hojas son planas y largas, y posee una inflorescencia formada por espiguillas con flores que forman el fruto o grano. Si se remueve sólo la cáscara, se produce el arroz integral, que contiene 8% de proteínas y es fuente de hierro, calcio y vitaminas B. Si además se remueve la capa de salvado, se obtiene el arroz blanco, muy disminuido en nutrientes. El arroz blanco enriquecido se logra adicionándole vitaminas B y minerales. El llamado ARROZ SILVESTRE (*Zizania aquatica*) es una hierba anual rústica de la misma familia, cuyo grano (cereal), que suele considerarse hoy una exquisitez, ha sido durante años un alimento importante para los indígenas norteamericanos.

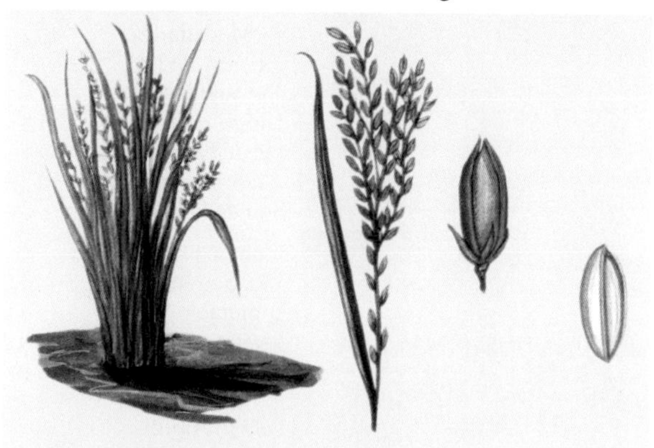

Arroz (*Oryza sativa*): hierba, panícula y granos.

arroz silvestre HIERBA anual rústica (*Zizania aquatica*), de la familia Poaceae (o Gramineae) cuyo grano, que hoy suele considerarse una exquisitez, ha sido durante largo tiempo un alimento importante para los indígenas norteamericanos. A pesar de su nombre, esta planta no está emparentada con el ARROZ. Crece en forma natural en aguas someras, en pantanos y a lo largo de los cursos de agua y lagos del norte y centro de Norteamérica. Algunas variedades se cultivan actualmente en Minnesota y California. La planta mide cerca de 1–3 m (3–10 pies) de alto y sus tallos terminan en una gran espiga laxa. Los granos maduros, que van de un color marrón oscuro a un negro-purpúreo, son bastoncillos y miden de 1–2 cm (0,4–0,8 pulg.) de largo.

arruruz Cualquiera de varias especies de plantas del género *Maranta* (familia de las Marantáceas), cuyos RIZOMAS producen una fécula comestible. Entre ellas la principal es la herbácea y perenne *M. arundinacea*, que es el origen del arruruz genuino o de las Antillas. El polvo obtenido de las raíces cosechadas es casi almidón puro; se usa en cocina como espesante. El arruruz se digiere fácilmente y se usa en dietas que requieren alimentos suaves, con bajos contenidos de sal y de proteína. Su nombre se aplica a veces a féculas obtenidas de otras plantas y que se emplean como sustitutos del arruruz genuino. El arruruz brasileño, obtenido de la planta de MANDIOCA, es el origen de la tapioca.

ars antiqua (latín: "arte antiguo"). Estilo musical francés del s. XIII. El término fue acuñado en forma retrospectiva para distinguir la música del s. XIII de la del s. XIV (ARS NOVA). Se caracteriza parcialmente por el uso de seis MODOS rítmicos, cada uno de los cuales corresponde a un patrón rítmico que se repetía varias veces a través de la pieza, como largo-corto (primer modo) o corto-largo (segundo modo). Afines a los "pies" de la poesía (ver PROSODIA), las longitudes relativas de notas largas y cortas dependían del modo. El sistema se fue perdiendo a medida que los compositores empezaron a usar subdivisiones de la nota corta. Los géneros musicales del *ars antiqua* incluían el ORGANUM y el MOTETE temprano.

ars nova (latín: "arte nuevo"). Estilo musical europeo del s. XIV, particularmente en Francia. A medida que los compositores comenzaron a utilizar notas cada vez más cortas en su música, el viejo sistema de los MODOS rítmicos (ver ARS ANTIQUA) dejó de ser adecuado para describirla. Philippe de Vitry (n. 1291–m. 1361) en su tratado *Ars nova* (1323), propuso una manera de relacionar las notas más largas y más cortas mediante un esquema métrico, el antecesor de las cifras de compás, por el cual cada valor de una nota se podía subdividir en dos o tres notas de la nota más corta siguiente. Esta innovación, aunque parezca abstracta, tuvo un efecto marcado en el sonido de la música, ya que los compositores pudieron controlar mejor el movimiento relativo de varias voces y, por ende, la música del s. XIV suena mucho menos "medieval" para los oídos modernos. De Vitry y GUILLAUME DE MACHAUT son los principales compositores del *ars nova*. El término se extiende a veces para describir toda la música del s. XIV, incluida la de Italia. Ver también FORMES FIXES.

arsácida, dinastía (247 AC–224 DC). Dinastía parta. Fue fundada por Arsaces (r. c. 250–¿211? AC), de la tribu parni, que originalmente habitaba al este del mar Caspio y que entró a PARTIA después de la muerte de ALEJANDRO MAGNO (323 AC), extendiendo gradualmente su dominio hacia el sur. El poderío arsácida alcanzó su apogeo bajo Mitrídates I (r. 171–138 AC). Su estilo de gobierno estuvo influenciado por el de la dinastía SELÉUCIDA y toleró la creación de reinos vasallos. La dinastía legitimó su dominio sobre los antiguos territorios de la dinastía AQUEMÉNIDA, asegurando ser descendiente del rey aqueménida Artajerjes II. Controló las rutas comerciales entre Asia y el mundo grecorromano, utilizando las riquezas así obtenidas en la construcción de muchas edificaciones. La dinastía fue derrocada en 224 por la dinastía SASÁNIDA.

arsénico ELEMENTO QUÍMICO que varía de no metálico a semimetálico, de símbolo químico As y número atómico 33. No combinado existe en dos ALÓTROPOS estables (y varios inestables), uno gris y otro amarillo, pero más a menudo se encuentra en la naturaleza como sulfuro u ÓXIDO. La forma elemental se utiliza para formar ALEACIONES de METALES (especialmente plomo), y ciertos SEMICONDUCTORES se fabrican con cristales de arseniuro de galio (GaAs). El óxido de arsenio (trióxido arsénico o arsénico blanco, As_2O_3) se emplea en pesticidas, como un pigmento, y como preservante de cueros y madera; este es el "arsénico" venenoso (ver envenenamiento por ARSÉNICO) de las novelas policíacas. El pentóxido arsénico (As_2O_5) también se utiliza en insecticidas, herbicidas, adhesivos de metal y pigmentos.

Arsénico (gris) con rejalgar (rojo) y oropimente (amarillo).

GENTILEZA DE LA COLECCIÓN DE JOSEPH Y HELEN GUETTERMAN; FOTOGRAFÍA, JOHN H. GERARD

arsénico, envenenamiento por Efectos perniciosos de los compuestos arsenicales (ver ARSÉNICO) (pesticidas, drogas quimioterápicas, pinturas, etc.), más a menudo por exposición a INSECTICIDAS. La susceptibilidad es variable. Se cree que el arsénico se combina con ciertas enzimas interfiriendo en el metabolismo celular. Los síntomas de envenenamiento agudo incluyen náuseas y dolor abdominal, seguidos de colapso circulatorio. La exposición aguda al gas arsina produce destrucción de los glóbulos rojos y daño renal; la exposición crónica produce debilidad, trastornos de la piel, anemia y alteraciones del sistema nervioso. El hallazgo de arsénico en la orina, cabellos o uñas es la clave para el diagnóstico. El tratamiento consiste en lavados de estómago y la pronta administración del antídoto dimercaprol.

Arsinoe II (c. 316–jul. 270 AC). Reina de TRACIA (300–281) y Egipto (277–270). Hija de TOLOMEO I SÓTER, se casó con el rey de Tracia (300) y trató de que su hijo fuera el heredero al trono en lugar de Agatocles, el hijo del rey de un matrimonio anterior. Agatocles pidió ayuda a los SELÉUCIDAS, provocando una guerra en la cual el esposo de Arsinoe murió en batalla. Su medio hermano, quien tomó el poder en Tracia y Macedonia, la persuadió de casarse con él y luego asesinó a los dos hijos menores de Arsinoe. Esta huyó a Alejandría, expulsó a la esposa de su hermano TOLOMEO II y se casó con él (c. 277); tal como los faraones, ambos fueron llamados "Filadelfos" ("amor de hermanos"). Consiguió tener gran poder y compartió muchos honores con Tolomeo, incluso la deificación en vida.

Arsinoe II, moneda, 270–250 AC; Museo Británico.

GENTILEZA DEL DIRECTORIO DEL MUSEO BRITÁNICO, LONDRES

art brut (francés: "arte bruto"). Arte realizado por personas al margen del mundo establecido del arte, en particular obras toscas, inexpertas, obscenas creadas por personas sin formación o enfermos mentales. El término fue acuñado por JEAN DUBUFFET, quien consideraba a tales obras como la forma más pura de expresión. Ver también ARTE NAÏF.

art déco *o* **Style Moderne** Movimiento de diseño, decoración de interiores y arquitectura durante las décadas de 1920–30 en Europa y EE.UU. El nombre proviene de la Exposición internacional de artes decorativas e industriales modernas realizada en París en 1925. Sus productos incluyeron artículos artesanales de lujo hechos a mano como también artículos producidos en serie, pero en ambos casos la intención era crear una elegancia brillante y antitradicional que simbolizara riqueza y sofisticación. Influenciado por fuentes tan variadas como el art nouveau, la Bauhaus, el cubismo, y las artes nativo norteamericanas y egipcias, las características del estilo son formas simples y claras, a menudo de apariencia aerodinámica; ornamento geométrico o estilizado de formas figurativas y extraordinariamente variado, por lo general, de materiales costosos, que con frecuencia incluyen materiales artificiales (plástico, en especial baquelita, vidrio vita y ferroconcreto) junto a otros naturales (jade, plata, marfil, obsidiana, cromo y cristal de roca). Los motivos típicos eran animales estilizados, follaje, figuras femeninas desnudas y rayos solares. El ROCKEFELLER CENTER de Nueva York (especialmente sus interiores, supervisados por Donald Deskey), el edificio CHRYSLER de William Van Alen y el edificio EMPIRE STATE de Shreve, Lamb & Harmon son los exponentes más grandiosos del art déco.

Art Ensemble of Chicago Conjunto de jazz estadounidense. El grupo surgió de la Association for the Advancement of Creative Musicians (Asociación para el progreso de los músicos creativos) (AACM), un colectivo experimental. Los saxofonistas Roscoe Mitchell y Joseph Jarman, el trompetista Lester Bowie, el bajista Malachi Favors y el baterista Don Moye formaron el grupo en 1969, que combinaba libremente los cambios de tempo, dinámica y texturas con una presentación de teatralidad frecuentemente cómica. Su diversidad de inspiración está expresada en su lema, "Great Black Music: Ancient to the Future" (Gran música negra: antigua para el futuro).

Art Institute of Chicago Museo en Chicago que alberga arte europeo, estadounidense, asiático, africano y precolombino. Fue fundado en 1866 como Chicago Academy of Design, y en 1882 adquirió el nombre con el que se le conoce actualmente. En 1893 se trasladó a su edificio actual, diseñado por la firma de arquitectos de Shepley, Rutan y Coolidge, para la World's Columbian Exposition, en la avenida Michigan. El Art Institute of Chicago, que comprende tanto un museo como una escuela, destaca por sus grandes colecciones de pintura francesa del s. XIX (obras del IMPRESIONISMO, en particular de CLAUDE MONET), y pintura europea y estadounidense del s. XX. Entre sus piezas más conocidas están *Un domingo de verano en La Grand Jatte*-1884 de GEORGES SEURAT (1884–86), *Gótico americano* de GRANT WOOD (1930) y *Los halcones de la noche* de EDWARD HOPPER (1942).

art nouveau Estilo decorativo que floreció en Europa occidental y EE.UU. c. 1890–1910. El término, acuñado en 1895, derivó de una galería de París llamada L'Art Nouveau. El estilo, que se caracteriza por líneas sinuosas y asimétricas basadas en formas de plantas, fue utilizado en arquitectura, diseño de interiores y de objetos, arte gráfico, joyería y cristalería. Tuvo alcance internacional, con destacados exponentes en Inglaterra (AUBREY BEARDSLEY), París (ALPHONSE MUCHA), EE.UU. (LOUIS COMFORT TIFFANY), Escocia (CHARLES RENNIE MACKINTOSH), España (ANTONIO GAUDÍ) y Bélgica (VICTOR HORTA). El estilo perdió su vigencia al estallar la primera guerra mundial. Ver también ARTS AND CRAFTS MOVEMENT; JUGENDSTIL.

Arta, golfo de *o* **golfo de Ambracia** Ensenada del mar Jónico, Grecia occidental. Tiene una longitud de 40 km (25 mi) y una anchura de 6–16 km (4–10 mi). En sus costas se encuentran las ruinas de varias ciudades de importancia de la antigua Grecia. Al norte se encuentra el puerto de Préveza, fundado en 290 AC. La batalla de ACTIUM tuvo lugar cerca de la entrada al golfo.

Artaud, Antonin (4 sep. 1896, Marsella, Francia–4 mar. 1948, Ivry-sur-Seine). Teórico del teatro, poeta y actor francés. Escribió poesía surrealista desde 1925 y debutó como actor en producciones surrealistas en París. Describió su teoría del drama en el *Manifiesto del teatro de la crueldad* (1932; ver TEATRO DE LA CRUELDAD) y en *El teatro y su doble* (1938). Sus propias obras (entre ellas *Los Cenci*, 1935) fueron un fracaso, pero sus teorías ejercieron gran influencia en los dramaturgos del TEATRO DEL ABSURDO. A partir de 1936, una prolongada enfermedad mental lo recluyó periódicamente en asilos.

Antonin Artaud, 1948.
DENISE COLOMB–J.P. ZIOLO

arte *también llamado* **artes visuales** Objeto o experiencia visual creado conscientemente mediante una expresión de destreza o imaginación. El término arte abarca diversos medios, como la pintura, la escultura, la impresión, el dibujo, las artes decorativas, la fotografía y la instalación. Las diversas artes visuales existen dentro de un *continuum* que varía desde propósitos netamente estéticos, por un lado, hasta propósitos puramente utilitarios, por el otro. Sin embargo, esto no debe entenderse, por ningún motivo como un espectro rígido, particularmente en las culturas en las cuales los objetos cotidianos están construidos con esmero e imbuidos de significado. En especial en el s. XX surgieron debates en torno a la definición de arte. Figuras como el artista dadaísta (ver DADAÍSMO) MARCEL DUCHAMP daban por entendido que es suficiente para un artista considerar algo como "arte" y situarlo en un espacio aceptado públicamente. Tal experimentación intelectual continuó durante todo el s. XX, a través de movimientos como el ARTE CONCEPTUAL y el MINIMALISMO. En los albores del s. XXI, una variedad de nuevos medios (p. ej., el vídeoarte) vino a desafiar nuevamente las definiciones tradicionales de arte. Ver conservación y restauración de ARTE; artes DECORATIVAS; DIBUJO; ESCULTURA; ESTÉTICA; FOTOGRAFÍA; IMPRESIÓN; PINTURA.

arte abstracto *o* **arte no objetual** *o* **arte no figurativo** Todo arte, incluidas la pintura, la escultura y la gráfica, que no representa objetos reconocibles. A fines del s. XIX se abandonó el concepto tradicional europeo del arte como imitación de la naturaleza en favor de la imaginación y el inconsciente. La abstracción se desarrolló a principios del s. XX con movimientos como el FAUVISMO, el EXPRESIONISMO, el CUBISMO y el FUTURISMO. VASILI KANDINSKY es considerado el primer artista moderno en pintar imágenes abstractas puras c. 1910. En los Países Bajos, el grupo De STIJL de PIET MONDRIAN amplió el espectro c. 1915–20. La abstracción siguió prosperando entre las dos guerras mundiales, y después de la década de 1930 fue la faceta más característica del arte occidental. Con posterioridad a la segunda guerra mundial surgió el EXPRESIONISMO ABSTRACTO en EE.UU., que ejerció una gran influencia sobre la pintura y la escultura tanto europea como estadounidense. A comienzos del s. XXI, la producción artística es variada y en ella se destaca el arte abstracto, junto al trabajo figurativo y conceptual.

arte, colección de Obras de arte acumuladas por un individuo o una institución. Tales colecciones fueron reunidas desde las civilizaciones más tempranas; objetos preciosos se guardaban en templos, tumbas, santuarios y palacios. El gusto por el coleccionismo per se comenzó en Grecia (s. IV–I AC). Las grandes colecciones de arte del mundo se gestaron a partir de colecciones privadas formadas por la realeza, la aristocracia y los ricos. En el s. XVIII, los coleccionistas donaban sus posesiones y construían edificios para albergarlas y exhibirlas (p. ej., el Museo del LOUVRE, la Galería de los UFFIZI). Los industriales ricos estadounidenses desempeñaron un rol destacado en los s. XIX–XX, y un flujo sin precedentes de obras maestras de Europa pronto poblaron los museos de EE.UU.

arte conceptual Cualquiera de las variadas formas de arte, en que la idea de una obra de arte se considera más importante que el producto final. La teoría fue explorada por MARCEL DUCHAMP c. 1910, pero el término fue acuñado a fines de la década de 1950 por EDWARD KIENHOLZ. Durante las décadas de 1960–70 se convirtió en un movimiento internacional de primera importancia. Sus máximos exponentes fueron JOSEPH KOSUTH y Sol LeWitt (n. 1928). Sus adherentes redefinieron radicalmente los objetos, los materiales y las técnicas del arte; comenzaron a cuestionar su misma existencia y uso. Su discurso planteaba que la "verdadera" obra de arte no es un objeto físico producido por el artista para ser exhibido o vendido, sino que consiste más bien en "conceptos" o "ideas". Obras conceptuales típicas son fotografías, textos, mapas, gráficos y combinaciones de imagen y texto, que de manera deliberada se presentan en una forma visualmente aburrida o trivial, a fin de desviar la atención hacia las "ideas" que expresan. Sus manifestaciones han sido en extremo diversas. Un renombrado ejemplo es *Una y tres sillas* (1965) de Kosuth, que combina una silla real, una fotografía de una silla y una definición de diccionario de "silla". El arte conceptual fue fundamental para gran parte del arte producido a fines del s. XX.

arte, conservación y restauración de Mantención y preservación de obras de arte, que comprende la prevención y protección ante futuros daños, deterioros o negligencias, y la reparación o restauración de obras deterioradas o dañadas. Los adelantos técnicos y científicos de los s. XX y XXI en materia de restauración han contribuido mucho a la investigación en la historia del arte. La práctica moderna de conservación adhiere al principio de reversibilidad, el cual dispone que los tratamientos no deberían causar la alteración permanente del objeto.

arte, crítica de Descripción, interpretación y evaluación de obras de arte, que se manifiestan en reseñas de revistas, libros y patrocinios. La crítica de arte abarca una amplia variedad de enfoques, desde el comentario crítico hasta las reacciones emocionales más subjetivas, inspiradas al observar las obras de arte. La crítica de arte como disciplina independiente se desarrolló en forma paralela a la teoría estética occidental; se inició en la Grecia antigua y se configuró plenamente en los s. XVIII y XIX. En el s. XX, los críticos perceptivos se convirtieron en defensores de los nuevos movimientos artísticos. Desde principios del s. XX hasta ahora, muchos críticos han utilizado modelos sociales y lingüísticos, más que estéticos o teóricos. Críticos de arte destacados son ROGER FRY, CLIVE BELL, CLEMENT GREENBERG, Harold Rosenblum, Lawrence Alloway, Rosalind Krauss, Donald Kuspit, Arthur Danto, Achille Bonito Oliva, Thomas Crow, Anna María Guasch, Filiberto Menna, Simón Marchán Fiz, Hals Foster, John Welchman, Jorge Glusberg y Eduardo Subirats. Ver también ESTÉTICA.

arte, historia del Estudio histórico de las artes visuales con el propósito de identificar, describir, evaluar, interpretar y comprender los objetos de arte y las tradiciones artísticas. La investigación histórica del arte entraña el descubrimiento y el acopio de información biográfica sobre los artistas para establecer la cualidad, determinar en qué etapa del desarrollo de una cultura o de un artista fue hecho un objeto, sopesar la influencia que el objeto o el creador tuvo en el pasado histórico, y documentar los paraderos y propiedades (proveniencias) previas de un objeto. El análisis de símbolos, motivos y temas suele ser uno de los aspectos abordados de mayor interés. En los s. XX y XXI, los historiadores del arte se han interesado cada vez más en estudiar el contexto social y cultural de los artistas y de sus creaciones.

"Barco bajo el puente de Charenton", obra de Henri Rosseau, exponente del arte naïf.
FOTOBANCO

arte naïf *o* **arte ingenuo** Obras de artistas de sociedades sofisticadas, que carecen de formación académica o la rechazan. Los artistas naïf, que no deben ser confundidos con los artistas aficionados, crean con la misma pasión que los artistas con formación académica, pero sin un conocimiento formal de los métodos. Las obras naïf suelen ser extremadamente detallistas, con una tendencia a usar colores brillantes y saturados. Poseen una típica ausencia de perspectiva, lo que crea la ilusión de que las figuras están flotando en el espacio. Ejemplos de artistas naïf reconocidos son HENRI ROUSSEAU y GRANDMA MOSES.

arte óptico ver OP ART

arte popular Arte producido de modo tradicional por campesinos, marineros, artesanos del campo o comerciantes sin formación académica, o por miembros de un grupo social o étnico que ha preservado su cultura tradicional. De carácter predominantemente utilitario, con frecuencia es producido a mano para uso del artesano o de un pequeño grupo o comunidad. En general, la pintura se incorpora como característica decorativa en esferas de relojes, baúles, sillas y muros interiores y exteriores. Los objetos escultóricos en madera, piedra o metal comprenden juguetes, cucharas, candeleros y artículos religiosos. La arquitectura popular puede incluir edificios públicos y residenciales, como las iglesias de madera en Europa oriental y las cabañas de troncos fronterizas en EE.UU. Otros ejemplos de artes visuales populares son los tallados en madera y en conchas, la alfarería, los textiles y la vestimenta tradicional.

arte por computadora Manipulación de imágenes generadas por computadora (cuadros, diseños, paisajes, retratos, etc.) como parte de un proceso creativo con un fin determinado. Utiliza SOFTWARE especializado junto con dispositivos interactivos, como CÁMARAS DIGITALES, ESCÁNERES ÓPTICOS, estilos y libretas electrónicos. Dado que las imágenes gráficas requieren grandes programas, las computadoras que se usan para tales trabajos generalmente están entre las más rápidas y potentes. El arte por computadora tiene amplias aplicaciones en publicidad, gráfica editorial y en el cine.

arte rupestre Dibujos, pinturas o trabajos similares, antiguos o prehistóricos, realizados sobre bloques o paredes rocosas. El arte rupestre abarca pictografías (dibujos o pinturas), petroglifos (tallados o inscripciones), grabados (motivos incisos), petroformas (rocas dispuestas en patrones) y geoglifos (dibujos en el suelo). Las representaciones de antiguos animales, herramientas y actividades humanas con frecuencia arrojan luz sobre la vida cotidiana de ese pasado remoto, aunque a menudo las imágenes tienen un sentido simbólico. En ocasiones, en un solo lugar pueden coexistir representaciones artísticas que datan de diferentes siglos. El arte rupestre puede haber desempeñado un rol en la religión PREHISTÓRICA, posiblemente en relación con los antiguos MITOS o las actividades de los CHAMANES. Existen sitios importantes de arte rupestre en África meridional, Europa, Australia, América del Norte, América del Sur, América Central y el Caribe.

Arte rupestre de los bosquimanos en Zimbabwe.
ARCHIVO EDIT. SANTIAGO

artemia salina Cualquiera de muchos CRUSTÁCEOS (género *Artemia*) que viven en lagunas saladas y en otras aguas interiores de alta salinidad en todo el mundo. La *A. salina* se encuentra en grandes cantidades en el Gran Lago Salado de Utah y tiene importancia comercial. Las artemias salinas jóvenes salidas de huevos secos se utilizan como alimento para peces y otros pequeños animales de acuario. Mide hasta 15 mm (0,6 pulg.) de largo y su cuerpo tiene una cabeza distinguible y un abdomen delgado. Por lo general nada en posición invertida y se alimenta principalmente de algas verdes, que filtra desde el agua con sus patas.

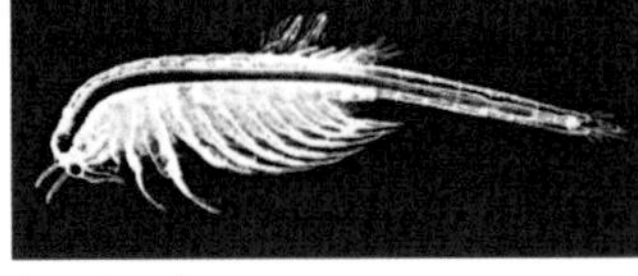

Artemia salina.
DOUGLAS P. WILSON

artemisa Cualquiera de varias especies arbustivas del género ARTEMISIA, perteneciente a la familia de las COMPUESTAS. Originarios de las llanuras y laderas montañosas semiáridas del oeste de Norteamérica, estos arbustos se adaptan tanto a veranos secos y calurosos como a inviernos húmedos y suaves con vientos polares del Pacífico intermitentes. La artemisa común (*Artemisia tridentata*) es un arbusto muy ramificado cuya altura promedio es de 1–2 m (3–6,5 pies); tiene follaje gris plateado de aroma amargo.

Artemisa En la religión GRIEGA, diosa de los animales salvajes, de la caza, de la vegetación, de la castidad y del parto. Artemisa era la hermana gemela de APOLO, hijos de ZEUS y LATONA. Acompañada por las NINFAS, bailaba en las montañas y en los bosques. Era a la vez una cazadora y protectora de las bestias salvajes en su calidad de señora de las fieras (ver señor de los ANIMALES). Las leyendas acerca de las aventuras amorosas de sus ninfas pueden haberse referido originalmente a Artemisa, pero los poetas posteriores a Homero enfatizaron su castidad. Otra característica era su ira inmisericorde cuando se le ofendía. Artemisa puede ser una derivación de la diosa oriental ISHTAR. Su contraparte romana fue DIANA la cazadora.

Artemisa I (floreció s. V AC). Reina de HALICARNASO y de la isla de Cos c. 480 AC. Gobernó bajo el rey Jerjes de Persia y le ayudó a invadir Grecia (480–479). Comandó cinco barcos en la batalla de SALAMINA; según HERÓDOTO, le recomendó a JERJES retirarse de Grecia antes que exponerse al riesgo de otro enfrentamiento.

Artemisa II (m. circa 350 AC). Hermana y esposa del rey MAUSOLO (r. 377–353 AC) de Caria, sudoeste de Anatolia, y única gobernante durante los tres años posteriores a su muerte. Construyó su tumba, el Mausoleo, considerado una de Las SIETE MARAVILLAS DEL MUNDO.

Artemisa II, estatua de un artista desconocido; Museo Arqueológico Nacional, Nápoles, Italia.

ANDERSON– ALINARI DE ART RESOURCE

Artemisia Género de hierbas y arbustos aromáticos de la familia de las COMPUESTAS. Algunos ejemplos son el ajenjo, la ARTEMISA y el ESTRAGÓN. Muchas especies se aprecian como ornamentales por su atractivo follaje gris plateado, que se utiliza con frecuencia en plantaciones hortícolas para crear contraste o para suavizar la transición entre colores intensos. Las hojas del ajenjo común (*A. absinthium*) se han utilizado en medicamentos y licores, como el licor de ajenjo y el vermut. Un extracto de *A. annua* de Eurasia se utiliza para tratar el paludismo resistente a la quinina.

arteria Vaso que transporta sangre desde el corazón a otras partes del cuerpo (ver sistema CARDIOVASCULAR). La sangre arterial lleva oxígeno y nutrientes a los tejidos; la única excepción es la arteria pulmonar, que lleva la sangre empobrecida de oxígeno desde el corazón a los pulmones para oxigenarla y extraerle el exceso de dióxido de carbono. Las arterias son tubos musculares elásticos que transportan la sangre a presión por la acción de bombeo del corazón, la cual se puede sentir como PULSO. Desde la AORTA se ramifican grandes arterias que originan arterias más pequeñas hasta culminar en las arteriolas filiformes que se ramifican en capilares. La capa interna de la pared de una arteria (túnica íntima) está constituida por un revestimiento endotelial (celular), una fina red de tejido conectivo y una capa de fibras elásticas. La capa media (túnica media) está constituida casi en su totalidad por células de músculo liso. La capa externa (túnica externa) contiene fibras colágenas de sostén. Ver también CAPILAR; VENA.

arteriografía ver ANGIOGRAFÍA

arterioso, conducto ver CONDUCTO ARTERIOSO

arteritis INFLAMACIÓN de las ARTERIAS. Ocurre en enfermedades como la SÍFILIS, la TUBERCULOSIS y el LUPUS ERITEMATOSO. Se han descrito variedades no asociadas estrechamente a enfermedades sistémicas o de órganos fuera del sistema cardiovascular, como arteritis temporal, polimialgia reumática y poliarteritis nodosa.

artes de Asia central Artes literarias, escénicas y visuales de Afganistán, Azerbaiján, Kazajstán, Kirguizistán, Mongolia, Nepal, Tayikistán, Tíbet, Turkmenistán, Uzbekistán y partes de China y Rusia. El término se refiere generalmente sólo a aquellas tradiciones que no han sido influenciadas por el arte ISLÁMICO. El tibetano se desarrolló como lenguaje literario a partir del s. VII como resultado de los contactos culturales con países budistas (ver BUDISMO) vecinos del sur en el subcontinente indio. La mayoría de las obras producidas entre los s. VII y XIII son excelentes traducciones de obras de esa religión en sánscrito, después de lo cual se construyó un gran cuerpo de obras budistas ortodoxas de origen tibetano puro. La literatura mongola comenzó en el s. XIII con crónicas de GENGHIS KAN y sus sucesores, pero desde fines del s. XVI estuvo profundamente influenciada por el budismo. El abanico de estilos musicales de Asia central varía desde la música clásica organizada sistemáticamente de los pueblos turcos hasta los cánticos religiosos budistas con notación musical del Tíbet y los muy variados estilos de música tradicional de los mongoles, siberianos y numerosos otros grupos étnicos. Existen dos tipos principales de representaciones teatrales en todo el Tíbet, Nepal, Sikkim, Bután y Mongolia: aquellas relacionadas con el chamanismo y las derivadas del budismo. La música con tambores e instrumentos de cuerdas acompañaba los trances chamánicos. La interpretación de las danzas monásticas budistas y los autos también estaban acompañadas de varios tambores e instrumentos de viento. Las artes de la representación de los pueblos turcos son muy distintas a estas otras tradiciones debido a la influencia del Islam. Las tribus del Asia central compartían, en su mayoría, un arte visual escito-altaico "nómada" que favorecía los motivos de animales y de cacería en objetos como cinturones y joyas. Los contactos con el mundo grecorromano y con India, Irán y China también dejaron su huella. La influencia helenística culminó en el estilo kushana de Gandhara. Sin embargo, la influencia preislámica más importante sobre las artes visuales del Asia central fue el budismo, el que se reflejaba en los temas de las esculturas y bajorrelieves. Las tradiciones arquitectónicas y pictóricas de Nepal fueron adaptaciones de las de India, con motivos hindúes o budistas. El arte religioso budista fue introducido gradualmente en el Tíbet desde el s. VIII y, posteriormente, se desarrolló una imaginería tibetana característica. Ver también arte ESCÍTICO; arte de GANDHARA; arte KUSHANA.

artes de Asia meridional Artes literarias, escénicas y visuales de India, Pakistán, Bangladesh y Sri Lanka. Los mitos de los populares dioses, Visnú y Shiva, en los *Puranas* (cuentos antiguos) y las epopeyas *Mahabharata* y *Ramayana*, proveen el material para las artes figurativas y dramáticas. El *Ramayana* a menudo se considera la primera obra del estilo poético *kavya*; las composiciones *kavya* deben transmitir distintos *rasa* (sentimientos) y también inducir el *rasa* apropiado en la audiencia. Los lenguajes dravidianos del sur, entre ellos el Tamil y el Telegu, han entregado algunas obras duraderas, en especial, los poemas devocionales Tamil Alvars y Nayannars desde el s. VII hasta el IX. La introducción del persa por los conquistadores musulmanes condujo al desarrollo del urdu. Siguiendo la tradición persa, los poetas urdu prefirieron el *ghazal*, un poema de amor de gran sutileza métrica y rítmica. El *Nanya-Nastra* estableció las reglas para la danza y el teatro clásicos, cuya forma más popular fue la *nanaka*, o cuento heroico. Desde el s. XIV en adelante la *nanaka* comenzó a ser reemplazada por el teatro popular, pero aún persisten elementos del teatro clásico. Tradicionalmente el baile requiere de acompañamiento musical, aunque los músicos y los vocalistas siguen el compás de los pies de los bailarines y no viceversa. La música de Asia central y meridional es el concepto de modos conocido como RAGA. En la música de Asia meridional el ritmo es aditivo, al igual que en la construcción de escalas. La música es básicamente monódica y en esencia consiste en una melodía única contra un sonido monótono, aunque la parte del tambor puede virtualmente constituir otra voz. Por lo general, la música sirve de entretención, aunque está muy ligada al hinduismo. La estructura más característica del norte de India –un templo con una torre muy decorada– alcanzó su cumbre estilística en los s. VII–XI. La extensión del Islam hacia India en los s. XI y XII introdujo las típicas formas arquitectónicas y decorativas musulmanas (p. ej. la cúpula y el arco de ojiva). Obras maestras como el TAJ MAHAL fueron el resultado del gobierno de la dinastía musulmana mogol en los s. XVI–XVIII.

Tradicionalmente, los artistas visuales producían obras para sus patrocinadores y las proporciones, la iconografía y otras consideraciones de sus obras tenían que guiarse por ciertos cánones sagrados escritos. Desde los inicios de la historia de la región, las pinturas murales y las miniaturas pintadas en hojas de palma o en papel eran preponderantes, pero la escultura era el medio preferido. Las esculturas eran sobre todo religiosas y esencialmente simbólicas y abstractas. Las obras que representaban imaginería hindú y budista prosperaron en la edad de oro de India durante los s. IV–V. Tras las invasiones musulmanas del s. XII se incorporaron las influencias islámicas a los estilos tradicionales. A fines del s. XIX, el naciente nacionalismo hindú condujo a un resurgimiento consciente de las tradiciones del arte nativo, aunque en los últimos tiempos los artistas han asimilado elementos de los estilos artísticos europeos. Ver también BHARATANATYA; arte de GANDHARA; arte de MATHURA; arquitectura MOGOL; SITAR; TABLA; y artistas individuales como SATYAJIT RAY; SALMAN RUSHDIE; RAVI SHANKAR; RABINDRANATH TAGORE.

artes de Asia oriental Artes visuales, literarias y escénicas de China, Corea y Japón. La pintura y la caligrafía se consideran las únicas bellas artes verdaderas en China porque no requieren trabajo físico ni tienen funciones físicas. La escultura se aprecia como artesanía, así como el fundido en bronce, el tallado y la alfarería, los textiles, la metalistería y los platos y objetos laqueados. La arquitectura china se caracteriza por construcciones de madera. Un edificio consta generalmente de una plataforma, un marco de columna y dintel, un sistema de puntales que soportan el techo y un pesado techo inclinado. Las artes visuales japonesas han sido en gran medida influenciadas por tres elementos: las artes visuales chinas, las tradiciones y temas autóctonos y la iconografía budista. El templo Horyu (s. VII) marca el inicio de la aproximación a una arquitectura japonesa característica: trazados asimétricos que siguen los contornos del terreno. La fascinación de los artistas japoneses con la abstracción de la naturaleza es más notoria en las pinturas de biombos y paneles de los s. XVI–XVIII y en los grabados en madera policromados, que evolucionaron hacia el popular grabado Ukiyo-e. Entre las características destacadas del arte coreano cabe señalar el uso de la piedra en la arquitectura y escultura y el desarrollo de un sobresaliente esmalte de celadón. La continuidad histórica de la literatura china, la más extensa del mundo (más de 3.000 años), está inextricablemente ligada al desarrollo de los caracteres del lenguaje escrito que ha compartido con Corea y Japón. La literatura coreana comprende una tradición oral de baladas, leyendas, obras teatrales de máscaras, textos de espectáculos de títeres, *pansori* ("cuentos cantados") y una fuerte tradición de la poesía escrita (particularmente las formas *hyangga* y *sijo*). Tal como la literatura coreana, la literatura japonesa está en deuda con la china, ya que ninguno de los dos países tenía su propio lenguaje escrito (aun cuando emergieron sistemas de silabarios japoneses cerca del año 1000 y el hangul coreano se desarrolló en el s. XV). La literatura japonesa más temprana data del s. VII. Además de sus muchos monumentos literarios, como *La historia de Genji*, la poesía japonesa (especialmente en forma de haiku) es conocida en todo el mundo por su exquisita delicadeza. A pesar de tener distintas bases en su establecimiento, el sistema musical del Asia oriental, tal como la música occidental, desarrolló una escala pentatónica basada en un vocabulario de 12 tonos. El conjunto preferido en Asia oriental es el de pequeño tamaño, y las composiciones privilegian la melodía y el ritmo sobre la armonía. Cabe destacar que en los países de Asia oriental, la música, la danza y el teatro están estrechamente vinculados, y hay pocos indicios de una evolución separada de la forma. Las variadas formas de artes de la representación de Asia oriental incluyen los bailes con y sin máscaras, el teatro de danza con máscaras (como el *nō* japonés y el *sandae* coreano), procesiones bailadas, ópera danzada (*jingxi* o "de Pekín" y otras formas de ópera china), el teatro de sombras, el teatro de marionetas y obras de teatro dialogadas con música y danza (p. ej., el kabuki japonés). Ver también estilo FUJIWARA; IKEBANA; estilo KONIN JOGAN; ORIGAMI; pintura en ROLLO; estilo SHINDEN-ZUKURI; estilo SHOIN-ZUKURI; estilo SUKIYA; estilo TEMPYO; estilo TORI; así como los artistas BASHŌ; BO JUYI; DU FU; HIROSHIGE; LU XUN; MURASAKI SHIKIBU.

Actor de kabuki, obra teatral japonesa dialogada con mímica y danza, representativa del arte de Asia oriental. FOTOBANCO

artes de Asia sudoriental Artes literarias, escénicas y visuales de Myanmar (Birmania), Tailandia, Laos, Camboya, Vietnam, Indonesia, Malasia, Singapur y Filipinas. Las literaturas "clásicas" del Sudeste asiático pueden ser divididas en tres regiones principales: la región sánscrita de Camboya e Indonesia; la región de Birmania, donde se utilizó un dialecto relacionado con el sánscrito llamado pali como lenguaje literario y religioso, y la región china de Vietnam. Los *Mahabharata*, *Ramayana*, *Jataka* y otros cuentos legendarios locales son interpretados en las artes escénicas de la región. Las técnicas coreográficas de esta región minimizan los *mudras* (gestos) del clasicismo indio para enfatizar la gracia del movimiento en lugar del tema. Las variaciones regionales de la danza de templos y cortes rivalizan con los acontecimientos locales. Numerosas formas teatrales son vehículos de crítica social. El más notable es el *wayang* o teatro de sombras, en el cual el arte del titiritero se ha fusionado con la danza y el teatro en una forma única de entretención. La música generalmente se coordina con las artes escénicas, lo que da como resultado un contenido de gran ritmo pero escasa melodía. Las artes visuales más tempranas de la región fueron los tallados en madera que representaban la fantasía sobrenatural y animal, desarrollada y compartida por los distintos pueblos tribales. Surgió una segunda tradición luego de que artistas y artesanos indios siguieron a los comerciantes a Asia sudoriental en los primeros siglos DC. Al poco tiempo, los asiáticos sudorientales estaban produciendo sus propias versiones de los estilos indios, en ocasiones rivalizando con los artistas indios en cuanto a destreza, finura e invención a escala colosal. La construcción de templos, la escultura y la pintura prosperaron desde el s. I hasta el s. XIII con la introducción del hinduismo y el budismo. El templo real indio que dominó la cultura de Asia sudoriental se erigía de manera característica sobre un plinto abancalado sobre el cual se pudieron multiplicar santuarios en forma de torre. Alrededor de 800 DC, el rey camboyano Jayavarman II alzó una montaña de ladrillos para construir un grupo de templos. Este plan se amplió cuando se establecieron los cimientos de Angkor, un proyecto basado en una red de embalses y canales. Ahí mismo, los sucesivos reyes construyeron más templos-montaña, culminando en ANGKOR WAT. Entre los lugares más impresionantes de Asia sudoriental se encuentra la ciudad de PAGAN en Myanmar, con muchos templos y stupas budistas de ladrillo y estuco construidos entre 1056 y 1287.

artes liberales Programas de estudios universitarios destinados a impartir conocimientos generales y desarrollar capacidades intelectuales generales, en contraste con un programa profesional, vocacional o técnico. En la antigüedad clásica, designaba la educación propia de un ciudadano u hombre libre (latín *liber*) en oposición a un esclavo. En la universidad medieval occidental, las siete artes liberales eran gramática, retórica y lógica (el *trivium*) y geometría, aritmética, música y astronomía (el *quadrivium*). En las universidades actuales, las artes liberales incluyen estudios de literatura, idiomas, filosofía, historia, matemática y ciencias.

Campeonato Mundial de taekwondo en 2003, arte marcial coreano que se practica profusamente como deporte.
FOTOBANCO

artes marciales Cualquiera de las numerosas disciplinas de artes de combate o autodefensa que se practican profusamente como deporte. Existen variantes armadas y desarmadas, la mayoría de las cuales se basa en métodos de pelea tradicionales de Asia oriental. En la era moderna, las derivaciones de las artes marciales armadas comprenden el KENDO (esgrima con espadas de madera) y el *kyudo* (arquería). Las artes marciales sin armas comprenden el AIKIDO, YUDO, KARATE, KUNG FU y TAEKWONDO. Debido a la influencia del taoísmo y del budismo zen, se enfatiza el estado mental y espiritual de quien practica estas artes. El nivel de pericia se reconoce habitualmente a través del color del cinturón empleado, desde los novicios ("cinturón blanco") hasta los maestros ("cinturón negro"). Ver también JUJITSU; TAI CHI CHUAN.

artesón En arquitectura, elemento constructivo ornamental cuadrado o poligonal cóncavo, que dispuesto en serie se usa como decoración de un cielo o BÓVEDA. Probablemente, los artesones tuvieron su origen en vigas de madera entrecruzadas para formar un reticulado. Los primeros ejemplos que perduran fueron hechos de piedra por los antiguos griegos y romanos. El artesonado resurgió en el Renacimiento y fue común en la arquitectura barroca y neoclásica.

Arthur, Chester A(lan) (5 oct. 1829, North Fairfield, Vt., EE.UU.–18 nov. 1886, Nueva York, N.Y.). Vigesimoprimer presidente de EE.UU. (1881–86). Ejerció la abogacía en la ciudad de Nueva York desde 1854 y más tarde llegó a ser estrecho colaborador del senador ROSCOE CONKLING, jefe republicano de Nueva York. Con el apoyo de Conkling fue nombrado recaudador de derechos de aduana del puerto de Nueva York (1871–78), oficina archiconocida por utilizar el CLIENTELISMO POLÍTICO. Se desempeñó en esa oficina con integridad, pero siguió llenando la nómina con partidarios de Conkling. En la convención nacional republicana de 1880, Arthur fue el candidato de consenso para el cargo de vicepresidente, en lista con JAMES GARFIELD, y ocupó la presidencia cuando este murió asesinado. Como presidente mostró una independencia inesperada cuando vetó medidas que recompensaban el clientelismo político. También promulgó la ley de servicio civil de Pendleton, que creaba un sistema de administración pública basado en el mérito. Junto con su secretario de marina, recomendó asignaciones presupuestarias que luego ayudaron a transformar la marina de EE.UU. en una de las grandes armadas del mundo. No consiguió que su partido lo propusiera para un segundo período.

Arthur, paso Paso montañoso de los ALPES MERIDIONALES, Nueva Zelanda. Se halla a 924 m (3.031 pies) sobre el nivel del mar. Se ubica en el extremo norte de la cadena montañosa y es el paso principal por donde cruzan la autopista y la vía férrea, esta última, a través del túnel Otira (8,6 km o 5,3 mi). El parque nacional del paso Arthur fue creado en 1929.

Artibonite, río Río de la isla La Española. Nace en la cordillera Central de República Dominicana, sigue su curso a lo largo de la frontera haitiana y luego al oeste y noroeste hacia la llanura Artibonite de Haití, cruzando esta para desembocar en el golfo de la Gonâve, después de recorrer unos 240 km (150 mi). Es el río más largo de la isla.

Ártico, archipiélago Grupo de islas canadienses del océano Ártico. Se ubica al norte de Canadá continental y abarca un área de aprox. 1.424.500 km² (550.000 mi²). Las islas del sudeste son una extensión del Escudo Canadiense; el resto comprende las tierras bajas del Ártico al sur y las montañas Inuit al norte. El archipiélago comprende las grandes islas de BAFFIN, ELLESMERE, VICTORIA, BANKS y Príncipe de Gales.

ártico, círculo polar Paralelo de latitud aproximada 66,5° al norte del ecuador que circunscribe la zona helada del norte. Demarca el límite meridional de la zona donde durante un día o más al año, el sol no se pone ni sale. La duración del día o la noche continúa aumentando hacia el norte desde el círculo polar ártico y llega a durar seis meses en el POLO NORTE.

Ártico, océano El más pequeño de los océanos del planeta, rodeado prácticamente en su totalidad por las masas continentales de Eurasia y Norteamérica, cuyo rasgo distintivo es la capa de hielo que lo cubre. Su centro se encuentra aproximadamente en el POLO NORTE. Tanto adyacentes a él como en su interior existe una serie de territorios entre los que se cuentan Point Barrow en Alaska, el archipiélago ÁRTICO, GROENLANDIA, SVALBARD, las Tierras de FRANCISCO JOSÉ y el norte de SIBERIA. Cubre una superficie aproximada de 14.090.000 km² (5.440.000 mi²) y tiene una profundidad máxima de 5.500 m (18.000 pies). Varias secciones de este océano son conocidas con los nombres de mar de BARENTS, de BEAUFORT, de Chukotsk, de Groenlandia y de Kara. Las zonas interiores del círculo polar ÁRTICO fueron exploradas por primera vez por los escandinavos entre

Los navíos *HMS Alert* y *Discovery* durante la expedición al Ártico de 1865–66; pintura de William Frederick Mitchell (1875).
FOTOBANCO

los s. IX–XII. En los s. XVI–XVII llegaron a esta región exploradores en busca del paso del NOROESTE; MARTIN FROBISHER descubrió la parte meridional de la isla de BAFFIN (1576–78) y HENRY HUDSON navegó por la costa oriental de la bahía de HUDSON (1610–11). Entre los exploradores ulteriores de la zona figuran ROALD AMUNDSEN, FRIDTJOF NANSEN, ROBERT E. PEARY y RICHARD E. BYRD. El desarrollo de los recursos naturales de la región fue estimulado con el descubrimiento de petróleo en Alaska en la década de 1960. Actualmente, se ha cartografiado casi la totalidad del océano Ártico.

articulación En FONÉTICA, la forma del tracto vocal (LARINGE, FARINGE y cavidades orales y nasales) producida al posicionarse los órganos móviles (como la lengua) en relación con otras partes que pueden ser rígidas (como el paladar duro), y modificar así el flujo de aire para producir sonidos del HABLA. Los articuladores comprenden la lengua, los labios, los dientes, el reborde alveolar superior, el paladar duro y el blando, la úvula, la pared de la faringe y la glotis. La articulación primaria se refiere al lugar y a la manera en que el tracto vocal se estrecha o se obstruye para producir una CONSONANTE, o al contorno de la lengua, forma de los labios y altura de la laringe que determinan el sonido de una vocal. Se pueden usar otros articuladores para producir una articulación secundaria, como la palatización (la parte delantera de la lengua que se aproxima al paladar duro), la glotalización (cierre parcial o total de las cuerdas vocales) o la nasalización (paso simultáneo del aire a través del tracto nasal y oral).

articulación Estructura que conecta dos o más HUESOS. La mayoría de las articulaciones, como las sinoviales (que contienen líquido) y aquellas entre las vértebras, que poseen un disco, son móviles. Las inmóviles comprenden las suturas del CRÁNEO (ver FONTANELA). Los LIGAMENTOS sujetan los huesos de una articulación, pero los MÚSCULOS los mantienen en su lugar. Los trastornos articulares incluyen varias formas de ARTRITIS, lesiones (p. ej., desgarros, FRACTURAS y DISLOCACIONES), AFECCIONES CONGÉNITAS y deficiencias de VITAMINAS.

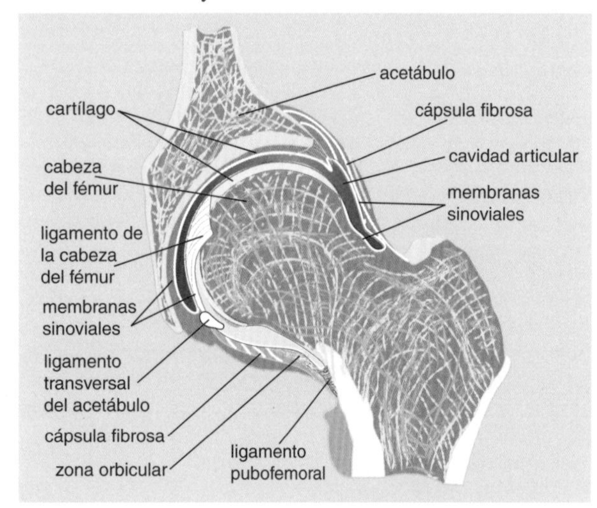

Corte de una articulación de cadera. La articulación de la cadera es una articulación sinovial, de tipo bola y cavidad; la cabeza del fémur se articula con el acetábulo que tiene forma de copa. La cavidad articular está cubierta por una cápsula fibrosa revestida con un tipo de tejido conectivo (membrana sinovial). Esta membrana produce un fluido (líquido sinovial), que lubrica las superficies opuestas del hueso cubiertas de cartílago. La cápsula fibrosa está compuesta de fibras circulares internas (zona orbicular) y fibras longitudinales externas, fortalecida por ligamentos y recubierta por músculos.

articular degenerativa, enfermedad ver OSTEOARTRITIS

Artigas, José Gervasio (19 jun. 1764, Montevideo, Uruguay–23 sep. 1850, Ibiray, cerca de Asunción, Paraguay). Soldado y líder revolucionario, es considerado el padre de la independencia uruguaya. En su juventud, Artigas vivió como GAUCHO en el actual Uruguay. En alianza con la junta de Buenos Aires, combatió por la emancipación de España, consiguiendo una victoria brillante en Las Piedras. Su adhesión al federalismo, en oposición a los esfuerzos de Buenos Aires por asegurarse el control de toda la región, condujo a la guerra civil. Gobernó sobre una parte de lo que actualmente es Uruguay y el centro de la Argentina, hasta que una invasión portuguesa le obligó a exiliarse en 1820. Uruguay conquistó su independencia en 1828.

artillería En la ciencia militar moderna, ARMAS DE FUEGO de grandes dimensiones, como CAÑONES, *howitzers* o MORTEROS, operadas por servidores y de un calibre mayor que 15 mm. En sus inicios, en el s. XIV, la artillería consistía en cañones y morteros de bronce, latón o hierro, montados sobre cureñas de dos ruedas. La artillería moderna data de la segunda mitad del s. XIX, con adelantos que incluían ánimas de acero, pólvoras más potentes y sujeciones de pistón que estabilizaban las cureñas durante el retroceso. Tanto la pólvora como el proyectil empezaron a ser encapsulados, dando origen a la GRANADA DE ARTILLERÍA, que permitía mayor velocidad de recarga. Desde la segunda guerra mundial, la artillería ha sido clasificada como ligera (hasta 105 mm, para apoyo de tropas terrestres), mediana (106–155 mm, para bombardeo) y pesada (sobre 155 mm, para atacar instalaciones de retaguardia). Ver también CAÑÓN ANTIAÉREO.

artritis INFLAMACIÓN de las ARTICULACIONES y sus efectos. La artritis aguda se manifiesta por dolor, enrojecimiento e hinchazón. Las formas más importantes son la OSTEOARTRITIS, la ARTRITIS REUMATOIDE y la ARTRITIS SÉPTICA. Varias formas de artritis son parte del conjunto de síntomas de las enfermedades AUTOINMUNES.

artritis reumatoide Enfermedad AUTOINMUNE crónica progresiva, que causa la INFLAMACIÓN del TEJIDO CONECTIVO, principalmente en las ARTICULACIONES sinoviales. Puede ocurrir a cualquier edad, es más común en las mujeres, y su curso es impredecible. Suele comenzar gradualmente con dolor y rigidez en una o más articulaciones, luego con hinchazón y calor. El dolor muscular puede persistir, empeorar o ceder. La inflamación y el engrosamiento de las membranas dejan cicatrices en las estructuras articulares y destruyen el CARTÍLAGO. En casos graves, se producen adherencias que inmovilizan y deforman las articulaciones, y la piel, los huesos y los músculos vecinos se atrofian. Si la aspirina en altas dosis, el ibuprofeno y otros AINES no alivian el dolor y la discapacidad, se pueden ensayar corticoesteroides en bajas dosis. La medicina física y la rehabilitación con calor y luego ejercicios dentro del rango de movimiento reducen el dolor y la hinchazón. Los aparatos ortopédicos corrigen o previenen las grandes deformidades y la disfunción. La cirugía puede reemplazar con prótesis las articulaciones destruidas de caderas, rodillas y dedos. Existe también una forma juvenil de la enfermedad.

artritis séptica INFLAMACIÓN aguda de una o más ARTICULACIONES causada por una INFECCIÓN. La artritis supurativa puede derivar de ciertas infecciones bacterianas; las articulaciones se hinchan, se calientan, duelen y se llenan de pus, lo que erosiona su CARTÍLAGO y causan un daño permanente si no se la trata pronto con la administración de ANTIBIÓTICOS, el drenaje del pus y el reposo de la articulación. La artritis no supurativa puede acompañar a varias enfermedades causadas por bacterias, virus u hongos; las articulaciones se ponen rígidas, se hinchan y duelen al moverlas. El tratamiento incluye reposo, medicación y, en el caso de la TUBERCULOSIS, cuidados ortopédicos para evitar deformidades del esqueleto.

artrópodo Cualquier miembro del filo Arthropoda, el más grande del reino ANIMAL. Los artrópodos comprenden más de un millón de especies conocidas de INVERTEBRADOS, agrupadas en cuatro subfilos: Uniramia (cinco clases, incluidos los INSECTOS),

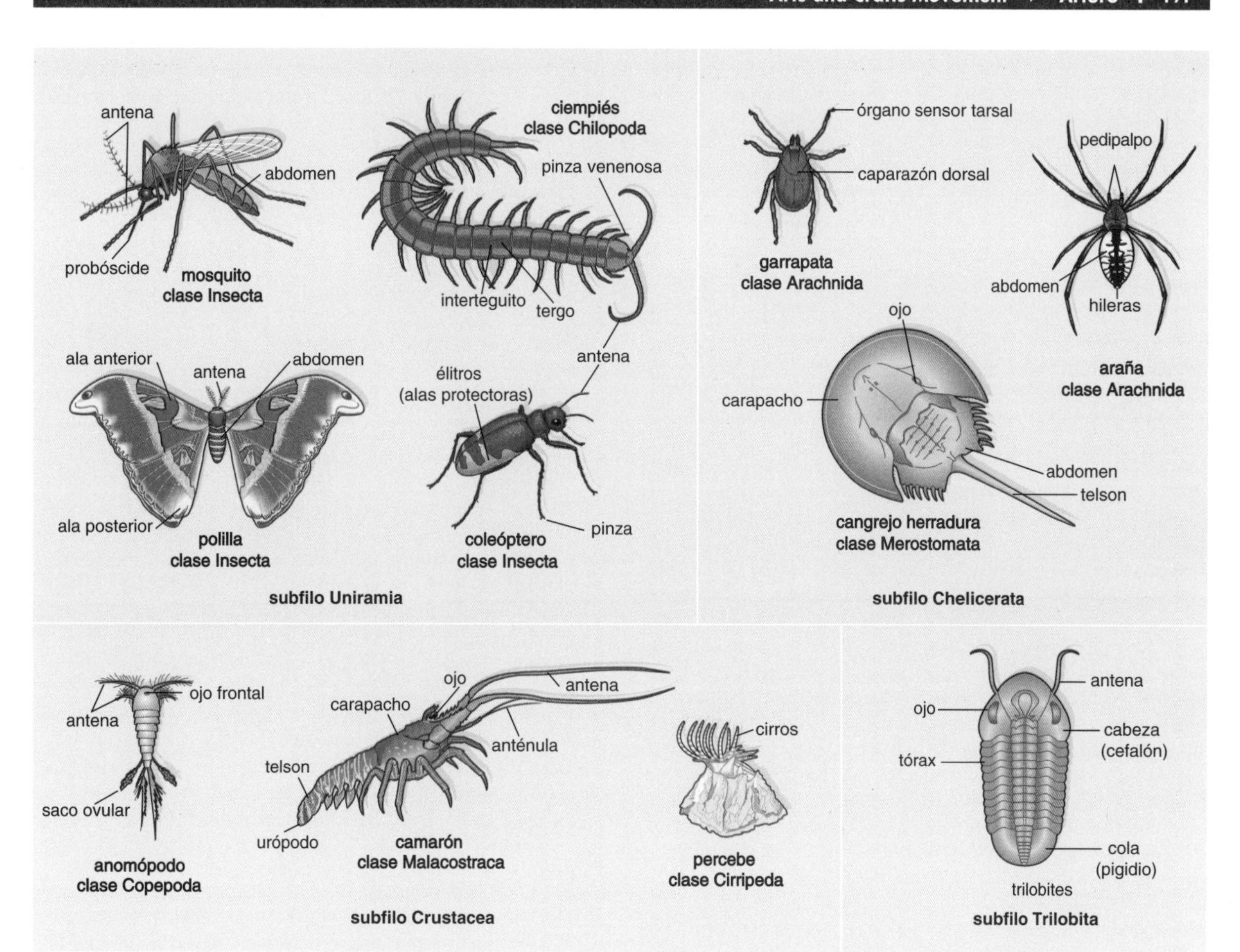

Artrópodos representativos. El subfilo Uniramia, el más grande de los subfilos de los artrópodos, comprende la mayoría de los insectos terrestres y los miriápodos (como los ciempiés y milpiés). Los insectos, la clase más grande de los artrópodos, se diferencian de otros porque habitualmente tienen alas y sólo tres pares de patas. Los miembros del subfilo Crustacea son en su mayoría marinos y comprenden camarones, langostas, cangrejos y percebes. Los anomópodos habitan principalmente en agua dulce y, tal como otros miembros diminutos de este subfilo, forman parte del zooplancton. La mayoría de los miembros del subfilo Chelicerata son arácnidos (clase Arachnida), como arañas, escorpiones, ácaros y garrapatas. Los trilobites son artrópodos marinos extinguidos que florecieron durante el cámbrico. Sus restos fosilizados muestran un cuerpo con tres lóbulos longitudinales divididos en tres partes: cabeza, tórax y cola.

Chelicerata (tres clases, incluidos los ARÁCNIDOS y CANGREJOS HERRADURAS), Crustacea (CRUSTÁCEOS) y Trilobita (TRILOBITES). Los artrópodos presentan simetría bilateral y poseen un cuerpo segmentado cubierto de un exoesqueleto que contiene QUITINA, el cual le sirve de coraza y de superficie para la inserción muscular. Cada segmento corporal puede portar un par de apéndices articulados. El filo incluye CARNÍVOROS, HERBÍVOROS, OMNÍVOROS, detritívoros, filtradores y parásitos (ver PARASITISMO), en casi todos los ambientes, tanto acuáticos como terrestres.

Arts and Crafts Movement Movimiento social y estético inglés de la segunda mitad del s. XIX, cuyo nombre significa Movimiento de Artes y Oficios, dedicado al restablecimiento de la importancia de la artesanía en una era de mecanización y producción en serie. El nombre deriva de la Arts and Crafts Exhibition Society (1888). Inspirado en JOHN RUSKIN y otros escritores que deploraban los efectos de la industrialización, WILLIAM MORRIS fundó una firma de diseñadores de interiores y de fabricantes textiles para producir en forma artesanal libros impresos, PAPEL MURAL, mobiliario, joyería y metalistería. El movimiento fue criticado por ser elitista y quijotesco en una sociedad industrializada, pero en la década de 1890 su atractivo se amplió, difundiéndose a otros países, incluido EE.UU. Ver también ART NOUVEAU.

Arturo, leyendas del rey Corpus de historias y romances medievales que se centran en la legendaria figura del rey inglés Arturo. Las historias son una crónica de la vida de Arturo, las aventuras de sus caballeros y el romance adúltero entre su caballero, LANZAROTE, y su esposa, la reina Ginebra. La leyenda, popular en Gales antes del s. XI, fue llevada a la literatura por GEOFFREY DE MONMOUTH y adaptada por otros escritores medievales, entre los que cabe mencionar a CHRÉTIEN DE TROYES, WACE, LAYAMON y SIR THOMAS MALORY, quienes la entrelazaron con las leyendas del GRIAL. Desde la era victoriana, cuando resurgió el interés por la leyenda, ha figurado en importantes obras de ALFRED TENNYSON (*Idilios del rey*) y T.H. WHITE (*La leyenda del rey Arturo*). No se tiene certeza sobre la veracidad histórica de la figura de Arturo. Según fuentes medievales, habría sido un guerrero y adalid del cristianismo durante el s. VI, quien unificó a las tribus británicas en la lucha contra los invasores sajones. Habría muerto en batalla en Camlann c. 539, y estaría enterrado en Glastonbury. Ver también GALAHAD; MERLÍN; TRISTÁN E ISOLDA.

"La muerte del rey Arturo", de John Mulcaster Carrick.

Aru, islas Archipiélago de Indonesia oriental. Es el archipiélago más oriental de las MOLUCAS, ubicado frente al sudoeste de NUEVA GUINEA, que se compone de una isla grande y de otras 90 más pequeñas. La isla principal, Tanabesan, tiene una extensión de 195 km (120 mi) y está dividida en seis partes por estrechos canales. Su puerto principal es Dobo, ubicado en la isla Wamar. Desde 1949, las islas forman parte de Indonesia.

Aruba, isla Isla (pob., est. 2002: 91.600 hab.) de las ANTILLAS Menores, frente a la costa noroeste de Venezuela. Aruba es una dependencia de régimen autónomo de los Países Bajos. Tiene una superficie de 180 km^2 (70 mi^2). Su capital es ORANJESTAD. La mayoría de la población actual es una combinación de amerindios, españoles y holandeses, con huellas de linaje africano. El neerlandés es el idioma oficial; el papiamento es un dialecto criollo que se usa para asuntos cotidianos. La religión principal es la católica. Su moneda es el florín de Aruba. La falta de agua en Aruba limita severamente la agricultura. Su complejo de refinerías de petróleo, entre las más grandes del mundo, fue la principal fuente de empleo hasta que cerró en 1985. Desde entonces, el turismo ha llegado a ser el principal sostén económico de la isla. Los primeros habitantes de la isla fueron los indios ARAWAK, cuyas pinturas parietales aún pueden apreciarse en cuevas. Aunque los holandeses tomaron posesión de Aruba en 1636, no empezaron a desarrollarla con dinamismo hasta 1816. Los Países Bajos administran la defensa y los asuntos externos de Aruba, pero los asuntos internos son manejados por un gobierno insular con su propio poder judicial y su moneda. En 1986, Aruba se separó de la federación de las ANTILLAS NEERLANDESAS como paso inicial hacia la independencia.

arúgula ver ORUGA

Arunachal Pradesh Estado (pob., est. 2001: 1.091.117 hab.) del extremo nororiental de India. Limita con BUTÁN, el TÍBET (China), MYANMAR, y los estados de NAGALAND y ASSAM. Tiene una superficie de 83.743 km^2 (32.333 mi^2) y su capital es ITANAGAR. En el s. XVI, una parte de la región fue anexionada por Assam. En 1826, los británicos habían incorporado Assam a la India británica. En 1954, la región fue conocida como la Agencia fronteriza del nordeste y formó parte del estado de Assam; en 1987 se transformó en un estado independiente. Posee grandes cadenas de montañas de los HIMALAYA y es un territorio escarpado. La población se compone de una gran variedad de grupos étnicos, que hablan dialectos de la familia lingüística tibetano-birmana.

arupa-loka En el BUDISMO, "el mundo de la forma inmaterial", la más elevada de las tres esferas de existencia en la que tiene lugar el renacimiento. Las otras son "el mundo de la materia fina" (*rupa-loka*) y el "el mundo de las sensaciones y sentimientos" (*kama-loka*). En *arupa-loka*, la existencia depende de la etapa de concentración alcanzada en la vida anterior y consta de cuatro niveles: la infinidad del espacio, la infinidad del pensamiento, la infinidad del no ser y la infinidad de lo que no es conciencia ni es no-conciencia. En *arupa-loka*, los seres carecen de cuerpo material.

Arusha, parque nacional Reserva natural del norte de Tanzania. Establecida en 1960, posee una gran variedad de flora y fauna. En él se encuentran el monte Meru (4.558 m [14.954 pies]) y el cráter del Ngurdoto, un volcán inactivo. Próximo al lugar se encuentran el monte KILIMANJARO, la garganta de OLDUVAI y el cráter Ngorongoro, en cuyos alrededores rebosa la vida salvaje.

arveja *o* **guisante** Cualquiera de varias especies, que comprenden cientos de variedades de plantas herbáceas de la familia Leguminosae (o Fabaceae; ver LEGUMINOSA), cultivadas prácticamente en todo el mundo por sus semillas comestibles. *Pisum sativum* es la arveja hortense común del mundo occidental que empleó GREGOR MENDEL en sus estudios pioneros sobre la HERENCIA. Si bien no se conocen con exactitud sus orígenes, se sabe que las arvejas son uno de los cultivos más antiguos. Algunas variedades, denominadas arveja mollar, arveja china o *mange-touts*, poseen vainas comestibles y son populares en la cocina de Asia oriental. Ver también GUISANTE DE OLOR.

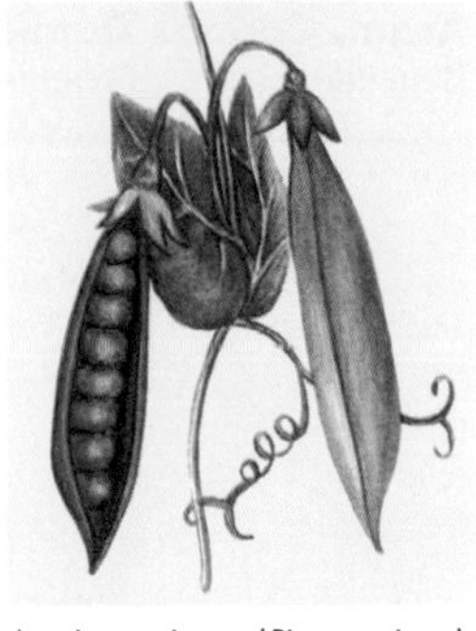

Arveja o guisante (*Pisum sativum*).

Arxón Ver ARCÓN

Arya Samaj Secta reformista del HINDUISMO fundada en 1875 por SARASVATI DAYANANDA con el fin de restablecer los VEDAS como la verdad infalible. El movimiento Arya Samaj se opone a la idolatría, al culto a los ANTEPASADOS, al SACRIFICIO de animales, al sistema de CASTAS basado en la estirpe en lugar del mérito personal, a la calificación de INTOCABLE, al matrimonio infantil, a la PEREGRINACIÓN y a las ofrendas en los templos. Apoya la sacralidad de las vacas, las costumbres de los SAMSKARAS, las ofrendas al fuego y la reforma social, incluida la educación de las mujeres. El movimiento, que es más fuerte en el oeste y norte de India, es dirigido por *samajas* ("sociedades o círculos") constituidos por representantes llegados a nivel local, provincial y nacional. El movimiento Arya Samaj desempeñó un papel muy importante en el surgimiento y desarrollo del nacionalismo indio.

Aryabhata (n. 476, posiblemente en Ashmaka o Kusumapura, India). Astrónomo y el más antiguo matemático indio cuya obra perdura. Autor de al menos dos obras, *Aryabhatiya* (c. 499) y la ahora perdida *Aryabhatasiddhanta*, que circularon principalmente en el noroeste de India e influenciaron el desarrollo de la astronomía islámica. Versificada en coplas, *Aryabhatiya* trata de matemática y astronomía. Entre otros temas, incluye la predicción de eclipses solares y lunares y una afirmación explícita de que el movimiento aparente hacia el oeste de las estrellas se debe a la rotación de la Tierra en torno a su eje. Aryabhata también atribuye correctamente la luminosidad de la Luna y los planetas a la luz solar reflejada. En su honor, el gobierno de India llamó Aryabhata a su primer satélite (lanzado en 1975).

arzobispo En el cristianismo, un OBISPO que tiene jurisdicción, pero no superioridad, sobre los demás obispos de una provincia eclesiástica, así como la autoridad episcopal en su propia diócesis. Introducido como un título honorífico en las iglesias orientales en el s. IV, el cargo no se generalizó en las iglesias occidentales hasta el s. IX. En la actualidad, se usa ampliamente en las Iglesias católica y ortodoxa oriental. En las confesiones protestantes se emplea excepcionalmente, aunque la Iglesia de Inglaterra cuenta con los arzobispos de Canterbury y de York, y las iglesias luteranas de Suecia y Finlandia también tienen un arzobispo.

Asahi Shimbun (japonés: "El sol naciente"). Periódico japonés con sede en Tokio. Fundado en 1879, es el segundo en circulación del país. De tendencia liberal, cubre noticias sobre política y sociedad. Posee una alianza con la compañía estadounidense International Herald Tribune; publica en conjunto su versión en inglés de *International Herald Tribune/The Asahi Shimbun*, además de estar afiliado a la cadena de televisión nipona TV Asahi. En sus páginas sobresalen también las columnas de opinión *Tensei Jingo*, que trata temas sociales y de coyuntura, y *The Asahi Haikuist Network*, donde se publica poesía HAIKU, escrita por japoneses y extranjeros.

Asam, Cosmas Damian y Egid Quirin (29 sep. 1686, Benediktbeuern, Baviera–10 may. 1739, Munich) (1 sep. 1692, Tegernsee, Baviera–29 abr. 1750, Mannheim, Palatinado). Arquitectos y decoradores bávaros. Luego de estudiar en Roma (1711–13), Cosmas Damian se convirtió en un prolífico pintor de frescos y su hermano Egid Quirin, en escultor y estucador. Desarrollaron los efectos de la iluminación teatral y el ilusionismo de GIAN LORENZO BERNINI y Andrea Pozzo. Trabajando en equipo, realizaron magníficas decoraciones ilusionistas en edificios eclesiásticos, combinando la iluminación teatral y el color. Sus obras sobresalen por la profunda y dramática intensidad de sentimiento religioso. Estos hermanos fueron los principales exponentes del barroco tardío de la decoración ilusionista en la arquitectura religiosa. Su colaboración más destacable es la iglesia de San Juan Nepomuceno en Munich (1733–46), conocida en honor a los hermanos como la Asamkirche.

Asamblea General de las Naciones Unidas Uno de los seis componentes principales de las NACIONES UNIDAS (NU) y el único en el cual se encuentran representados todos los miembros de la organización. Se reúne una vez al año o en períodos extraordinarios de sesiones. Actúa principalmente como un cuerpo deliberante; puede debatir cualquier tema dentro del ámbito de la Carta de las Naciones Unidas y formular recomendaciones al respecto. Su presidente es elegido anualmente en forma rotativa de entre grupos de miembros de cinco regiones geográficas.

Sesión plenaria de la Asamblea General de las Naciones Unidas, que reúne anualmente a todos sus miembros, Nueva York, EE.UU.
FOTOBANCO

Asamblea Nacional *francés* **Assemblée Nationale** Parlamento francés. El nombre fue usado por primera vez durante la REVOLUCIÓN FRANCESA para designar a la asamblea revolucionaria integrada por representantes del TERCER ESTADO (1789) y luego como una forma abreviada de la Asamblea Nacional Constituyente (1789–91). Fue usado nuevamente cuando la Asamblea Nacional de 1871–75 redactó una nueva constitución. En la TERCERA REPÚBLICA (1875–1940), el nombre designó a las dos cámaras del parlamento, el senado y la cámara de diputados. En la CUARTA REPÚBLICA (1946–58) y en la QUINTA REPÚBLICA (a partir de 1958), el término fue aplicado únicamente a la cámara baja (antigua cámara de diputados). La Asamblea Nacional está compuesta por 577 diputados, elegidos en distritos electorales uninominales por un período de cinco años.

Asambleas de Dios La confesión pentecostal más grande de EE.UU. Se formó en 1914, en Hot Springs, Ark., por la unión de varios grupos pentecostales pequeños. Las Asambleas de Dios atribuyen a la Biblia un rol central en la fe y en el culto cristiano. En lugar de los SACRAMENTOS, las Asambleas tienen dos ritos, el BAUTISMO por inmersión total, y la Cena del Señor. Creen que la santificación personal es un proceso gradual y no instantáneo, y atribuyen gran importancia a las doctrinas milenaristas referidas a la segunda venida de Cristo y al establecimiento del reino de Dios. Las Asambleas de Dios han realizado una intensa labor misionera en EE.UU. y en otros países. Ver también MILENARISMO; PENTECOSTALISMO.

asante ver ASHANTI

asariyá Escuela de teología musulmana fundada en el s. X por Abū al-Ḥasan al-ASH'ARĪ. La escuela asariyá apoyaba el uso de la razón y de la teología especulativa (KALĀM) para defender la fe, pero sin ser tan extrema en su racionalismo como lo fue la escuela MU'TAZILÍ. Sus seguidores intentaron demostrar la existencia y naturaleza de Dios a través del argumento racional, mientras sostenían la naturaleza eterna e increada del CORÁN. Los seguidores de esta escuela fueron acusados por los seguidores de la escuela mu'tazilí de creer en la predestinación, debido a que sostuvieron que la capacidad humana de actuar se adquiría en el momento mismo de la acción.

asbesto Cualquiera de los diversos minerales que se separan fácilmente en fibras largas y flexibles. El CRISOTILO abarca aproximadamente el 95% aprox. de todo el asbesto aún en uso comercial. Todos los demás tipos forman parte del grupo de los ANFÍBOLES e incluyen las formas altamente fibrosas de ANTOFILITA, AMOSITA, CROCIDOLITA, tremolita y ACTINOLITA. La fibra de asbesto se usó en recubrimientos de frenos, aislantes, tejuelas, baldosas, recubrimientos de techos, tuberías de cemento y otros materiales de construcción. Se usaron telas de asbesto para ropa de seguridad y cortinas de teatro. En la década de 1970 se descubrió que la inhalación prolongada de las diminutas fibras del asbesto puede causar ASBESTOSIS, cáncer de pulmón y/o mesotelioma, todas enfermedades pulmonares graves. La incidencia del mesotelioma se asocia con más frecuencia con la inhalación prolongada de ASBESTO ANFIBÓLICO. En 1989, el gobierno de EE.UU. instituyó una prohibición gradual de la manufactura, el uso y la exportación de la mayoría de los productos fabricados con asbesto. Muchos otros países también han seguido esta política de prohibición.

asbesto anfibólico Término colectivo usado para tres variedades altamente fibrosas (asbestiformes) de anfíbol: CROCIDOLITA, AMOSITA y ACTINOLITA. Todas poseen fibras largas, de textura que varía de sedosa a astillosa, con apreciable resistencia a la tracción y tienen importancia económica como ASBESTO.

asbesto azul ver CROCIDOLITA

asbestosis Enfermedad pulmonar causada por la inhalación prolongada de fibras de ASBESTO. Es una NEUMOCONIOSIS que se encuentra principalmente en los trabajadores del asbesto, y también se detecta en personas que viven cerca de las industrias del asbesto. Las fibras permanecen en los pulmones y muchos años después producen extensas cicatrices y fibrosis. Los síntomas son disnea y mala oxigenación; en los casos avanzados se presenta tos seca. No existe un tratamiento efectivo. El aumento consiguiente del trabajo cardíaco puede inducir una cardiopatía. El consumo de tabaco exacerba mucho sus síntomas. El CÁNCER DEL PULMÓN y el mesotelioma maligno son más frecuentes en personas que han inhalado asbesto y padecen asbestosis.

Ascalón ver ASHQELON

Ascanio En la leyenda romana, el hijo de ENEAS y fundador de Alba Longa, cercana a Roma (probablemente el lugar donde se emplaza el actual Castel Gandolfo). En el relato de TITO LIVIO, su madre fue Lavinia y habría nacido después de que Eneas fundó Lavinium. Ascanio, también llamado Julio, era considerado el antepasado fundador del linaje del que descendía JULIO CÉSAR.

Ascensión En la fe cristiana, la elevación de JESÚS a los cielos, cuarenta días después de la Resurrección. El libro de los Hechos relata que, después de varias apariciones a los APÓSTOLES durante un período de cuarenta días, Jesús fue elevado en presencia de los discípulos y quedó oculto detrás de una nube, símbolo de la presencia de Dios. Se cree que este acontecimiento señala una nueva relación entre Jesucristo y DIOS, y entre Jesucristo y sus seguidores. La fiesta de la Ascensión es universalmente observada por los cristianos, y su celebración enfatiza la majestad de Cristo. Desde el s. IV, la Ascensión del Señor se celebra cuarenta días después de PASCUA DE RESURRECCIÓN y diez días antes de PENTECOSTÉS.

ascensor Cabina que se mueve en una caja vertical para transportar pasajeros o carga entre los niveles de un edificio de varias plantas. El uso de plataformas elevadoras mecánicas data de la época de los romanos. Los ascensores de vapor e hidráulicos comenzaron a utilizarse en el s. XIX; los ascensores eléctricos se introdujeron hacia fines del mismo siglo. La mayoría de los ascensores modernos son propulsados eléctricamente mediante un sistema de cables y poleas con la ayuda de un contrapeso, aun cuando los ascensores hidráulicos se siguen utilizando en edificios de baja altura. En 1853, Elisha Otis (n. 1811–m. 1861) introdujo un dispositivo de seguridad automático que dio origen al ascensor de pasajeros. El ascensor tuvo un papel decisivo en la construcción de edificios más altos y, como resultado, en la geografía urbana de las ciudades modernas.

Ascensor de Santa Justa, Lisboa, Portugal.
ARCHIVO EDIT. SANTIAGO

ascetismo Práctica de negación de los deseos físicos o psicológicos con el fin de lograr un ideal o meta espiritual. La mayoría de las religiones tienen algunos rasgos de ascetismo. La búsqueda de pureza ritual para tener contacto con lo divino, la necesidad de expiación y el anhelo por ganar mérito o acceso al poder sobrenatural son todas razones para la práctica ascética. Los ermitaños y monjes cristianos, los ascetas hindúes errantes y los monjes budistas desechan los bienes mundanos y practican varias formas de abnegación, como el celibato, la abstinencia y el ayuno. Los miembros de la secta Digambara del JAINISMO practican una forma extrema de ascetismo que incluye abstenerse de vestimenta. Aun cuando el MONACATO es rechazado por el Corán, movimientos ascéticos como el zuhd se originaron en el seno del Islam. El ZOROASTRISMO, en cambio, prohíbe el ayuno y la mortificación.

Asch, Sholem (1 nov. 1880, Kutno, Polonia, Imperio ruso–10 jul. 1957, Londres, Inglaterra). Novelista y dramaturgo estadounidense de origen polaco. La mayoría de sus escritos tratan sobre la experiencia de los judíos en los pueblos de la Europa oriental o como inmigrantes en EE.UU. (país al que emigró en 1914). Su producción incluye la pieza teatral *The God of Vengeance* [El dios de la venganza] (1907) y las novelas *Mottke el ladrón* (1916), *Moisés* (1918), *Judge Not* [No juzgarás] (1926) y *El regreso de Chaim Lederer* (1927). En obras posteriores, más polémicas, exploró el patrimonio común del judaísmo y el cristianismo. De carrera sobresaliente, tanto por su producción como por lo impactante de esta, es uno de los escritores más conocidos de la literatura yiddish moderna.

Ascham, Roger (1515, Kirby Wiske, cerca de York, Inglaterra–30 dic. 1568, Londres). Humanista, erudito y escritor inglés. Ingresó a la Universidad de Cambridge a los 14 años y estudió griego. Llegó a ser tutor de griego y latín (1548–50) de quien más tarde sería la reina ISABEL I, a la que continuó sirviendo luego de su entronización. Su obra más conocida es el libro póstumo *The Schoolemaster* [El maestro] (1570), que trata sobre la psicología del aprendizaje, la educación integral de la persona, el ideal moral y la personalidad intelectual que la educación debería forjar. Se le conoce también por el lúcido estilo de su prosa y como promotor de la cultura vernácula.

ascidia Cualquier TUNICADO de la clase Ascidiacea que habita todos los mares del mundo. Parecidos más a una patata que a un animal, viven permanentemente adheridos a una superficie. Cuando son molestados, su cuerpo sacciforme se contrae fuertemente y expulsa un chorro de agua. Los que habitan cerca de la playa se alimentan filtrando detritus de plantas y animales, mientras que los de aguas profundas filtran plancton. Los adultos, que miden 2–30 cm (menos de 1 pulg.–1 pie) de largo, poseen órganos reproductores funcionales masculino y femenino en el mismo individuo. Las larvas con forma de renacuajo, que flotan libremente, salen de huevos liberados por un individuo y fecundados por otro. Algunas especies son solitarias, mientras otras viven en colonias. Entre las ascidias se encuentran los piures.

ASCII *sigla de* **American Standard Code for Information Interchange** (Código americano normalizado para intercambio de información). Código de transmisión de datos usado para representar tanto texto (letras, números, signos de puntuación) como comandos de dispositivos que no son de entrada (caracteres de control) para el intercambio y almacenamiento electrónico. El ASCII estándar utiliza una secuencia de 7 BITS (dígitos binarios) para cada símbolo y puede representar $2^7 = 128$ caracteres. El ASCII ampliado utiliza un sistema de codificación de 8 bits y puede representar $2^8 = 256$ caracteres. Mientras el código ASCII aún se encuentra en datos antiguos "legacy data", UNICODE, en versiones de 8, 16 y 32 bits se ha convertido en el estándar de los SISTEMAS OPERATIVOS y de los NAVEGADORES modernos. En particular, la versión de 32 bits soporta ahora todos los caracteres de los lenguajes más importantes.

Asclepiadáceas Familia de plantas integrada por unas 2.000 especies de angiospermas herbáceas o trepadoras arbustivas, pertenecientes a más de 280 géneros. La mayoría de los miembros de la familia tiene un zumo lechoso, un fruto parecido a una vaina y semillas con pelos sedosos, que son arrastradas por el viento para germinar en otros lugares. La *Asclepias syriaca* y el viborán (*A. curassavica*) se cultivan a menudo como plantas ornamentales. La hoya carnosa, comúnmente llamada planta de cera, debido a sus flores blancas cerosas, se suele utilizar como planta de interior en maceteros. La familia también incluye algunas SUCULENTAS, ciertas PLANTAS CARNÍVORAS TROMPETA y la HIERBA DE LA MARIPOSA.

Asclepias syriaca, especie de la familia de las Asclepiadáceas.
© ENCYCLOPÆDIA BRITANNICA, INC.

Asclepio *o* **Esculapio** *latín* **Aesculapius** Dios grecorromano de la medicina. Era el hijo de APOLO y de la ninfa Coronis. Aprendió el arte de la medicina del centauro QUIRÓN.

Temeroso de que Asclepio hiciera inmortales a los seres humanos, ZEUS lo fulminó. Su culto se originó en Tesalia y se extendió por toda Grecia. Como se decía que Asclepio curaba al enfermo mientras dormía, la práctica de pernoctar en los templos dedicados a esta deidad se generalizó. Asclepio era frecuentemente representado sosteniendo un bastón o báculo en el que se enrollaba una serpiente.

Asclepio, díptico en marfil, s. V DC; Liverpool City Museum, Inglaterra.
BRIDGEMAN ART LIBRARY/ART RESOURCE, NUEVA YORK

ASEAN *sigla de* **Asociación de Naciones del Sudeste Asiático** Organización internacional establecida por los gobiernos de Indonesia, Malasia, Filipinas, Singapur y Tailandia en 1967 para acelerar el crecimiento económico, el progreso social y el desarrollo cultural, y promover la paz y la seguridad en la región. Brunei se convirtió en miembro en 1984, Vietnam en 1995, Laos y Myanmar (Birmania) en 1997 y Camboya en 1999. En la década de 1990, la ASEAN asumió una posición de liderazgo en el área del comercio y la seguridad regionales; en 1992, las naciones miembros crearon el Área de Libre Comercio de la ASEAN.

asentamiento En construcción, la subsidencia gradual de una estructura cuando el suelo bajo su fundación se consolida por efecto del peso. Esto puede continuar por varios años después de terminada la estructura. La consolidación primaria ocurre cuando el agua es expulsada fuera de los vacíos de la masa de terreno. La consolidación secundaria resulta del ajuste de la estructura interna del suelo bajo una carga permanente. Cuando existe la posibilidad de asentamiento, se debe tener la precaución de elegir un sistema estructural y de FUNDACIÓN capaz de adaptarse a este efecto. Las vigas con apoyos fijos presentan un problema, ya que son incapaces de rotar bajo cargas de asentamiento dispares y se doblan por efecto de la tensión; los extremos de las vigas simplemente apoyadas, en cambio, actúan como bisagras y rotan ligeramente manteniendo la viga recta. Cuando se producen asentamientos diferenciales se pueden usar columnas especiales con mecanismos hidráulicos para nivelar las vigas. Las fundaciones flotantes y los PILOTES se usan a menudo para evitar los problemas derivados de construir sobre suelos que ceden a la presión. Ver también MECÁNICA DE SUELOS.

asentamiento, territorio de Distrito separado del resto del país por fronteras definidas o regido por un sistema administrativo y legal característico. Desde finales del s. XVIII, el territorio de asentamiento en el Imperio ruso era la zona donde los judíos tenían autorización para vivir. En el s. XIX, este incluía todo el sector ruso de Polonia, Lituania, Bielorrusia, Crimea, Besarabia y la mayor parte de Ucrania. Desapareció durante la primera guerra mundial, cuando un gran número de judíos huyó hacia el interior del país, y fue abolido en 1917. Los ingleses tuvieron un distrito similar en Irlanda hasta que toda la isla quedó bajo el dominio de ISABEL I en el s. XVI.

aserradero Planta con equipos mecanizados para cortar rollizos o trozas en secciones escuadradas en bruto o en tablas y tableros. Un aserradero puede estar equipado con máquinas cepilladoras, molduradoras, espigadoras y de otra índole para procesos de terminación. El corte se efectúa en diversas máquinas grandes; sierras alternativas, sierras de cinta o sierras circulares cortan el rollizo en diversos espesores a medida que este se desplaza al pasar por la sierra en una mesa de alimentación. Los aserraderos más grandes suelen estar ubicados en lugares en que la madera pueda ser traída por vía fluvial o férrea, y el diseño de la planta se ajusta al modo de transporte.

Ases En la religión GERMÁNICA, uno de los dos grupos principales de deidades; el otro era el de los VANES. ODÍN, su esposa Frigg, Tyr (dios de la guerra) y THOR eran los cuatro Ases comunes a las naciones germánicas. BALDR y LOKI también eran considerados Ases por otros pueblos. Eran una raza guerrera y originalmente dominaban a los Vanes, pero después de numerosas derrotas en batalla se vieron forzados a reconocer igual condición a los Vanes. El dios-poeta KVASIR nació del ritual de paz en el cual ambas razas mezclaron su saliva en el mismo vaso.

asesinato en serie Homicidio de al menos dos personas, realizado en forma sucesiva durante un lapso determinado. El asesinato en serie difiere del asesinato en masa, en el cual varias personas son asesinadas simultáneamente en el mismo lugar. Los criminólogos distinguen dos tipos de asesinato en serie: el asesinato en serie clásico, que habitualmente involucra el seguimiento de la víctima, y que a menudo tiene motivación sexual; y el asesinato en serie por diversión, que por lo general obedece a la búsqueda de emoción. Desde la antigüedad se conoce de casos de asesinatos en serie. Su incidencia aumentó de manera notable a principios del s. XIX, particularmente en Europa, aunque ello se ha atribuido a los avances en la detección de delitos y al aumento de la cobertura noticiosa y no a un incremento real del número de casos. Desde fines del s. XIX, la prensa ha prestado apreciable atención a los asesinos en serie y algunos casos inspiraron numerosos libros y películas. Sin embargo, por lo general estos relatos indujeron a error al público al sugerir que los asesinatos en serie eran un fenómeno común, cuando en rigor, a fines del s. XX constituyeron menos de un 2% del total de homicidios.

asesino *propiamente* **nizāriyya** Apodo de los miembros de una subsecta musulmana chiita ismailí, que operó en partes de Irán y Siria desde el s. XI hasta el XIII. El apodo de la orden de los nizaríes se originó en el supuesto uso de hachís entre sus devotos (*hashshāshūn*, "fumadores de hachís", de donde deriva el término "asesino") para inducir visiones extáticas del paraíso antes de afrontar el martirio. Operaban desde una serie de fortalezas montañosas y consideraban el asesinato como un deber religioso, por lo que emprendieron una larga campaña de atentados contra miembros de la comunidad sunní, incluidos numerosos funcionarios de las dinastías abasí y selyúcida, entre otros. Su poderío fue finalmente aplastado por los mongoles, quienes capturaron su gran fortaleza de ʿAlamūt en Irán en 1256. La rama siria fue destruida por el mameluco BAYBARS I en 1271–73. El liderazgo espiritual de la orden de los nizaríes continuó hasta nuestros días en la línea de los AGA KAN, una familia de relevancia mundial por sus obras de filantropía y servicio público.

asfalto Material de color negro o marrón, similar al petróleo, de consistencia que varía de líquido viscoso a sólido vidrioso. Se obtiene como residuo de la destilación del petróleo, o de depósitos naturales. El asfalto está formado por compuestos de hidrógeno y carbono, con pequeñas cantidades de nitrógeno, azufre y oxígeno. Se ablanda al calentarse y es elástico bajo ciertas condiciones. Se usa principalmente como revestimiento vial. También se utiliza en techumbres, cubiertas, baldosas e impermeabilizaciones, así como en productos industriales.

asfixia Ausencia de intercambio de oxígeno y de dióxido de carbono por insuficiencia o alteración respiratoria, que provoca una insuficiencia de oxígeno cerebral, la cual lleva a la inconsciencia o incluso a la muerte. Se produce, entre otras causas, por estrangulación, ahogamiento e intoxicación por monóxido de carbono. La aspiración de alimentos o líquidos puede causar obstrucción de la vía aérea y colapso pulmonar. La reanimación de emergencia incluye, por lo general, la REANIMACIÓN CARDIOPULMONAR.

asfódelo Nombre común de varias angiospermas pertenecientes a la familia de las LILIÁCEAS. Este nombre común se aplica a diversas plantas y por ende es muy malentendido; el asfódelo de los poetas corresponde a menudo a un NARCISO y el de los antiguos puede corresponder a los géneros *Asphodeline* o *Asphodelus*. Los asfódelos son plantas herbáceas perennes resistentes con hojas estrechas y un tallo alargado que posee una hermosa espiga de flores blancas, rosadas o amarillas. El asfódelo del pantano (*Narthecium ossifragum*) es una planta herbácea pequeña que crece en lugares pantanosos de Gran Bretaña.

Asgard En la mitología escandinava, la morada de los dioses. El Asgard consistía en doce o más reinos, entre ellos, el VALHALA, hogar de ODÍN; Thrudheim, hogar de THOR; y Breidablick, hogar de BALDR. Cada divinidad escandinava tenía su propio palacio en Asgard, región celestial a la que sólo se podía llegar desde la Tierra cruzando el puente del arco iris, llamado Bifrost.

Ashab ver COMPAÑEROS DEL PROFETA

ashanti *o* **asante** Pueblo del sur de Ghana y áreas adyacentes de Togo y Costa de Marfil. Es el grupo más grande de los pueblos AKAN y su dialecto es el twi, una de las lenguas KWA, rama de las lenguas NIGEROCONGOLEÑAS; en conjunto, los pueblos akan constituyen cerca de la mitad de la población de Ghana. Aunque actualmente algunos ashanti viven y trabajan en centros urbanos, la mayoría vive en aldeas y se dedica a la agricultura. El símbolo de la unidad ashanti es el taburete de oro, considerado tan sagrado que ni los reyes pueden sentarse en él. Los ashanti abastecían de esclavos a los traficantes británicos y holandeses a cambio de armas de fuego, las que usaron en la construcción de un gran imperio en los s. XVIII y XIX. Combatieron a los británicos en varias guerras (1824, 1863, 1869, 1874) y finalmente perdieron su capital, KUMASI, en 1896. De ahí en adelante, lo que quedó del imperio entró en decadencia. En la economía ashanti, la orfebería y la tela *kente* continúan siendo importantes artículos comerciales. Ver también FANTI.

Jefe ashanti con ropa de seda y alhajas de oro.
DORAN H. ROSS

Ash'arī, Abū al-Ḥasan al- (873/874, Basora, Irak–935/936, Bagdad). Teólogo árabe musulmán. Probablemente perteneció a la familia de Abū Mūsā al-Ash'arī, quien formó parte de los COMPAÑEROS DEL PROFETA. Se unió a la escuela MU'TAZILÍ y recopiló opiniones eruditas en su *Maqālāt al-Islāmīyīn* [Opiniones teológicas de los musulmanes]. Cuando tenía alrededor de 40 años, concluyó que su método había llevado a conceptos estériles de Dios y de la humanidad, y cambió hacia una teología más ortodoxa. Revisó y aumentó su obra *Maqālāt* y escribió el *Kitāb al-Luma'* [El libro luminoso]. Sus reflexiones acerca de las ideas de al-Muhasibi y de otros lo condujeron a la creación de su propia escuela, que se conoció como khorāsān, o escuela ash'arita. Ver también ASARIYÁ.

Ashbery, John (Lawrence) (n. 28 jul. 1927, Rochester, N.Y., EE.UU.). Poeta estadounidense. Licenciado de las universidades de Harvard y Columbia, llegó a ser conocido posteriormente como crítico de arte. Sus poemas sobresalen por su elegancia, originalidad y oscuridad, y se caracterizan por la presencia de imágenes deslumbrantes, rimas exquisitas, formas intrincadas y giros repentinos de tono y tema. Sus antologías incluyen *The Double Dream of Spring* [El sueño doble de la primavera] (1970), *Autorretrato en espejo convexo* (Premio Pulitzer y National Book Award, 1975), *A Wave* [Una ola] (1984), *Diagrama de flujo* (1991) y *Wakefulness* [Estado de vigilia] (1998).

Ash-Can, escuela Grupo de pintores realistas estadounidenses que desarrollaron su obra en la ciudad de Nueva York (c. 1908–18). Se especializaron en escenas cotidianas de la vida urbana. En el grupo central, que se inspiraba en ROBERT HENRI, figuraban artistas como WILLIAM GLACKENS, George Luks (n. 1867–m. 1933), Everett Shinn (n. 1876–m. 1953) y JOHN SLOAN. Como artistas-reporteros del *Philadelphia Press* antes de mudarse a Nueva York, habían desarrollado un agudo sentido de observación y memoria para el detalle. A pesar de que representaban frecuentemente barrios pobres y parias urbanos, estaban más interesados en los aspectos pintorescos de estos temas que en los problemas sociales que planteaban. GEORGE WESLEY BELLOWS y EDWARD HOPPER también se asociaron a este grupo. Ver también los OCHO.

Ashcroft, Dame Peggy *orig.* **Edith Margaret Emily Ashcroft** (22 dic. 1907, Croydon, Londres, Inglaterra–14 jun. 1991, Londres). Actriz británica. Debutó en 1927 y a partir de 1932 formó parte de la compañía OLD VIC, en la que triunfó con *Romeo y Julieta* (1935). Protagonizó más de 100 obras teatrales, interpretando con éxito comedias y tragedias. Una de las grandes actrices del teatro inglés, fue miembro fundador de la ROYAL SHAKESPEARE COMPANY (1961), y posteriormente se convirtió en su directora. Actuó en películas como *Los 39 escalones* (1935) y *Pasaje a la India* (1984, premio de la Academia) y en la serie de televisión *The Jewel in the Crown* (1984).

Ashe, Arthur (Robert), Jr. (10 jul. 1943, Richmond, Va., EE.UU.–6 feb. 1993, Nueva York, N.Y.). Tenista estadounidense. Ganó su primer título de *singles* en un Grand Slam cuando aún era aficionado (el Abierto de EE.UU. de 1968). Fue el primer miembro afroamericano del equipo estadounidense de Copa DAVIS y contribuyó a ganar cinco campeonatos de dicho torneo (1963, 1968, 1969, 1970 y 1978). En 1975 obtuvo el título de *singles* en WIMBLEDON y encabezó el ranking del campeonato mundial de tenis. Se retiró en 1980 y fue capitán del equipo estadounidense de Copa Davis hasta 1985. Fuera de la cancha fue crítico de las injusticias raciales, como la política del *apartheid* sudafricana. En 1992 reveló que había sido infectado con el VIH por una transfusión de sangre posoperatoria, y desde ese momento se dedicó a aumentar la conciencia pública respecto del sida. Desde 1997, el Abierto de EE.UU. se juega en el estadio Arthur Ashe, construido en el Centro nacional de tenis en Flushing, N.Y.

Ashford, Evelyn (n. 15 abr. 1957, Shreveport, La., EE.UU.). Velocista estadounidense. Estudió en la UCLA, donde ganó cuatro títulos nacionales universitarios. También compitió en los Juegos Olímpicos de 1976. Luego logró los títulos mundiales de 100 y 200 m planos en 1979 y 1981, y fue nombrada la atleta del año en ambas ocasiones. En los Juegos Olímpicos de 1984 obtuvo medalla de oro en 100 m planos y relevo de 4 x 100. En los Juegos Olímpicos de 1988 logró preseas de plata y oro en las mismas pruebas. En los

Juegos de 1992, su quinta olimpíada, se convirtió a los 35 años en la mujer de mayor edad en ganar una medalla de oro en atletismo, al ser parte del relevo de 4 x 100.

Ashikaga, familia Familia guerrera japonesa que estableció el sogunado Ashikaga en 1338. Su fundador, Ashikaga Takauji (n. 1305–m. 1358), apoyó el intento del emperador GO-DAIGO de arrebatar a la familia HOJO el dominio que ejercía sobre el país, pero luego se volvió contra él y entronizó un emperador de otra rama de la familia imperial, quien otorgó a Takauji el título de SOGÚN. Su nieto Yoshimitsu (n. 1358–m. 1408), tercer sogún Ashikaga, puso término a la doble corte imperial que había surgido debido a las acciones de su abuelo, tomó un rol activo en la burocracia cortesana y reorganizó el gobierno civil. Reabrió el comercio formal con China y es recordado como un mecenas de las artes; ordenó construir el famoso Pabellón Dorado (Kinkaku-ji) en Kioto. Ashikaga Yoshimasa (n. 1436– m. 1490), octavo sogún Ashikaga, también fue un gran protector de las artes y un devoto de la ceremonia del TÉ. Ordenó levantar el Pabellón Plateado (Ginkaku-ji), cuya modesta elegancia contrasta con la opulencia del Pabellón Dorado. En lo político, el período de Yoshimasa como sogún coincidió con la creciente pérdida de control sobre las zonas rurales a medida que Japón se sumía en un siglo de guerra civil. Ver también DAIMIO; período MUROMACHI; guerra ONIN; SAMURAI.

Ashjabad Ciudad (pob., est. 1999: 605.000 hab.), capital de Turkmenistán. Ubicada en un oasis a los pies de la ladera norte de la cordillera de Kopet-Dag, cerca del límite con Irán, fue fundada en 1881 como un fuerte militar ruso; entre 1924 y 1990 fue la capital de la república socialista soviética de Turkmenistán. En 1948, un violento terremoto destruyó la ciudad y luego fue reconstruida según el mismo plano. Actualmente es un centro industrial, cultural y de transporte.

Ashley, William Henry (c. 1778, Powhatan, Va., EE.UU.– 26 mar. 1838, cond. de Cooper, Mo.). Comerciante en pieles estadounidense. Llegó a Missouri hacia 1802 y prosperó con especulaciones mineras y de tierras. En 1820 fue el primer teniente gobernador del estado. En 1822, formó con Andrew Henry (n. 1771–m. 1833) la empresa Rocky Mountain Fur Co. e instaló una tienda de intercambio en la desembocadura del río Yellowstone. Cuando los indios lo obligaron a abandonarla, instituyó un encuentro anual (1825) durante el cual los tramperos le canjeaban sus pieles a cambio de provisiones para el año siguiente. En 1827 ya había ganado una fortuna y se retiró del negocio. Elegido miembro de la Cámara de Representantes (1831–37), defendió los intereses del Oeste.

Ashqelon *ant.* **Ascalón** Ciudad (pob., est. 2000: 98.937 hab.) y emplazamiento arqueológico de Israel. Esta ciudad costera fue tradicionalmente la clave para conquistar el sudoeste de PALESTINA. Su nombre figura ya en textos egipcios de c. 1800 AC. Fue conquistada por varios imperios antiguos, como el de ALEJANDRO MAGNO (332 AC). Dominada por los árabes en 636 DC, posteriormente fue ocupada por los cruzados en 1153, convirtiéndose en uno de sus puertos principales (ver CRUZADAS). Fue recuperada por el sultán ayubí SALADINO en 1187 y destruida por el sultán mameluco BAYBARS I en 1270. La moderna Ashqelon, originalmente una ciudad árabe, fue repoblada por los israelíes después de 1949 y es hoy un centro turístico e industrial.

ashram *o* **asram** En el HINDUISMO, cualquiera de las cuatro etapas de vida por las que un hindú "dos veces nacido" (ver UPANAYANA) pasará teóricamente. Estas etapas son: la de estudiante soltero, en que le debe devoción y obediencia al maestro; la de jefe de hogar, en que sostiene una familia, a los sacerdotes y a la vez cumple los deberes religiosos con los dioses y antepasados; la etapa de ermitaño, en que se retira de la sociedad para dedicarse a las prácticas ascéticas y de yoga; y, finalmente, la etapa de mendigo, errante y sin hogar, en que renuncia a todas las posesiones y vaga de un lugar a otro, mendigando su alimento. En la actualidad, por deformación, el término alude a un lugar de retiro para la práctica de disciplinas religiosas o espirituales, a menudo bajo la dirección de un GURÚ.

Ashton, Sir Frederick (William Mallandaine) (17 sep. 1904, Guayaquil, Ecuador–18 ago. 1988, Sussex, Inglaterra). Coreógrafo principal y director del ROYAL BALLET de Inglaterra. Después de crear ballets desde 1925 para el Ballet Club (luego, Ballet Rambert), se incorporó en 1933 al Vic-Wells Ballet (posteriormente, Royal Ballet), donde llegó a ser director coreográfico, ayudante de dirección (1953–63) y director (1963–70). Todavía forman parte de su repertorio por lo menos 30 de sus obras, como *Façade* (1931), *Symphonic Variations* (1946) y *Birthday Offering* (1956).También realizó coreografías para otras compañías como el Ballet real danés (*Romeo y Julieta*, 1955) y el NEW YORK CITY BALLET (*Illuminations*, 1950).

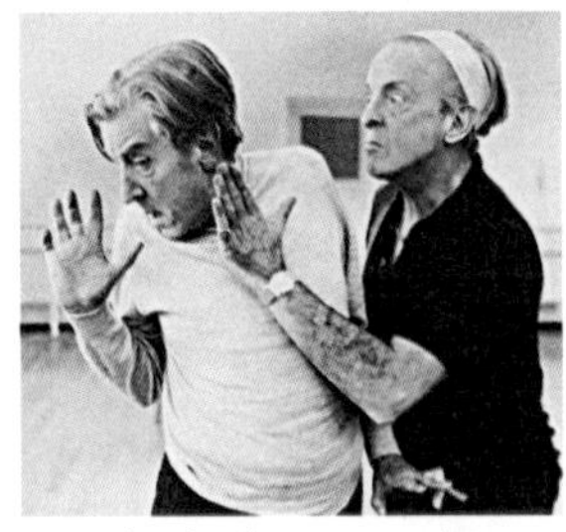

Sir Frederick Ashton (izquierda) y Robert Helpmann ensayando los roles de las hermanastras en *La Cenicienta*, 1965.

CENTRAL PRESS—PICTORIAL PARADE

Asia El continente más grande de la Tierra. Limita con los océanos Ártico, Pacífico e Índico; el límite occidental, con Europa, se extiende de norte a sur a lo largo de los montes URALES orientales; los mares Caspio, Negro, Egeo y Mediterráneo; el canal de Suez y el mar Rojo. También forman parte de Asia las islas de Sri Lanka y Taiwán y los archipiélagos de Indonesia (excluida Nueva Guinea), Filipinas y Japón. Superficie: 44.614.000 km^2 (17.226.000 mi^2). Población (est. 2001): 3.772.103.000 hab. Las montañas y mesetas predominan en el continente, localizándose las montañas más altas en Asia central y al norte del subcontinente indio. Entre su topografía destacan la cumbre más alta del mundo, el monte EVEREST, de 8.850 m (29.035 pies), y el punto natural más bajo, el mar MUERTO, a 400 m (1.312 pies) bajo el nivel del mar. De las regiones áridas de Asia las más extensas son los desiertos de THAR y GOBI. Posee algunos de los ríos más largos del mundo, como los ríos ÉUFRATES, TIGRIS, INDO, GANGES (Ganga), YANGTZÉ (el río más largo de Asia), HUANG HE (Amarillo), OBI, YENISÉI y LIENA. El mar CASPIO, el mar de ARAL y el mar Muerto son grandes lagos salados. Más del 15% del territorio asiático es arable. Los principales grupos de lenguas de Asia son las CHINOTIBETANAS,

Taipei, gran centro urbano y principal zona comercial y manufacturera de Taiwán, importante potencia industrial de Asia oriental.

© CORBIS

INDOARIAS, AUSTRONESIAS, AUSTROASIÁTICAS y SEMÍTICAS; entre las lenguas singulares más importantes se encuentran el JAPONÉS y el COREANO. En Asia del este existen tres grupos étnicos predominantes: chino, japonés y coreano. El subcontinente indio contiene una gran diversidad de pueblos, la mayoría de los cuales habla lenguas provenientes del subgrupo indoario de la familia INDOEUROPEA. Debido a la influencia china y de la ex Unión Soviética, el dialecto chino mandarín y el idioma ruso son ampliamente utilizados en la región. Asia es la cuna de las principales religiones del mundo y de cientos de otras menores. El HINDUISMO es la religión más antigua que se haya originado en Asia meridional; el JAINISMO y el BUDISMO surgieron en los s. VI y V AC, respectivamente. El sudoeste de Asia fue la cuna de las denominadas religiones abrahámicas: JUDAÍSMO, CRISTIANISMO e ISLAM. Tanto el TAOÍSMO como el CONFUCIANISMO, ambos originados entre los s. VI o V AC, han influenciado profundamente la cultura china y las culturas de pueblos vecinos. En relación con el nivel de vida de sus habitantes, Asia está marcado por grandes disparidades de ingreso. Pocos países han logrado altos niveles de vida, especialmente Japón, Singapur y los países ricos en petróleo de la península Arábiga; otros, como Bangladesh y Myanmar, están entre los más pobres del planeta. Entre estos extremos se encuentran Rusia, China e India. Asia es un territorio de gran diversidad cultural, pero existen cinco influencias culturales principales: china, india, islámica, europea y asiática central. China ha ejercido una gran influencia sobre el Asia del este, tanto por ser la fuente del confucianismo, como por sus estilos artísticos y su sistema de escritura. La influencia india se ha plasmado a través del hinduismo y el budismo, abarcando el Tíbet, Indonesia, Camboya y Asia central. El Islam se expandió desde su Arabia original para cobrar importancia en el Medio Oriente, en Asia meridional, Asia central y en otros lugares. Al menos hace un millón de años, los homínidos *Homo erectus* migraron de África hacia el este, en Asia. Entre 3500 y 3000 AC se desarrolló en los valles de los ríos Tigris y Éufrates (ver MESOPOTAMIA) una de las primeras civilizaciones que usó la escritura. Hacia 2500 AC, le siguieron las civilizaciones del valle del río Indo y del norte de Siria. La civilización urbana china comenzó con la dinastía SHANG (c. 1600–1046 AC) y continuó bajo la dinastía ZHOU (1046–256 AC). Los pueblos de habla indoeuropea (ARIOS) comenzaron a invadir India desde el oeste c. 1.700 AC, y desarrollaron la religión VÉDICA. Una sucesión de imperios y gobernantes carismáticos, entre ellos ALEJANDRO MAGNO, esparcieron su dominio político hasta donde su poderío militar pudo llevarlos. En el s. XIII DC, GENGIS KAN y sus sucesores MONGOLES unificaron gran parte de Asia bajo su dominio. En el s. XIV, el jefe militar turco TAMERLÁN conquistó gran parte de Asia central. En el s. XV, los turcos musulmanes destruyeron los restos del Imperio bizantino. En el s. XIX, el imperialismo europeo comenzó a reemplazar al imperialismo asiático. La Rusia zarista impulsó su control político a través de Asia hasta el océano Pacífico, los británicos tomaron el control de India y Birmania (Myanmar), los franceses dominaron la zona oriental del Sudeste asiático (ver INDOCHINA FRANCESA), los holandeses ocuparon las Indias Orientales (Indonesia), y los españoles, y más tarde EE.UU., dominaron Filipinas. Después de la segunda guerra mundial (1939–45), el imperialismo europeo desapareció al independizarse sus antiguas colonias durante la segunda mitad del s. XX.

Gengis Kan, artífice de la unificación de Asia en el s. XIII DC.
FOTOBANCO

En Asia sudoriental el arroz constituye el principal cultivo alimentario y un porcentaje importante de la población se dedica a estas labores.
ARCHIVO EDIT. SANTIAGO

Asia central, artes de ver ARTES DE ASIA CENTRAL

Asia Menor ver ANATOLIA

Asia meridional, artes de ver ARTES DE ASIA MERIDIONAL

Asia oriental, artes de ver ARTES DE ASIA ORIENTAL

Asia-Pacific Economic Cooperation ver APEC

Asia sudoriental, artes de ver ARTES DE ASIA SUDORIENTAL

asignación de recursos Prorrateo de activos productivos entre diferentes usos. La cuestión de la asignación de recursos se plantea cuando las sociedades procuran equilibrar recursos limitados (CAPITAL, MANO DE OBRA, TIERRA) frente a las variadas y a menudo ilimitadas necesidades de sus miembros. Los mecanismos de asignación de recursos comprenden el sistema de precios en economías de libre mercado y la planificación gubernamental tanto en economías estatistas como en el sector público de economías mixtas. El objetivo es siempre asignar recursos de manera tal de obtener el máximo rendimiento posible, dado una cierta combinación de ellos.

asignación por agotamiento En derecho tributario, las deducciones del ingreso bruto permitidas a los inversionistas en productos primarios no renovables (como son los minerales, petróleo o gas) por concepto del agotamiento de los yacimientos. La asignación por agotamiento es un incentivo para estimular la inversión en esta industria de alto riesgo, a pesar de que las críticas sostienen que los yacimientos minerales son lo suficientemente valiosos como para justificar los altos niveles de inversión, incluso sin incentivos tributarios. Ver también DEPRECIACIÓN.

asilo Protección contra el arresto y la extradición que brindan a refugiados políticos un país o una embajada que goza de inmunidad diplomática. Nadie tiene legalmente derecho a asilo; otorgarlo es una facultad privativa de cada país. En consecuencia, el asilo es un derecho del Estado y no de la persona. Tradicionalmente se ha utilizado para proteger a personas acusadas de delitos políticos como TRAICIÓN, deserción, SEDICIÓN y ESPIONAJE. A comienzos del s. XX, el asilo se hizo extensivo a personas que pudieron demostrar que estaban expuestas a un considerable riesgo de persecución por motivos políticos si regresaban a sus países de origen. En materia de asilo, se distingue entre el asilo territorial y el asilo diplomático, entendiéndose por este último el otorgado a personas perseguidas por motivos o delitos políticos, en legaciones, navíos de guerra y recintos o aeronaves militares. El asilo diplomático es fruto de la tradición humanitaria latinoamericana y está reglamentado en la convención de Caracas de 1954, suscrita en la Décima Conferencia Interamericana celebrada en dicha ciudad venezolana.

asilo Cualquiera de unas 4.000 especies de DÍPTEROS predadores de la familia Asilidae, de distribución mundial. Los asilos son los dípteros de mayor tamaño; algunas especies tienen 8 cm (3 pulg.) de largo. La mayoría tiene un cuerpo robusto y de color opaco, que recuerda a un abejorro, y un mostacho de cerdas entre los ojos, que son macrofacetados. Usan sus patas largas para capturar insectos en pleno vuelo y sostenerlos mientras los devora; un fluido que inyecta a la presa lisa el tejido muscular. Unas pocas especies son plagas graves de apiarios.

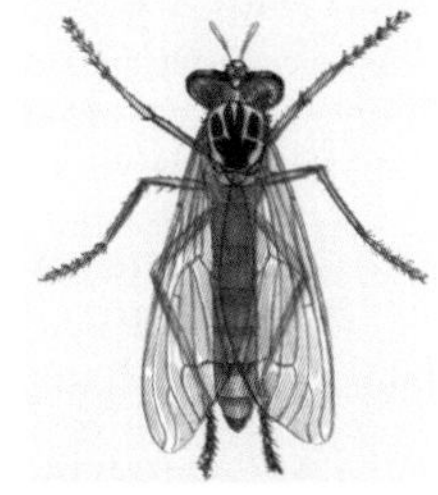

Asilo, díptero de la familia Asilidae.

asimetría hemisférica ver LATERALIDAD

asimina Árbol o arbusto deciduo (*Asimina triloba*) de la familia de las Anonáceas (Ver CHIRIMOYO) nativo del medio-oeste y este de EE.UU. Puede crecer hasta 12 m (40 pies) de alto y tiene hojas colgantes, ampliamente oblongas y puntiagudas, que miden hasta 30 cm (12 pulg.) de longitud. Posee flores púrpuras que exhalan un olor fétido, las que aparecen antes de que broten las hojas en primavera, y un fruto comestible parecido a un banano rechoncho cuya cáscara se torna negra al madurar. La manipulación de los frutos de este árbol produce una reacción dérmica en personas alérgicas.

Asimina (*Asimina triloba*).

Asimov, Isaac (2 ene. 1920, Petrovichi, Rusia–6 abr. 1992, Nueva York, N.Y., EE.UU.). Escritor y bioquímico estadounidense de origen ruso. Llegó a EE.UU. a la edad de tres años, obtuvo un doctorado en la Universidad de Columbia y después enseñó por muchos años en la Universidad de Boston. Antes de comenzar sus estudios universitarios, ya había publicado sus primeros cuentos. "Nightfall" ["Anochecer"] (1941) ha sido considerado a menudo como el mejor cuento de ciencia ficción que se haya escrito. Su *Yo, robot* (1950) influyó fuertemente en la manera en que los escritores posteriores abordarían el tema de las máquinas inteligentes. Su obra *La trilogía de la Fundación* (1951–53) es unánimemente considerada un clásico. Los libros de ciencia de Asimov, escritos para lectores legos, sobresalen por su lucidez y humor. Autor inmensamente prolífico, publicó más de 300 volúmenes en total.

asíntota En matemática, una recta o curva que actúa como el LÍMITE de otra recta o curva. Por ejemplo, una curva descendente que se acerca pero no alcanza al eje horizontal se dice que es asintótica a ese eje, el cual es asíntota de la curva.

Asiria Antiguo imperio del sudoeste de Asia. Creció desde una pequeña región en torno de ASSUR (en el norte de Irak) hasta alcanzar un área que abarca desde PALESTINA hasta ANATOLIA. Los orígenes de Asiria pueden remontarse al tercer milenio AC, pero fue adquiriendo su poder en forma gradual. Su período de mayor esplendor comienza en el s. IX AC, cuando bajo el mandato de Assurnasirpal II (n. 883–m. 859) sus conquistas alcanzaron el mar Mediterráneo y, nuevamente, c. 746–609 AC, durante el Imperio neoasirio, cuando conquistó gran parte del Medio Oriente. Sus principales gobernantes durante el último período fueron TIGLATPILESER III, SARGÓN II, SENAQUERIB y ASSURBANIPAL. Los asirios, famosos por su crueldad y destreza en combate, fueron también grandes constructores, como se ha demostrado en los descubrimientos arqueológicos de NÍNIVE, Assur y CALACH (Nimrud). La fastuosidad de la corte de Assurbanipal en Nínive llegó a ser legendaria. En materia de arte, los asirios fueron particularmente notables por sus bajorrelieves en piedra. Entre 626 y 612 AC, el Imperio fue derrotado, cuando Nínive fue destruida por los reyes de MEDIA y BABILONIA (Caldea).

asirio-babilónica, lengua ver ACADIO

askenazí Cualquiera de los judíos hablantes de YIDDISH, que se establecieron en Europa central y del norte, o su descendencia. Los askenazíes vivieron originalmente en el valle del Rin o Renania, y su nombre derivaría de la palabra hebrea Aškenaz ("Alemania"). Tras el comienzo de las cruzadas, a fines del s. XI, muchos emigraron hacia Polonia, Lituania y Rusia, escapando de la persecución. En siglos posteriores, los judíos que adoptaron el rito alemán para el ritual de la sinagoga fueron llamados "askenazim" para diferenciarlos de los sefardíes (ver SEFARDÍ), o judíos del rito español, de quienes difieren en tradiciones culturales, pronunciación del hebreo y cantos de sinagoga, así como en el uso del yiddish (aun hasta hoy). Los askenazíes constituyen hoy más del 80% de los judíos distribuidos por el mundo.

Askia ver MUḤAMMAD I ASKIA

Askja Caldera volcánica en Islandia. El cráter más grande del macizo volcánico de Dyngjufjöl, Askja se ubica a 32 km (20 mi) al norte de Vatnajökull, el mayor campo de hielo de Islandia. Sus escarpados picos, que alcanzan los 1.510 m (4.954 pies), rodean un lago de 11 km^2 (4.25 mi^2) que ocupa la caldera. El volcán hizo erupción en 1875 y nuevamente en 1961.

asma Enfermedad crónica con ataques de disnea, respiración sibilante y tos producida por la constricción de los bronquios (vías aéreas de los pulmones) y edema de su mucosa. Es causada principalmente por ALERGIA o infección respiratoria. Fumar en forma pasiva puede causar asma en los niños. El asma es común y viene de familia; la predisposición a esta enfermedad puede ser hereditaria. El ejercicio, el estrés, los cambios bruscos de temperatura o de humedad pueden precipitar ataques en las personas asmáticas. Los ataques duran habitualmente de media hora a varias horas, y si son graves pueden ser fatales. Los corticoesteroides pueden controlar el asma, así como las inyecciones de EPINEFRINA aliviar los ataques agudos. La prevención implica evitar la exposición a los alergenos.

Asmar, Tell ver ESNUNNA

Asmara Ciudad (pob., est. 1995: 431.000 hab.), capital de Eritrea. Se encuentra en el extremo norte de la meseta etíope, a una altura de 2.367 m (7.765 pies) sobre el nivel del mar. Mitsiwa, su puerto en el mar Rojo, se ubica 65 km (40 mi) al nordeste de la ciudad. Antiguamente un villorrio de la etnia tigré (ver TIGRÉ), en 1900 Asmara se convirtió en la capital de la colonia italiana de Eritrea. Estuvo bajo dominio británico desde 1941 hasta que en 1952

Catedral de Nuestra Señora del Rosario en Asmara, capital de Eritrea.

Eritrea y Etiopía se unieron en una federación. En 1993 se convirtió en capital de la Eritrea independiente. Actualmente es un mercado agrícola.

Asmoneos, dinastía de los Dinastía de la antigua JUDEA, descendientes de la familia de los MACABEOS. El nombre deriva de su ancestro Asmoneo, pero el primero de la dinastía reinante fue Simón Macabeo, quien se convirtió en el líder de la revuelta en contra del rey SELÉUCIDA c. 143 AC y, victorioso, fue ungido sumo sacerdote, gobernante y etnarca de Judea. El último asmoneo fue depuesto y ejecutado en 37 AC por los romanos comandados por MARCO ANTONIO.

asno salvaje Cualquiera de dos especies de EQUINOS robustos y pequeños. Los asnos tienen 90–150 cm (3–5 pies) de alzada. El asno salvaje africano o asno genuino (*Equus asinus*) es de color gris azulado a anteado. El asno salvaje asiático u onagro (*E. hemionus*) es rojizo a gris amarillento. A diferencia del asno genuino, el onagro tiene patas sumamente largas y delgadas, orejas más cortas y cascos más grandes. El asno genuino da el típico rebuzno alternado "ji-jo". Moradores del desierto, los asnos salvajes suelen habitar regiones que no permiten la existencia de otros grandes mamíferos. Son corredores muy veloces. Ver también BURRO.

Aso *o* **Assos** Antigua ciudad del sur de TRÓADE (actual noroeste de Turquía). Fundada c. 900 AC, en el golfo de Edremit, frente a LESBOS, fue durante mucho tiempo una importante ciudad portuaria. ARISTÓTELES enseñó allí en 348–345 AC y fue el lugar de nacimiento del filósofo Cleantes (n. ¿331?–m. ¿232? AC). En la actualidad, sus ruinas se encuentran en la aldea de Behramköy.

Aso, monte *japonés* **Aso-san** Montaña volcánica del centro de la isla de KYUSHU, Japón. La más alta de sus cinco cumbres, tiene una altura aproximada de 1.592 m (5.223 pies). Posee uno de los cráteres activos más grandes del mundo, cuya circunferencia mide 114 km (71 mi); su caldera marca el sitio del cráter original, y en él se encuentran un volcán activo y aguas termales. El cráter está habitado; sus pastos se usan para la cría de ganado y la explotación lechera. El volcán se ubica en el centro del parque nacional Aso-Kuju.

Monte Aso, cuyo cráter es uno de los mayores del mundo; parque nacional Aso-Kuju, isla de Kyushu, Japón.
FOTOBANCO

asociación En psicología, proceso de formación de conexiones o enlaces mentales que se establecen entre las sensaciones, las ideas o los recuerdos. A pesar de haber sido analizado por los antiguos griegos (en términos de similitudes, contrastes y contigüidades), el concepto de "asociación de ideas" fue propuesto inicialmente por JOHN LOCKE y estudiado más tarde por DAVID HUME, JOHN STUART MILL, HERBERT SPENCER y WILLIAM JAMES. IVÁN PÁVLOV utilizó métodos objetivos para estudiar este fenómeno, que lo llevó a identificar la existencia del reflejo condicionado (ver CONDICIONAMIENTO). En PSICOANÁLISIS, el terapeuta incentiva el uso de la "asociación libre" con el objetivo de ayudar a identificar los CONFLICTOS latentes. Los psicoterapeutas de la GESTALT y otros han criticado las teorías asociacionistas por considerarlas excesivamente generalizadoras, en tanto, algunos teóricos de la PSICOLOGÍA COGNITIVA las consideran un aspecto central de su teoría de la MEMORIA.

Asociación Cristiana de Jóvenes ver YMCA

Asociación de Estados Caribeños (AEC) Bloque comercial compuesto por 25 países del Caribe. En respuesta a una propuesta del presidente BILL CLINTON para formar un Área de Libre Comercio de las Américas (ALCA), los bloques comerciales ya existentes en el área caribeña sumaron fuerzas en 1995 para fortalecer su posición económica y facilitar su futura integración en el ALCA. Sobresalen en la AEC los países de la CARICOM (trece países anglohablantes y Surinam), que han estado luchando por crear una economía y un mercado únicos al estilo de la Unión Europea. La AEC se ha ocupado de temas como la respuesta mancomunada a los desastres naturales, el término del embargo estadounidense a Cuba y el fin del tránsito de barcos con material nuclear por el canal de Panamá.

Asociación de Naciones del Sudeste Asiático ver ASEAN

Asociación Europea de Libre Comercio *inglés* **European Free Trade Association (EFTA)** Organización internacional cuyo propósito es eliminar las barreras al comercio de productos industriales entre sus miembros. Los actuales miembros del EFTA son Islandia, Liechteinstein, Noruega y Suiza. Fue formada en 1960 por Austria, Dinamarca, Noruega, Portugal, Suecia, Suiza y Reino Unido como una alternativa a la COMUNIDAD ECONÓMICA EUROPEA (CEE). Posteriormente, algunos de estos países abandonaron la EFTA y se unieron a la CEE. En la década de 1990, Islandia, Liechtenstein y Noruega se incorporaron al Area Económica Europea, que también incluía a todos los miembros de la UNIÓN EUROPEA (UE). Cada país de la EFTA tiene su propia política comercial hacia los países que están fuera de la organización.

Asociación Latinoamericana de Integración ver ALADI

asociación, leyes de *inglés* **Combination Acts** Leyes británicas de 1799 y 1800 que prohibieron los sindicatos. Estas normas declararon ilegal que cualquier trabajador se uniera a otro para obtener un aumento de salario o una disminución de las horas de trabajo, pedir a alguien más abandonar el trabajo u oponerse a trabajar con cualquier otro trabajador. Fueron revocadas en 1824 gracias a las gestiones del reformador radical Francis Place (n. 1771–m. 1854).

Asociación Médica Americana (AMA) Organización de médicos estadounidenses. Fue fundada en 1847 "para promover la ciencia y el arte de la medicina y el mejoramiento de la salud pública". Tiene alrededor de 250.000 miembros, cerca de la mitad de todos los médicos que ejercen en EE.UU. Difunde información a sus miembros y al público en general, funciona como grupo de presión y colabora en el establecimiento de los estándares de educación médica. Sus publicaciones incluyen el *Journal of the American Medical Association*, *American Medical News* y revistas de especialidades médicas.

Asociación Nacional de Educación *inglés* **National Education Association** Asociación voluntaria de profesores, administradores y otros educadores de EE.UU. relacionados con escuelas primarias y secundarias, *colleges* (colegios universitarios) y universidades. Fundada en 1857 como la National Teachers Association, se encuentra entre las organizaciones profesionales más grandes del mundo. Funciona en forma similar a un SINDICATO y representa a sus miembros a través de numerosas filiales de estado y locales. Su objetivo es mejorar las escuelas y las condiciones laborales, fomentar la causa de la educación pública, promover la legislación federal y patrocinar la investigación. Ver también FEDERACIÓN ESTADOUNIDENSE DE PROFESORES.

Asociación universal para el progreso de la raza negra *inglés* **Universal Negro Improvement Association (UNIA)** Organización fundada en Jamaica en 1914 por Marcus Garvey. Con la llegada de Garvey a Nueva York en 1916, la asociación ejerció mucha influencia en los barrios urbanos afroamericanos de EE.UU. Se dedicó a promover el orgullo racial, la autonomía económica y la formación de una nación negra independiente en África. La UNIA perdió influencia a partir de 1923, cuando Garvey fue condenado por fraude, pero fue la precursora del NACIONALISMO NEGRO.

asociatividad, ley de Dos leyes acerca de operaciones numéricas estrechamente relacionadas entre sí. En símbolos, ellas se expresan: $a + (b + c) = (a + b) + c$, y $a(bc) = (ab)c$. Es decir, el orden de los términos o factores no altera el resultado. Esto es válido para los números que en general son: positivos y negativos, enteros y fraccionarios, racionales e irracionales, reales e imaginarios. Existen excepciones (p. ej., en álgebras no-asociativas y en SERIE INFINITA divergente). Ver también ley de CONMUTATIVIDAD; ley de DISTRIBUTIVIDAD.

Asoka (c. 304–c. 232 AC). Último gran emperador (c. 269–232 AC) del Imperio MAURYA de India y patrono del BUDISMO. Después de su sangrienta conquista del reino de Kalinga, en el octavo año de su reinado, Asoka renunció a la agresión militar y decidió vivir según el DHARMA. No hizo proselitismo sino que mantuvo las discusiones doctrinarias dentro de círculos budistas, a la vez que adoptó una política de tolerancia hacia otras religiones. Difundió las enseñanzas de Buda a través de inscripciones conocidas como los Edictos en roca y los Edictos en pilares. Exigió a sus funcionarios estar atentos a las necesidades del pueblo e impartir justicia con imparcialidad; se nombraron ministros del dharma para aliviar el sufrimiento y para atender las inquietudes particulares de otras religiones, las necesidades de las mujeres, de habitantes de regiones periféricas y de poblaciones vecinas. Erigió stupas (túmulos conmemorativos y votivos de Buda) y monasterios, desarrolló un programa de estudio para quienes se iniciaban en el budismo y envió misioneros a Sri Lanka. Se le recuerda como el ideal del gobernante budista.

asparagina Uno de los AMINOÁCIDOS no esenciales, ampliamente distribuido en las PROTEÍNAS vegetales y relacionado con el ácido ASPÁRTICO. En 1806 se aisló por primera vez del espárrago; se utiliza en medicina y en investigación bioquímica.

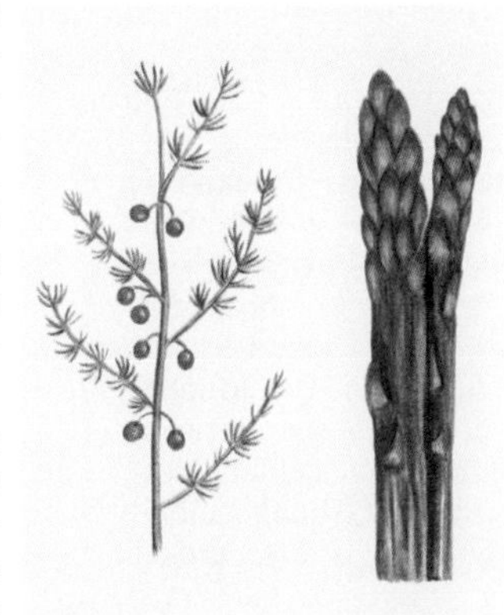
Espárrago (*A. officinalis*), género *Asparagus*.

Asparagus Género de la familia de las LILIÁCEAS, que contiene cerca de 300 especies nativas del área comprendida entre Siberia y África meridional. La especie más conocida y de importancia económica es el espárrago (*A. officinalis*), cultivado como HORTALIZA verde, por sus tallos suculentos que brotan en primavera. Muchas especies africanas se cultivan como plantas ornamentales. Las especies venenosas apreciadas por su follaje delicado y agraciado son *A. plumosus* (helecho espárrago plumoso, que no es un HELECHO verdadero), *A. sprengeri* y *A. asparagoides*.

aspartame Compuesto orgánico sintético (un dipéptido) de FENILALANINA y ácido ASPÁRTICO. Es 150–200 veces más dulce que el AZÚCAR de caña y se utiliza como un edulcorante de mesa no nutritivo y en alimentos preparados de bajas calorías (marcas registradas NutraSweet, Equal), pero no es apropiado para hornear. Por su contenido de fenilalanina, las personas con FENILCETONURIA deben evitarlo. Aunque está aprobado en EE.UU. por la FDA (Administración de drogas y alimentos) y por otras autoridades reguladoras alrededor del mundo, su seguridad, incluso para aquellos que no tienen la enfermedad, sigue siendo motivo de polémica. Ver también SACARINA.

Microfotografía de cristales de aspartame, endulzante artificial.

aspártico, ácido Uno de los AMINOÁCIDOS no esenciales, que se encuentra en muchas PROTEÍNAS y está estrechamente relacionado con la ASPARAGINA. Se utiliza en la investigación médica y bioquímica como un intermediario orgánico y en varias aplicaciones industriales. Es uno de los dos componentes del ASPARTAME.

Aspasia (floreció s. V AC). Amante de PERICLES y una figura relevante en la sociedad ateniense. Originaria de Mileto, vivió con Pericles c. 445 AC hasta su muerte en 429. Por no ser ciudadana, le negaron inicialmente los derechos civiles a su hijo. Aun cuando fue una intelectual admirada por SÓCRATES, debió soportar ataques públicos, especialmente en las comedias, por su vida privada y su supuesta influencia en la política exterior de Pericles.

Aspen Localidad (pob., 2000: 5.914 hab.) del centro-oeste de Colorado, EE.UU. Está ubicada a orillas del río Roaring Fork, al borde del parque White River National Forest, a una altitud de 2.410 m (7.907 pies). Fundada por cateadores c. 1878, tuvo su auge con la minería de la plata hacia 1887, pero declinó rápidamente luego de que los precios de ese mineral colapsaron a principios de la década de 1890. Su reactivación como centro de esquí comenzó a fines de la década de 1930, y hoy es un popular centro turístico; también es conocido por sus festivales culturales, sobre todo por el Festival Musical de Aspen.

Aspendos Ciudad de la antigüedad en Panfilia (actual sudoeste de Turquía). Hacia el s. V AC era una próspera ciudad. En 333 AC fue ocupada por ALEJANDRO MAGNO y en 133 AC por los romanos. Se destaca por sus ruinas romanas, incluido un gran teatro diseñado por el arquitecto Zenón, en honor del emperador MARCO AURELIO.

Aspergillus Género de HONGOS imperfectos (sinónimo, Deuteromycetes). Las especies cuya fase sexual es conocida se clasifican en el orden Eurotiales. *A. niger* produce moho negro en algunos alimentos; *A. niger*, *A. flavus* y *A. fumigatus* causan aspergilosis en humanos. *A. oryzae* se utiliza para fermentar SAKE y *A. wentii*, en el procesamiento de la soja.

aspersión y espolvoreamiento Métodos estándares para aplicar pesticidas químicos y otros compuestos a plantas, animales, suelos o productos agrícolas. En la aspersión, los productos químicos se disuelven o suspenden en agua o, a veces, en un medio oleoso. La mezcla se aplica luego en forma de aerosol (rocío fino). En el espolvoreamiento, los productos químicos, en forma de polvo fino y secos, se pueden mezclar con un vehículo inerte y aplicar con un ventilador. En la fumigación, los gases o vapores de compuestos volátiles se ponen en contacto con los materiales que se van a tratar. Los aerosoles y polvos se usan en las plantas para controlar insectos, ácaros, hongos y enfermedades bacterianas; en los animales, para combatir insectos propagadores de enfermedades como piojos y moscas, y para desmalezar. También se usan para aplicar fertilizantes minerales, acelerar o retardar el cuajado del fruto, retardar la caída de frutos a punto de madurar y defoliar plantas para facilitar la cosecha (p. ej., del algodón; ver DEFOLIANTE). Los aerosoles se adhieren a las superficies tratadas mejor que los polvos. La fumigación puede usarse para controlar insectos y algunas enfermedades en productos almacenados, o bien, para controlar insectos y a veces hongos y malezas en el suelo. El creciente uso de métodos de aspersión y espolvoreamiento ha causado preocupación por su impacto en el ambiente, en la cadena alimentaria, en el suministro de agua y en la salud pública. Los productos químicos nuevos y las medidas precautorias han aliviado estas preocupaciones sólo parcialmente. Ver también FUMIGADOR DE CULTIVOS; FUNGICIDA; HERBICIDA; INSECTICIDA.

Asphaltites, lacus ver mar MUERTO

áspid Término derivado del latín *aspis*, nombre usado en la antigüedad clásica para designar una serpiente venenosa, probablemente la COBRA egipcia (*Naja haje*). El áspid fue el símbolo de la realeza egipcia; su mordedura se usó en la época grecorromana para la ejecución de criminales. Se dice que CLEOPATRA se habría suicidado haciéndose morder por un áspid.

aspidistra Cualquier planta del género *Aspidistra* (familia de las LILIÁCEAS), nativas de Asia oriental y conocidas por su follaje ornamental. La única especie cultivada es una PLANTA DE INTERIOR conocida comúnmente como aspidistra (*A. elatior* o *A. lurida*), que tiene follaje SIEMPREVERDE con hojas largas, tiesas y puntiagudas, capaces de soportar temperaturas extremas, el polvo, el humo y otras condiciones de rigor. Sus flores solitarias y acampanadas suelen ser de color lila, si no marrón o verde, y se asientan en la base de la planta. Sus frutos son bayas pequeñas.

aspirina Nombre común del ácido acetilsalicílico, compuesto orgánico introducido en 1899. El ÉSTER del ácido SALICÍLICO y del ácido ACÉTICO inhibe la producción de PROSTAGLANDINAS en el cuerpo. Sus efectos ANALGÉSICO, antipirético y antiinflamatorio la hacen útil en los tratamientos de dolores de cabeza, dolor muscular y de articulaciones, causados por ARTRITIS, y los síntomas de fiebre e infecciones leves. También tiene un efecto ANTICOAGULANTE y los pacientes con CARDIOPATÍA CORONARIA la ingieren en dosis bajas para prevenir un ATAQUE CARDÍACO. El uso prolongado puede causar sangramiento estomacal y ÚLCERA PÉPTICA, y su ingesta en niños con fiebre ha sido vinculado al síndrome de REYE. Ver también ACETAMINOFENO; AINE; IBUPROFENO.

Asplund, (Erik) Gunnar (22 sep. 1885, Estocolmo, Suecia–20 oct. 1940, Estocolmo). Arquitecto sueco. Su obra muestra la importante transición histórica de la arquitectura neoclásica al modernismo. En 1928, influido por LE CORBUSIER, transitó desde un estilo retrospectivo hacia una nueva visión de la arquitectura. Planificó la exposición de Estocolmo de 1930, una propuesta de pabellones vidriados futuristas que tuvo una significativa influencia en la arquitectura de ferias posteriores. Su crematorio del cementerio del bosque en Estocolmo (1935–40), con su austera columnata neoclásica rodeada de prados, es admirado tanto por clasicistas como por modernistas.

Asquith, H(erbert) H(enry), 1er conde de Oxford y Asquith (12 sep. 1852, Morley, Yorkshire, Inglaterra–15 feb. 1928, Sutton Courtenay, Berkshire). Político y primer ministro británico (1908–16). Elegido a la Cámara de los Comunes en 1886, fue secretario del interior (1892–95). Líder del Partido Liberal, devino primer ministro en 1908. Su plan para limitar los poderes de la Cámara de los Lores culminó con la promulgación de la ley del PARLAMENTO DE 1911. Dirigió a Gran Bretaña en los años iniciales de la primera guerra mundial, pero las crisis internas sumadas a las bajas británicas sufridas en la guerra provocaron una insatisfacción generalizada. Renunció en 1916, pero permaneció como líder de su partido hasta 1926.

1er conde de Oxford y Asquith.

BBC HULTON PICTURE LIBRARY

asram ver ASHRAM

Assad, Ḥāfiẓ al- (6 oct. 1930, Qardāḥa, Siria–10 jun. 2000, Damasco). Presidente de SIRIA (1971–2000). En 1946 se afilió al PARTIDO BAAS y en 1955 egresó como piloto de guerra. Fue nombrado comandante de la fuerza aérea (1963), tras ayudar a los baatistas a conquistar el poder. Después de participar en un golpe militar en 1966, fue designado ministro de defensa. Encabezó un golpe de Estado en 1970 para reemplazar a su mentor político, Ṣalāḥ al-Jadīd, como líder de Siria. Se unió a Egipto en un ataque sorpresa contra Israel (1973), pero casi 20 años más tarde (1991), participó en negociaciones de paz con Israel con el fin de recuperar las alturas del GOLÁN, capturadas por Israel en la guerra de los SEIS DÍAS de 1967. Antiguo enemigo del líder iraquí ṢADDĀM ḤUSSEIN, apoyó a la alianza occidental contra Irak en la primera guerra del GOLFO PÉRSICO (1990–91). Fue sucedido por su hijo Bashshār.

Assal, lago Lago salado en el centro de Yibuti. Se encuentra a 157 m (515 pies) bajo el nivel del mar, y es el punto más bajo de África. Se ha utilizado para la extracción de sal.

Assam Estado (pob., est. 2001: 26.638.407 hab.) del nordeste de India. Con una superficie de 78.438 km^2 (30.285 mi^2), Assam limita con BUTÁN y BANGLADESH y los estados de ARUNACHAL PRADESH, NAGALAND, MANIPUR, MIZORAM, MEGHALAYA y BENGALA OCCIDENTAL; su capital es DISPUR. Durante el s. XIII, un gran reino independiente fue fundado allí por invasores provenientes de Myanmar (Birmania) y China; a principios del s. XVIII alcanzó su apogeo. A comienzos del s. XIX, los británicos tomaron el control del territorio. En la partición de India (1947), Assam perdió parte del territorio que pasó a Pakistán. A contar de la década de 1960, se crearon cuatro nuevos estados –Nagaland, Meghalaya, Mizoram y Arunachal Pradesh– a partir de territorios pertenecientes a Assam. Su principal accidente geográfico es el valle del río BRAHMAPUTRA. La población está compuesta por pueblos indoiraníes y asiáticos; la lengua de uso más común es el assamés.

Assiniboia Antigua región de Canadá occidental. Nombrada en honor a los indios ASSINIBOINE, era una zona de límites indefinidos, controlada por la HUDSON'S BAY CO. c. 1811–70. Comprendía el actual sur de Manitoba y, hasta 1818, los estados actuales de Dakota del Norte y Minnesota. Fue incorporada a

Manitoba en 1870. En 1882, el gobierno canadiense creó otro distrito de Assiniboia, como parte de los antiguos Territorios del Noroeste. En 1905, este distrito fue dividido entre Alberta y Saskatchewan.

assiniboine *o* **nakota** Pueblo indígena de las LLANURAS norteamericanas que viven mayoritariamente en las reservas de Montana, EE.UU, y Saskatchewan y Alberta, Canadá. Hablan una lengua SIOUX. Su nombre es una palabra ojibwa que significa "aquellos que cocinan con piedras". Se dividían en BANDAS, cada una de las cuales tenía sus propios jefes y consejo; por lo general mantenían buenas relaciones con los blancos. Las bandas y sus campamentos se desplazaban continuamente persiguiendo a los búfalos migrantes. La obtención de cabelleras y caballos, así como tocar al enemigo ("cuenta de golpes") durante la batalla se consideraban proezas guerreras. La población se vio drásticamente reducida por los estragos de la viruela en las décadas de 1820 y 1830, después de lo cual la mayoría de los sobrevivientes fueron ubicados en reservas. Unas 3.900 personas se identificaron como descendientes puros de este pueblo en el censo estadounidense de 2000. El número de los que residen en Canadá es algo menor.

Assiniboine apaciguando el espíritu de un águila asesinada, fotografía de Edward S. Curtis, 1908; *The North American Indian.*

GENTILEZA DE THE NEWBERRY LIBRARY, CHICAGO, AYER COLLECTION

Assiniboine, río Río del sur de Canadá. Nace en Saskatchewan, corre hacia el sudeste a través de Manitoba hasta confluir con el río ROJO DEL NORTE en WINNIPEG. Tiene unos 950 km (590 mi) de longitud y posee dos afluentes, el Qu'Appelle y el SOURIS. Explorado por PIERRE LA VERENDRYE en 1736, sirvió con posterioridad de ruta hacia las planicies para los colonizadores del río Rojo.

Assis, Joaquim Maria Machado de ver Joaquim M. MACHADO DE ASSIS

assistance, writ of Mandato general de allanamiento que usaban los ingleses en las colonias norteamericanas. La orden autorizaba a los funcionarios de aduana, con apoyo de un alguacil, para registrar cualquier residencia o barco en busca de artículos de contrabando, sin necesidad de precisar ni el lugar ni los bienes. En la década de 1760, los colonos rechazaron la legalidad de dichas órdenes, las que constituyeron un motivo de queja importante en los años anteriores a la guerra de independencia de los ESTADOS UNIDOS DE AMÉRICA. Ver también JAMES OTIS.

Associated Press (AP) AGENCIA DE NOTICIAS cooperativa, la más antigua y extensa de EE.UU. y del mundo. Sus comienzos se remontan a 1848, cuando seis diarios de la ciudad de Nueva York aunaron esfuerzos para financiar una distribución telegráfica de noticias extranjeras llegadas por barcos a Boston. En 1892, la moderna AP fue organizada según las leyes de Illinois; varios años después se trasladó a Nueva York. Un juicio federal antimonopolios en la década de 1940 puso término a la imposición de restricciones al ingreso de nuevos miembros. La AP fue la primera agencia en dedicar un cable noticioso a la cobertura de deportes (1946) y en distribuir información económica a través de una asociación con Dow Jones & Co., Inc. Más de 15.000 organizaciones del mundo obtienen noticias, fotografías e ilustraciones de la agencia. El *Manual de estilo de la AP* se ha transformado en el estándar de muchas organizaciones periodísticas.

Assos ver ASO

assumpsit ver ACCIÓN INDEMNIZATORIA

Assur Antigua capital religiosa de ASIRIA. Se levantaba a orillas del río TIGRIS, 97 km (60 mi) al sur de MOSUL, en Irak. El nombre de Assur se empleaba tanto para nombrar la ciudad como para la propia Asiria y el principal dios asirio. El lugar de emplazamiento de la capital estaba habitado c. 2500 AC. Más tarde formó parte de ACAD, pero hacia fines del s. XII AC cayó bajo dominio asirio. Su condición de santuario religioso le aseguró su conservación hasta 614 AC, cuando fue destruida por BABILONIA. En el yacimiento arqueológico se han encontrado fortificaciones, templos y palacios.

Assurbanipal (c. siglo VII AC). Último gran rey asirio (r. 668–627 AC). Fue nombrado príncipe heredero de Asiria en 672 AC, mientras que su medio hermano era designado príncipe heredero de Babilonia. A la muerte de su padre, Assurbanipal asumió plenos poderes sin encontrar oposición. Sofocó una rebelión en Egipto y asedió con éxito Tiro. Su medio hermano, quien le sirvió pacíficamente en Babilonia durante 16 años, forjó una coalición con pueblos vecinos del imperio asirio con el fin de iniciar una rebelión, pero Assurbanipal descubrió la conspiración y, después de un sitio de tres años, capturó Babilonia. En 639 AC tenía la totalidad del mundo conocido bajo su dominio. Profundamente religioso, reconstruyó o embelleció la mayoría de los principales templos de Asiria y Babilonia. Su principal logro intelectual fue la creación en Nínive de la primera biblioteca organizada sistemáticamente del Medio Oriente; las tablillas de arcilla allí reunidas contenían presagios, epopeyas mesopotámicas, oraciones y conjuros, textos científicos y lexicográficos, además de cuentos tradicionales.

El rey Assurbanipal cargando una cesta en la reconstrucción del templo; bajorrelieve en piedra de Esagila, Babilonia, 650 AC; Museo Británico.

REPRODUCCIÓN POR GENTILEZA DEL DIRECTORIO DEL MUSEO BRITÁNICO

Astaire, Fred *orig.* **Frederick Austerlitz** (10 may. 1899, Omaha, Neb., EE.UU.–22 jun. 1987, Los Ángeles, Cal.). Bailarín y cantante de teatro y cine estadounidense. A los siete años de edad comenzó su famoso baile vodevilesco con su hermana Adele y en 1917 debutaron en Broadway; siguieron bailando en obras exitosas hasta el retiro de Adele en 1932. Sus primeras apariciones relevantes en el cine con GINGER ROGERS comenzaron con *Volando a Río* (1933) y continuaron hasta 1939. En las décadas de 1940–50 bailó en películas con Eleanor Powell, Cyd Charisse y JUDY GARLAND. Aunque no estudió canto, fue admirado por los mejores compositores de cancio-

Fred Astaire en *Top Hat*, 1935.

CORBIS-BETTMANN

nes de su época. Se retiró en 1971, pero hizo apariciones esporádicas en cine y televisión. Revolucionó los espectáculos de baile popular con su forma de combinar una gracia sofisticada, aparentemente sin ningún esfuerzo, con virtuosismo técnico.

Astana *ant. (1992–99)* **Akmola**, *(1961–92)* **Tselinograd** Ciudad (pob., 1999: 313.000 hab.), capital de Kazajstán. Se ubica a orillas del río ISHIM en el centro norte de Kazajstán. Fue fundada en 1824 como una avanzada militar rusa. La ciudad adquirió mayor importancia gracias a situarse en el cruce de los ferrocarriles transkazajstano y sudsiberiano. Es el centro de una región esteparia rica en minerales. En 1994, el gobierno kazajo comenzó a trasladar la capital desde ALMATY hasta Akmola y en 1999 le cambiaron el nombre a la ciudad por el actual de Astana.

Astarté *o* **Astart** Diosa del Medio Oriente antiguo y deidad principal de los puertos mediterráneos de Tiro, Sidón y Elat (Aqaba). Astarté compartió muchas características, y quizás un origen común, con su hermana ANAT. Astarté, diosa del amor y de la guerra, fue adorada en Egipto y en Canaán, así como entre los hititas. Su contraparte acadia fue ISHTAR. Se la menciona a menudo en la Biblia, pero bajo el nombre de Ashtaroth; se dice que SALOMÓN rindió culto a esta diosa, y JOSÍAS destruyó los santuarios que se le habían dedicado. En Egipto fue comparada con ISIS y HATOR. A su vez, en el mundo grecorromano fue asociada a AFRODITA, ARTEMISA y JUNO.

astenosfera Zona del MANTO de la Tierra que se extiende debajo de la LITOSFERA. Se cree que es mucho más caliente y más fluida que la litosfera. Se supone que la astenosfera se extiende desde aprox. 100 km (60 mi) hasta unos 700 km (450 mi) por debajo de la superficie terrestre.

Aster Género de varias plantas herbáceas con tallos cubiertos de hojas y floración principalmente otoñal, pertenecientes a la familia de las COMPUESTAS, que a menudo poseen flores llamativas. Se incluyen en este género muchas FLORES SILVESTRES perennes y centenares de variedades de jardín.

Aster de Nueva Inglaterra *(A. novae-angliae)*.

asteroide Cualquiera de los muchos pequeños objetos rocosos que se encuentran distribuidos sobre todo en un anillo o cinturón plano entre las órbitas de Marte y Júpiter. Se cree que durante la formación del sistema SOLAR, la acción gravitacional de las masas que eventualmente llegaron a formar Júpiter, ha impedido que los asteroides se agrupen en un solo planeta. También llamados PLANETAS menores, los asteroides son más pequeños que cualquiera de los nueve planetas mayores; sólo una treintena tienen diámetros superiores a 200 km (125 mi). CERES es el más grande de los asteroides conocidos. Se cree que en el sistema solar existen millones de fragmentos asteroidales del tamaño de un peñasco. Los asteroides o sus fragmentos impactan con regularidad a la Tierra, atravesando la atmósfera como METEOROS para alcanzar su superficie (ver METEORITO). Los asteroides parecen estar constituidos por materiales carbónicos, líticos y metálicos (principalmente hierro). Ver también ASTEROIDE CON ÓRBITA DE IMPACTO POSIBLE; ASTEROIDES TROYANOS.

asteroide con órbita de impacto posible ASTEROIDE cuya trayectoria alrededor del Sol cruza la órbita de la Tierra. Se distinguen tres grupos de estos asteroides en función del tamaño de sus órbitas y de su capacidad de acercamiento al Sol: Aten, Apolo y Amor. Los del tipo Aten y Apolo cruzan la órbita terrestre de manera casi continua, mientras que aproximadamente la mitad de los del tipo Amor cruzan la órbita terrestre y lo hacen sólo parte del tiempo. Los astrónomos han organizado búsquedas de objetos que se acercan mucho a la Tierra, con el propósito de determinar cuáles tienen posibilidad de chocar con esta, ya que una detección temprana podría evitar una catástrofe. De acuerdo con algunas estimaciones, existirían 1.000 asteroides con órbita de impacto posible de tamaño mayor a 1 km (0,6 mi). Se estima que hay impactos de asteroides de más de 1 km unas cuantas veces cada millón de años. Una colisión de esta naturaleza liberaría una energía equivalente a la explosión de varias BOMBAS DE HIDRÓGENO, ocasionando quizás alteraciones climáticas globales y olas gigantescas. Se piensa que el impacto de un objeto de cerca de 10 km (6 mi) de diámetro causó una extinción masiva de especies, entre ellos los DINOSAURIOS, hacia fines del CRETÁCICO.

Astronave NEAR en órbita con el asteroide Eros.

asteroides troyanos Dos grupos de ASTEROIDES llamados así en honor a los héroes de Grecia y Troya que aparecen en la *Ilíada* de Homero. Estos objetos orbitan alrededor del Sol en los puntos de Lagrange (ver JOSEPH-LOUIS LAGRANGE), que corresponden a la órbita de Júpiter. Aquiles, el primero, fue descubierto en 1906. Se conocen cerca de 650, pero se estima que existen varios miles. El término troyano también se aplica a objetos que ocupan los correspondientes puntos de Lagrange en las órbitas de otros planetas. Dos de estos asteroides fueron descubiertos en la órbita de Marte en la década de 1990.

astigmatismo Falta de simetría en la curvatura de la córnea o, raras veces, en el cristalino del OJO. Las curvaturas desiguales dispersan los rayos luminosos, impidiéndoles enfocarse exactamente en un punto de la RETINA, haciendo que una parte de la imagen se vea borrosa. El mismo efecto puede ser también producto del desalineamiento de los cristalinos. La visión astigmática se corrige con lentes (ver ANTEOJOS, LENTES DE CONTACTO) que refractan los rayos luminosos en un grado apropiado y en la dirección opuesta a la producida por el defecto de la curvatura.

Astor, John Jacob *orig* **Johann Jakob Astor** (17 jul. 1763, Waldorf, Alemania–29 mar. 1848, Nueva York, N.Y., EE.UU.). Magnate peletero y financista estadounidense de origen alemán. Emigró de Alemania a los 17 años de edad y abrió en Nueva York una tienda de artículos de piel c. 1786. En 1800 ya era

John Jacob Astor, detalle de una pintura al óleo de Gilbert Stuart, 1794; Brook Club, Nueva York.

líder del negocio de pieles y fundó la empresa AMERICAN FUR CO. Controló el comercio de pieles con China (1800–17) y en los valles del Mississippi y del Missouri (en la década de 1820), hasta que vendió su participación en la empresa en 1834. Sus inversiones en bienes raíces, en la ciudad de Nueva York, constituyeron la base de la fortuna familiar. A su muerte, Astor era la persona más acaudalada de EE.UU.; legó US$ 400.000 para fundar la actual NEW YORK PUBLIC LIBRARY. Su hijo, William B. Astor (n. 1792–m. 1875), aumentó considerablemente las propiedades de la familia y construyó más de 700 tiendas y residencias en la ciudad.

Astragalus Género formado por varias especies de plantas herbáceas venenosas, de la familia Leguminosae (ver LEGUMINOSA), de amplia distribución geográfica. Son plantas bajas, de hasta 45 cm de alto (1,5 pies), con hojas vellosas parecidas al helecho y flores similares a las de la arveja. Representan un peligro para los animales de pastoreo porque contienen una toxina que afecta el control muscular, produciendo un comportamiento extraviado, visión deteriorada y, a veces, la muerte. Debido a que tienen mal sabor, el ganado las come sólo cuando el forraje escasea. Las plantas que se marchitan liberan las toxinas en el suelo, las que a veces son absorbidas por plantas forrajeras inofensivas.

Astraján *o* **Astracán** Ciudad (pob., est. 2001: 479.700 hab.) del sudoeste de Rusia. Se extiende sobre varias islas del delta del río VOLGA. Fue la capital de un kanato TÁRTARO que se independizó de la HORDA DE ORO en el s. XIII. Su ubicación sobre rutas fluviales, marítimas y de caravanas terrestres, la convirtieron en un nudo comercial. IVÁN IV (el Terrible) conquistó Astraján en 1556, dando a Rusia el control del Volga. Los turcos incendiaron la ciudad en 1569. Sirvió como base de operaciones para la campaña de PEDRO I (el Grande) contra Persia. Posteriormente, CATALINA II le otorgó privilegios comerciales especiales. Entre sus lugares de interés se encuentran un fuerte y la catedral.

Cúpulas de la catedral de la Asunción y el muro de la ciudadela, Astraján, Rusia.
AGENCIA NOVOSTI

astrofísica Rama de la ASTRONOMÍA que se ocupa principalmente de las propiedades y estructuras de los objetos cósmicos, incluido el universo en su conjunto. Ya en el s. XIX se aplicó la ESPECTROSCOPIA y la fotografía a la investigación astronómica, posibilitando así el estudio del brillo, temperatura y composición química de los objetos cósmicos. Pronto se comprendió que las propiedades de estos cuerpos podían entenderse por completo sólo en términos de la física de sus atmósferas e interiores. La ASTRONOMÍA DE RAYOS X, la ASTRONOMÍA DE RAYOS GAMMA, la ASTRONOMÍA INFRARROJA, la ASTRONOMÍA ULTRAVIOLETA y la RADIOASTRONOMÍA Y ASTRONOMÍA RADÁRICA se ocupan básicamente de extender la detección de las emisiones electromagnéticas más allá del espectro visible para acotar las características físicas de los objetos astronómicos.

astrolabio Antiguo instrumento científico usado para determinar la hora sideral y para la observación. Los astrolabios datan del s. VI DC; tuvieron un amplio uso en Europa y en el mundo islámico a comienzos de la Edad Media y fueron adoptados por los navegantes a mediados del s. XV. Una variedad de astrolabio extensamente usada, el astrolabio planisférico, puede ser considerada como una rudimentaria computadora analógica. Permitía a los astrónomos calcular la posición angular del Sol y de las estrellas más brillantes respecto del horizonte y el meridiano.

astrología ADIVINACIÓN que consiste en interpretar la influencia de estrellas y planetas sobre los asuntos terrenales y los destinos humanos. En la antigüedad fue inseparable de la ASTRONOMÍA. La astrología se originó en Mesopotamia (c. tercer milenio AC) y se extendió a India donde siguió su propio curso. Desarrolló su forma occidental en la civilización griega durante el período helenístico. Ingresó a la cultura islámica como parte de la tradición griega y retornó a la cultura europea a través de la enseñanza árabe durante la Edad Media. Según la tradición astrológica griega, los cielos están divididos en las doce constelaciones del ZODÍACO. Las estrellas brillantes que surgen a intervalos ejercen una influencia espiritual sobre los asuntos humanos. La astrología también fue importante en la China antigua, y en tiempos imperiales se volvió una práctica normal encargar un HORÓSCOPO para todo niño recién nacido y ante toda coyuntura decisiva de la vida. Aunque el sistema de COPÉRNICO hizo trizas la visión geocéntrica del mundo requerida por la astrología, el interés por esta práctica ha llegado hasta hoy, y todavía muchos creen que los signos astrológicos influyen en la personalidad.

Bruce McCandless, primer astronauta estadounidense en realizar una "caminata" espacial con una unidad de maniobra tripulada.
ARCHIVO EDIT. SANTIAGO

astronauta Persona entrenada para pilotear una NAVE ESPACIAL, operar cualquiera de sus sistemas o realizar investigaciones a bordo de esta durante un vuelo espacial. El término se refiere comúnmente a aquellos que participan en las misiones espaciales estadounidenses; cosmonauta es el equivalente ruso. Un extenso entrenamiento, que comprende estudios teóricos de temas técnicos así como prácticas en simuladores computarizados y en maquetas de tamaño real de vehículos espaciales para experimentar la CAÍDA LIBRE, prepara a los astronautas física y psicológicamente para las misiones espaciales. Los astronautas también aprenden a usar los sistemas de control, de comunicaciones y de mantención de funciones vitales de cualquier nave espacial, y a realizar operaciones de vuelo complejas. Ver también EDWIN ALDRIN; NEIL ARMSTRONG; GUION S. BLUFORD, JR.; YURI A. GAGARIN; JOHN H. GLENN, JR.; MAE JEMISON; SALLY RIDE; ALAN B. SHEPARD, JR.; VALENTINA TERESHKOVA.

astronomía Ciencia que estudia el origen, evolución, composición, distancia y movimiento de todos los cuerpos y materia dispersa en el UNIVERSO. Es la más antigua de las ciencias y ha existido desde los albores de la civilización. Suele atribuirse a los babilonios el grueso de los primeros conocimientos sobre los cuerpos celestes. Los griegos de la antigüedad introdujeron concepciones cosmológicas que tuvieron gran influencia, como las teorías sobre la relación de la Tierra con el resto del universo. El modelo tolomeico (ver TOLOMEO) de un universo geocéntrico (s. II DC) influenció el pensamiento astronómico por más de 1.300 años. En el s. XVI, NICOLÁS COPÉRNICO le atribuyó al Sol la posición central (ver sistema de COPÉRNICO), con lo que se inició la era de la astronomía moderna. El s. XVII fue testigo de varios hitos en el avance de la astronomía: el descubrimiento de los principios del movimiento planetario por JOHANNES KEPLER, la aplicación del

TELESCOPIO a la observación astronómica por GALILEO, y la formulación de las leyes del movimiento y de la gravitación de ISAAC NEWTON. En el s. XIX, la ESPECTROSCOPIA y la fotografía permitieron el estudio de las propiedades físicas de los planetas, las estrellas y las nebulosas, lo que llevó al desarrollo de la ASTROFÍSICA. En 1927, EDWIN HUBBLE descubrió que el universo, hasta ese momento considerado estático, se estaba expandiendo (ver UNIVERSO EN EXPANSIÓN). En 1937 se construyó el primer RADIOTELESCOPIO. El primer SATÉLITE artificial, el SPUTNIK, fue lanzado en 1957, inaugurando la era de la EXPLORACIÓN ESPACIAL; a partir de 1959 empezaron a lanzarse NAVES ESPACIALES capaces de escapar a la atracción gravitacional de la Tierra y de remitir información sobre el sistema solar. (Ver LUNA ; PIONEER). Ver también ASTRONOMÍA DE RAYOS GAMMA; ASTRONOMÍA DE RAYOS X; ASTRONOMÍA INFRARROJA; BIG BANG; COSMOLOGÍA; RADIOASTRONOMÍA Y ASTRONOMÍA ULTRAVIOLETA.

astronomía de rayos gamma Estudio de objetos y fenómenos astronómicos que emiten RAYOS GAMMA. Los telescopios de rayos gamma están diseñados para observar sistemas astrofísicos de alta energía, como las CORONAS estelares, las ESTRELLAS ENANAS BLANCAS, las ESTRELLAS DE NEUTRONES, los AGUJEROS NEGROS, remanentes de SUPERNOVA, CÚMULOS DE GALAXIAS y la radiación de fondo difusa de rayos gamma que se encuentra en el plano de la VÍA LÁCTEA. Dado que la atmósfera terrestre impide el paso de la mayor parte de los rayos gamma, las observaciones son en general realizadas por naves espaciales o globos sonda ubicados a gran altura. En la década de 1960, los satélites de defensa diseñados para detectar rayos X y rayos gamma emitidos durante ensayos nucleares clandestinos percibieron por casualidad enigmáticas explosiones de rayos gamma provenientes del espacio intergaláctico. En la década de 1970, los observatorios en órbita terrestre detectaron numerosas fuentes puntuales de rayos gamma, incluida una excepcionalmente potente, llamada Geminga, que fue más tarde identificada como un PULSAR, el más cercano detectado hasta ahora. El observatorio de rayos gamma Compton, lanzado al espacio en 1991, mapeó miles de fuentes celestes de rayos gamma; también mostró que las misteriosas explosiones están distribuidas en todo el cielo, lo que implica que las fuentes se encuentran a grandes distancias en el universo y no en la Vía Láctea.

astronomía de rayos X Estudio de objetos y fenómenos astronómicos que emiten radiaciones en longitudes de onda correspondientes a los RAYOS X. Debido a que la ATMÓSFERA de la Tierra absorbe la mayor parte de los rayos X, los telescopios y detectores de rayos X son llevados a grandes altitudes o al espacio exterior mediante globos sonda y naves espaciales. En 1949, los detectores de unos cohetes sonda mostraron que el SOL emite rayos X, pero que es una fuente débil. Demoró 30 años más detectar claramente rayos X emitidos por otras ESTRELLAS comunes, a partir del lanzamiento del satélite de rayos X Uhuru. En 1970 fueron puestos en órbita terrestre una serie de observatorios espaciales con instrumentos cada vez más complejos. Los astrónomos descubrieron que la mayoría de los tipos de estrellas emiten rayos X, pero sólo como una pequeñísima parte de la energía total emitida. Los remanentes de SUPERNOVA son las fuentes más potentes de rayos X; las fuentes de mayor intensidad que se conocen en la VÍA LÁCTEA son algunas ESTRELLAS BINARIAS, donde una de las dos es probablemente un AGUJERO NEGRO. Además de una miríada de fuentes puntuales, los astrónomos han descubierto una radiación de fondo de rayos X difusa, proveniente de todas las direcciones; a diferencia de la RADIACIÓN CÓSMICA DE FONDO, esta parece tener muchas fuentes individuales distantes. El observatorio de rayos X Chandra y el satélite de rayos X XMM-Newton (ambos lanzados en 1999) han permitido realizar muchos descubrimientos relativos a la naturaleza y cantidad de agujeros negros en el universo, a la evolución de estrellas y GALAXIAS, y a la composición y actividad de los remanentes de supernova.

astronomía infrarroja Estudio de los objetos astronómicos mediante la observación de la RADIACIÓN INFRARROJA que emiten. Esta técnica permite examinar muchos objetos celestes que emiten energía en la región infrarroja del ESPECTRO ELECTROMAGNÉTICO, pero que no se pueden observar desde la Tierra porque su emisión en longitudes de onda del espectro visible es muy pequeña, o porque dicha emisión es bloqueada por nubes de polvo que la radiación infrarroja es capaz de atravesar. La astronomía infrarroja se originó a inicios del s. XIX con el trabajo de William Herschel (ver familia HERSCHEL), quien descubrió la radiación infrarroja mientras estudiaba la luz solar. Las primeras observaciones infrarrojas sistemáticas de otras estrellas se realizaron en la década de 1920; técnicas modernas, como el uso de filtros interferenciales en telescopios ubicados en tierra, fueron introducidas a comienzos de la década de 1960. Debido a que el vapor de agua de la atmósfera absorbe gran parte de las longitudes de onda infrarrojas, las observaciones son realizadas por telescopios situados en las cumbres de montañas de gran altura y desde observatorios aerotransportados o espaciales. La astronomía infrarroja permite estudiar el centro de la VÍA LÁCTEA, oscurecido por el polvo, y el centro de las regiones formadoras de estrellas. Esto ha conducido a muchos descubrimientos, entre ellos, el de candidatos a ESTRELLAS ENANAS MARRONES y el de discos de materia alrededor de algunas estrellas.

astronomía radárica ver RADIOASTRONOMÍA Y ASTRONOMÍA RADÁRICA

astronomía ultravioleta Estudio de objetos y fenómenos astronómicos mediante la observación de la RADIACIÓN ULTRAVIOLETA (radiación UV) que emiten. Ha entregado mucha información sobre composiciones y procesos químicos en el medio interestelar, el Sol y otros objetos estelares, como estrellas calientes jóvenes y ESTRELLAS ENANAS BLANCAS. La astronomía ultravioleta pudo desarrollarse sólo cuando fue posible enviar en cohetes los instrumentos por encima de la atmósfera terrestre, ya que esta absorbe la mayor parte de la RADIACIÓN ELECTROMAGNÉTICA de longitudes de onda UV. Desde comienzos de la década de 1960, varios observatorios espaciales no tripulados dotados de telescopios UV, como el telescopio espacial HUBBLE, han reunido datos UV sobre objetos como COMETAS, QUASARES, NEBULOSAS y cúmulos de estrellas distantes. El Extreme Ultraviolet Explorer, lanzado en 1992, fue el primer observatorio orbital en proporcionar un mapa del cielo en las longitudes de onda UV más cortas, en la frontera con la región de rayos X del ESPECTRO ELECTROMAGNÉTICO.

astronómica, unidad (UA) Longitud del semieje mayor de la órbita terrestre en torno al Sol, 149.597.870 km (92.955.808 mi), a menudo definida simplemente como la distancia promedio de la Tierra al Sol. El método de medición directa por PARALAJE no puede utilizarse para determinaciones exactas, debido a que el fuerte brillo del Sol impide ver la luz de las estrellas de fondo, necesaria para realizar la medición. Los valores más precisos se han obtenido midiendo la distancia de la Tierra a otros objetos que orbitan el Sol. Este método indirecto requiere un modelo matemático proporcional preciso del sistema solar; una vez que se determina la distancia a un planeta u otro objeto, entonces se puede calcular la distancia al Sol.

Astruc de Lunel *orig.* **Abba Mari ben Moses ben Joseph** (¿1250?, Lunel, cerca de Montpellier, Francia–después de 1306). Pensador judeofrancés. Fue un gran admirador de MAIMÓNIDES, pero sostuvo que los seguidores de este habían socavado la fe, leyendo la Biblia de manera alegórica. A través de sus cartas logró persuadir al poderoso rabino Solomón ben

Abraham Adret (n. 1235–m. 1310) de Barcelona, España, para que prohibiese el estudio o la enseñanza de la ciencia y de la filosofía a los menores de 25 años (1305). La controversia resultante casi dividió a las comunidades judías de Francia y de España. FELIPE IV de Francia evitó un cisma en el judaísmo, al expulsar de su reino a los judíos en 1306, ante lo cual Astruc se estableció en Mallorca.

Asturias Comunidad autónoma (pob., 2001: 1.062.998 hab.) y provincia del golfo de VIZCAYA, en el noroeste de España. Ocupa una superficie de 10.604 km² (4.094 mi²); su capital es OVIEDO. De la misma extensión que el principado histórico de Asturias, está mayormente cubierta por montañas que la aíslan de otras provincias españolas. Su población e industria se concentran en el valle del río Nalón; sus extensos yacimientos carboníferos convierten la provincia en el principal centro minero de España. Fue conquistada por los romanos bajo CÉSAR AUGUSTO en 25 AC, y más tarde fue gobernada por los VISIGODOS. Formó parte del reino de LEÓN con el ascenso al trono de Alfonso III en 866. Fue declarada principado en 1388, luego provincia en 1838 y finalmente comunidad autónoma en 1981.

Asturias ver OVIEDO

Asturias, Miguel Ángel (19 oct. 1899, Ciudad de Guatemala, Guatemala–9 jun. 1974, Madrid, España). Poeta, novelista y diplomático guatemalteco. Se trasladó a París en 1923 y se volvió surrealista bajo la influencia de ANDRÉ BRETON. Sus primeros trabajos importantes aparecieron en la década de 1930. Ingresó en 1946 a la carrera diplomática que culminó como embajador en Francia en 1966–70. Los escritos de Asturias combinan el misticismo maya con un impulso épico hacia la protesta social, especialmente contra EE.UU. y el poder oligárquico. En *Hombres de maíz* (1949), a menudo considerada su obra maestra, retrata la miseria aparentemente irreversible de los campesinos indígenas. Otras novelas mayores, en algunas de las cuales emplea el estilo del realismo mágico, son *El señor Presidente* (1946), denuncia ficticia de un dictador guatemalteco; *Viento fuerte* (1950), *El Papa verde* (1954) y *Los ojos de los enterrados* (1960). Obtuvo el Premio Nobel de Literatura en 1967.

Miguel Ángel Asturias.
CAMERA PRESS

Asuán Ciudad (pob., est. 1996: 219.017 hab.) del sudeste de Egipto. Situada a orillas del NILO justo al norte del lago NASSER. En la antigüedad constituyó la frontera meridional del Egipto faraónico. Posteriormente fue conocida como Siena, y usada como fuerte fronterizo por los romanos, otomanos y británicos. La ciudad se encuentra cerca de la antigua represa (terminada en 1902) y de la moderna represa de ASUÁN.

Asuán, represa de Represa que embalsa el río NILO, al norte de ASUÁN, Egipto. Construida 6 km (4 mi) aguas arriba de la anterior represa de Asuán (1902), tiene 111 m (364 pies) de altura y 3.830 m (12.562 pies) de largo. Diferencias de EE.UU. y Gran Bretaña con GAMAL ABDEL NASSER, hicieron que aquellos retiraran su apoyo financiero al proyecto en 1956, en vista de lo cual Nasser buscó ayuda de la Unión Soviética. La represa, concluida en 1970, creó el embalse lago NASSER y controla la crecida anual del Nilo, liberando caudales cuando se requieren para el regadío; también permite la producción de grandes cantidades de energía eléctrica. Las antiguas ruinas de ABU SIMBEL debieron ser reubicadas como consecuencia de su construcción.

Asunción *p. ext.* **Nuestra Señora de la Asunción** Ciudad (pob., est. 2002: 513.339 hab.), capital de Paraguay. Situada junto al río PARAGUAY, cerca de su confluencia con el PILCOMAYO. Fundada en 1537 por los CONQUISTADORES españoles, reemplazó a BUENOS AIRES como cuartel general de las actividades de las colonias españolas en el este de Sudamérica durante el período de despoblamiento (1541–80) de este último. En 1731, Asunción fue el escenario de una de las primeras y mayores rebeliones contra el dominio español. La ciudad declaró su independencia de Argentina y España en 1811. Hoy lidera las tendencias sociales, culturales y económicas de Paraguay.

Asuntos Exteriores, Consejo de ministros de ver Consejo de ministros de RELACIONES EXTERIORES

Asvaghosa (¿80? DC, Ayodhya, India–¿150?, Peshawar). Filósofo y poeta indio, considerado el padre de la dramaturgia sánscrita. BRAHMÁN de nacimiento, combatió el BUDISMO hasta que un debate con un erudito budista plasmó su conversión. Asvaghosa fue conocido como un brillante orador y como tal habló acerca de la doctrina MAHAYANA en el cuarto CONCILIO BUDISTA. Se lo considera el poeta más grande de India antes de KALIDASA. Entre las obras que se le atribuyen, se cuentan *Buddhacarita* [Vida de Buda] y el *Mahalankara* [Libro de la gloria].

asvamedha Rito de la religión védica (ver VEDISMO), en la India antigua, realizado por un rey para celebrar su supremacía. Se seleccionaba un purasangre y se le permitía vagar libremente durante un año bajo la atenta vigilancia y protección de un guardia real. Se creía que el desarrollo del semental simbolizaba el progreso del Sol y del creciente poder del rey. Si no se lograba capturarlo durante el año, se traía de vuelta al animal a la capital junto con los señores a cuyas tierras había ingresado. Entonces, era sacrificado en una ceremonia pública y el rey asumía el título de monarca universal. BUDA condenó esta práctica, pero se restableció en el s. II AC y puede que haya continuado hasta fines del s. XI DC.

Atacama, desierto de Zona árida del norte de Chile. Se extiende hacia el norte desde la ciudad de Copiapó, a lo largo de 1.000 –1.100 km (600 a 700 mi), y cubre la mayor parte de la región de ANTOFAGASTA y el norte de la región de Atacama. Debido a su ubicación entre la cordillera de la costa, de baja altitud, y la cordillera de los ANDES, de gran altitud, esta región es meteorológicamente anómala. A pesar de su baja latitud, la temperatura promedio en verano es de 18 °C (65 °F) y aunque la densa niebla es común en la zona costera, el desierto es uno de los lugares más áridos del mundo. Algunas áreas reciben lluvias copiosas sólo entre dos y cuatro veces en un siglo. Du-

Desierto de Atacama, uno de los más áridos del mundo, que se extiende en la zona norte de Chile.
ARCHIVO EDIT. SANTIAGO

rante gran parte del s. XIX, el desierto fue motivo de conflictos entre Chile, Bolivia y el Perú; después de la guerra del PACÍFICO (1879–83), Chile tomó el control permanente de las áreas antes controladas por el Perú y Bolivia. Durante los años previos al desarrollo de métodos sintéticos para fijar el nitrógeno, el desierto fue la principal fuente abastecedora de nitratos (salitre) del mundo.

Atacama Large Millimeter Array (ALMA) Conjunto de 64 antenas parabólicas de 12 m (40 pies) de diámetro cada una, que formarán c. 2007 el RADIOTELESCOPIO más potente en operación. Observará en las regiones del espectro electromagnético entre 70 y 900 GHz. El radiotelescopio será operado por la NRAO (National Radio Astronomy Observatory) y la ESO (European Southern Observatory) en las planicies de Chajnantor, en medio del desierto de Atacama, Chile, a unos 5.000 m (16.500 pies) de altura. Su gran superficie colectora permitirá observar la radiación en longitudes de onda milimétrica y submilimétrica, emitida por GALAXIAS lejanas formadas poco después del BIG BANG, así como por nubes moleculares de otras galaxias lejanas diferentes a la VÍA LÁCTEA, donde se forman ESTRELLAS. Además, podrá detectar la radiación emitida por polvo y gas en el momento de la formación de PLANETAS EXTRASOLARES. Cada una de las antenas podrá operar de manera independiente, pero la mayor ventaja será el enorme poder de resolución espacial del instrumento cuando se use en el modo interferométrico (ver INTERFEROMETRÍA).

ataguía Espacio estanco desde donde se bombea agua para dejar al descubierto el lecho de un cuerpo de agua con el fin de permitir la construcción de un PILAR de un puente u otra obra hidráulica. Las ataguías se arman mediante el hincado de tablestacas metálicas (una serie de paneles delgados interconectados) en el lecho, formando así un cerco estanco. Los ingenieros romanos usaban ataguías para fundar los pilares de sus puentes en arco y acueductos. Ver también CAJÓN.

Atahualpa (c. 1502–29 ago. 1533, Cajamarca, Imperio inca). Último emperador de los INCAS. Asumió el poder tras derrotar a su hermano de padre, Huáscar, desatando un gran conflicto bélico que a la postre debilitó al régimen y propició su caída ante los invasores españoles. Estando en Cajamarca, FRANCISCO PIZARRO conoció a Atahualpa al inicio de su empresa conquistadora (ver CONQUISTADOR), invitándolo a una fiesta en su honor. Cuando Atahualpa y su cortejo arribaron desarmados, Pizarro les tendió una emboscada con la caballería, cañones y otras armas de fuego, masacrando a miles y capturándolo. Pizarro aceptó la oferta de Atahualpa, de llenar su celda de oro para recuperar su libertad. Tras recibir 24 toneladas de oro y plata, Pizarro lo condenó a morir en la hoguera; la sentencia le fue cambiada a muerte por garrote vil, después que accedió convertirse al cristianismo.

Atalanta En la mitología GRIEGA, la doncella cazadora de pies ágiles y veloces. Nacida en Beocia o en Arcadia, fue abandonada a su suerte al nacer, pero fue amamantada y criada por una osa. Ya adulta, tomó parte en la famosa cacería del jabalí de Calidón y fue la ganadora del torneo. Anunció que sería la esposa del hombre que la venciese en la carrera, pero los perdedores pagarían con su vida. Fue desafiada por Hipómenes (o Melanión), a quien AFRODITA entregó tres manzanas de oro para que las llevase durante la carrera. Cada vez que Hipómenes las dejaba caer, Atalanta se inclinaba para recogerlas y así perdió la carrera. Posteriormente, se dice que ambos habrían sido convertidos en leones tras profanar un santuario dedicado a Cibeles o a Zeus.

Atalanta, estatua griega de mármol; Museo del Louvre, París.
GIRAUDON—ART RESOURCE

Atalo I Sóter (269–197 AC). Rey de PÉRGAMO (241–197). Repelió un ataque de los gálatas (c. 230) y conquistó casi toda Anatolia (228) como resultado de su victoria sobre el rey SELÉUCIDA; sin embargo, hacia 222 los seléucidas habían recuperado la mayor parte. Con Roma libró la primera y segunda guerra MACEDÓNICA, pero murió poco antes de la derrota de FILIPO V. Era reconocido como protector de las artes.

Atanasio, san *o* **san Atanasio de Alejandría** (293, Alejandría, Egipto–2 may. 373, Alejandría; festividad: 2 de mayo). Teólogo cristiano primitivo, el más firme antagonista del ARRIANISMO. Estudió filosofía y teología en Alejandría, Egipto, y en 325 participó en el concilio de NICEA, en el que se condenó la herejía de Arrio. Recibió con satisfacción el veredicto del concilio que proclamó que el Hijo es "consustancial con el Padre" y defendió esa doctrina a lo largo de su vida. En 328 fue nombrado patriarca de Alejandría, pero en 336 disputas teológicas lo llevaron al primero de varios destierros. Retornó repetidamente del exilio y reasumió su cargo, pero persistía la oposición e influencia del arrianismo. En 356, después de ser otra vez desterrado por Constancio II, Atanasio vivió en un remoto desierto del alto Egipto; entonces escribió varios tratados teológicos, entre ellos, sus *Discursos contra los arrianos*. La muerte del emperador Constancio en 361 dio a Atanasio una breve tregua bajo la proclamada tolerancia de su sucesor, JULIANO, pero una controversia con los súbditos paganos de Juliano lo obligaron a huir al desierto de Tebas. Al momento de su muerte nuevamente desempeñaba el cargo de patriarca de Alejandría.

San Atanasio, detalle de un mosaico del s. XII; capilla Palatina, Palermo, Italia.
ANDERSON—ALINARI DE ART RESOURCE/EB INC.

Atanasoff, John V(incent) (4 oct. 1903, Hamilton, N.Y., EE.UU.–15 jun. 1995, Frederick, Md.). Físico estadounidense. Obtuvo su Ph.D. en la Universidad de Wisconsin. Junto con Clifford Berry desarrolló la computadora Atanasoff-Berry (1937–42), una máquina capaz de resolver ecuaciones diferenciales usando aritmética binaria. En 1941 ingresó al Naval Ordnance Laboratory; participó en las pruebas de la bomba atómica en el atolón Bikini (1946). En 1952 estableció la Ordnance Engineering Co., la que más tarde vendió a Aerojet Engineering Corp. En 1973, después de que un juez anulara la patente de ENIAC, perteneciente a Sperry Rand Corp., la computadora Atanasoff-Berry fue reconocida como la primera computadora electrónica digital.

atapasco, lenguas Familia de lenguas indígenas norteamericanas. Existen tal vez unos 200.000 hablantes de atapasco. El atapasco del norte comprende más de 20 lenguas diseminadas a lo largo de una vasta región de Norteamérica subártica, desde el oeste de Alaska hasta la bahía de Hudson y hacia el sur hasta Alberta meridional y Columbia Británica. El atapasco de la costa del Pacífico consistía en cuatro a ocho lenguas, hoy extinguidas o cercanas a la extinción. El subgrupo de las lenguas apaches comprende ocho lenguas estrechamente relacionadas, habladas en el sudoeste de EE.UU. y el norte de México, incluidos el navajo y varias subdivisiones del apache. En 1990, el navajo contaba con alrededor de 150.000 hablantes, número mucho mayor que cualquier otra lengua indígena de EE.UU. o Canadá. En 1915, EDWARD SAPIR situó a la familia atapasca junto al tlingit y el haida (lenguas de Alaska y de Columbia Británica, respectivamente) en un grupo más extenso de lenguas denominado na-dené; esta relación hipotética continúa siendo discutida.

ataque cardíaco *o* **infarto del miocardio** Muerte de una sección del músculo cardíaco (ver CORAZÓN) por cese del suministro de sangre, comúnmente por un coágulo en una arteria coronaria estrechada por ATEROESCLEROSIS. La HIPERTENSIÓN, la DIABETES MELLITUS, el COLESTEROL elevado, el TABAQUISMO y la CARDIOPATÍA CORONARIA aumentan el riesgo de contraer esta enfermedad. Los síntomas comprenden intenso dolor torácico, que a menudo se irradia al brazo izquierdo, y disnea. Hasta el 20% de las víctimas fallece antes de llegar al hospital. El diagnóstico se realiza por medio de ELECTROCARDIOGRAFÍA y el análisis de ENZIMAS en la sangre. El tratamiento busca limitar el área de muerte tisular (infarto) e impedir y tratar las complicaciones. Se pueden administrar medicamentos trombolíticos (que disuelven el coágulo). Los BLOQUEADORES BETA alivian el dolor y disminuyen la frecuencia cardíaca. La ANGIOPLASTIA o los PUENTES CORONARIOS restauran el flujo de sangre al músculo cardíaco. El seguimiento puede incluir medicación, programas de ejercicios, asesoramiento dietético y cambios en el estilo de vida.

Atargatis *o* **Atergatis** *o* **Adargatis** Diosa del norte de Siria, adorada en Hierápolis, nordeste de Alepo, junto a su consorte Hadad. Siendo eminentemente una diosa de la fertilidad, también fue considerada la divina esposa de la ciudad y sus habitantes. A menudo se la representaba portando una corona y una gavilla de trigo, y su trono era apoyado en leones para demostrar su poder sobre la naturaleza. Considerada una combinación de ANAT y ASTARTÉ, Atargatis también fue relacionada con la CIBELES de Anatolia. El culto a Atagartis fue difundido por comerciantes y mercenarios por todo el mundo griego, donde fue considerada una forma de AFRODITA.

Atatürk, Mustafá Kemal *orig.* **Mustafá Kemal** (1881, Salónica, Grecia, Imperio otomano–10 nov. 1938, Estambul, Turquía). Fundador de Turquía moderna. Por decisión de su padre siguió la carrera militar, graduándose entre los primeros de su clase en la escuela militar. Como joven oficial, fue crítico del gobierno del Imperio OTOMANO y se involucró en la organización nacionalista turca, Comité de unión y progreso. Sin embargo, combatió por el gobierno durante la primera guerra mundial (1914–18), luchando con gran éxito contra las fuerzas aliadas durante la campaña de los DARDANELOS. Tras la victoria final aliada, tropas británicas, francesas e italianas ocuparon Anatolia con la misión de restaurar el orden interno, oportunidad que él aprovechó para incitar al pueblo contra la ocupación aliada. Grecia y Armenia, que se habían beneficiado territorialmente de la derrota otomana, se opusieron a los nacionalistas turcos, pero Mustafá Kemal superó toda oposición y la República de Turquía fue establecida en 1923. Se le dió el nombre de Atatürk ("Padre de los turcos") en 1934. Impuso una política de occidentalización y secularización, haciendo obligatorias la vestimenta y los apelativos de corte occidental, aboliendo el enclaustramiento de las mujeres y reformando el sistema legal y educacional. Ver también ENVER BAJÁ; JÓVENES TURCOS.

ataxia Incapacidad para coordinar los movimientos musculares voluntarios. En el uso común, el término describe una marcha inestable. Las ataxias hereditarias son generalmente causadas por degeneración de la MÉDULA ESPINAL, el CEREBELO u otras partes del sistema NERVIOSO. La más común es la ataxia de Friedreich, que comienza a los 3–5 años y progresa lentamente hasta la incapacidad casi total hacia los 20 años de edad. No hay tratamiento específico. Los trastornos metabólicos, las lesiones cerebrales y toxinas pueden causar ataxia.

Atbara, río Río de África del norte. Nace en la meseta etíope, recorre aprox. 800 km (500 mi) hacia el noroeste, cruzando el este de Sudán hasta unirse al NILO en Atbara, Sudán. Es el afluente más septentrional del Nilo.

Falucho a orillas del Atbara en las cercanías de la confluencia con el Nilo, Sudán.
FOTOBANCO

Atchafalaya, bahía Ensenada del golfo de México en la costa de Luisiana, EE.UU. Junto con la bahía Four League, se extiende por unos 34 km (21 mi). El río ATCHAFALAYA une la bahía con Morgan City, ciudad ubicada sobre el CANAL INTRACOSTAL DEL GOLFO. En la zona hay muchos campos petrolíferos y de gas natural.

Atchafalaya, río Río del sur de Luisiana, EE.UU. Nace en el centro de Luisiana, recorre 362 km (225 mi) hacia el sur hasta desembocar en la bahía ATCHAFALAYA. Es un desagüe adicional de los ríos ROJO y MISSISSIPPI durante los períodos de crecidas. Su nombre proviene de la voz choctaw que significa "río largo".

ateísmo Crítica y negación de creencias metafísicas en Dios o en seres divinos. A diferencia del AGNOSTICISMO, que deja abierta la pregunta acerca de si hay un Dios, el ateísmo lo niega de plano. Está enraizado en una serie de sistemas filosóficos. Los filósofos griegos antiguos como DEMÓCRITO y EPICURO arguyeron en pro del ateísmo en el contexto del MATERIALISMO. En el s. XVIII, DAVID HUME e IMMANUEL KANT, sin ser ateos, argumentaron contra las pruebas tradicionales de la existencia de Dios, haciendo ver que la creencia es exclusivamente materia de fe. Algunos ateos como LUDWIG FEUERBACH sostuvieron que Dios era una proyección de los ideales humanos y que el reconocimiento de esta ficción permitía la realización personal. El MARXISMO ejemplificó el MATERIALISMO moderno. El ateísmo existencialista, que comenzó con FRIEDRICH NIETZSCHE, proclamó la muerte de Dios y la libertad humana para determinar el valor y el significado. El POSITIVISMO lógico sostiene que las proposiciones acerca de la existencia o inexistencia de Dios son absurdas o insensatas.

atelectasia *o* **colapso pulmonar** Falta de expansión de los ALVÉOLOS PULMONARES. Si la zona colapsada es suficientemente grande, el paciente deja de respirar. En la atelectasia adhesiva, la obstrucción o la falta de tensión superficial impide que los alvéolos del recién nacido se expandan. La atelectasia por compresión es causada por presión externa. La atelectasia obstructiva puede deberse al bloqueo de una vía aérea mayor o al dolor causado por una cirugía abdominal que obliga a respirar tan superficialmente que no se eliminan las secreciones bronquiales. El tratamiento consiste en remover las secreciones, controlar las infecciones y reexpandir el pulmón.

Atenas *griego* **Athínai** Ciudad (pob., 2001: 745.514 hab.), capital de Grecia. Situada en el interior, próxima a su puerto de EL PIREO, en el golfo de SALÓNICA en Grecia oriental. Atenas es considerada la fuente de muchas de las concepciones intelectuales y artísticas occidentales, como la democracia, así como el lugar de nacimiento de la civilización occidental. Antigua CIUDAD-ESTADO, en el s. VI AC ya había comenzado a ejercer su influencia. Fue destruida por JERJES I en 480 AC, pero su reconstrucción comenzó de inmediato. En 450 AC, gobernada por PERICLES, se encontraba en la cúspide de su prosperidad comercial e influencia cultural y política. Durante los siguientes 40 años se concretaron muchos proyectos de construcción importantes, como la Acrópolis y el PARTENÓN. La edad de oro de Atenas fue testigo de las obras de filósofos como SÓCRATES, PLATÓN y ARISTÓTELES; de dramaturgos como SÓFOCLES, ARISTÓFANES y EURÍPIDES; de historiadores como HERÓDOTO, TUCÍDIDES y JENOFONTE; y de escultores como PRAXÍTELES y FIDIAS. Las guerras del PELOPONESO contra ESPARTA concluyeron con la derrota de Atenas en 404, pero esta recuperó rápidamente su independencia y su prosperidad. Después de 338 AC, Atenas quedó bajo la hegemonía de MACEDONIA, la que terminó con la ayuda de Roma en 197 AC en la batalla en Cinoscéfalos. Se convirtió en vasalla de Roma en 146 AC. En el s. XIII, Atenas fue capturada por los cruzados. Fue conquistada en 1456 por los turcos otomanos, quienes la retuvieron hasta 1833, cuando fue declarada capital de la Grecia independiente. Atenas es el principal centro de negocios y comercio exterior del país. Las ruinas de la ciudad y muchos museos la han convertido en uno de los principales destinos turísticos. Fue elegida como sede de los Juegos Olímpicos de 2004.

Templo de Zeus Olímpico en Atenas, del que se conserva hoy tan sólo quince columnas, Grecia.
ARCHIVO EDIT. SANTIAGO

atención En PSICOLOGÍA, acto o estado de focalizar la mente sobre un objeto de los sentidos o del pensamiento. WILHELM WUNDT fue tal vez el primer psicólogo en estudiar la atención, al realizar distinciones entre sus campos amplios y restringidos. Sus seguidores fueron WILLIAM JAMES, quien enfatizó la existencia de un proceso activo en la selección de los estímulos, e IVÁN PÁVLOV, quien señaló el importante rol que desempeña la atención en la activación de los reflejos condicionados. JOHN B. WATSON definió la atención no como un proceso "interno" sino como una respuesta conductual ante estímulos específicos. Actualmente, los psicólogos consideran en la atención la experiencia previa de los "reflejos de orientación" o de los "procesos preatencionales", cuyos correlatos físicos comprenden cambios tanto en el voltaje potencial de la CORTEZA CEREBRAL como en la actividad eléctrica de la piel, el aumento del flujo sanguíneo en el cerebro, la dilatación de la pupila y la contracción muscular. Ver también trastorno por DÉFICIT DE ATENCIÓN.

Atenea *o* **Atena** En la antigua religión GRIEGA, la diosa de la guerra, artesanía y la sabiduría, patrona y protectora de Atenas. Su equivalente romana fue MINERVA. HESÍODO relata cómo Atenea emergió con su armadura completa de la frente de ZEUS. En la *Ilíada*, Atenea luchó junto a los héroes griegos y representó las virtudes de justicia y habilidad en la guerra, en oposición a la avidez de sangre de ARES. Atenea era representada normalmente como una diosa virginal y se la asociaba con las aves, en especial la lechuza, y con la serpiente. Su nacimiento y permanente disputa con POSEIDÓN por la soberanía de Atenas fueron representados en el PARTENÓN. Su nacimiento se conmemoraba en las PANATENEAS.

Varakion, copia romana en mármol (c. 130 DC) de la estatua colosal de marfil y oro "Atenea Partenos" de Fidias (438 AC); Museo Nacional de Arqueología, Atenas.
ALINARI—ART RESOURCE/EB INC.

atentados del 11 de septiembre Serie de secuestros de aeronaves utilizadas en ataques suicidas contra blancos estadounidenses, cometidos por 19 militantes relacionados con el grupo extremista islámico AL-QAEDA. Los ataques se prepararon con mucha anticipación: los militantes, en su mayoría provenientes de Arabia Saudita, viajaron a EE.UU. con antelación, donde varios de ellos recibieron adiestramiento en el pilotaje de aviones comerciales. Repartidos en grupos pequeños, el 11 de septiembre de 2001 los secuestradores abordaron cuatro aeronaves de vuelos nacionales, en grupos de cinco (se postula que hubo un vigésimo participante) y se apoderaron de los aviones poco después de despegar. A las 8:46 horas (hora local), los terroristas dirigieron el primer avión contra la torre norte del WORLD TRADE CENTER en la ciudad de NUEVA YORK. Unos quince minutos más tarde, un segundo avión se estrelló contra la torre sur. Ambas estructuras estallaron en llamas y pronto se derrumbaron debido a los graves daños sufridos. Un tercer avión chocó contra el costado sudoccidental del PENTÁGONO, cerca de WASHINGTON, D.C. a las 9:40 horas, y, menos de una hora después, el cuarto aparato cayó en Pensilvania, luego de que sus pasajeros, advertidos de lo que ocurría por teléfono celular, intentaron dominar a los asaltantes. Unas 2.750 personas murieron en Nueva York; 184 en el Pentágono y 40 en Pensilvania. Los 19 terroristas murieron.

Atergatis ver ATARGATIS

ateroesclerosis *o* **endurecimiento de las arterias** Enfermedad crónica que se caracteriza por el engrosamiento anormal de las paredes arteriales producto de depósitos grasos (ateromas) de COLESTEROL en la capa interna de las paredes (ver ARTERIA). Estas se engruesan, formando placas que estrechan el canal (lumen) del vaso, e impiden el flujo sanguíneo. La cicatrización y calcificación reducen la elasticidad de las paredes, elevando la presión sanguínea. Por último, las placas pueden bloquear totalmente el lumen, o un coágulo (trombo) puede obstruir un conducto estenosado. La ateroesclerosis de una o más arterias coronarias (también llamada CARDIOPATÍA CORONARIA) puede disminuir el suministro sanguíneo del músculo cardíaco, causando ANGINA DE PECHO. El bloqueo completo produce un ATAQUE CARDÍACO. En el cerebro, la ateroesclerosis también puede desencadenar un ACCIDENTE VASCULAR ENCEFÁLICO. El tratamiento incluye medicamentos que reducen el nivel de colesterol y lípidos en la sangre, anticoagulantes y otras drogas que previenen la formación de coágulos, PUENTES CORONARIOS (*bypass*) y ANGIOPLASTIA.

Atget, (Jean-) Eugène (-Auguste) (12 feb. 1857, Libourne, cerca de Burdeos, Francia–4 ago. 1927, París). Fotógrafo francés. Comenzó su vida adulta como actor itinerante. Cuando tenía alrededor de 30 años de edad, se estableció en París y se hizo fotógrafo. Atget pasó el resto de su vida registrando todo lo que podía y que consideraba pintoresco o artístico en París y sus alrededores. Con buen ojo para las imágenes extrañas e inquietantes, realizó varias series de fotografías de enrejados de fierro, fuentes, estatuas y árboles. También fotografió fachadas de tiendas, vitrinas y comerciantes pobres. Sus principales clientes fueron museos y sociedades históricas, los que compraban sus fotografías de edificios y monumentos históricos. Después de la primera guerra mundial recibió el encargo de documentar los burdeles de París. MAN RAY publicó cuatro fotografías de Atget en *La revolución surrealista* (1926), lo que constituyó el único reconocimiento que recibió en vida. Después de su muerte, Ray, BERENICE ABBOTT y la marchante Julien Lévy compraron su colección restante, la que se encuentra actualmente en el Museo de Arte Moderno de Nueva York.

Athabasca, lago Lago del centro-oeste de Canadá. Tiene una extensión de 335 km (208 mi) y cruza el límite entre Alberta y Saskatchewan. En el sudoeste recibe al río ATHABASCA y en el noroeste desagua en el río del ESCLAVO. Es importante por su pesca comercial.

Athabasca, río Río del centro-oeste de Canadá. Afluente del río MACKENZIE en Alberta, nace en las montañas Rocosas en el parque nacional JASPER, y corre hacia el nordeste y norte por 1.231 km (765 mi) hasta desembocar en el lago ATHABASCA. Sus principales afluentes son los ríos Pembina, Esclavo Menor y La Biche. A lo largo de un tramo de 113 km (70 mi) del río, se encuentran extensos depósitos de petróleo en arenas impregnadas de este mineral (Athabasca Tar Sands).

Athos, monte Montaña del norte de Grecia. Alcanza una altura de 2.033 m (6.670 pies) y ocupa el Aktí, un promontorio de la península calcídica. Es el lugar de una república semiautónoma de 20 monasterios y sus dependencias (skites). La vida monástica organizada comenzó ahí en 963, cuando san ATANASIO el atonita fundó el primer monasterio. En 1400 ya había 40 monasterios. Este lugar, que ha sido considerado por mucho tiempo como la montaña sagrada de la Iglesia ORTODOXA GRIEGA, fue declarada una república teocrática en 1927. Sus iglesias y bibliotecas albergan una rica colección de arte bizantino y manuscritos antiguos y medievales.

Ática *griego* **Attikí** Distrito de la antigüedad del centro-este de Grecia. Limitada al sur y al este con el mar EGEO, e incluía la isla de Salamina; sus ciudades principales eran ATENAS, El PIREO y ELEUSIS. Sus poblados costeros se enriquecieron gracias al comercio marítimo. Originalmente habitado por los pelasgos, fue el centro de la cultura MICÉNICA en el segundo milenio AC; los griegos JONIOS la invadieron c. 1300 AC. En 700 AC, el territorio estaba unificado bajo el mando de Atenas, según la tradición gracias a los esfuerzos del rey TESEO.

ático Piso contenido íntegramente en los aleros de la techumbre de un edificio. La palabra en su origen denotaba cualquier porción de un muro sobre la cornisa principal (ver CORNISAMENTO). Usado por los antiguos romanos principalmente con fines decorativos y para inscripciones, como en un ARCO DE TRIUNFO, se convirtió en una parte importante de la fachada renacentista, constituyendo por lo general un piso adicional de la construcción.

Atila (m. 453). Rey de los HUNOS (434–53; gobernó junto con su hermano mayor hasta c. 445). Fue uno de los más importantes caudillos bárbaros que atacaron el Imperio romano (ver República e Imperio de ROMA). Él y su hermano Bleda heredaron un imperio que se extendía desde los Alpes y el Báltico hasta cerca del mar Caspio. Cuando los romanos no pagaron los tributos prometidos, Atila lanzó ataques a lo largo del Danubio en 441 y 443. Asesinó a su hermano en 445 y dos años más tarde invadió las provincias balcánicas y Grecia, campaña que finalizó en un nuevo tratado de paz que causó graves perjuicios a los romanos de Oriente. Invadió la Galia (451), pero fue derrotado por una alianza entre el general romano Aecio y los visigodos. Su invasión de Italia (452) finalizó a causa de la hambruna y la plaga. Sus depredaciones, consideradas por algunos como un castigo divino, le valieron el epíteto *Flagellum Dei* ("Azote de Dios"). Murió en su noche de bodas, asesinado posiblemente por su esposa. Sus hijos tomaron el control de su imperio, que colapsó poco después de la muerte de Atila.

Atis Esposo mítico de CIBELES y dios de la vegetación, adorado en Frigia y en Asia Menor. Posteriormente, su culto se extendió al Imperio romano donde, en el s. II DC, se convirtió en una deidad solar. El culto de Atis y de Cibeles incluía la celebración de misterios al comenzar la primavera.

Pescador en el lago Atitlán, sudoeste de Guatemala.
FOTOBANCO

Atitlán, lago Lago del sudoeste de Guatemala. Se sitúa a una altura de 1.430 m (4.700 pies) en la cordillera central, y ocupa un cráter de 300 m (1.000 pies) de profundidad. El lago tiene una extensión de 19 km (12 mi) y 10 km (6 mi) de ancho. En sus riberas se alzan tres volcanes: el Atitlán, el Tolimán y el San Pedro. Varios pueblos aledaños al lago, entre los que se cuentan Atitlán y San Lucas, son destinos turísticos muy apreciados.

Atkins, Chet *orig.* **Chester Burton Atkins** (20 jun. 1924, Luttrell, Tenn., EE.UU.–30 jun. 2001, Nashville, Tenn.). Guitarrista y ejecutivo de compañías discográficas estadounidense. Comenzó su carrera musical como violinista a comienzos de la década de 1940, pero fue su peculiar estilo de tocar la guitarra (ritmo de bajo tocado con el pulgar y la melodía punteada con tres dedos) lo que le valió renombre mundial. A comienzos de la década de 1950 comenzó a tocar la guitarra eléctrica y fue pionero en su uso dentro de la música *country*. Como ejecutivo de RCA Records produjo grabaciones de éxito para ELVIS PRESLEY, Jim Reeves y Waylon Jennings.

Atlanta Ciudad (pob., 2000: 416.474 hab; área metrop.: 4.112.198 hab.), capital del estado de Georgia, EE.UU. Se ubica a los pies de los montes BLUE RIDGE y es la ciudad más grande de Georgia. En 1837, el lugar fue elegido como terminal del ferrocarril que serviría al sudeste de EE.UU. Inicialmente llamada Terminus y después Marthasville, recibió el nombre de Atlanta de las tropas confederadas en 1845. Importante centro de abastecimiento durante la guerra de SECESIÓN, fue incendiada por las fuerzas de la Unión bajo el mando de WILLIAM T. SHERMAN. Atlanta se convirtió en la capital del estado en 1868. A medida que se recuperaba de la destrucción de la guerra, comenzó a personificar el espíritu del "Nuevo Sur" al buscar la reconciliación con el norte. Fue lugar de nacimiento de MARTIN LUTHER KING, JR. y la primera ciudad importante del sur en elegir un alcalde negro (1970). Es el principal centro de comercio y transporte del sudeste de EE.UU.

Atlanta, campaña de Importante serie de batallas en Georgia (may.–sep. 1864) durante la guerra de SECESIÓN. Aunque la mayoría de las batallas terminaron sin vencedores, en último término lograron aislar a Atlanta, que era el centro de aprovisionamiento de los confederados. Las tropas de la Unión, al mando de WILLIAM T. SHERMAN, obligaron a evacuar la ciudad (31 ago.–1 sep.) y luego la incendiaron. Esta victoria posteriormente aseguró la reelección del presidente ABRAHAM LINCOLN ese mismo año.

Atlanta, compromiso de Declaración clásica sobre las relaciones raciales, pronunciada por BOOKER T. WASHINGTON en un discurso durante la Exposición de Atlanta (1895). El orador afirmó que la enseñanza técnico profesional, que daba a los negros la oportunidad de alcanzar la seguridad económica, valía más que la igualdad social o un cargo político. Muchos afroamericanos temieron que una meta tan modesta los condenaría indefinidamente a estar sometidos a los blancos; ese temor condujo al Movimiento de Niágara y más tarde a la fundación de la NAACP.

Atlanta Journal-Constitution Diario matutino publicado en Atlanta, Ga., basado en su mayor parte en el antiguo *Atlanta Constitution*. Generalmente considerado la "voz del Nuevo Sur", el *Constitution* figuraba entre los grandes diarios de EE.UU. Se convirtió en líder de los diarios sureños poco después de su fundación en 1868, y una sucesión de destacados directores contribuyeron a su supremacía: Henry W. Grady (n. 1850–m. 1889), a fines de la década de 1870 y en la década de 1880; Clark Howell (n. 1897–m. 1938); y Ralph McGill, quien ofició tanto como director (1942–60) como de editor (1960–69). En 1950 fue comprado por James M. Cox, quien ya poseía el vespertino *Atlanta Journal* (fundado en 1883); por muchos años se publicó los fines de semana un periódico fusionado, el *Atlanta Journal–Constitution*, hasta que ambos se fusionaron completamente en 2001.

atlante Figura masculina usada como columna para sostener un CORNISAMENTO, balcón u otra saliente, originalmente empleada en la arquitectura clásica. Tales figuras asumían posturas como si estuvieran soportando grandes pesos, como ATLAS sosteniendo el mundo. El telamón de la arquitectura romana, la contraparte masculina de la CARIÁTIDE, también es una figura soportante, pero por lo general no aparece en pose de atlante.

Atlantic City Ciudad (pob., 2000: 40.517 hab.) y balneario del sudeste de Nueva Jersey, EE.UU. Ubicada en la angosta isla Absecon, el balneario comenzó a ser desarrollado a mediados del s. XIX. Se construyeron muelles recreacionales y en 1870 la primera costanera peatonal. El concurso de belleza Miss América se estableció en Atlantic City en 1921. Después de la segunda guerra mundial, la ciudad empezó a decaer. En 1978, el estado aprobó la legalización de apuestas lo que impulsó la construcción masiva de casinos en Atlantic City y atrajo un enorme flujo de dinero al centro turístico; sin embargo gran parte de sus alrededores siguieron empobrecidos.

Atlantic Monthly, The Publicación mensual de literatura y opinión, una de las revistas estadounidenses más antiguas y respetadas. Fundada en 1857 por Moses Dresser Phillips, se edita en Boston. Se destacó pronto por la calidad de su creación literaria y sus artículos de interés general, gracias a las colaboraciones de destacados autores y editores como JAMES RUSSELL LOWELL, RALPH WALDO EMERSON, HENRY W. LONGFELLOW y OLIVER WENDELL HOLMES. A comienzos de la década de 1920, la publicación amplió su ámbito al comentario político e incluyó artículos de figuras como THEODORE ROOSEVELT, WOODROW WILSON y BOOKER T. WASHINGTON. En la década de 1970, los elevados costos estuvieron al borde de provocar el cierre de la revista, la que finalmente fue comprada por Mortimer B. Zuckerman, en 1980, y vendida en 1999 al National Journal Group.

atlánticas, lenguas *ant.* **lenguas del Atlántico occidental** Rama de la familia de lenguas NIGEROCONGOLEÑAS, que comprende cerca de 45 lenguas, habladas por unos 30 millones de personas que viven principalmente en Senegal, Gambia, Guinea, Guinea-Bissau, Sierra Leona y Liberia. Alrededor de la mitad de estas personas hablan fula, la lengua de los FULANI. Más de un millón de personas habla las lenguas de los UOLOF de Senegal y de Gambia, y de los temne del noroeste de Sierra Leona.

Atlántico, batalla del Contienda de la segunda GUERRA MUNDIAL entre Gran Bretaña (a la que más tarde se agregó EE.UU.) y Alemania por el control de las rutas marítimas del Atlántico. Inicialmente, la coalición anglofrancesa mantuvo a la marina mercante alemana fuera del Atlántico, pero con la caída de Francia en 1940, Gran Bretaña quedó privada del respaldo naval francés. EE.UU. apoyó entonces a Gran Bretaña con un programa de PRÉSTAMO Y ARRIENDO. A principios de 1942, el Eje inició una ofensiva submarina a gran escala contra la navegación de cabotaje en aguas de EE.UU., a lo que se sumó la presencia de U-BOOTS alemanes que operaban en las rutas de navegación del Atlántico sur rumbo a India y el Medio Oriente. Aunque las pérdidas de naves aliadas fueron considerables, los aliados lograron estrechar su bloqueo sobre la Europa dominada por el Eje y alcanzar la victoria en la guerra marítima. A mediados de 1943, los aliados habían recuperado el control de las rutas de navegación.

Atlántico, carta del Declaración conjunta suscrita el 14 de agosto de 1941 durante la segunda GUERRA MUNDIAL por WINSTON CHURCHILL y FRANKLIN D. ROOSEVELT. Entre las declaraciones formuladas en este manifiesto propagandístico, suscrito cuando EE.UU. todavía no entraba en la guerra, se planteaba que ni este país ni Gran Bretaña buscaban la expansión territorial y que ambos defendían el restablecimiento de la autonomía política de los pueblos que habían sido privados de ella por medio de la fuerza. La carta fue incorporada como referencia en la Declaración de las NACIONES UNIDAS (1942).

Atlántico, océano Océano que separa América del Norte y América del Sur de Europa y África. El segundo océano más grande del mundo. Tiene una superficie de 82.440.000 km^2 (31.830.000 mi^2). Con sus mares marginales que incluyen el BÁLTICO, del NORTE, NEGRO y MEDITERRÁNEO al este, las bahías de BAFFIN, de HUDSON, los golfos de SAN LORENZO y de MÉXICO y el mar CARIBE, al oeste, alcanza una extensión de 105.460.000 km^2 (41.100.000 mi^2). Incluyendo estos cuerpos de agua, su profundidad promedio es de 3.330 m (10.925 pies); su profundidad máxima es de 8.380 m (27.493 pies) en la fosa de Puerto Rico. Su corriente más poderosa es la corriente del GOLFO.

Atlántida Isla legendaria hundida en el océano Atlántico al oeste de Gibraltar. Las fuentes principales de la leyenda son dos de los diálogos de PLATÓN, *Timeo* y *Critias*. Según Platón, la Atlántida tenía una civilización rica y sus príncipes hicieron muchas conquistas en el Mediterráneo, antes de que varios terremotos destruyeran la isla y que esta fuera tragada por el mar. Platón también proporcionó una historia de su mancomunidad ideal, de tal modo que la Atlántida es a veces vista como una utopía. La leyenda puede haberse originado con la erupción c. 1500 AC de un volcán en la isla de THÍRA (Santorín), cataclismo de tal magnitud que originó terremotos y maremotos.

atlas Colección de mapas y gráficos, que a menudo van unidos y se complementan entre sí. El nombre deriva de una costumbre –iniciada por GERARDUS MERCATOR en el s. XVI– de utilizar la figura del titán ATLAS, quien carga el globo terráqueo en sus hombros, en la portada de libros de mapas. *Teatrum orbis Terrarum* [Representación del teatro del mundo] (1570), de Abraham Ortelius, es señalado por la mayoría como el primer atlas moderno. Los atlas generalmente incluyen fotografías, ilustraciones, cuadros estadísticos, cifras y datos sobre determinadas zonas e índices de lugares geográficos complementados con coordenadas de latitud y longitud o con una cuadrícula que indica la ubicación con números y letras a un costado de los mapas.

Estatua romana de Atlas sosteniendo el mundo; Museo de Capodimonte, Nápoles, Italia.
FOTOBANCO

Atlas En la mitología GRIEGA, el gigante que sostenía el peso de los cielos sobre sus hombros. Atlas fue el hijo del TITÁN Japeto y de la ninfa Clímene, y el hermano de PROMETEO. Según HESÍODO, Atlas fue uno de los titanes que emprendieron la guerra contra Zeus y que, como castigo, fue condenado a sostener los cielos.

Atlas, Charles *orig.* **Angelo Siciliano** (30 oct. 1893, Acri, Italia–24 dic. 1972, Long Beach, N.Y., EE.UU.). Fisicoculturista estadounidense de origen italiano. Atlas emigró a EE.UU. a los diez años de edad. En 1929, junto al publicista Charles P. Roman, lanzó un curso de ejercicios isotónicos y de mantenimiento nutricional. Sus clases de fisicoculturismo por correo se convirtieron en leyenda para tres generaciones, gracias a los avisos publicitarios en las revistas de historietas. El anuncio habitual ilustraba escenas en las que un joven esmirriado perdía a su novia a manos de un fornido salvavidas (quien además le lanzaba arena en la cara mediante un puntapié), para después reconquistarla luego de tomar el curso de Charles Atlas.

Atlas, cohete Cualquiera de los cohetes de la serie del mismo nombre, usado como vehículo de lanzamiento espacial fungible por EE.UU. El Atlas fue diseñado originalmente como un MISIL BALÍSTICO INTERCONTINENTAL (ICBM) de combustible líquido, y su versión operacional se probó por primera vez en 1959. Las primeras versiones lanzaron la mayoría de las misiones tripuladas MERCURY y, acoplados con cohetes de última fase, varias de las sondas RANGER, SURVEYOR, MARINER y PIONEER, que efectuaron misiones lunares y planetarias. Generaciones posteriores se han transformado en los caballos de batalla del programa espacial de EE.UU. y transportan una amplia variedad de vehículos espaciales científicos, militares y comerciales.

Atlas, montes Sistema montañoso del noroeste de África. Se extiende por aprox. 2.000 km (1.200 mi) desde el puerto marroquí de Agadir, en el sudoeste, hasta Túnez, la capital del país de mismo nombre, en el nordeste. Comprende una serie de cadenas montañosas, con distintas altitudes, que comprenden el Alto Atlas en Marruecos; el Atlas telliano, que se extiende a lo largo de la costa desde Argelia hasta Túnez; y el Atlas sahariano, en Argelia, ubicado más al interior y que bordea el SAHARA. Entre esas cadenas montañosas se extienden numerosas mesetas y llanos que sustentan diversos sistemas ecológicos. La cumbre más alta del sistema es el monte marroquí Tubkal, cuya elevación es de 4.165 m (13.665 pies).

atleta, pie de Forma de TIÑA CUTÁNEA que afecta a los pies. En el tipo inflamatorio, la infección puede estar largo tiempo inactiva, con episodios ocasionales agudos en que se forman ampollas, especialmente entre los dedos de los pies. El tipo seco es crónico, caracterizado por el enrojecimiento leve y la descamación seca de la piel que puede comprometer la planta, bordes y uñas de los pies, las cuales se tornan gruesas y quebradizas.

atletismo Variedad de competencias deportivas que se realizan en una pista y en el terreno adyacente a ella. Es la forma más antigua de deporte organizado; fue parte de los antiguos JUEGOS OLÍMPICOS c. 776 AC – 393 DC. Los torneos de atletismo moderno comprenden variadas carreras, tanto de velocidad como de fondo y semifondo, además de carreras de RELEVOS, de VALLAS y de OBSTÁCULOS; pruebas de SALTO DE ALTURA, SALTO CON PÉRTIGA, SALTO DE LONGITUD y TRIPLE SALTO; lanzamientos de la BALA, del DISCO, del MARTILLO y de la JABALINA. A ellas se agregan competencias combinadas como el DECATLÓN, PENTATLÓN y HEPTATLÓN. Las carreras de CROSS-COUNTRY, MARATÓN y MARCHA, que pocas veces se realizan en la misma pista atlética, también se consideran dentro de las disciplinas de este deporte. Las competencias pueden desarrollarse bajo techo o al aire libre, y los récords se llevan separadamente. Algunas pruebas se modifican o se eliminan para las competencias bajo techo.

atman (sánscrito: "respiración" o "uno mismo"). Concepto fundamental en la filosofía hindú, que describe el núcleo eterno de la personalidad que sobrevive a la muerte y transmigra a una nueva vida, o se libera de las ataduras de la existencia. El atman devino el concepto filosófico principal en los UPANISAD. Subyace en todos los aspectos de la personalidad, mientras que BRAHMAN subyace al funcionamiento del universo. El concepto de atman atañe particularmente a las escuelas de filosofía SAMKHYA, YOGA y VEDANTA. Ver también ALMA.

atmósfera Envoltura gaseosa que rodea la Tierra. Su composición química es bien definida cerca de la superficie (ver AIRE). Además de gases, la atmósfera contiene partículas

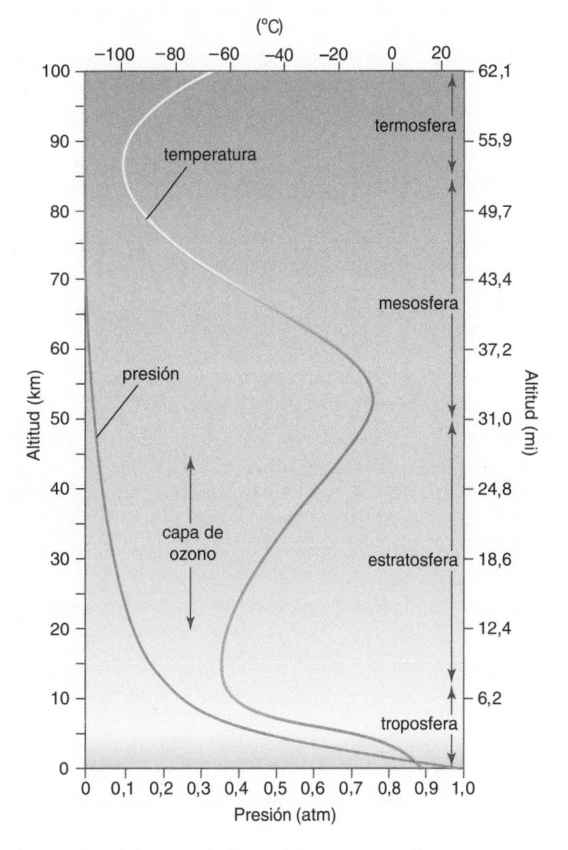

En la atmósfera de la Tierra, los límites de las capas atmosféricas son aproximados y variables, especialmente con la latitud. La mayor parte de los cambios en el tiempo atmosférico se presentan en la troposfera. La capa de ozono, que absorbe gran parte de la radiación ultravioleta incidente, forma parte de la estratosfera. La termosfera se extiende cientos de kilómetros sobre la superficie terrestre y limita con el espacio exterior. La presión atmosférica disminuye gradualmente con la altitud, pero la temperatura aumenta y desciende a través de las sucesivas capas atmosféricas de manera más compleja.

en suspensión, sólidas y líquidas. Los científicos dividen la atmósfera en cinco estratos principales: en orden ascendente, la TROPOSFERA (desde la superficie hasta 10–13 km o 6–8 mi); la ESTRATOSFERA (6–17 km o 4–11 mi, hasta aprox. 50 km o 30 mi); la mesosfera (50–80 km o 31–50 mi); la termosfera (80–480 km o 50–300 mi), y la exosfera (desde 480 km o 300 mi y disipándose gradualmente). La mayor parte de la atmósfera está compuesta de moléculas y átomos neutros, pero en la IONOSFERA una fracción significativa está cargada eléctricamente. La ionosfera comienza cerca de la parte superior de la estratosfera, pero se distingue mejor en la termosfera. (Ver también CAPA DE OZONO).

atolón Arrecife coralino que circunda una LAGUNA. Los atolones están formados por franjas de arrecife de formas cerradas, no necesariamente circulares, alrededor de lagunas que pueden tener 50 m (160 pies) de profundidad o más y se pueden extender por kilómetros. Por lo general, la mayor parte del arrecife mismo es subacuática; frecuentemente se encuentran islas o franjas de tierra más continuas, bajas y llanas alrededor del borde del atolón.

atómica, arma Ver ARMA NUCLEAR

atomismo Doctrina filosófica según la cual los objetos materiales son agregados de partes más simples llamadas átomos. El atomismo en sentido estricto se caracteriza por tres afirmaciones: los átomos son absolutamente indivisibles, cualitativamente idénticos —a excepción de la forma, el tamaño y el movimiento— y combinables entre sí sólo por yuxtaposición. El atomismo se asocia por lo general al REALISMO y el MECANICISMO; es mecanicista, porque sostiene que todos los cambios observables pueden ser reducidos a cambios en la configuración de los átomos que constituyen la materia. Se opone al HOLISMO, porque afirma que las propiedades de un todo pueden explicarse por las propiedades de sus partes.

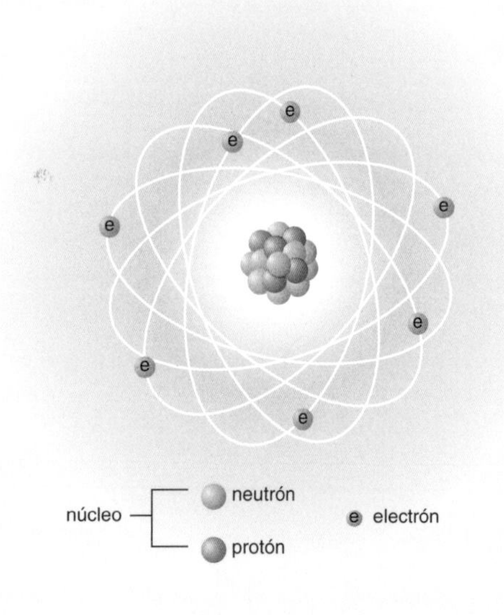

Modelo "planetario" clásico de un átomo. Los protones y neutrones en el núcleo están rodeados por electrones en "órbita" alrededor del núcleo. La cantidad de protones determina cuál elemento está representado; el número de electrones, su carga, y el de neutrones determina cuál isótopo del elemento está representado.

© 2006 MERRIAM-WEBSTER INC.

átomo La unidad más pequeña en la que puede dividirse la materia y aún conservar las propiedades características de un elemento. La palabra deriva del griego *atomos* ("indivisible"), y en efecto, hasta principios del s. XX se creyó que el átomo era indivisible; sin embargo, con el descubrimiento de los ELECTRONES y el NÚCLEO, se descartó dicha convicción. Ahora se sabe que un átomo tiene un núcleo cargado positivamente que aporta más del 99,9% de la MASA del átomo, pero sólo alrededor de 10^{-14} (menos de una billonésima) de su volumen. El núcleo se compone de PROTONES cargados positivamente y de NEUTRONES eléctricamente neutros, cada uno con una masa unas 2.000 veces mayor que la del electrón. La mayor parte del volumen de un átomo consiste en una nube de electrones que tiene una masa muy pequeña y una carga negativa. La nube de electrones está ligada al núcleo por la atracción de cargas opuestas. En un átomo neutro, los protones del núcleo están equilibrados por los electrones. Un átomo que ha adquirido o perdido electrones queda cargado negativa o positivamente y se llama ION.

Ajnatón (izquierda) con su esposa, Nefertiti, y tres de sus hijas bajo los rayos del dios Atón, mediados del s. XIV AC; Museos estatales, Berlín.

FOTO MARBURG–ART RESOURCE

Atón En la religión egipcia antigua, dios Sol, representado como el disco solar emitiendo rayos que terminan en manos humanas. El faraón AJNATÓN (r. 1353–36 AC) declaró que Atón era el único dios, y, oponiéndose a los sacerdotes de Amón-Rá residentes en Tebas, construyó la ciudad de Ajnatón como centro del nuevo culto. Sin embargo, la religión de Atón fue escasamente comprendida y tras la muerte de Ajnatón, la vieja religión egipcia fue restaurada.

atonalidad En música, la ausencia de armonía funcional como elemento estructural fundamental. Aunque probablemente en su origen fue un término peyorativo aplicado a la música de CROMATISMO extremo, se convirtió en el término más utilizado para describir la música del s. XX cuya conexión con el sistema TONAL es difícil de oír. ARNOLD SCHÖNBERG y sus discípulos ALBAN BERG y ANTON WEBERN son considerados los compositores atonales originales más influyentes. Con frecuencia se hace una distinción entre el SERIALISMO de las obras tardías de estos compositores y la "atonalidad libre" de sus obras tempranas.

ATP *sigla de* **adenosina trifosfato** Compuesto orgánico, sustrato de muchas reacciones catalizadas por enzimas (ver CATÁLISIS), presente en las CÉLULAS de animales, plantas y microorganismos. Los enlaces químicos de ATP (ver ENLACE) almacenan una gran cantidad de energía química. Por consiguiente, el ATP funciona como el transportador de energía química de la oxidación (ver OXIDACIÓN-REDUCCIÓN) de alimentos productores de energía a procesos celulares que la requieren. Tres de tales procesos del METABOLISMO son fuentes de ATP y de energía almacenada: FERMENTACIÓN, ciclo de KREBS y respiración celular (también llamada fosforilación oxidativa). Todas forman ATP a partir de adenosinmonofosfato (AMP) o adenosindifosfato (ADP) y FOSFATO inorgánico. Cuando la reacción es a la inversa, el ATP se descompone en ADP o AMP y fosfato, y la energía liberada se utiliza para que la célula realice un trabajo químico, eléctrico u osmótico.

atrapamoscas Cualquiera de unas 100 especies de angiospermas anuales y perennes, conocidas como PLANTAS CARNÍVORAS, distribuidas en cuatro géneros, especialmente aquellas del género

Drosera, de la familia Droseraceae. Las atrapamoscas se encuentran por doquier en regiones tropicales y templadas. Por lo general, sus hojas se disponen en una roseta basal. Ambas superficies foliáceas se suelen cubrir con pelos terminados en glándulas pegajosas y tentáculos sensibles que atrapan insectos. Después de que la presa atrapada ha sido digerida por las enzimas secretadas por los tentáculos, la hoja se reabre y la trampa queda lista. La planta carnívora más conocida es la ATRAPAMOSCAS DE VENUS. Ver también PLANTA CARNÍVORA TROMPETA.

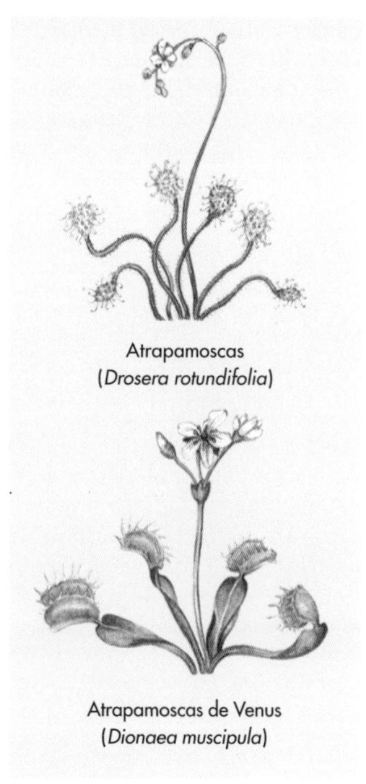

Especies de atrapamoscas.

atrapamoscas de Venus Angiosperma perenne (*Dionaea muscipula*), único miembro del género, perteneciente a la familia Droseraceae (ver ATRAPAMOSCAS), notable por su hábito desusado de atrapar y digerir insectos y otros animales pequeños (ver PLANTA CARNÍVORA). Nativa de una pequeña región de Carolina del Sur y del Norte, EE.UU., es común en áreas húmedas y cubiertas de musgo. Crece a partir de un rizoma bulboso, tiene hojas abisagradas con dientes espinosos a lo largo de sus bordes y un racimo redondo de florecillas blancas en la punta de un tallo erguido que mide 20–30 cm (8–12 pulg.) de alto. Cuando un insecto se posa en una de sus hojas y estimula sus pelos sensibles, esta se cierra de golpe, en cerca de medio segundo. Las glándulas foliáceas secretan un líquido rojo que digiere el cuerpo del insecto, tiñendo toda la hoja de rojo, lo que le da una apariencia de flor. Después de diez días de digestión, la hoja se reabre. La atrapamoscas de Venus muere después de capturar tres o cuatro insectos.

Atreo En la leyenda griega, el hijo de PÉLOPE. Atreo se convirtió en rey de Micenas y expulsó a su hermano Tieste. La calamidad se desencadenó sobre la casa de Pélope y Atreo mató a su propio hijo Plístenes, para después ser asesinado por Egisto, el vástago de Tiestes, sobrino a quien Atreo había criado como un hijo. Otros dos hijos de Atreo, AGAMENÓN y MENELAO, lucharon en la guerra de Troya.

atresia y estenosis Ausencia (atresia), comúnmente congénita, o estrechamiento (estenosis) de casi cualquier cavidad o conducto del cuerpo. Las más importantes son las atresias del ano, esófago, arco aórtico, válvulas del corazón y vías urinarias; y las estenosis del intestino, vías urinarias, válvula pilórica (desembocadura del estómago) y de las válvulas del corazón. La mayoría de estas se debe corregir quirúrgicamente poco después de nacer.

atrio En la antigua residencia romana, el patio central abierto que contenía el *impluvium*, una pila que recolectaba las aguas lluvias. Originalmente, contenía el hogar y funcionaba como el centro de la vida familiar. El término se empezó a usar después para denominar el patio frontal abierto de una BASÍLICA cristiana, donde los fieles se reunían antes de los servicios. El atrio resurgió en el s. XX como un espacio cubierto de vidrio, de varios pisos de altura, lleno de plantas, presente a veces en centros comerciales, edificios de oficinas y grandes hoteles.

atrofia Disminución del tamaño previamente normal del cuerpo o de una de sus partes, células, órganos o tejidos. Un órgano o las células de una parte del cuerpo pueden disminuir de tamaño, número o ambos. La atrofia de algunas células y órganos es normal en ciertos puntos del ciclo vital. Otras causas incluyen la malnutrición, enfermedades, desuso, lesiones y producción hormonal excesiva o deficiente.

atropina Droga anticolinérgica. Alcaloide venenoso, cristalino, derivado de ciertas plantas de la familia de las SOLANÁCEAS, en especial el beleño egipcio. La atropina se utiliza principalmente para disminuir las secreciones corporales, dilatar los bronquios, prevenir una bradicardia excesiva durante la anestesia, y en oftalmología, para dilatar la pupila. Actúa inhibiendo al sistema NERVIOSO parasimpático. La atropina también se utiliza como ANTÍDOTO para la intoxicación por gas paralizante.

Atsumi Kiyoshi (10 mar. 1928, Tokio, Japón–4 ago. 1996, Tokio). Actor cómico japonés. Atsumi creció en un suburbio empobrecido de Tokio y realizó trabajos ocasionales en el teatro antes de interpretar por primera vez a Tora-san en una película para la televisión en 1968. Continuó interpretando el personaje hasta 1996 en la serie de 48 películas *Otoko wa tsurai yo* [Es duro ser hombre], la serie más larga en la que un mismo actor haya caracterizado al personaje central. Tora-san, un vendedor callejero de mediana edad, es un bribón encantador e irresponsable que ofrece baratijas a los transeúntes y corteja, sin el menor éxito, a mujeres hermosas. Atsumi dotó al personaje de una franqueza campechana y de una locuacidad ingeniosa.

AT&T Corp. *ant.* **American Telephone and Telegraph Co.** Corporación de telecomunicaciones estadounidense. Fue creada como una subsidiaria de Bell Telephone Co. (fundada por ALEXANDER GRAHAM BELL en 1877) para instalar el tendido de líneas telefónicas de larga distancia. Posteriormente, se transformó en la empresa matriz del sistema Bell (ver BELLSOUTH CORP.). A principios del s. XX, la compañía ganó una virtual posición monopólica en la industria de telecomunicaciones de EE.UU. y en 1970 ya había logrado transformarse en la corporación más grande del mundo. Desarrolló conexiones radiotelefónicas transoceánicas y sistemas de telefonía por cable y creó además el sistema de comunicaciones satelital llamado Telstar. Tras años de litigios por infracción de las leyes federales antimonopólicas, en 1984 AT&T debió ceder el control de sus 22 compañías regionales de telefonía, las cuales se combinaron para formar siete nuevas empresas conocidas como las "Hijas Bell": Nynex, Bell Atlantic, Ameritech, BellSouth, Southwestern Bell Corp., US West y Pacific Telesis Group. Desde entonces, muchas de estas empresas se han fusionado. En 1996, AT&T dividió sus operaciones en tres compañías separadas: AT&T Corp., Lucent Technologies Inc. (compuesta por las antiguas operaciones de WESTERN ELECTRIC CO. INC. y Laboratorios BELL) y NCR CORP. En 2000, AT&T se dividió en cuatro unidades.

Attenborough, Sir David (Frederick) (n. 8 may. 1926, Londres, Inglaterra). Libretista de televisión británico. Ingresó a la BBC en 1952, donde creó la serie *Zoo Quest* (1954–64). Como contralor de la señal BBC-2 (1965–68) y director de programación (1968–72), contribuyó a producir series como *The Forsyte Saga*, *The Ascent of Man* y *Civilisation*. Como productor independiente realizó programas educacionales innovadores como *La vida en la Tierra* (1979) y *El planeta viviente* (1984). En 1985 se le confirió el título de caballero.

atthakatha Comentarios sobre el canon budista pali de la antigua India y Ceilán. Los comentarios en pali llegaron a Ceilán en el s. III AC y estuvieron traducidos y disponibles en cingalés en el s. I DC. El erudito Buddhaghosa (s. V) incorporó comentarios dravidianos y tradiciones cingalesas, y reeditó en pali buena parte del material original. Los atthakathas más antiguos han desaparecido, pero los trabajos de Buddhaghosa y sus sucesores proporcionan información acerca de cómo se desenvolvieron la vida y el pensamiento en la comunidad budista THERAVADA, y también contienen gran cantidad de material profano y legendario.

Attlee, Clement (Richard), 1er conde Attlee de Walthamstow (3 ene. 1883, Putney, Londres, Inglaterra–8 oct. 1967, Westminster, Londres). Líder del Partido Laborista (1935–55) y primer ministro británico (1945–51). Comprometido con la reforma social, vivió durante muchos años (1907–22) en una residencia ubicada en el empobrecido East End de Londres. Elegido al parlamento en 1922, participó en varios gobiernos laboristas y en el gobierno de coalición de tiempos de guerra de WINSTON CHURCHILL, a quien sucedió como primer ministro en 1945. Attlee encabezó la creación del ESTADO BENEFACTOR en Gran Bretaña, la nacionalización de las principales industrias británicas y la concesión de independencia a India, paso importante en la transformación del Imperio BRITÁNICO en la COMMONWEALTH. Dimitió cuando los conservadores ganaron estrechamente la elección de 1951.

Clement Attlee, fotografía de Yousuf Karsh.

Attucks, Crispus (¿1723? –5 mar. 1770, Boston, Mass., EE.UU.). Patriota estadounidense y mártir de la masacre de BOSTON. Sus comienzos no están claros, pero es probable que fuera un esclavo fugitivo, de origen africano e indio natick, quien tal vez trabajó en barcos balleneros. De los cinco que murieron en la masacre, su nombre es el único que se recuerda ampliamente. En 1888 se inauguró un monumento en su honor, en Boston Common.

atún Cualquiera de las siete especies (género *Thunnus*, familia Scombridae) de peces comestibles de alto valor comercial. Su peso varía de 36 kg (80 lb) de la ALBACORA a 800 kg (1.800 lb) del atún de aleta azul (*T. thynnus*), el que puede llegar a medir 4,3 m (14 pies) de largo. Los atunes tienen un cuerpo esbelto, estilizado y una cola ahorquillada o en luna creciente. Son los únicos peces que poseen un sistema vascular modificado para mantener una temperatura corporal más alta que la del agua circundante. Aunque son nadadores lentos, migran a grandes distancias por todos los océanos. Se alimentan de peces, calamares, moluscos y plancton.

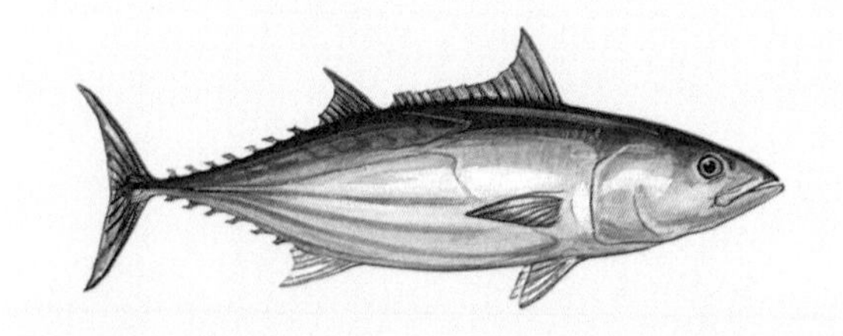

Atún listado (*Euthynnus pelamis*).

Atwood, Margaret (Eleanor) (n. 18 nov. 1939, Ottawa, Ontario, Canadá). Poetisa, novelista y crítica canadiense. Atwood estudió en las universidades de Toronto y Harvard. En el poemario *The Circle Game* [El juego circular] (1964; Premio del Gobernador General de Canadá), ensalza el mundo natural y condena el materialismo. Entre sus novelas, muchas de las cuales se han convertido en *best sellers*, se cuentan *Doña Oráculo* (1976), *Daño corporal* (1981), *El cuento de la criada* (1985; Premio del Gobernador General de Canadá), *La novia ladrona* (1993), *Alias Grace* (1996) y *El asesino ciego* (2000). Se destaca por su feminismo y su nacionalismo canadiense.

Auburn, Universidad de Universidad pública fundada en 1856 en Auburn, Ala., EE.UU. Ofrece estudios de pregrado y de posgrado en negocios, educación, ingeniería, agricultura, ingeniería forestal, arquitectura, artes y ciencias, así como los grados de enfermería, farmacia y medicina veterinaria. En Auburn se encuentra el Space Research Institute, centro de investigación y desarrollo de tecnología espacial. Un segundo campus se encuentra en Montgomery.

Aubusson, tapiz de Cubierta de piso producido en la aldea de Aubusson, en el centro de Francia. Siendo un centro de producción de tapices murales y para mobiliario desde el s. XVI, se le otorgó a Aubusson el título de manufactura real en 1665. En 1743 se establecieron talleres para fabricar alfombras de nudo para la nobleza y poco después se produjeron alfombras con la técnica de tapicería de tejido plano, con diseños florales y estilo chinesco. En los s. XIX–XX, el nombre Aubusson se convirtió en sinónimo del tapiz francés de tejido plano.

Auckland Ciudad (pob., 2001: 377.382 hab; pob. área metrop.: 1.158.891 hab.) de la isla del Norte en Nueva Zelanda. Ubicada entre las radas de WAITEMATA y Manukau, es el puerto principal y la mayor ciudad del país. Fundada en 1840 como la capital de Nueva Zelanda y bautizada así en honor a George Eden, conde de Auckland, se mantuvo como capital hasta que fue remplazada por WELLINGTON en 1865. Es un importante centro industrial y de transporte marítimo. Un puente la une con los suburbios en expansión de la costa norte y con Devonport, la principal base naval de Nueva Zelanda.

Vista de la ciudad y puerto de Auckland, Nueva Zelanda.

Auden, W(ystan) H(ugh) (21 feb. 1907, York, Yorkshire, Inglaterra–29 sep. 1973, Viena, Austria). Poeta y hombre de letras estadounidense de origen inglés. Estudió en la Universidad de Oxford, donde ejerció una poderosa influencia sobre C. DAY-LEWIS, LOUIS MACNEICE y Sir STEPHEN SPENDER. Su variada obra versa sobre temas morales y asuntos intelectuales de interés público, sin descuidar el mundo interior donde reinan los sueños y la fantasía. En la década de 1930 fue uno de los adalides de la izquierda, que señalaba los males del capitalismo a la vez que advertía acerca de los peligros del totalitarismo. Colaboró con CHRISTOPHER ISHERWOOD en tres piezas teatrales en verso. Sus escritos de madurez reflejan los cambios en su vida (se nacionalizó estadounidense) y en su perspectiva religiosa e intelectual (abrazó el cristianismo y se desilusionó de la izquierda), y ocasionalmente su condición homosexual. De su obra poética destaca *La edad de la ansiedad* (1947, Premio Pulitzer) y las colecciones *Another Time* [Otro tiempo] (1940) y *Homage to Clio* [Homenaje a Clío] (1960). Junto a su compañero de tantos años, Chester Kallman, escribió libretos operísticos, el mejor de ellos *The Rake's Progress* [La carrera del libertino] (1951) para IGOR STRAVINSKI.

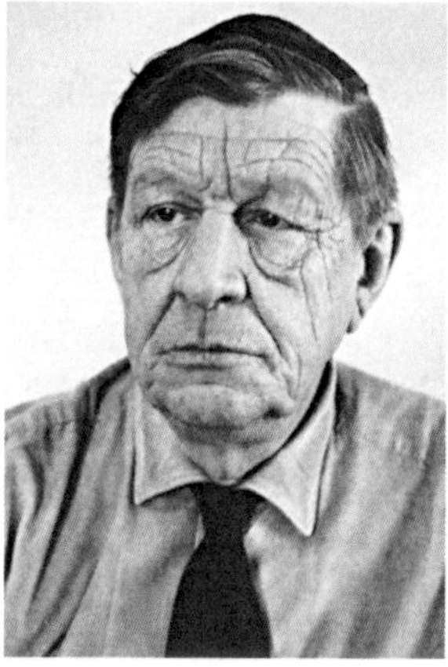

W. H. Auden, 1965.
HORST TAPPE

Audh ver OUDH

audición *o* **percepción de sonidos** Proceso fisiológico por medio del cual se percibe el SONIDO. La audición implica la transformación de las vibraciones sonoras en impulsos nerviosos que viajan al cerebro y que son interpretados como sonidos. Los ARTRÓPODOS y VERTEBRADOS son dos grupos de animales capaces de percibir sonidos. La audición permite a los animales percibir el peligro, localizar el alimento, aparearse y, en criaturas más complejas, establecer una comunicación (ver COMUNICACIÓN ANIMAL). Todos los vertebrados tienen dos oídos, generalmente con una cámara interna que contiene células auditivas ciliares (papila) y un tímpano externo que recibe y transmite las vibraciones sonoras. Localizar un sonido depende tanto de la capacidad de distinguir diferencias mínimas en intensidad como del tiempo de llegada del sonido a ambos oídos. Generalmente, en los mamíferos la percepción de sonidos está muy desarrollada y a menudo altamente especializada, como en el caso de los murciélagos y delfines, que utilizan la ECOLOCACIÓN, y las ballenas y los elefantes, que son capaces de oír los llamados de apareamiento desde diez o incluso cientos de kilómetros de distancia. Los perros y otros caninos también pueden, en forma similar, escuchar sonidos lejanos. El oído humano puede percibir frecuencias de sonido de 20–20.000 hertz (Hz), si bien es más sensible a aquellos entre 1.000–3.000 Hz. Los impulsos viajan a través del canal auditivo central desde el nervio coclear a la médula y, de ahí, a la CORTEZA CEREBRAL. La audición puede deteriorarse debido a enfermedades, lesiones o vejez. Algunos trastornos, incluida la SORDERA, pueden tener un origen congénito. Ver también AUDÍFONO.

audiencia En derecho, proceso, o más específicamente, método establecido para conocer una causa promovida ante un juez de acuerdo con la legislación del país. En el uso popular, el término a menudo alude al procedimiento reglamentario que tiene lugar ante un magistrado antes de que se inicie el juicio y, en particular, a una audiencia preliminar en el curso de la cual el juez o magistrado determina si las pruebas existentes justifican seguir adelante con el proceso.

audífono *o* **prótesis auditiva** Instrumento que aumenta la intensidad de los sonidos en el OÍDO del usuario. Sus principales componentes son un micrófono, un amplificador y un audífono. Estos dispositivos acústicos son cada vez más pequeños y menos notorios, y se instalan detrás del lóbulo de la oreja o dentro del canal auditivo. Sus características varían ampliamente, amplificando distintos componentes de los sonidos del habla para que cada usuario tenga la mejor comprensión. Los audífonos con control automático del volumen varían automáticamente la amplificación según la recepción de entrada.

audion Tubo de radio elemental inventado por LEE DE FOREST (patentado en 1907). Fue el primer tríodo de TUBO DE VACÍO que incorporó una rejilla de control así como un cátodo y un ánodo. Era capaz de conseguir una recepción más sensible de señales inalámbricas que los detectores electrolíticos y de carborundo utilizados en ese entonces. El audion hizo posible la radiodifusión en vivo y se convirtió en el componente clave de todos los sistemas de radio, teléfono, radar, televisión y computación antes de la invención del TRANSISTOR.

auditoría Revisión de los registros e informes de una empresa por especialistas contables distintos de aquellos responsables de su preparación. La auditoría pública realizada por contadores independientes es una práctica común en las grandes empresas. El auditor lleva a cabo distintas pruebas para determinar si los estados de cuenta de la empresa fueron preparados de acuerdo con principios contables aceptables y si ellos representan con fidelidad su posición financiera y sus resultados operacionales. Las auditorías sobre la situación tributaria de las personas se realizan para verificar si los individuos han reportado exactamente su situación financiera al momento de declarar sus impuestos. Las anomalías detectadas en estas auditorías pueden llevar al pago de multas, o en casos de fraudes significativos y deliberados, a procesamientos penales.

auditórium Parte de un teatro o sala de espectáculos, distinta del escenario, donde los asistentes toman asiento. El auditórium se originó en los teatros de la antigua Grecia, como un área semicircular de asientos excavada en la ladera de un cerro. Los distintos niveles de un gran auditórium pueden contener lunetas, palcos, un anfiteatro, un balcón o una GALERÍA. El piso inclinado y los muros convergentes permiten una visión clara del escenario y mejoran la acústica. Los muros y cielos del auditórium contemporáneo generalmente ocultan los equipos de iluminación, sonido y aire acondicionado.

Audubon, John James *orig.* **Fougère Rabin** *o* **Jean Rabin** *post.* **Jean-Jacques Fougère Audubon** (26 abr. 1785, Les Cayes, Saint-Domingue, Indias Occidentales–27 ene. 1851, Nueva York, N.Y., EE.UU.). Ornitólogo, artista y naturalista, famoso por sus dibujos y pinturas de aves de Norteamérica. Nacido en el actual Haití, hijo de un comerciante francés, volvió a Francia con su padre, donde por un corto tiempo estudió pintura con JACQUES-LOUIS DAVID, antes de trasladarse a EE.UU. a la edad de 18 años. Desde la finca de su padre en Pensilvania, realizó los primeros experimentos de marcado de aves. Luego de fallidas empresas comerciales, se concentró en el dibujo y estudio de las aves, para lo cual recorrió desde Florida hasta Labrador. Los cuatro volúmenes de su extraordinario libro ilustrado *Las aves de América* se publicó en Londres en 1827–38. Simultáneamente publicó un extenso texto complementario del anterior llamado *Ornithological Biography* [Biografía ornitológica] (5 vol., 1831–39). Su obra en varios tomos *Viviparous Quadrupeds of North America* [Cuadrúpedos vivíparos de Norteamérica] (1842–54) fue completada por sus hijos. Aunque a veces sus aves tienen poses irreales (como resultado de pintar

Aves exóticas, ilustración publicada en *Las aves de América* de John James Audubon.
FOTOBANCO

aves embalsamadas) y algunos detalles son imprecisos, muy pocos cuestionan la excelencia artística de sus ilustraciones y sus estudios fueron fundamentales para la ornitología del Nuevo Mundo.

Audubon, Sociedad Nacional Organización estadounidense dedicada a la conservación y restauración de ecosistemas naturales. Fundada en 1905 en memoria de JOHN JAMES AUDUBON, la sociedad cuenta con 600.000 miembros y mantiene más de 100 reservas para fauna silvestre y centros de conservación a lo largo de EE.UU. Sus campañas prioritarias abarcan la preservación de los humedales y bosques en peligro, la protección de los corredores de aves migratorias y la conservación de la vida silvestre marina. Sus 300 funcionarios incluyen científicos, educadores, administradores de santuarios y especialistas en asuntos de gobierno.

Auerstedt, batalla de ver batallas de JENA y Auerstedt

augita El mineral de PIROXENO más común que se encuentra principalmente como cristales voluminosos en basaltos, gabros, andesitas y diversas otras rocas ígneas oscuras. También es un componente común de los meteoritos y basaltos lunares y puede encontrarse en algunas rocas metamórficas, como las piroxenitas. Como las diferencias entre la serie de diópsido (piroxeno)-hedenbergita y la augita son casi imperceptibles, el término augita se usa algunas veces para designar a cualquier piroxeno de color verde oscuro a negro con simetría monocíclica (tres ejes cristalográficos desiguales con una intersección oblicua).

Augsburgo Ciudad (pob., est. 2002: 257.800 hab.) de BAVIERA en el sur de Alemania. Fundada como una colonia romana por CÉSAR AUGUSTO c. 14 AC, era la sede de un obispado en 739 DC. Se convirtió en una ciudad imperial libre en 1276 y se unió a la Liga de Suabia en 1331. Las familias FUGGER y Welser convirtieron la ciudad en uno de los principales centros comerciales y financieros en los s. XV–XVI. La confesión de AUGSBURGO fue leída en la dieta de 1530; la paz de AUGSBURGO fue firmada en 1555; y la Liga de AUGSBURGO fue formada en 1686. La ciudad se convirtió en parte de Baviera en 1806. Fue intensamente bombardeada durante la segunda guerra mundial. Entre sus sitios de interés se encuentra la Fuggerei (1519), el proyecto habitacional para los pobres más antiguo del mundo.

Augsburgo, confesión de *o* **confesión luterana** Declaración doctrinal básica del LUTERANISMO. Su autor principal fue PHILIPP MELANCHTHON y fue presentada al emperador CARLOS V en la dieta de Augsburgo el 25 de junio de 1530. Su propósito era defender a los luteranos contra las tergiversaciones de sus enseñanzas y proporcionar un fundamento teológico que los católicos romanos pudieran aceptar. Esta declaración consistía en 28 artículos que esbozaban la doctrina luterana y además enumeraban los abusos que por siglos habían entrado furtivamente en la cristiandad de Occidente. El documento original mantiene su vigencia y autoridad para los luteranos, mientras que una versión rigurosamente revisada por Melanchthon fue aceptada por algunas iglesias reformadas. Fue traducida al inglés en 1536 y tuvo una gran influencia en los treinta y nueve artículos de la Iglesia anglicana y los veinticinco artículos de religión del metodismo.

Augsburgo, Liga de Coalición formada en 1686 por el emperador LEOPOLDO I, los reyes de Suecia y España, y los electores de Baviera, Sajonia y el Palatinado. La Liga se formó para oponerse a los planes expansionistas de LUIS XIV de Francia antes de la guerra de la LIGA DE AUGSBURGO. La coalición no fue efectiva debido a la renuencia de algunos príncipes a oponerse a Francia y a la ausencia de disposiciones sobre una acción militar conjunta.

Augsburgo, paz de Acuerdo promulgado en 1555 por la dieta del Sacro Imperio romano germánico, que sentó la primera base legal permanente para la existencia del LUTERANISMO, además del catolicismo, en Alemania. La dieta determinó que ningún miembro del Imperio haría la guerra contra otro por razones religiosas. Reconoció sólo dos confesiones, la católica y la luterana, y estipuló que en cada territorio del Imperio se permitiría sólo una de ellas. Sin embargo, se permitió a las personas trasladarse a los estados donde se hubiera adoptado su fe. A pesar de sus numerosos defectos, el acuerdo salvó al imperio de serios conflictos internos durante más de 50 años. Ver también REFORMA.

Augusta Ciudad (pob., 2000: 18.560 hab.), capital del estado de Maine, EE.UU. Fue establecida en 1628 por comerciantes de la colonia de PLYMOUTH como puesto de cabecera para la navegación por el río KENNEBEC. El fuerte Western fue construido allí en 1754 (restaurado en 1919), lo que atrajo a pobladores. Incorporada a la Unión en 1797, se rebautizó al año siguiente en honor a la hija de un general de la guerra de independencia de EE.UU. Se convirtió en la capital del estado en 1832. Es uno de los principales centros vacacionales de Maine.

Augusto II, pintura al óleo de Louis de Silvestre; Colecciones de Arte del Estado Wawel.
GENTILEZA DEL PANSTWOWE ZBIORY SZTUKI NA WAWELU, CRACOVIA, POLONIA

Augusto II *polaco* **August Fryderyk** (12 may. 1670, Dresde, Sajonia–1 feb. 1733, Varsovia, Polonia). Rey de Polonia y elector de Sajonia (como Federico Augusto I). Ascendió al trono de Polonia en 1697, después de convertirse al catolicismo para mejorar sus posibilidades. También llamado Augusto el Fuerte, invadió Livonia en 1700, dando inicio a la segunda guerra del NORTE. Carlos XII de Suecia derrotó al ejército de Augusto y lo obligó a abdicar en 1706, pero fue restaurado en el trono en 1710. Durante el reinado de Augusto, Polonia dejó de ser una gran potencia europea, convirtiéndose en un protectorado de Rusia.

Augusto III *polaco* **August Fryderyk** (17 oct. 1696, Dresde, Sajonia–5 oct. 1763, Dresde). Rey de Polonia y elector de Sajonia (como Federico Augusto II), cuyo reinado (1733–63) estuvo marcado por un largo período de desorden interno. Se preocupó más de los placeres que de los asuntos de Estado y dejó el gobierno de Sajonia y Polonia en manos de su primer consejero, Heinrich von Brühl (n. 1700–m. 1763), y de la poderosa familia CZARTORYSKI. Como elector de Sajonia, apoyó a Austria en la guerra de sucesión AUSTRÍACA y en la guerra de los SIETE AÑOS.

Augusto III, detalle de una pintura al óleo de Louis de Silvestre; Colecciones de Arte del Estado Wawel.
GENTILEZA DEL PANSTWOWE ZBIORY SZTUKI NA WAWELU, CRACOVIA, POLONIA

Augusto, César *u* **Octavio** *orig.* **Gaius Octavius** *post.* **Gaius Julius Caesar Octavianus** (23 sep. 63 AC–19 ago. 14 DC, Nola, cerca de Nápoles). Primer emperador romano. Nacido en el seno de una familia rica, a los 18 años fue nombrado hijo adoptivo y heredero de su tío abuelo JULIO CÉSAR. Luego del asesinato de César (44 AC) siguió una lucha por el poder, y después de varias batallas formó el segundo TRIUNVIRATO con sus principales rivales, LÉPIDO y MARCO ANTONIO. Eliminó a Lépido en 32 y a Antonio (entonces aliado de CLEOPATRA) en la batalla de ACTIUM en 31 para convertirse en el único gobernante. Recibió la dignidad de PRINCEPS. Se dice que el Imperio romano comienza cuando él asumió el poder. Al principio gobernó como CÓNSUL, manteniendo la administración republicana, pero en 27 aceptó el título de Augusto y en 23 fue investido del poder imperial. Su gobierno (31 AC–14 DC) trajo cambios en todos los aspectos de la vida romana y una paz duradera y prosperidad en el mundo grecorromano. Aseguró las provincias imperiales distantes, construyó carreteras y desarrolló obras públicas, estableció la PAZ ROMANA y promovió las artes. Adoptó medidas para rectificar la moral romana, incluso exiliando a su hija JULIA por adulterio. A su muerte, el imperio se extendía desde Iberia hasta Capadocia y desde la Galia hasta Egipto. Fue deificado en forma póstuma.

Augusto, siglo de (c. 43 AC–18 DC). Período de esplendor de la historia literaria latina. Junto con el período anterior, que fue dominado por MARCO TULIO CICERÓN, configura la Edad de Oro de la literatura latina. Marcada por la paz civil y la prosperidad, la época tuvo su más alta cumbre en la poesía, con una lírica refinada y sofisticada que abordó temas como el patriotismo, el amor y la naturaleza. Los poemas de esta etapa estaban, por lo general, dedicados a algún mecenas o al emperador CÉSAR AUGUSTO. Entre los escritores activos durante el período figuran VIRGILIO, HORACIO, TITO LIVIO y OVIDIO.

aulaga ver TOJO

aulos Flauta de lengüeta simple o doble que normalmente se tocaba en pares, en particular en la antigua Grecia. Durante el período clásico, los tubos eran de igual longitud, cada uno con tres o cuatro orificios. Fue el instrumento de viento principal de la mayoría de los pueblos más antiguos del Medio Oriente y existió en Europa hasta comienzos de la Edad Media, a menudo como flauta simple con más agujeros. Su sonido oscilante, descrito por PLATÓN, fue clásicamente asociado con los ritos de DIONISO.

AUM Shinrikyo (japonés: "Verdad Suprema AUM"). Nuevo movimiento religioso japonés fundado en 1987 por Asahara Shoko (n. 1955 como Matsumoto Chizuo). Tenía elementos de hinduismo y budismo, y se fundó sobre la expectativa milenaria de una serie de desastres que supuestamente llevarían a la destrucción de este mundo y la inauguración de un nuevo ciclo cósmico. En 1995, sus miembros liberaron gas neurotóxico (gas sarín) en el metro de Tokio, lo que causó la muerte de 12 personas y lesiones a otras 5.500. El grupo ha sido vinculado con otros incidentes con gas neurotóxico y delitos violentos. En la época del atentado afirmaba tener unos 50.000 miembros, principalmente en Rusia. El número de miembros decayó a consecuencia del atentado, pero a principios del s. XXI había crecido a unos 1.500 miembros. En 2000, el grupo cambió su nombre a Aleph. Más de diez miembros de AUM fueron sentenciados a muerte por su participación en el atentado con gas, incluido Asahara, cabecilla del atentado, que fue hallado culpable en 2004 de ser el autor intelectual del ataque.

Aung San (¿1914?, Natmauk, Birmania–19 jul. 1947, Rangún). Líder nacionalista de Birmania (Myanmar). Lideró una huelga estudiantil en 1936 y se convirtió en secretario general de un grupo nacionalista en 1939. Aceptó la ayuda japonesa para reclutar una fuerza militar en Birmania que ayudó a los japoneses en su invasión de 1942. Sin embargo, disgustado con el trato recibido por las fuerzas birmanas, comenzó a dudar de que los japoneses alguna vez permitirían que Birmania se independizara, y en 1945 decidió apoyar la causa aliada. Después de la guerra, se convirtió en primer ministro y negoció la independencia de Birmania, la que fue acordada en 1947; fue asesinado antes de que la independencia fuese proclamada en 1948.

Aung San Suu Kyi (n. 19 jun. 1945, Rangún, Birmania). Líder de la oposición en Birmania (Myanmar). Hija del líder nacionalista AUNG SAN, estudió en Birmania e India y en la Universidad de Oxford. Vivió en Gran Bretaña alejada de la vida pública hasta que, de regreso en Myanmar en 1988, la brutalidad del régimen militar de BO NE WIN la impulsó a iniciar una lucha no violenta por la democracia y los derechos humanos. En 1990, la victoria electoral de su Liga nacional por la democracia fue desconocida por el gobierno de Ne Win, y se la mantuvo bajo arresto domiciliario entre 1989 y 1995. Luego continuó sus actividades opositoras, sufriendo diversos tipos de hostigamiento gubernamental, como otro período de arresto domiciliario en 2000–02. En 1991 fue galardonada con el Premio Nobel de la Paz.

Aurangzeb *o* **Awrangzib** *orig.* **Muḥī al-Dīn Muḥammad** (3 nov. 1618, Dhod, Malwa, India–3 mar. 1707). Último de los grandes emperadores mogoles (ver dinastía MOGOL) de India (r. 1658–1707). Fue el tercer hijo del emperador SHAH JAHĀN y de Mumtāz Maḥal, para quien se construyó el TAJ MAHAL. Después de distinguirse precozmente por sus habilidades militares y administrativas, luchó contra su hermano mayor por el derecho de sucesión e hizo ejecutar a varios otros parientes rivales (incluso un hijo). Durante la primera mitad de su reinado, demostró ser un hábil monarca musulmán de un imperio mixto hindú-musulmán; fue impopular debido a su carácter implacable, pero respetado. Desde 1680, su devoción religiosa comenzó a dominar sus decisiones políticas; excluyó a los hindúes de los cargos públicos, destruyó sus templos y escuelas, se enredó en una guerra estéril contra los mahratas en el sur de India y ejecutó al Gurú sij Tegh Bahadur (r. 1664–75), iniciando una enemistad sij-musulmana que ha continuado hasta el presente.

Retrato de Aurangzeb; ilustración de Pierre Duflos, 1780.
FOTOBANCO

áurea, sección Proporción numérica considerada un ideal estético en el diseño clásico. Se refiere a la razón entre la base y la altura de un rectángulo o a la división de un segmento recto en dos, de tal manera que la razón de la parte más corta con respecto a la más larga es igual a aquella de la larga con respecto al total. El resultado es aprox. 1,61803:1. Un rectángulo construido a partir de secciones áureas (segmentos en esta razón) se llama rectángulo áureo.

Aureliano *latín* **Lucius Domitius Aurelianus** (c. 215–275, cerca de Bizancio). Emperador romano 270–75 DC. Probablemente originario de los Balcanes, se convirtió en emperador luego de la muerte de Claudio II y del breve reinado del hermano de Claudio. Reunificó el imperio y restauró el poder romano en Europa, rechazó a los invasores y sofocó revueltas, asegurando las provincias del este y derrotando a los germanos en el norte, por lo cual recibió el título de *restitutor orbis* ("restaurador del mundo"). Construyó una nueva muralla alrededor de Roma e incrementó la distribución de alimentos para los pobres, pero sus reformas monetaria y religiosa fracasaron. Mientras marchaba hacia Persia, fue asesinado por un grupo de oficiales que creyeron erradamente que habían sido condenados a ser ejecutados.

Aurelianum ver ORLEANS

Aurgelmir *o* **Ymir** En la mitología nórdica, el primer ser, un gigante creado de las gotas de agua formadas cuando el hielo de Niflheim encontró el calor de Muspelheim. Fue el padre de todos los gigantes; un varón y una hembra crecieron bajo su brazo y sus piernas produjeron un hijo de seis cabezas que fue amamantado por la vaca Audumla. Este vacuno fantástico lamió escarcha salada de las piedras y las transformó en el hombre Buri, abuelo de ODÍN y sus hermanos. Los dioses mataron a Aurgelmir y pusieron su cuerpo en el vacío, donde su carne se convirtió en la Tierra, su sangre en los mares, sus huesos en las montañas, sus dientes en las piedras, su cráneo en el cielo y su cerebro en las nubes. Sus pestañas (o cejas) se transformaron en el cerco que rodea Midgard, hogar de la humanidad.

auricular, fibrilación ver FIBRILACIÓN AURICULAR

auriñaciense, cultura Industria LÍTICA y tradición artística del período PALEOLÍTICO superior en Europa. Tomó su nombre del pueblo de Aurignac en el sur de Francia, donde esta cultura fue descubierta por primera vez. El período auriñaciense data de 35.000–15.000 AC. Sus herramientas incluían raspadores, buriles (que posibilitaron la realización de grabados) y hojas de cuchillas. Las puntas y punzones se fabricaban de huesos y cornamentas de animales. El arte auriñaciense representa la primera tradición artística completa, que comprende desde grabados zoomórficos sencillos en pequeñas rocas hasta piezas más elaboradas de huesos y marfil tallado, así como figuras de arcilla muy estilizadas de mujeres preñadas (las así llamadas "figuras de Venus", presumiblemente imágenes de la fertilidad). Hacia el fin del período auriñaciense se habían ejecutado cientos de grabados, bajorrelieves y pinturas en las paredes y cielos de las cuevas de piedra caliza en Europa occidental, siendo la más conocida la cueva de LASCAUX.

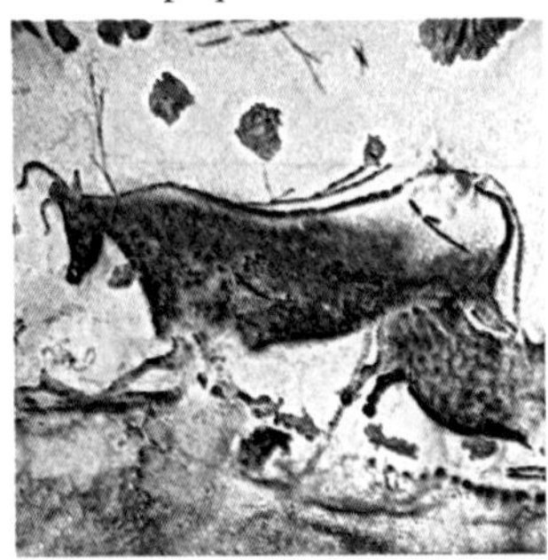

Pintura rupestre auriñaciense, que representa un toro y un caballo, cueva de Lascaux, cerca de Montignac, Francia.
HANS HINZ, BASEL

aurora Fenómeno luminoso de la atmósfera superior que ocurre principalmente en las altas latitudes. Las auroras del hemisferio norte se denominan aurora borealis o auroras boreales; en el hemisferio sur se denominan aurora australis o auroras australes. Las auroras se deben a la interacción de partículas energéticas (electrones y protones) provenientes del exterior de la atmósfera, con átomos de la atmósfera superior. Tal interacción ocurre en zonas que rodean los polos magnéticos de la Tierra. Durante períodos de actividad solar intensa, las auroras se extienden ocasionalmente hasta las latitudes intermedias.

Aurora Diosa romana del alba. Su contraparte griega fue Eos. HESÍODO la describió como la hija de los TITANES Hiperión y Teia. Aurora era la hermana de HELIOS, el Sol, y de SELENE, la Luna. Su unión con el titán Astreo la convirtió en la madre de los vientos y del lucero de la tarde. En la mitología griega era también representada como la amante de los cazadores Céfalo y ORIÓN.

Aurora Ciudad (pob., 2000: 276.393 hab.) del centro-norte de Colorado, EE.UU. Fue fundada cerca de DENVER durante el auge de la plata en 1891 bajo el nombre de Fletcher; en 1907 se rebautizó. Aunque de predominio residencial, es también la sede de la base Buckley de la Guardia Aérea de EE.UU.

Auschwitz *o* **Auschwitz-Birkenau** El mayor CAMPO DE CONCENTRACIÓN y exterminio de la Alemania nazi, ubicado en el sur de Polonia (actual Oswiecim). Se componía de tres campos (prisión, exterminio y trabajo forzado), establecidos en 1940, 1941 (Birkenau) y 1942. Los prisioneros judíos robustos eran enviados al campo de trabajo forzado, mientras que los viejos, los débiles y los niños con sus madres eran asesinados. Algunos prisioneros fueron además objeto de experimentos médicos dirigidos por JOSEF MENGELE. El campo fue gradualmente abandonado en 1944–45 a medida que avanzaban las tropas soviéticas. El número total de muertos en Auschwitz ha sido estimado entre 1,1 y 1,5 millones, de los cuales el 90% eran judíos; entre los muertos hubo también unos 19.000 gitanos, asesinados en julio de 1944, y unos 83.000 polacos. Más tarde, gran parte del campo fue convertido en un museo y memorial. La UNESCO designó el lugar como Patrimonio de la Humanidad en 1979. Ver también HOLOCAUSTO.

auscultación Procedimiento para detectar ciertos defectos o dolencias por medio de la audición de sonidos corporales normales y anormales del corazón, la respiración, los intestinos, el feto y otros. La invención del estetoscopio en 1819 mejoró y extendió esta práctica, siendo todavía muy útil, a pesar de los grandes progresos tecnológicos en otros medios de diagnóstico.

Ausgleich ver COMPROMISO DE 1867

Austen, Jane (16 dic. 1775, Steventon, Hampshire, Inglaterra–18 jul. 1817, Winchester, Hampshire). Novelista inglesa. Hija de un párroco de la Iglesia anglicana, vivió en el limitado mundo de los clérigos rurales y la pequeña burguesía terrateniente que retrata en su literatura; su compañía más cercana fue su hermana Cassandra. La mayor parte de sus primeras obras son parodias, del género sentimental las más notables. En sus seis largas novelas –*Criterio y sensibilidad* (1811), *Orgullo y prejuicio* (1813), *El parque de Mansfield* (1814), *Emma* (1815), *Persuasión* (1817) y *La abadía de Northanger* (publicada en 1817, pero escrita antes que las demás)– forjó la COMEDIA DE COSTUMBRES que da cuenta de la vida de la clase media inglesa de la época. Su estilo se caracteriza por el ingenio, el realismo, la perspicaz simpatía y la prosa brillante. Por su tratamiento de la vida cotidiana y la gente común, fue la primera en dotar a la novela de su carácter netamente moderno. Publicó sus libros en forma anónima, y dos de ellos aparecieron después de su muerte. Falleció probablemente a causa de la enfermedad de Addison.

Auster, Paul (n. 3. feb. 1947, Newark, N.J., EE.UU.). Escritor estadounidense. Estudió en la Universidad de Columbia y luego viajó a Europa, estableciéndose en París, donde trabajó como traductor y ejerció diversos empleos para subsistir. En 1974 regresó a Nueva York, donde comenzó a publicar sus trabajos en diversas revistas. Adquirió fama mundial gracias a las novelas cortas que componen *La trilogía de Nueva York* (1987), variaciones surrealistas y metafísicas de la novela policial urbana. Entre sus obras se cuentan las novelas *El palacio de la luna* (1989), *La música del azar* (1990), *Leviatán* (1992), *Tombctú* (1999) y *El libro de las ilusiones* (2002), además de los poemas reunidos en la antología traducida al español, *Desapariciones (1970-1979)* (1988), de su obra autobiográfica *La invención de la soledad* (1982) y de algunos ensayos. Auster se ha desempeñado también como guionista y director de cine.

Austerlitz, batalla de (2 dic. 1805). Primer combate de la guerra de la tercera coalición y una de las más grandes victorias de NAPOLEÓN I. En la batalla librada cerca de Austerlitz, en Moravia (actual Slavkov u Brna, República Checa), los 68.000 soldados de Napoleón derrotaron a casi 90.000 rusos y austríacos dirigidos por el zar ALEJANDRO I de Rusia y el príncipe MIJAÍL KUTÚZOV. Llamada también batalla de los tres emperadores, la resonante victoria de Napoleón obligó a FRANCISCO I de Austria a firmar el tratado de Pressburg, en que cedía Venecia al reino francés en Italia y ponía término temporal a la alianza antifrancesa. Ver también guerras NAPOLEÓNICAS.

Parte superior del Arco de Triunfo del Carrusel, monumento conmemorativo de la batalla de Austerlitz, París, Francia.
FOTOBANCO

Austin Ciudad (pob., 2000: 656.600 hab.), capital del estado de Texas, EE.UU. Fue fundada en 1835 como el pueblo de Waterloo, a orillas del río COLORADO, en el centro-sur de Texas. En 1839 se convirtió en la capital de la República de Texas y fue rebautizada en honor a STEPHEN AUSTIN; cuando Texas se convirtió en estado en 1845, Austin permaneció como su capital. Sede de la Universidad de TEXAS, ha cobrado importancia como centro de investigación y desarrollo para las industrias de la defensa y del consumo. En el campus universitario se encuentra la biblioteca LYNDON B. JOHNSON.

Austin, John (3 mar. 1790, Creeting Mill, Suffolk, Inglaterra–dic. 1859, Weybridge, Surrey). Jurista británico. Aunque tuvo un comienzo de poco éxito en el ejercicio de la profesión (1818–25), su mente analítica y su honestidad intelectual impresionaron a sus colegas y fue nombrado primer profesor de JURISPRUDENCIA en el University College de Londres (1826). Distinguidos personajes asistieron a sus clases, pero falló en atraer alumnos, lo cual lo llevó a renunciar a su cátedra en 1832. Sus escritos, especialmente *The Province of Jurisprudence Determined* [Delimitación del ámbito de la jurisprudencia] (1832), buscó distinguir el derecho de la moral. También ayudó a definir la jurisprudencia como análisis de los conceptos jurídicos fundamentales, en contraposición con la crítica de las instituciones jurídicas, que él llamó "ciencia de la legislación". Su trabajo, ampliamente ignorado durante su vida, influyó en juristas posteriores como OLIVER WENDELL HOLMES, JR.

Austin, J(ohn) L(angshaw) (28 mar. 1911, Lancaster, Lancashire, Inglaterra–8 feb. 1960, Oxford). Filósofo británico. Enseñó en Oxford desde 1945 hasta su muerte. Fue uno de los principales miembros del movimiento de filosofía analítica del "lenguaje corriente" (o movimiento "Oxford"), que se caracterizaba por su creencia de que los problemas filosóficos suelen surgir por inadvertencias o malentendidos respecto a los usos corrientes del lenguaje; por ende, tales problemas pueden solucionarse si se considera el uso corriente de los términos en que se expresan los conceptos filosóficos pertinentes. Los análisis del lenguaje corriente de Austin y sus seguidores solía adoptar la forma de la pregunta "qué diría uno" en diversas situaciones concretas. Austin fue también inventor de la teoría del acto VERBAL, con la cual intentó dar cuenta de los diversos aspectos "performativos" del significado lingüístico transmitido. Varios de sus ensayos y conferencias se publicaron póstumamente en *Ensayos filosóficos* (1961), *Sentido y percepción* (1962) y *Cómo hacer cosas con palabras* (1962). Ver también FILOSOFÍA ANALÍTICA.

Austin, Stephen (Fuller) (3 nov. 1793, Austinville, Va., EE.UU.–27 dic. 1836, Austin, Texas). Fundador estadounidense de la primera colonia legal anglohablante de Texas, cuando todavía formaba parte de México. Se crió en el territorio de Missouri y se desempeñó en su poder legislativo (1814–19). El pánico económico de 1819 indujo a su padre a concebir un plan para colonizar Texas en tierras obtenidas del gobierno mexicano. A la muerte de su padre (1821) siguió con el proyecto y en 1822 fundó una colonia con varios cientos de familias en el río Brazos. Mantuvo buenas relaciones con el gobierno de México y procuró inducirlo a hacer de Texas un estado aparte dentro de la confederación mexicana; en 1833, cuando la iniciativa fracasó, recomendó que se organizara un estado sin aguardar la aprobación del Congreso mexicano y fue encarcelado. Quedó en libertad en 1835 y viajó a EE.UU. a buscar apoyo, cuando, en octubre del mismo año, estalló la revolución de Texas. Se lo considera uno de los fundadores del estado, y la ciudad de AUSTIN lleva su nombre.

Australes, islas Archipiélago (pob.,1996: 6.563 hab.) de la POLINESIA FRANCESA. Las islas forman una cadena de 1.370 km de largo (850 mi). Fueron avistadas por el cap. JAMES COOK en 1769 y 1777. Los franceses las ocuparon a fines del s. XIX. Las islas habitadas son Rimatara, Rurutu, Tubuai, Raivavae y Rapa.

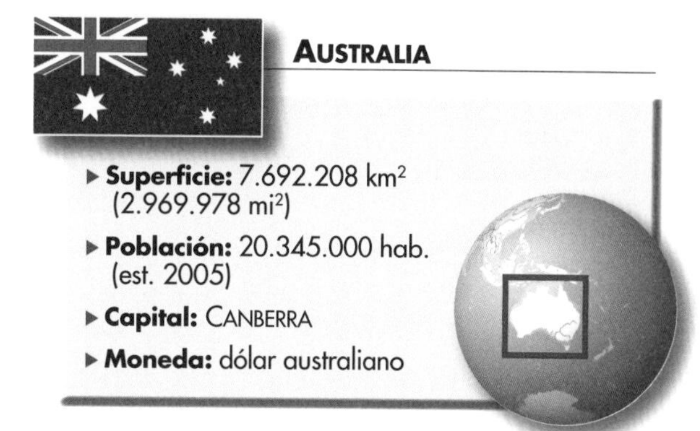

AUSTRALIA

- **Superficie:** 7.692.208 km² (2.969.978 mi²)
- **Población:** 20.345.000 hab. (est. 2005)
- **Capital:** CANBERRA
- **Moneda:** dólar australiano

Australia *ofic.* **Commonwealth of Australia** El continente más pequeño y el sexto país más grande del planeta en superficie. Se ubica entre los océanos Pacífico e Índico. La mayoría de los australianos descienden de los europeos. La principal minoría étnica son los ABORÍGENES AUSTRALIANOS. La población de origen asiático ha aumentado como resultado de la flexibilización de las políticas de inmigración. Idioma: inglés (ofic.). Religiones: católica, anglicana. En Australia se pueden identificar cuatro grandes regiones fisiográficas. Más de la mitad del territorio continental corresponde al escudo australiano occidental, que incluye los afloramientos de la Tierra de Arnhem y la meseta de Kimberley en el noroeste, y la cordillera MACDONNELL en el este. La segunda región, la gran cuenca artesiana, se ubica al este del escudo. La tercera es las tierras altas del este, que incluyen la GRAN CORDILLERA DIVISORIA, y constituyen una serie de altas sierras, mesetas y cuencas. La cuarta región corresponde a las cordilleras de Flinders y de North Mount Lofty. El punto más alto del país es el monte KOSCIUSKO en los ALPES AUSTRALIANOS, mientras que el punto más bajo es el lago EYRE. Los ríos principales son el sistema fluvial MURRAY y DARLING, los ríos FLINDERS, SWAN y el COOPER CREEK. Existen numerosas islas y arrecifes a lo largo de la costa, como la GRAN BARRERA AUSTRALIANA, las islas MELVILLE, KANGAROO y TASMANIA. Australia es rica en recursos minerales como carbón, petróleo y uranio. Un gran yacimiento de diamantes fue descubierto en AUSTRALIA OCCIDENTAL en 1979. La economía del país privilegia la libre empresa; destacan la actividad financiera, manufacturera y comercial. Oficialmente es una monarquía constitucional, cuyo jefe de Estado es el monarca británico, representado por el gobernador general. En realidad, es un Estado parlamentario bicameral; el jefe de Gobierno es el primer ministro. Australia fue habitada por aborígenes que llegaron hace unos 40.000–60.000 años. Las estimaciones de la población existente al momento de la colonización europea, en 1788, fluctúan entre los 300.000 y más de 1.000.000 de habitantes. El primer contacto de europeos con Australia se remonta a las exploraciones del s. XVII. Los holandeses desembarcaron en 1616 y los británicos lo hicieron en 1688, pero la primera expedición en gran escala fue la comandada por el capitán JAMES COOK en 1770, quien reivindicó el territorio australiano para la corona británica. El primer asentamiento inglés, en Port Jackson (1788), fue una colonia penal que estaba constituida principalmente por convictos (la gran mayoría) y marinos. Hacia 1859 ya se habían constituido los núcleos de todos los estados australianos, pero con devastadores efectos sobre la población indígena, la que mermó considerablemente debido a la introducción de enfermedades y armas traídas por los europeos. Los británicos otorgaron a sus colonias un autogobierno limitado a mediados del s. XIX, y en 1900 se aprobó una ley que federó las colonias en una Commonwealth. Australia luchó con Gran Bretaña en la primera guerra mundial, sobre todo en la batalla de GALLÍPOLI, y nuevamente durante la segunda guerra mundial para impedir la ocupación de Australia por las fuerzas japonesas. También participó junto a EE.UU. en las guerras de COREA y VIETNAM. Desde la década de 1960, el gobierno australiano ha procurado dar un trato más justo a los aborígenes y ha disminuido las restricciones a la inmigración, lo que ha dado paso a una población más heterogénea. Las disposiciones constitucionales que permitían la intervención británica en el gobierno fueron abolidas formalmente en 1968. Australia ha asumido un rol de liderazgo en la región del Asia Pacífico. Durante la década de 1990 hubo un gran debate sobre el término definitivo de los lazos con la corona británica y la posibilidad de constituirse en una república, cuestión que fue llevada a plebiscito en 1999, imponiéndose la postura de permanecer dentro de la Commonwealth británica.

Panorámica de Sydney, con el Opera House en primer plano, Australia.

Australia, lenguas aborígenes de Grupo de alrededor de 250 lenguas habladas por uno a dos millones de habitantes indígenas de Australia, antes del comienzo de la conquista europea en 1788. Más de la mitad de ellas están extinguidas; del resto, sólo unas 20 están en uso activo por adultos y niños, principalmente en el Territorio del Norte así como en el norte de Australia Occidental. La mayoría de las lenguas australianas pertenecen a una sola gran familia, la pama-nyungan, y el resto está conformado por un grupo muy diverso de lenguas habladas en la región de Kimberley de Australia Occidental y partes del Territorio del Norte, que puede estar emparentado remotamente con la pama-nyungan

Australia Meridional Estado (pob., 2001: 1.514.854 hab.) del centro-sur de Australia. Cubre una superficie de 983.470 km² (379.720 mi²) y su capital es ADELAIDA. Los holandeses visitaron sus costas en 1627. Exploradores británicos arribaron a comienzos del s. XIX, y fue colonizada como una provincia británica en 1836. Su interior vasto, gran parte del cual es árido, comprende el lago EYRE y las cordilleras de FLINDERS. Es el principal abastecedor de ópalos del mundo y también produce la mayoría de los vinos y del brandy que se consume en Australia. Posee los astilleros más grandes del país. Se convirtió en un estado de la Commonwealth australiana en 1901. La zona sudeste se ha industrializado a partir de la segunda guerra mundial.

Australia Occidental Estado (pob., 2001: 1.906.114 hab.) del oeste de Australia. Cubre una superficie de 2.529.880 km² (976.790 mi²), abarca un tercio del total del territorio continental, pero alberga menos del 10% de la población del país. Su capital es PERTH. Su extensa región interior posee tres desiertos: el GRAN DESIERTO DE ARENA, el GIBSON y el GRAN DESIERTO VICTORIA. La costa bañada por el mar de Timor y el océano Índico cuenta con sólo unos cuantos puertos adecuados; notables son el golfo de JOSÉ BONAPARTE y el de EXMOUTH. Los ABORÍGENES AUSTRALIANOS han ocupado Australia Occidental por unos 40.000 años. La costa occidental fue visitada primero por los holandeses en 1616. Posteriormente fue explorada por el inglés William Dampier en 1688 y 1699. En 1829, el capitán James Stirling lideró el primer grupo de colonos libres que se establecieron en Australia. El descubrimiento de oro en 1886 alentó un movimiento para lograr su autonomía constitucional, la que fue otorgada en 1890. En 1900 fue el último estado en ratificar la recién constituida Commonwealth de Australia. Inicialmente su desarrollo fue lento, pero a partir de 1960 su economía, impulsada por la agricultura y la minería (especialmente de hidrocarburos), se ha expandido.

Australia, Territorio de la Capital de (T.C.A.) Entidad política (pob., 2001: 321.680 hab.) del sudeste de Australia. La constitución australiana de 1901 dispuso la creación de un territorio para la capital; el lugar fue elegido en 1908. Está situado en NUEVA GALES DEL SUR y comprende CANBERRA y el área circundante de la bahía de JERVIS. El parlamento fue trasladado allí desde Melbourne en 1927. En 1989, el territorio obtuvo la responsabilidad de autogobernarse, de manera similar a otros estados australianos.

australiana, religión Religión de los aborígenes de Australia basada en el TIEMPO DE ENSUEÑO. Esta religión implicaba vivir de acuerdo con el modo de vida ordenado en el Tiempo de Ensueño, cumplido por medio de prácticas rituales y de obediencia a la ley. A través de los sueños y otros estados alterados de conciencia, los vivos podían entrar en contacto con el reino espiritual y desde ahí obtener su fortaleza; mitos, bailes y otros rituales enlazan los mundos humano, espiritual y físico en un solo orden cósmico. Un espíritu infantil venía supuestamente desde el sueño a dar vida a un feto; de esta forma, la herencia espiritual de una persona era más importante que el lazo sanguíneo existente entre padres e hijos. Algunas manifestaciones de arte sagrado eran el tjurunga, pinturas en arena, rupestres y sobre cortezas.

Australiana, Universidad Nacional Universidad pública en Canberra, Territorio de la Capital de Australia (T.C.A.). Fundada en 1946, en sus inicios sólo ofrecía programas de posgrado. En 1960 comenzaron a aceptarse estudiantes de pregrado y, actualmente, la universidad ofrece una amplia gama de programas de pregrado y posgrado. Se encuentran afiliadas a la universidad escuelas de investigación en medicina, ciencias físicas y biológicas, ciencias sociales y estudios del Pacífico.

australiano, aborigen ver ABORIGEN AUSTRALIANO

Australopithecus (latín: "simio del sur"). Género de HOMÍNIDOS extintos que vivieron en África meridional y oriental desde el plioceno temprano (c. 5 millones de años atrás) hasta el comienzo del pleistoceno (c. 1,8 millones de años atrás). Se cree que este grupo fue un ancestro de los seres humanos modernos (*Homo sapiens*). Los australopitecos se diferencian de los SIMIOS por su postura erguida y marcha bípeda. Tenían un cerebro pequeño, no muy diferente de los simios actuales, pero sus dientes se asemejaban más a los de los humanos. Se han identificado tres especies de australopitecos de baja estatura, *A. anamensis* (4,2 millones–3,9 millones de años atrás), *A. afarensis* (3,9 millones–2,9 millones de años atrás) y *A. africanus* (3 millones–2 millones de años atrás), así como dos especies de australopitecos robustos, *A. robustus* (2 millones–1 millón de años atrás) y *A. boisei* (2,3 millones–1,4 millones de años atrás). Aparentemente, ambas especies robustas evolucionaron desde las especies gráciles y se extinguieron sin dejar sucesores evolutivos. Es posible que los *A. afarensis* o *A. anamensis* hayan dado origen al género *Homo*. Ver también EVOLUCIÓN HUMANA; restos de HADAR; huellas de LAETOLI; LUCY; garganta de OLDUVAI; STERKFONTEIN.

Austrasia *o* **Reino del Este** Reino europeo de principios de la Edad Media. Durante la dinastía MEROVINGIA (s. VI–VIII DC), fue el reino franco oriental, mientras que NEUSTRIA fue el reino occidental. Austrasia cubría lo que hoy es Francia nororiental y zonas de Alemania central y occidental; su capital era METZ. La región era la base del poder de los primeros mayordomos carolingios de palacio, uno de los cuales, PIPINO EL BREVE, derrocó al último rey merovingio en 751 y fundó la dinastía CAROLINGIA. Territorio natal de la dinastía, Austrasia fue una región importante del imperio establecido por CARLOMAGNO.

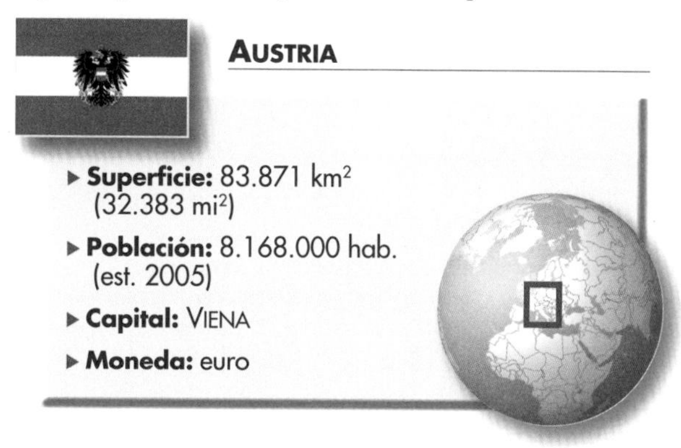

AUSTRIA

- **Superficie:** 83.871 km² (32.383 mi²)
- **Población:** 8.168.000 hab. (est. 2005)
- **Capital:** VIENA
- **Moneda:** euro

Austria *ofic.* **República de Austria** País del centro-sur de Europa. Idioma: alemán (oficial). Religión: católica. Austria puede ser dividida en tres regiones. La región alpina del oeste cubre cerca de dos tercios del país; en ella se encuentra su cumbre más alta, el pico GROSSGLOCKNER. La Selva de Bohemia es una región de tierras altas que se extiende hacia el norte hasta la República Checa. La región de tierras bajas, que comprende la cuenca de Viena, se ubica en el este y su principal actividad es la agricultura. El río DANUBIO y sus afluentes riegan casi la totalidad del país. Austria ha desarrollado una economía mixta de libre mercado y operada por el gobierno, basada en la industria manufacturera y el comercio; el turismo también es una actividad económica importante. Es una república bicameral. El jefe de Estado es el presidente, y el jefe de Gobierno, el canciller. Su principal contribución cultural ha sido la música (ver JOSEPH HAYDN; WOLFGANG AMADEUS MOZART; FRANZ SCHUBERT; ALBAN BERG; ANTON WEBERN). Las mayores figuras culturales en otros campos son, entre otros, OSKAR KOKOSCHKA en el arte, SIGMUND FREUD en el psicoanálisis y LUDWIG WITTGENSTEIN en la filosofía. El poblamiento de Austria data desde hace unos 3.000 años, cuando los ilirios eran probablemente sus principales habitantes. Los CELTAS invadieron la región c. 400 AC y establecieron el reino de NÓRICA. Los romanos llegaron después de 200 AC y establecieron las provincias de RETIA, Nórica y PANONIA; la prosperidad llegó y la población se romanizó. Con la caída de Roma en el s. V DC muchas tribus invadieron la región, entre ellos los ESLAVOS; estos fueron finalmente vencidos por CARLOMAGNO y la zona se tornó étnicamente germánica. La entidad política definida, que llegaría a constituir Austria, emergió en 976 con Leopoldo I de Babenberg como margrave. En 1278, Rodolfo IV de la casa de HABSBURGO (más tarde RODOLFO I del Sacro Imperio romano) conquistó la región; el reinado de los Habsburgo duró hasta 1918. Mientras estuvieron en el poder, los Habsburgo crearon un reino centrado en Austria, Bohemia y Hungría. Las guerras napoleónicas provocaron el fin del Sacro Imperio romano (1806) y la creación del Imperio austríaco. El príncipe de METTERNICH trató de asegurar la supremacía austríaca entre los estados germánicos, pero la guerra con Prusia llevó a Austria a dividir el imperio en una monarquía dual que se denominó el Imperio austro-húngaro (ver AUSTRIA-HUNGRÍA). Sentimientos nacionalistas plagaron el reino y el asesinato del archiduque FRANCISCO FERNANDO a manos de un nacionalista serbio en 1914 desencadenó la primera GUERRA MUNDIAL, que destruyó el Imperio austro-húngaro. En la repartición de tierras de la posguerra, Austria se convirtió en una republica independiente. Fue anexionada a la Alemania nazi en 1938 (ver ANSCHLUSS) y se unió a las potencias del Eje en la segunda guerra mundial. La república fue restaurada en 1955 después de diez años de ocupación por las fuerzas aliadas. Se incorporó como miembro pleno de la UNIÓN EUROPEA (UE) en 1995. Después de medio siglo de neutralidad militar, Austria era uno de los pocos miembros de la UE que no formaba parte de la OTAN al comenzar el s. XXI.

Vista de Salzburgo, ciudad situada junto al río Salzach, Austria.
FOTOBANCO

Austríaca de Economía, Escuela Cuerpo de teorías económicas desarrollado por varios economistas austríacos de fines del s. XIX. En 1871, Carl Menger (n. 1840–m. 1921) publicó un estudio sobre la nueva teoría del valor propiciado por esta escuela. Dicha teoría postulaba que el concepto del valor era subjetivo, y que la fuente del valor de un producto era su capacidad de satisfacer las necesidades humanas. El valor real dependía de la utilidad que le asignaba el consumidor al producto en su uso menos importante (utilidad MARGINAL). Esta teoría también se aplicó a la producción y al sistema de fijación de precios. Otros fundadores de esta escuela son Friedrich von Wieser (n. 1851–m. 1926) y Eugen von Böhm-Bawerk (n. 1851–m. 1914). Ver también COSTO DE OPORTUNIDAD; PRODUCTIVIDAD.

austríaca, guerra de sucesión (1740–48). Conjunto de guerras relacionadas entre sí que tuvieron lugar después de la muerte (1740) del emperador CARLOS VI. Se cuestionaba el derecho que tenía la hija de Carlos, MARÍA TERESA, a heredar las posesiones de los Habsburgo. La guerra comenzó cuando FEDERICO II de Prusia invadió SILESIA en 1740. Su victoria reveló que los dominios de los Habsburgo eran incapaces de defenderse por sí mismos, lo que impulsó a otros países a entrar en la brega. El conflicto finalizó con el tratado de AQUISGRÁN.

Austria-Hungría *o* **Imperio austro-húngaro** Antigua monarquía de Europa central. Austria-Hungría en una época comprendía Austria, Hungría, Bohemia, Moravia, Bucovina, Transilvania, Carniola, Küstenland, Dalmacia, Croacia, Istria y Galitzia. La así llamada monarquía dual, formada por el COMPROMISO DE 1867, creó un rey de Hungría además del ya existente emperador de Austria; aunque estos eran la misma persona, a Hungría se le permitió formar su propio parlamento y tener gran autonomía. FRANCISCO JOSÉ I ostentó ambos títulos desde la creación de Austría-Hungría hasta su muerte en 1916. Hasta 1914, la monarquía mantuvo un precario equilibrio entre sus muchas minorías; ese año, el asesinato del archiduque austro-húngaro FRANCISCO FERNANDO I, por un nacionalista serbio, rompió el equilibrio y precipitó la primera GUERRA MUNDIAL. Con su derrota en la guerra y las revoluciones llevadas a cabo por checos, yugoslavos y húngaros, la monarquía colapsó en 1918.

austro-alemana, alianza *o* **Doble Alianza** (1879). Pacto entre Austria-Hungría y el Reich alemán por medio del cual ambas potencias se prometieron apoyo mutuo en caso de un ataque de Rusia y neutralidad en caso de agresión de cualquiera otra potencia. El canciller alemán OTTO VON BISMARCK vio en la alianza un medio de evitar el aislamiento de Alemania y de preservar la paz, en el entendido de que Rusia no emprendería una guerra contra ambos imperios. La incorporación de Italia en 1882 la convirtió en TRIPLE ALIANZA. El acuerdo fue un componente importante de la política exterior tanto de Alemania como de Austria-Hungría hasta 1918.

austroasiáticas, lenguas Gran familia de unas 150 lenguas habladas por cerca de 90 millones de personas muy diversas física y culturalmente, en Asia meridional y sudoriental. En la actualidad, la mayoría de los expertos estiman que se subdivide en dos familias, la MUNDA y la MON-JMER. Es muy probable que la actual distribución fragmentada de las lenguas austroasiáticas sea el resultado de incursiones relativamente recientes de pueblos hablantes de las lenguas INDOARIAS, CHINOTIBETANAS, THAIS (o tais) y AUSTRONESIAS. En épocas prehistóricas, las lenguas austroasiáticas se extendieron probablemente a través de un área mucho más amplia y continua, que comprendía gran parte de la actual China sudoriental. Ninguna lengua austroasiática es lengua nacional oficial, con la excepción del VIETNAMITA y del JMER.

austro-húngaro, Imperio ver AUSTRIA-HUNGRÍA

austronesias, lenguas *ant.* **lenguas malayo-polinésicas** Familia de unas 1.200 lenguas habladas por más de 200 millones de personas en Indonesia, Filipinas, Madagascar, los grupos insulares del Pacífico central y sur (excepto la mayor parte de Nueva Guinea; ver lenguas PAPÚES), y partes del Sudeste asiático continental y Taiwán. Antes de la expansión colonial europea, esta familia tenía la mayor extensión territorial de todas. Una división genética primaria de esta familia separa las lenguas austronesias de Taiwán de las restantes, las cuales se dividen en malayo-polinésicas occidentales y centro-orientales. Las occidentales incluyen el javanés, hablado por alrededor de 76 millones de personas, lo que constituye más de un tercio de todos los hablantes de lenguas austronesias. Las malayo-polinésicas orientales incluyen el oceánico, el subgrupo de lenguas austronésicas mejor definido, que abarca casi la totalidad de lenguas de la POLINESIA, MICRONESIA y MELANESIA. Resulta difícil hacer generalizaciones tipológicas sobre las lenguas austronesias debido a su gran número y diversidad, aunque las palabras de contenido tienden a ser disilábicas, y los inventarios de vocales y consonantes tienden a ser limitados, especialmente en el polinésico. Se conservan registros escritos de varias lenguas, como el antiguo javanés y el cham, la lengua del reino de CHAMPA, en escrituras que provienen del Sudeste asiático (ver sistemas de escritura ÍNDICA).

austro-prusiana, guerra ver guerra de las SIETE SEMANAS

autismo Trastorno neurológico que afecta las habilidades físicas, sociales y lingüísticas. En la década de 1940, Leo Kanner y Hans Asperger fueron los primeros en describir el autismo. El síndrome aparece generalmente antes de los dos años y medio de edad. Los niños autistas parecen como indiferentes o con aversión al contacto físico y afectivo. Pueden ser lentos en el aprendizaje del habla y también sufrir episodios de pánico o rabia. Además pueden dar la impresión de ser sordos y mostrar una fascinación hipnótica por algunos objetos. El autismo se suele caracterizar por la presencia de movimientos corporales rítmicos, como mecerse o aplaudir, y por un deseo obsesivo de evitar cambios en su rutina diaria. Las personas autistas pueden ser hipersensibles a algunos estímulos (p. ej., sonidos de alta frecuencia) y anormalmente lentos para reaccionar a otros (p. ej., dolor físico). Este trastorno es tres a cuatro veces más común en varones. Antes se atribuía el autismo a factores posnatales como la carencia de cuidado parental. Sin embargo, actualmente se sabe que es el resultado de la existencia de anomalías estructurales en el cerebro. Alrededor de un 15–20% de los adultos autistas viven y trabajan en forma independiente. Los autistas con un "alto nivel de funcionamiento" pueden tener dotes especiales basados en su habilidad inusual para el pensamiento visual. Ver también IDIOTA SABIO.

auto sacramental Género teatral español que se representaba al aire libre como parte de las celebraciones de la fiesta religiosa de Corpus Christi. Consistía en piezas breves de tema sacro o bíblico, que eran alegorías en verso alusivas a algún aspecto del misterio de la Santa EUCARISTÍA. Se desarrollaron principalmente en el s. XVI y alcanzaron su culminación en las obras de PEDRO CALDERÓN DE LA BARCA, quien abarcó una vasta gama de otros temas. En 1765, un decreto real prohibió la representación de autos sacramentales, por considerarlos una irreverencia.

autobiografía Vida de una persona escrita por ella misma. La literatura autobiográfica fue escasa en la antigüedad y en la Edad Media; salvo una pocas excepciones, el género no emerge antes del s. XV. Las obras autobiográficas adoptan múltiples formas, desde escritos íntimos que no necesariamente se piensa publicar (cartas, diarios, crónicas, memorias y recuerdos) hasta autobiografías formales. Se encuentran ejemplos sobresalientes del género que van desde las *Confesiones* de san AGUSTÍN (c. 400 DC) hasta *Habla, memoria* (1951), de VLADIMIR NABOKOV.

autobús *o* **bus** Vehículo motorizado de grandes dimensiones diseñado para transportar pasajeros, generalmente por una ruta preestablecida, de acuerdo a un horario. El primer autobús con motor de gasolina se construyó en Alemania en 1895 y transportaba ocho pasajeros. El primer bus de chasis integrado fue construido a comienzos de la década de 1920 en EE.UU. En la década de 1930 se introdujo el MOTOR DIÉSEL, que proporcionó mayor potencia y eficiencia de combustible a buses más grandes. Con el desarrollo de las redes de autopistas, las líneas transcontinentales de buses se hicieron comunes en Norteamérica. En algunas ciudades europeas se utilizan buses de dos pisos; en otras, buses articulados traccionan acoplados con uniones flexibles. Los trolebuses, cuyos motores eléctricos toman corriente de cables aéreos, hoy se usan principalmente en ciudades europeas.

autocarnavalesco *alemán* **fastnachtsspiel** Pieza teatral propia de los carnavales previos a la Cuaresma, surgida en el s. XV como el primer género verdaderamente secular de la Alemania pre-Reforma. Representada habitualmente al aire libre en teatros improvisados por actores aficionados, estudiantes y artesanos, las obras mezclaban elementos humorísticos y de la religiosidad popular muy del gusto de su público, mayoritariamente burgués. A menudo contenían ataques satíricos contra los clérigos codiciosos y otras aversiones tradicionales de los burgueses alemanes, y se cree que fueron influenciados por tradiciones populares precristianas.

autoclave Recipiente, generalmente de acero, capaz de resistir altas temperaturas y presiones. La industria química usa diversos tipos de autoclaves en la fabricación de colorantes y en otras reacciones químicas que requieren altas presiones. En bacteriología y en medicina se esterilizan instrumentos, equipos, suministros y medios de cultivo mediante vapor sobrecalentado en un autoclave. En 1679, Denis Papin (n. 1647– m. c. 1712) inventó un prototipo conocido como digestor a vapor, que todavía se utiliza para cocinar, actualmente llamado olla a presión.

Ala de un avión AV-8B Harrier II guiado hacia el autoclave, donde es sometido a altas temperaturas y presión.
FOTOBANCO

autodefensa, Fuerza de Fuerza militar de Japón posterior a la segunda guerra mundial. En virtud del artículo 9 de su constitución de posguerra, los japoneses renunciaron a la guerra y prometieron no mantener jamás fuerzas de tierra, mar y aire. El rearme de Japón en la década de 1950 fue ideado, por tanto, en términos de autodefensa. En 1950 se creó una pequeña fuerza militar denominada Reserva de la policía nacional, que se transformó en Fuerza de seguridad nacional en 1952 y en Fuerza de autodefensa en 1954. Aparentemente, nunca sería utilizada fuera del territorio japonés o de sus aguas, por lo que la participación de la Fuerza de autodefensa en las misiones de paz o de socorro de la ONU ha encendido un fuerte debate en Japón y el extranjero, especialmente en las naciones que fueron víctimas de la agresión japonesa durante la segunda guerra mundial.

autodeterminación Proceso por el cual un pueblo, que habitualmente posee cierto nivel de conciencia política, forma su propio Estado y gobierno. La idea evolucionó como un subproducto del NACIONALISMO. Según la Carta de las Naciones Unidas, un pueblo tiene derecho a constituirse en Estado o decidir la forma en que se asociará con otro Estado, y todo Estado tiene derecho a escoger su propio sistema político, económico, social y cultural. Más aun, las autoridades que administran un territorio dependiente tienen la obligación de asegurar el progreso político y desenvolvimiento del autogobierno en dicho territorio.

autoestima Valoración que la persona tiene de sí misma y de sus capacidades, aspecto fundamental de la identidad personal. Se cree que durante la niñez las relaciones familiares desempeñan un papel esencial en su desarrollo. Los padres pueden estimular la autoestima de un niño expresándole afecto y apoyo, como también ayudándolo a que se fije metas realistas, factibles de ser alcanzadas, en lugar de imponer estándares altos e inalcanzables. KAREN HORNEY postuló que una baja autoestima conduce al desarrollo de una personalidad que anhela excesivamente aprobación y afecto, y que presenta un deseo extremo por lograr metas personales. Según la teoría de la personalidad de ALFRED ADLER, la baja autoestima impulsa a las personas a esforzarse por superar las inferioridades percibidas de sí mismas y a desarrollar, en compensación, talentos y fortalezas.

autofecundación Fusión de células sexuales masculinas y femeninas (gametos) provenientes de un mismo individuo. Este tipo de FECUNDACIÓN ocurre en organismos bisexuados, como la mayoría de las fanerógamas, numerosos protozoos y muchos invertebrados. Muchos organismos capaces de autofecundarse también pueden reproducirse por FECUNDACIÓN CRUZADA. Como mecanismo evolutivo, la autofecundación permite que un individuo aislado forme una población local y estabilice cepas genéticas deseables, pero no ofrece un grado significativo de variabilidad dentro de una población y, por lo tanto, limita las posibilidades de ADAPTACIÓN a los cambios ambientales.

autógrafo Cualquier manuscrito de su mismo autor; en el uso común, una firma manuscrita. Aparte de su valor como artículo de colección, un primer borrador o un borrador corregido de un trabajo puede mostrar sus etapas de composición o la versión final "correcta". La firma autografiada más antigua de una persona famosa es probablemente la del CID, que data de 1096. Existen autógrafos de la mayoría de las grandes figuras del Renacimiento, como LEONARDO DA VINCI, MIGUEL ÁNGEL y LUDOVICO ARIOSTO. Desde el s. XVIII ha proliferado el material autografiado de personas destacadas en el campo de las artes, las ciencias o la vida pública.

autoincriminación En DERECHO PENAL, acto por el cual una persona proporciona pruebas que podrían exponerla a ser condenada por un delito. El término generalmente se aplica en relación con el derecho a negarse a proporcionar dichas pruebas. En algunos países de Europa continental (p. ej., Alemania), la persona que teme incriminarse puede decidir libremente si prestará o no testimonio. En la práctica angloamericana, sólo el acusado puede negarse a testificar; puede invocar su derecho a no autoincriminarse y el juez deberá resolver si debe o no testificar. Llamado a declarar, deberá responder todas las preguntas, salvo aquellas que a su juicio sean incriminatorias. La quinta enmienda de la constitución de EE.UU. contempla una disposición que exime a las personas de la obligación de realizar declaraciones incriminatorias, entre otras razones para evitar el testimonio bajo coerción. Ver también regla de EXCLUSIÓN; derechos del INCULPADO.

autoinmune, enfermedad Cualquier enfermedad causada por una respuesta inmune (ver INMUNIDAD) contra ANTÍGENOS de los tejidos del cuerpo del propio afectado. El sistema INMUNE tiene dos maneras conocidas de evitar que esto ocurra: la destrucción de los LINFOCITOS en el TIMO antes de que estos salgan a atacar sus propios tejidos, y la pérdida de la capacidad de reaccionar a sus antígenos destinatarios de cualquiera de estas células que abandone el timo. Las enfermedades autoinmunes se producen cuando estos mecanismos fallan y los linfocitos destruyen los tejidos del huésped; p. ej., la DIABETES MELLITUS tipo 1, el LUPUS ERITEMATOSO sistémico, la ANEMIA PERNICIOSA y la ARTRITIS REUMATOIDE. El tratamiento puede reemplazar la función del tejido afectado (p. ej., terapia con insulina para la diabetes) o suprimir el sistema inmune (ver INMUNOSUPRESIÓN). Las ALERGIAS constituyen otro tipo de reacción autoinmune.

autómata Objeto mecánico, ya sea funcional (como un reloj) o decorativo (como un pájaro cantor en miniatura), que opera por sí solo. En el s. I existían aparatos que se ponían en marcha mediante el agua, las pesas y el vapor. Los objetos mecánicos decorativos se hicieron para uso eclesiástico y para ornamentos de mesa en la Edad Media y el Renacimiento. Era posible observar espectaculares fuentes y sistemas de abastecimiento de agua en los jardines italianos del s. XVI. En los s. XVIII–XIX fueron populares los aparatos mecánicos elaborados (como el turco jugador de ajedrez). A excepción de algunos trabajos de CARL FABERGÉ, la producción de costosos autómatas prácticamente desapareció en el s. XX.

autómata celular (AC) El modelo más sencillo de un proceso distribuido espacialmente que puede usarse para simular varios procesos de la vida real. El autómata celular fue inventado en la década de 1940 por JOHN VON NEUMANN y STANISLAW ULAM en el laboratorio nacional Los Álamos, EE.UU. Consiste en una serie bidimensional de celdas o células que "evolucionan" paso a paso según el estado de las células vecinas y a ciertas reglas que dependen de la simulación. Aunque aparentemente simples, los AC son computadoras universales, esto es, pueden realizar cualquier cómputo que una computadora sea capaz de ejecutar. El autómata celular más conocido, el "Juego de la vida" de John Conway (1970), simula los procesos de vida, muerte y dinámica poblacional.

autómatas, teoría de los Conjunto de principios físicos y lógicos subyacentes a la operación de cualquier dispositivo electromecánico (un autómata), que transforma información de entrada de una forma en otra, o en alguna acción, de acuerdo con un ALGORITMO. NORBERT WIENER y ALAN M. TURING son considerados los pioneros en este campo. En la ciencia computacional, la teoría de los autómatas se ocupa de la construcción de robots (ver ROBÓTICA) a partir de los elementos constitutivos de autómatas. El mejor ejemplo de un autómata general es la COMPUTADORA DIGITAL electrónica. Se pueden diseñar redes de autómatas para imitar el comportamiento humano. Ver también INTELIGENCIA ARTIFICIAL; máquina de TURING.

automatismo Técnica de pintura o dibujo que consiste en la supresión del control consciente del movimiento de la mano, a fin de que el subconsciente pueda tomar el control de la expresión. Para algunos expresionistas abstractos, como JACKSON POLLOCK, el proceso automático abarcaba todo el desarrollo de la composición. Los surrealistas, una vez obtenida una imagen o forma interesante por medios automáticos o fortuitos, explotaban la técnica con propósitos totalmente conscientes. Ver también ACTION PAINTING; EXPRESIONISMO ABSTRACTO; SURREALISMO.

automatización Término acuñado alrededor de 1946 por un ingeniero de la Ford Motor Co. para describir una gran variedad de sistemas en los que se produce una sustitución significativa de la inteligencia y del esfuerzo humanos por una acción mecánica, eléctrica o computarizada. En general, la automatización puede ser definida como una tecnología que apunta a realizar un proceso mediante comandos programados en combinación con un control automático por retroalimentación (ver sistema de CONTROL), a fin de asegurar la ejecución apropiada de las instrucciones. El sistema resultante es capaz de operar sin intervención humana.

automóvil Vehículo automotor de cuatro ruedas diseñado para el transporte de pasajeros, comúnmente propulsado por un MOTOR DE COMBUSTIÓN INTERNA que usa un combustible volátil. El automóvil moderno consta de alrededor de 14.000 piezas o partes, repartidas en diversos sistemas estructurales y mecánicos. Estos comprenden la carrocería de acero, que contiene el espacio para pasajeros y carga, y que está montada sobre el chasis o armazón de acero; el motor de combustión interna a gasolina, que provee la potencia al vehículo por medio de la TRANSMISIÓN; los sistemas de dirección y de frenado, que controlan el movimiento del vehículo; y el sistema eléctrico, que incluye una BATERÍA, un ALTERNADOR y otros dispositivos. Los subsistemas comprenden combustible, escape de gases, lubricación, refrigeración, SUSPENSIÓN DEL AUTOMÓVIL y NEUMÁTICOS. A pesar de que se fabricaron vehículos experimentales en el s. XVIII y a mediados del s. XIX, no fue hasta la década de 1880 en que GOTTLIEB DAIMLER y KARL BENZ comenzaron en forma separada a fabricar comercialmente automóviles en Alemania. En EE.UU., James y William Packard y Ransom Olds están entre los primeros fabricantes de automóviles, y ya en 1898 había 50 fabricantes estadounidenses. Algunos de los primeros automóviles funcionaban con un motor de vapor, como los fabricados en 1902 por FRANCIS E. Y FREELAN O. STANLEY. El motor de combustión interna fue empleado por HENRY FORD cuando inventó el MODELO T en 1908; Ford pronto revolucionaría la industria con su uso de la LÍNEA DE MONTAJE. En la década de 1930, los fabricantes europeos comenzaron a hacer automóviles pequeños y económicos como el Volkswagen. En las décadas de 1950-60, los estadounidenses produjeron carros más grandes y lujosos con mayores características automáticas. En las décadas de 1970-80, los japoneses exportaron a todo el mundo sus pequeños vehículos, que se destacaban por su confiabilidad y eficiencia en el uso de combustible, y su creciente popularidad impulsó a los fabricantes estadounidenses a producir modelos similares. Ver también AUTOBÚS; AUTOMÓVIL ELÉCTRICO; CAMIÓN; CARBURADOR; EJE; FRENO; INYECCIÓN DE COMBUSTIBLE; MOTOCICLETA.

El famoso automóvil Modelo T, inventado por Henry Ford, 1908.
FOTOBANCO

automóvil eléctrico Vehículo propulsado por baterías. Originados en la década de 1880, los vehículos eléctricos se utilizaron en las ciudades como automóviles privados, camiones y buses. En la ciudad, su baja velocidad y la limitada duración de la carga de batería no eran desventajas y se hicieron populares por ser silenciosos y tener bajos costos de mantenimiento. Hasta 1920 competían con los vehículos de gasolina, pero fueron perdiendo preponderancia luego de que el motor de partida eléctrico hiciera más atractivos a los vehículos de gasolina, y que la PRODUCCIÓN EN SERIE abaratara su fabricación. En Europa, los vehículos eléctricos han sido usados como furgones utilitarios de autonomía reducida. A partir de la década de 1970, un renovado interés en los vehículos eléctricos, espoleado especialmente por la toma de conciencia de la dependencia del petróleo importado y por la preocupación por el medio ambiente, tuvieron como resultado mejoras en la velocidad y la autonomía. Leyes recientes, en particular en California, EE.UU., han decretado su producción comercial. Vehículos "híbridos", que emplean a la vez un motor eléctrico y uno de combustión y que proporcionan las mejores características de ambas tecnologías están disponibles ahora último en el mercado. También se han fabricado vehículos experimentales que usan celdas de COMBUSTIBLE solares.

automóvil, suspensión del Ver SUSPENSIÓN DEL AUTOMÓVIL

automovilismo Deporte que se practica de múltiples formas en carreteras o caminos, o circuitos cerrados. Comprende las carreras de GRAND PRIX, aquellas que se realizan en circuitos (como las 500 millas de INDIANÁPOLIS), las de AUTOS ACONDICIONADOS, las de AUTOS DEPORTIVOS, las de CUARTO DE MILLA, las de autos pequeños, las de KARTING, así como también trepadas y las de RALLY. El Salón Internacional de la Fama de los deportes motorizados está en Talladega, Ala., EE.UU., país en el que no existe un ente central encargado del automovilismo deportivo, como sí ocurre en la mayoría de los otros países.

autonomía de la voluntad Principio fundamental del derecho civil que concede particular relevancia a la voluntad en la generación de todo acto o contrato. La autonomía de la voluntad se manifiesta en diversas disposiciones de la ley civil, que facultan para renunciar a los derechos conferidos por las leyes, y que exigen para que una persona se obligue a otra por un acto o declaración de voluntad que ella consienta en dicho acto o declaración. El contrato se define como el concurso real de voluntades de dos o más personas, permitiéndosele a las partes pactar toda clase de cláusulas. Por otro lado, perfeccionado el contrato, no puede este ser invalidado sino por mutuo consentimiento o por causas legales. La voluntad debe expresarse libremente y estar exenta de vicios. Los vicios de la voluntad, tal como fueron definidos por los juristas franceses que inspiraron el código de NAPOLEÓN, acarrean la nulidad del acto o contrato y permiten solicitar su rescisión. La autonomía de la voluntad reconoce diversas limitaciones, que se traducen básicamente en que el acto voluntario no puede transgredir la ley ni atentar contra el orden público y las buenas costumbres.

autopista transcanadiense Ver autopista TRANSCANADIENSE.

autopsia *o* **necropsia** *o* **examen posmortem** Disección y examen de un cadáver para determinar la causa de muerte y aprender acerca de los procesos patológicos, de maneras imposibles de realizar con personas vivas. Las autopsias han contribuido al desarrollo de la medicina al menos desde la Edad Media. Además de revelar las causas de muerte, las autopsias son indispensables para contar con estadísticas precisas de morbilidad y mortalidad, para la formación de los estudiantes de medicina, para la comprensión de enfermedades nuevas o cambiantes y para el progreso de la ciencia médica.

autor, derecho de Derecho exclusivo a reproducir, publicar o vender una obra original. Protege de la copia no autorizada de toda obra publicada o inédita incorporada en un medio tangible (incluso libros o manuscritos, partituras o grabaciones musicales, guiones u obras teatrales, pinturas, esculturas, planos o edificios). No protege ideas, procesos o sistemas. En EE.UU., la protección del derecho de autor abarca actualmente la vida del creador y se extiende por 70 años después de su muerte. Las obras realizadas por contrato están protegidas por un máximo de 95 años a contar de la fecha de publicación, o 120 años desde la fecha de creación de la obra. En 1988, EE.UU. adhirió a la convención de BERNA, acuerdo que reglamenta internacionalmente el derecho de autor. La ley del derecho de autor del milenio digital, promulgada en EE.UU. en 1998, amplió el control del autor de la obra a las formas de creación digitales y estableció sanciones para quienes pretendieran eludir los escudos tecnológicos (como la encriptación) de material protegido por el derecho de autor. Ver también MARCA COMERCIAL; PATENTE; PROPIEDAD INTELECTUAL.

autor, teoría del Teoría que sostiene que el director de una película es su "autor". Se originó en Francia en la década de 1950 y fue promovida por FRANÇOIS TRUFFAUT, JEAN-LUC GODARD y la revista *Cahiers du Cinéma*. El director supervisa y "escribe" el guión audiovisual de la película, por lo que es considerado más responsable de su contenido que el guionista. Sus partidarios afirman que las películas más logradas llevan el sello de su director.

autoridad policial Facultad de que está investido el gobierno para ejercer, en el ámbito de su jurisdicción, un control razonable sobre las personas y bienes, en interés de la seguridad, la salud, la moral y el bienestar general. En EE.UU. generalmente se considera como uno de los poderes que la constitución reserva a los estados. Cuando se examinan casos que involucran el ejercicio de la autoridad policial, los tribunales han aplicado una doctrina denominada del "equilibrio de intereses", para establecer las situaciones en que el derecho de las personas a la salud y al bienestar predomina sobre los intereses particulares o individuales. El respeto del DEBIDO PROCESO es igualmente importante.

autoritarismo Principio de sometimiento incondicional a la autoridad, en contraste con la libertad individual de pensamiento y de acción. Como sistema político, el autoritarismo es antidemocrático en el sentido de que el poder político está concentrado en un líder o en una pequeña elite que no es responsable constitucionalmente ante los gobernados. Difiere del TOTALITARISMO en que a menudo los gobiernos autoritarios carecen de una ideología que los guíe, toleran algún pluralismo en la organización social, no tienen el poder de movilizar a toda la población tras un objetivo nacional y ejercen el poder dentro de límites relativamente predecibles. Ver también ABSOLUTISMO; DICTADURA.

autos acondicionados, carreras de Modalidad del automovilismo. Muy popular en EE.UU., compiten automóviles que tienen la misma apariencia que los modelos comercializados en el mercado estadounidense, pero que son modificados internamente para correr. Por lo general, estas carreras se realizan en óvalos asfaltados. La National Association for Stock Car Auto Racing (NASCAR), fundada en 1947 en Daytona Beach, Fla., EE.UU., fue la primera organización formal bajo la cual se desarrollaron estas competencias. Las 500 millas de Daytona es la competición más importante de este deporte.

autos deportivos, carreras de Modalidad del automovilismo en la que participan autos pequeños con capacidad para dos pasajeros. Los vehículos son diseñados para que el motor tenga una rápida respuesta, sea fácil de maniobrar y pueda ser conducido a altas velocidades. A diferencia de los autos que se usan en carreras de GRAND PRIX, los autos deportivos generalmente se producen en serie, rara vez se fabrican a mano, y por ende la reputación de los constructores de estos modelos (como Porsche, Jaguar y otros) está en juego. La carrera internacional más famosa de autos deportivos se disputa en LE MANS.

Largada en la carrera de autos deportivos de Le Mans, 2004, Francia.
FOTOBANCO

autotutela Acción de ejercer justicia por la propia mano. Constituye un medio de solución privada de los conflictos, que se caracteriza por el empleo de la fuerza por parte de las personas involucradas. Esta reacción directa y personal, de quien se hace justicia por su propia mano, se halla prohibida por la LEY, salvo en el caso de legítima defensa. La prohibición de la autotutela se basa en el principio de que es responsabilidad del Estado dirimir los conflictos con relevancia jurídica que se susciten en su ámbito territorial. La autotutela se opone al JUICIO como medio de solución de los conflictos.

Auvernia Región (pob., 1999: 1.308.878 hab.) del centro-sur de Francia. En tiempos remotos fue habitada por los arvernos, un pueblo galo liderado por VERCINGETÓRIX y derrotado por JULIO CÉSAR. Fue cedida a los VISIGODOS en 475 DC y conquistada por los FRANCOS comandados por CLODOVEO I en 507. Se volvió parte de AQUITANIA y en el s. VIII fue convertida en un condado. Pasó a la casa de BORBÓN en 1416 y a Francia c. 1530.

auxiliar En GRAMÁTICA, un verbo que se subordina al verbo léxico principal de una cláusula. Los verbos auxiliares pueden expresar distinciones de TIEMPO GRAMATICAL, aspecto, MODO, persona y número. En las lenguas GERMÁNICAS, como el inglés, y en las lenguas ROMANCES, como el francés, un verbo auxiliar está presente con el verbo principal en infinitivo o participio.

auxina Cualquier elemento de un grupo de HORMONAS que regulan el crecimiento vegetal, particularmente las que actúan estimulando la elongación celular en los TALLOS e inhibiéndola en las RAÍCES. Las auxinas inducen el crecimiento de los tallos hacia la luz (fototropismo) y en contra de la fuerza de gravedad (geotropismo). Las auxinas también participan en la división y diferenciación celular, el desarrollo de los frutos, la formación de raíces a partir de ESQUEJES, la inhibición de la ramificación lateral y la caída de las hojas. La auxina más importante producida naturalmente es el ácido beta-indolilacético.

auyama ver ZAPALLO

Ava Ciudad en ruinas de Myanmar. Situada a orillas del río IRAWADI, al sudoeste de MANDALAY, fue fundada en el s. XIV por los SHAN, quienes la convirtieron en su capital. Destruida en 1527, volvió a ser capital en 1634 bajo la dinastía Toung. Cuando Alaungpaya fundó la dinastía Konbaung en el s. XVIII, Ava le sirvió de capital durante un tiempo y, aun después de que la dinastía construyera Amarapura y Mandalay, el lugar fue a menudo mencionado como la "corte de Ava".

Avadh ver OUDH

avalancha Gran masa de fragmentos de roca o de nieve que se desliza a gran velocidad por la ladera de una montaña, barriendo y moliendo todo a su paso. Las avalanchas se originan cuando una masa de material vence la resistencia de frotamiento de la pendiente, a menudo después de que su base se afloja por las lluvias primaverales o por derretimiento parcial debido al viento tibio y seco. Las vibraciones causadas por los ruidos fuertes, como un disparo o un trueno, pueden iniciar el deslizamiento. Algunas avalanchas se generan durante fuertes tormentas de nieve y se deslizan mientras sigue nevando, pero más a menudo suceden después de que la nieve se ha acumulado en un sitio determinado. El control de las avalanchas consiste principalmente en detonar explosivos en los límites superiores de las zonas de avalanchas, y así provocar deliberadamente el deslizamiento de la nieve antes de que se acumule demasiada.

Avalokitesvara, figura en bronce de Kurkihār, Bihar, s. IX.

GENTILEZA DEL MUSEO DE PATNA (BIHAR); FOTOGRAFÍA, ROYAL ACADEMY OF ARTS, LONDRES

Avalokitesvara *chino* **Kuanyin** *japonés* **Kannon** BODHISATTVA de compasión y misericordia infinitas, la más popular de las deidades del budismo MAHAYANA. Manifestación terrenal del AMITABHA, es el protector del mundo durante el período comprendido entre la partida del BUDA histórico, Gautama, y la aparición del Buda futuro, MAITREYA. Avalokitesvara es el creador del cuarto mundo, el universo viviente real. En China y Japón su género se tornó ambiguo; otras veces se lo menciona como diosa. Para el BUDISMO DE LA TIERRA PURA, Avalokitesvara conforma una tríada gobernante con Amitabha y con el bodhisattva Mahasthamaprapta. En el budismo tibetano se piensa que el bodhisattva Avalokitesvara es quien se reencarna en cada DALAI LAMA con el objeto de conservar y continuar las enseñanzas de Buda.

Avalón *o* **Avalonia** Isla donde el legendario rey britano Arturo (ver leyendas del rey ARTURO) fue conducido tras ser mortalmente herido en su última batalla. Primero fue descrita por GEOFFREY DE MONMOUTH, quien afirmaba que Avalón estaba gobernada por MORGANA y sus ocho hermanas, todas ellas experimentadas en las artes curativas. La leyenda cuenta que cuando Arturo estuviese otra vez fuerte y sano, volvería para gobernar Britania. El relato puede haberse originado en mitos celtas que imaginaban un elíseo para héroes caídos. Avalón a veces ha sido identificada con Glastonbury en Somerset.

avalúo Proceso a través del cual se determina el valor monetario de un bien mueble o inmueble, generalmente con fines tributarios. En EE.UU., este proceso es realizado por agencias centrales del gobierno o por funcionarios locales. Los bienes se pueden avaluar sobre la base del valor en renta anual, como ocurre en Gran Bretaña, o como en el caso de EE.UU., sobre la base del valor en capital. Diversos métodos se usan para determinar el valor en capital, como el análisis de la información de mercado para estimar el precio actual de mercado de un bien, la estimación del costo de reproducir el bien menos la DEPRECIACIÓN acumulada y la capitalización de las ganancias producidas por dicho bien.

Avanti Reino histórico del norte de India. Está situado en las rutas de comercio terrestre que unen el norte y sur de India, en el estado actual de MADHYA PRADESH. Su capital era Ujjain. Alcanzó su apogeo como una de las mayores potencias del norte de India entre los s. VI y IV AC. En el s. IV AC fue conquistado y anexionado por Chandragupta Maurya de Magadha. Ujjain, una de las siete ciudades santas del HINDUISMO, fue famosa por su belleza y prosperidad; también se convirtió en centro del BUDISMO temprano y del JAINISMO.

ávaro Miembro de un pueblo de origen indeterminado que construyó un imperio en Europa oriental entre los mares Adriático y Báltico y los ríos Elba y Dniéper en los s. VI–IX. Nómadas montados, posiblemente del Asia central, hicieron de la llanura húngara el centro de su imperio. Intervinieron en las guerras tribales germánicas, ayudaron a los lombardos a derrotar a los aliados de Bizancio y casi lograron tomar Constantinopla en 626. También combatieron a la dinastía MEROVINGIA y ayudaron a desplazar a serbios y croatas hacia el sur. La decadencia del poderío ávaro comenzó a fines del s. VII y culminó con la destrucción de su capital por CARLOMAGNO en 796. A principios del s. IX fueron plenamente incorporados al Imperio carolingio.

Avatamsaka-sutra *o* **Sutra de la Guirnalda** SUTRA del budismo MAHAYANA que explora las enseñanzas de Gautama BUDA. Relata las hazañas de Buda y los méritos resultantes que florecen como una guirnalda de flores. Comienza con la iluminación del Buda, asistido por un coro de BODHISATTVAS y seres divinos. Describe una asamblea en el palacio de INDRA, donde Buda enseña que todos los seres tienen la naturaleza de Buda. Alrededor de 400 DC apareció una traducción china, *Huayan jing*, que dio lugar en el s. VI a la secta Huayan, que en Japón se convirtió en la escuela KEGON. Ver también VAIROCANA.

Visnú con sus 10 avatares: Pez, Tortuga, Jabalí, Hombre-León, entre otros.

GENTILEZA DEL MUSEO VICTORIA Y ALBERTO, LONDRES

avatar En el HINDUISMO, la encarnación de una deidad en forma humana o animal para neutralizar un mal en el mundo. Por lo general, se refiere a las diez apariciones de VISNÚ, incluidas sus encarnaciones como Gautama BUDA y como Kalkin (la encarnación aún por venir). La doctrina aparece explicada en el *Bhagavadgita* en las palabras del señor KRISHNA a ARJUNA: "Toda vez que decaiga la rectitud y crezca la corrupción y la maldad, entonces yo me haré presente".

AVE ver ACCIDENTE VASCULAR ENCEFÁLICO

ave Cualquier miembro VERTEBRADO de sangre caliente de la clase Aves, que abarca más de 10.000 especies vivientes. Las aves se distinguen de todos los demás animales por estar cubiertas de PLUMAS. El término pájaro designa a cualquier ave PASERIFORME de pequeño tamaño y capaz de volar. Tienen un corazón de cuatro cavidades (como los MAMÍFEROS), miembros anteriores transformados en ALAS, huevos con una cáscara calcárea y una vista aguzada. Su olfato no está muy desarrollado. Las aves viven en diversos hábitats en casi todo el mundo. Sus hábitos alimentarios y la estructura de los NIDOS es muy variada. Casi todas las especies incuban sus huevos. Las aves voladoras poseen esqueletos evolucionados en que parte del hueso se ha reemplazado por espacios aéreos, una adaptación para reducir su peso corporal. El buche, una dilatación del esófago, utilizada para almacenar temporalmente el alimento, les permite alimentarse durante el vuelo. Los seres humanos utilizan las aves (silvestres y domésticas) y a sus huevos como alimento, cazan aves silvestres como deporte y usan sus plumas como adorno y aislante. Más de 1.000 especies de aves extinguidas han sido identificadas a través de restos fósiles. El fósil de ave más antiguo que se conoce es el ARQUEÓPTERIX.

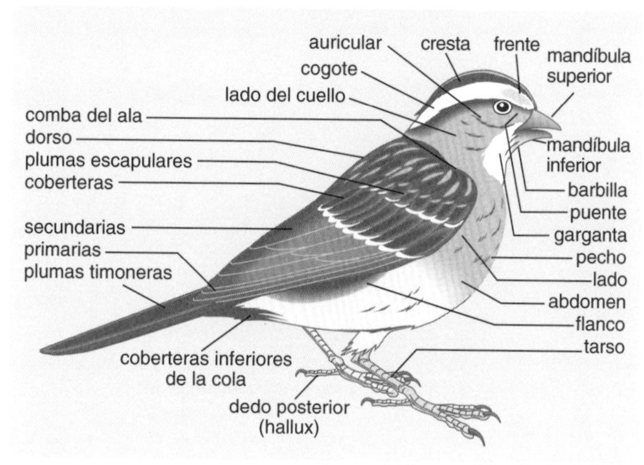

Características principales de un ave canora.

ave acuática Cualquier miembro de la familia Anatidae, aves palmípedas de pico ancho que poseen finas placas o laminillas; comúnmente fornidos y con frecuencia de cuello largo, se cuenta entre ellos a los PATOS, GANSOS y CISNES. Las aves acuáticas se alimentan sumergiendo la cabeza en el agua, buceando o paciendo. La mayoría de las especies tiene un comportamiento social y manifiesta un conjunto de despliegues formales y signos de cohesión grupal. Se reproducen mayoritariamente en el agua. La hembra selecciona, por lo general, el sitio de nidificación, construye el nido con la vegetación que esté a su alcance e incuba 3–12 huevos. Poco después de la eclosión, los polluelos reciben la IMPRONTA de su madre. Muchas especies son migratorias.

ave canora Cualquier oscine PASERIFORME (suborden Passere). Todas tienen un órgano vocal complejo, la siringe. Algunas especies (p. ej., el ZORZAL) poseen un canto melodioso; otras (p. ej., la CORNEJA) emiten un graznido áspero y algunas cantan poco o nada. Ver también CANTO.

ave de presa Cualquier miembro de los órdenes Falconiformes (ÁGUILAS, HALCONES, GAVILANES y BUITRES) o Strigiformes (LECHUZAS). Los Falconiformes son también llamados RAPACES. Son activas durante el día, mientras que las lechuzas son nocturnas. Los CÓNDORES y las águilas son las aves voladoras más grandes y fuertes. Todas las aves de presa tienen un pico con punta ganchuda y uñas corvas y afiladas llamadas garras. (Los buitres no predadores son de garras menos desarrolladas). A pesar de las similitudes existentes entre las lechuzas y las rapaces, muchos especialistas creen que no están muy emparentadas y que desarrollaron rasgos parecidos debido a sus hábitos predatorios similares.

Ave del paraíso (*Paradisaea spoda*).

ave del paraíso Cualquiera de unas 40 especies (familia Paradisaeidae) de pequeñas o medianas aves del bosque, cuyo vistoso colorido y extravagante diseño del plumaje de los machos es sólo comparable al de algunos faisanes y colibríes. Los machos cortejadores pasan horas en rituales de apareamiento, ya sea perchados en una rama o en el suelo de un claro del bosque. Las aves del paraíso se encuentran en las tierras altas de Nueva Guinea e islas aledañas y algunas especies se encuentran también en Australia. Entre las especies más notables están las aves del paraíso rojas, que miden 30–46 cm (12–18 pulg.) de longitud y tienen las plumas centrales de la cola elongadas como alambres o cintas enroscadas.

ave del paraíso Planta ornamental (*Strelitzia reginae*) de la familia Strelitziaceae. Las cinco especies del género *Strelitzia* son nativas de África del sur. La hermosa y voluminosa flor de *Strelitzia* está formada por dos pétalos puntiagudos y erectos y cinco estambres. Su BRÁCTEA principal tiene forma de bote y es verde con bordes rojos. Contiene muchas flores de color naranja y azul brillante de tallo largo, cada una asemejándose a la cresta y al pico de un ave del paraíso, lo que le otorga el nombre común a la planta.

Ave del paraíso, género *Strelitzia*.

ave lira Cualquiera de las dos especies de PASERIFORMES insectívoros suboscines (familia Menuridae), así llamadas por la forma que toma su cola, extremadamente larga, cuando la despliegan durante el cortejo. Es un ave terrestre con cuerpo parecido al pollo, que habita en los bosques del sudeste de Australia. Su longitud total es de alrededor de 1 m (40 pulg.). El macho es un ejemplar magnífico y el mayor de los paseriformes. En pequeños claros, despliega su cola hacia delante de forma tal que sus bellas plumas blancas forman un palio sobre su cabeza, del que sobresalen las plumas en forma de lira. En esta posición, mientras se balancea rítmicamente, emite fuertes notas melódicas entremezcladas con sonidos que imitan perfectamente los de otras criaturas e incluso sonidos mecánicos.

Avebury Poblado de WILTSHIRE, Inglaterra. Parte de él se encuentra dentro de uno de los lugares prehistóricos más grandes de Europa. El lugar de 11,5 ha (28,5 acres) contiene muchos restos megalíticos, entre ellos bloques de creta y pilares de arenisca dispuestos en forma circular. Sus orígenes y fecha de construcción son inciertos. La avenida Kennet, una ruta hacia el interior del gran círculo, unía Avebury con un templo situado a 1,6 km (1 mi) de distancia.

Avedon, Richard (n. 15 may. 1923, Nueva York, N.Y., EE.UU.). Fotógrafo estadounidense. Comenzó a estudiar fotografía en la marina mercante de EE.UU. En 1945 llegó a ser colaborador regular de la revista *Harper's Bazaar*, y luego estuvo estrechamente relacionado con *Vogue*. Las fotografías de modas de Avedon se caracterizan por un fuerte contraste blanquinegro, el cual crea un efecto de austera sofisticación. En sus retratos de personajes célebres y otros modelos genera un efecto teatral, al utilizar con frecuencia un fondo rigurosamente blanco y una pose agresiva del modelo. Se han publicado varias colecciones de sus fotografías.

avefría Cualquiera de las numerosas especies de aves de la familia Charadriidae (ver CHORLITO), en especial el avefría euroasiática (*Vanellus vanellus*) que habita en tierras de labranza y llanuras herbáceas. Miden alrededor de 30 cm (12 pulg.) de largo y tienen alas anchas y redondeadas. Muchas especies tienen penachos y algunas poseen espolones en el ala (proyecciones afiladas en el codo del ala). El avefría euroasiática es de color negro verdoso brillante en el dorso con mejillas blancas, cuello y pecho negros, vientre blanco y cola blanca con una franja negra. Alrededor de otras 24 especies se encuentran en Sudamérica, África, Asia meridional, Malasia y Australia.

avellano Nombre común de cerca de 15 especies de árboles y arbustos deciduos que pertenecen al género *Corylus*, de la familia de las Betuláceas (ver ABEDUL), nativos de la zona templada septentrional del hemisferio norte; también se denomina así a su fruto comestible, la NUEZ. Las avellanas de calidad comercial son producidas por dos árboles euroasiáticos, el avellano europeo (*C. avellana*) y el avellano gigante (*C. maxima*), y también por los híbridos de estas especies. Algunas variedades son apreciadas como SETO VIVO o como árboles ornamentales. El aceite extraído de *C. avellana* se utiliza en productos alimentarios, perfumes y jabones. El árbol da una madera blanda, blanco rojiza que se utiliza para fabricar artículos pequeños, como mangos de herramientas y bastones.

Avemaría *latín* **Ave Maria** Principal oración católica dedicada a la Virgen MARÍA. Comienza con el saludo que el arcángel GABRIEL da a María, y también su prima Isabel, según el Evangelio de san Lucas, que reza así: "Dios te salve María, llena eres de gracia, el Señor es contigo. Bendita eres entre todas las mujeres y bendito es el fruto de tu vientre, Jesús". La solicitud que finaliza la oración, "Santa María, Madre de Dios, ruega por nosotros pecadores, ahora y en la hora de nuestra muerte", se generalizó hacia fines del s. XIV. Es común que el sacerdote solicite a los fieles que se han confesado que recen varias veces la oración como penitencia.

avena Planta cerealera (ver CEREAL) resistente (*Avena sativa*), cultivada en zonas templadas y capaz de vivir en suelos pobres. Su grano comestible es rico en almidón y se usa principalmente como pienso, pero también es procesado como avena desmenuzada y harina para el consumo humano. Es rica en carbohidratos y también contiene proteínas, grasas, calcio, hierro y vitaminas B. La PAJA de avena se emplea como pienso y cama para el ganado.

Avena sativa, planta cerealera.

Avennasar ver FĀRĀBĪ, AL-

Avennio ver AVIÑÓN

Averno, lago *antig.* **Lacus Avernus** Lago del sur de Italia. Se ubica al oeste de Nápoles en el cráter de un volcán extinto. Debido a sus vapores sulfurosos, los antiguos romanos, entre ellos VIRGILIO, lo consideraban una entrada al infierno. Según la leyenda, la arboleda de HÉCATE y la cueva de la SIBILA de Cumas estaban cerca. En el s. I AC fue transformado en una base naval, Portus Iulius, por MARCO AGRIPA y unido al mar. Las impresionantes ruinas romanas incluyen baños, templos y villas.

Averroes *árabe* **Ibn Rusd** *p. ext.* **Abū al-Walīd Muḥammad ibn Aḥmad ibn Muḥammad ibn Rusd** (1126, Córdoba–1198, Marrakech, Imperio almohade). Filósofo hispanoárabe. Formado en derecho, medicina y filosofía, alcanzó el cargo de cadí en Córdoba, cargo que también había desempeñado su abuelo. Su serie de comentarios sobre la mayoría de las obras de ARISTÓTELES, escritos entre 1169 y 1195, ejercieron considerable influencia sobre los eruditos judíos y cristianos de los siglos posteriores. Aunque fiel en lo fundamental al pensamiento de Aristóteles, atribuyó al "primer motor" aristotélico las características del Dios trascendente de PLOTINO y del Islam, la Primera Causa universal. En sus *Comentarios sobre la República de Platón* intentó aplicar las doctrinas platónicas a los Estados almorávide y almohade de su tiempo. Ver también FILOSOFÍA ÁRABE.

Avery, Oswald (Theodore) (21 oct. 1877, Halifax, Nueva Escocia, Canadá–20 feb. 1955, Nashville, Tenn., EE.UU.). Bacteriólogo estadounidense de origen canadiense. Estudió en la Universidad Colgate antes de asumir un cargo en el Rockefeller Institute Hospital de Nueva York. Ahí descubrió la transformación, proceso por el cual se puede introducir un cambio en las bacterias y luego traspasarlo a generaciones posteriores de células transformadas. En 1944, junto con sus colaboradores, sostuvo que la sustancia que causaba la transformación era el ADN, el material genético de la célula. Este descubrimiento abrió las puertas para descifrar el CÓDIGO GENÉTICO.

aves, observación de Observación o identificación de aves salvajes en su hábitat natural. El equipamiento básico comprende binoculares, una guía que ayude a la identificación de las especies y un cuaderno en el que se registran datos como el lugar y la hora de los avistamientos. Las listas de pájaros observados, compiladas por clubes locales de observación de aves, son generalmente útiles para los científicos, que gracias a ellas determinan patrones de dispersión, hábitat y migración de las especies. La observación de aves es principalmente un fenómeno del s. XX. Antes de 1900, los estudiosos de las aves debían cazarlas para poder identificarlas. La popularidad de esta especialidad creció gracias a la publicación de revistas y libros, en particular, las guías de ROGER TORY PETERSON que comenzaron a ser editadas en 1934.

Avesta *o* **Zend-Avesta** Libro sagrado del ZOROASTRISMO. Contiene himnos, oraciones y exhortaciones a la rectitud atribuidos a ZOROASTRO. El texto actual fue compilado entre los s. III al VII DC a partir de los restos de un corpus mayor de escritos que fue destruido cuando ALEJANDRO MAGNO conquistó Persia. El Avesta se compone de cinco partes: los *Gathas*, himnos que se cree son las propias palabras de Zoroastro; el *Visp-rat*, que contiene homenajes a los líderes espirituales; el *Vendidad*, la fuente principal de la ley zoroastriana; los *Yashts*, 21 himnos a ángeles y héroes antiguos; y el *Khurda avesta*, compuesto de textos menores.

avéstico Lengua IRANIA oriental en la que está escrito el AVESTA, el libro sagrado del ZOROASTRISMO. Hoy se piensa que la parte más antigua del Avesta, los Gathas, data de alrededor de fines del segundo milenio AC y sería, en consecuencia, contemporánea con el SÁNSCRITO védico. No fue sino hasta mediados del período de la dinastía SASÁNIDA (s. V–VI DC) que el Avesta se consignó por escrito mediante una escritura alfabética inventada para este propósito sobre la base de las escrituras del persa medio existentes. Los manuscritos más antiguos datan sólo del s. XII.

avestruz Ave no voladora (ver RATITE) (*Struthio camelus*, familia Struthionidae) originaria de Áfri[illegible] con dos dedos en ca[illegible] y cuello largo. Es la [illegible]yor de las aves actuales. El macho puede alcanzar 2,5 m (8 pies) de altura y pesar hasta 155 kg (350 lb). Los machos son negros con alas blancas y tienen un penacho de plumas en la cola. Las hembras son pardas. Forman bandadas de 5–50 individuos, junto a animales de pastoreo, y se alimentan de vegetales y, ocasionalmente, de animales. Bramando y silbando, los machos pelean por el dominio de tres a cinco hembras, las cuales ponen 15–60 huevos en nidos comunitarios escarbados en la tierra. El macho los incuba de noche mientras la hembra lo hace de día. Los polluelos de un mes de edad pueden correr con los adultos a velocidades de 65 km/h (40 mi/h). Para evitar que los detecten, los avestruces se suelen tender en el suelo con el cuello estirado. Es posible que dicho hábito haya dado lugar a la creencia de que los avestruces entierran la cabeza en la arena.

Avestruz (*Struthio camelus*).

avetoro Cualquiera de las 12 especies de aves palustres solitarias (familia Ardeidae), parientes de las GARZAS, pero de cuello más corto y cuerpo más fornido. La mayoría de las avetoros presentan patrones de camuflaje (rayas jaspeadas pardas y anteadas), que les permite ocultarse paradas en posición erecta con el pico apuntando hacia arriba, imitando a los junquillos y hierbas de su hábitat. Se alimentan de peces, sapos, cangrejos y otros animales pequeños de los pantanos y ciénagas, los que ensartan con su pico puntiagudo. Se encuentran en casi todo el mundo. Las especies mayores alcanzan 75 cm (30 pulg.) y las menores, alrededor de 30–40 cm (12–16 pulg.).

Avetoro (*Botaurus lentiginosus*).

aviación Desarrollo y operación de aeronaves. En 1783, el GLOBO fue la primera aeronave que transportó personas. La producción exitosa de un PLANEADOR, en 1891, y el mejoramiento del MOTOR DE COMBUSTIÓN INTERNA condujeron al primer vuelo exitoso de un AVIÓN propulsado por motor, realizado en 1903 por WILBUR Y ORVILLE WRIGHT. La primera guerra mundial aceleró la expansión de la aviación y en la década de 1920 las pequeñas líneas aéreas iniciales empezaron a transportar correo y pasajeros. La segunda guerra mundial fue otro período de innovación en el tamaño, velocidad y autonomía de los aviones. Hacia fines de la década de 1940 el MOTOR DE REACCIÓN hizo posible el desarrollo ulterior de las aerolíneas comerciales en todo el mundo. Ver también DIRIGIBLE; HELICÓPTERO; HIDROAVIÓN.

aviario *o* **pajarera** Estructura construida para mantener las aves cautivas, por lo general, suficientemente espaciosa para permitir la entrada del avicultor. El tamaño de los aviarios varía desde pequeñas jaulas hasta grandes recintos de 30 m (100 pies) o más de longitud y hasta de 15 m (50 pies) de altura, en que las aves pueden volar. Las instalaciones para aves de poco vuelo (p. ej., RASCONES, FAISANES) pueden tener una altura de sólo 1 m (3 pies). En climas fríos, los aviarios son habitualmente cerrados y calefaccionados. La mayoría de los avicultores prefieren mantener las aves en ambientes naturales con vegetación. Muchos aviarios se mantienen para el disfrute de avicultores privados. Otros tipos de aviarios, especialmente los más grandes, se encuentran en ZOOLÓGICOS o en instituciones de investigación.

Avicebrón ver IBN GABIROL

Avicena *árabe* **Ibn Sīnā** *p. ext.* **Abū ʾAlī al-Ḥusayn ibn ʿAbdallāh ibn Sīnā** (980, Bujará, Irán–1037, Hamadán). Filósofo y científico islámico. Fue médico de varios sultanes y ofició dos veces de visir. Su *Canon de la medicina* fue durante mucho tiempo un clásico en este campo. Es conocido por su gran enciclopedia de filosofía, *El libro de la curación*. Escribió también *El libro de la salvación* y *El libro de las directrices* y *de las observaciones*. Sus interpretaciones de ARISTÓTELES influyeron en la ESCOLÁSTICA europea. Su sistema descansa en una concepción de Dios como lo necesariamente existente: sólo en Dios coinciden la esencia (lo que Dios es) y la existencia (Dios es).

avicultura Crianza comercial o doméstica de aves para aprovechar su carne, huevos y plumas. Las aves de mayor importancia comercial son los pollos, patos, pavos y gansos. De interés principalmente local son las PINTADAS y sus polluelos. A pesar de que los pollos se domesticaron hace al menos 4.000 años, su carne y sus huevos sólo han sido mercancías de producción masiva desde c. 1800.

Aviñón *antig.* **Avennio** Ciudad (pob., 1999: 85.854 hab.) del sudeste de Francia. Fundada por los focios como una colonia, fue conquistada primero por los romanos, después por los godos, burgundios, ostrogodos y finalmente por los francos. Era parte del reino de ARLES y durante un breve tiempo fue una república (1135–46). Perteneció al condado de Venaissin antes de ser vendida por JUANA I de Nápoles al papa CLEMENTE VI en 1348. Fue la capital del papado (1309–77) y sede administrativa de los papas de Aviñón durante el gran CISMA DE OCCIDENTE. Francia anexionó la ciudad en 1791. Entre sus sitios de interés destacan una catedral románica, el palacio papal y el puente de Saint-Bénézet, que se hizo famoso gracias a la canción "Sobre el puente de Aviñón".

Palacio papal de Aviñón, Francia, construido en el s. XIV.

Aviñón, escuela de Escuela de pintura del gótico tardío, asociada a la ciudad de Aviñón en Francia. Se desarrolló durante el papado de AVIÑÓN, época en que trabajaban allí muchos artistas italianos. La "escuela" representa un cuerpo de pinturas del gótico tardío y no necesariamente una evolución estilística particular. El palacio papal de Aviñón y algunos edificios seculares de ciudades cercanas se decoraron con frescos bajo la dirección de SIMONE MARTINI. La ciudad de Aviñón fue una de las vías por las cuales llegó a Francia el arte italiano del s. XIV. Ya a comienzos del s. XV, la influencia flamenca había llegado a la ciudad, consolidando los estilos italiano y nórdico. La Pietà de Aviñón (c. 1460), atribuida a Enguerrand Charonton, es la obra maestra de esta escuela. La actividad artística de Aviñón influenció fuertemente la pintura francesa de fines del s. XV y XVI. Ver también arte GÓTICO.

Aviñón, papado de Papado católico en el período 1309–77, cuando los papas residieron en AVIÑÓN, Francia. Elegido papa gracias a las maquinaciones de Felipe IV de Francia, CLEMENTE V trasladó la capital pontificia a Aviñón cuatro años más tarde, principalmente por razones políticas. Los siete papas de este período fueron franceses, como lo fue la mayoría de los cardenales, lo que causó la animosidad inglesa y alemana. Durante el papado de Aviñón, los cardenales comenzaron a jugar un papel más importante en el gobierno de la Iglesia; el clero y la Iglesia fueron reformados, se expandió la labor misionera y los papas intentaron establecer la paz y zanjar las rivalidades entre las monarquías europeas. Sin embargo, la fuerte influencia francesa dañó el prestigio del papado y en 1377 Gregorio XI regresó a Roma. Los cardenales eligieron a un nuevo papa que ocupó la sede de Aviñón, convirtiéndose en el primero de una serie de ANTIPAPAS y dando inicio al gran CISMA DE OCCIDENTE.

avión *o* **aeroplano** Aeronave de alas fijas, más pesada que el aire, impulsada por una HÉLICE o por un chorro de alta velocidad y suspendida por la reacción dinámica del aire contra sus alas. Los componentes esenciales de un avión son el cuerpo o fuselaje, el sistema de alas sustentadoras de vuelo, las superficies estabilizadoras de cola, los dispositivos de control de dirección y altitud (como el timón y los alerones), la fuente de energía propulsora y el tren de aterrizaje. A partir de la década de 1840, varios inventores británicos y franceses realizaron diseños de aeronaves propulsadas por un motor, pero el primer vuelo mantenido y controlado de una aeronave motorizada fue realizado por WILBUR Y ORVILLE WRIGHT recién en 1903. Más tarde, el desarrollo del MOTOR DE REACCIÓN influyó en el diseño de aeroplanos; la mayoría de los aviones actuales tiene una larga sección de proa, alas desplazadas hacia atrás, con motores de reacción ubicados detrás del punto medio del fuselaje y una sección estabilizadora de cola. Gran parte de los aviones son diseñados para operar desde tierra, pero el HIDROAVIÓN está adaptado para hacerlo desde el agua, y los aviones que operan desde portaaviones están modificados para despegues y aterrizajes a alta velocidad y de breve duración. Ver también AVIACIÓN; HELICÓPTERO; PLANEADOR; SUPERFICIE AERODINÁMICA.

avión caza Avión concebido primariamente para asegurar el control del espacio aéreo esencial mediante la destrucción en combate de las aeronaves enemigas. Diseñados para altas velocidades y gran maniobrabilidad, están equipados con armamento capaz de alcanzar en vuelo a otras aeronaves. Desarrollados a principios de la primera guerra mundial, entablaban combate aéreo con otros cazas, derribaban bombarderos enemigos y realizaban variadas misiones tácticas. La mayoría eran biplanos, con armazón de madera y recubrimiento de tela, equipados con ametralladoras ligeras sincronizadas para disparar a través de la hélice. La segunda guerra mundial presenció el desarrollo de los monoplanos íntegramente metálicos cuya velocidad sobrepasaba los 725 km/h (450 mi/h). La lista de cazas famosos del período comprenden el FOCKE-WULF 190, el P-47, el P-51 y el ZERO. Al final de la guerra se produjeron aviones de reacción (jet) y aviones jet de combate como el F-86 de EE.UU. y el MIG soviético, que prestaron un dilatado servicio en la guerra de Corea y en conflictos posteriores. Ver también F-15; F-16; GUERRA AÉREA.

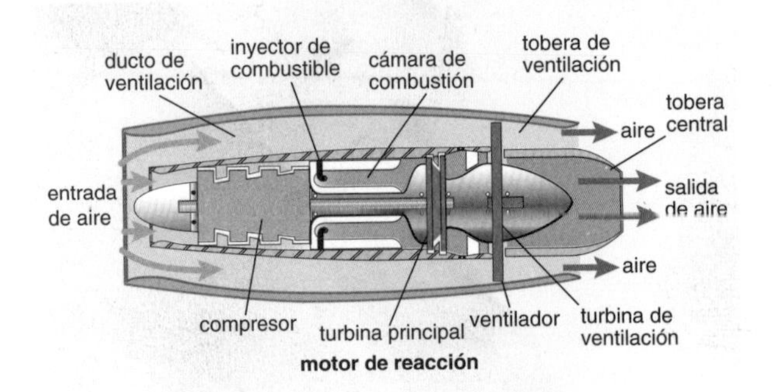

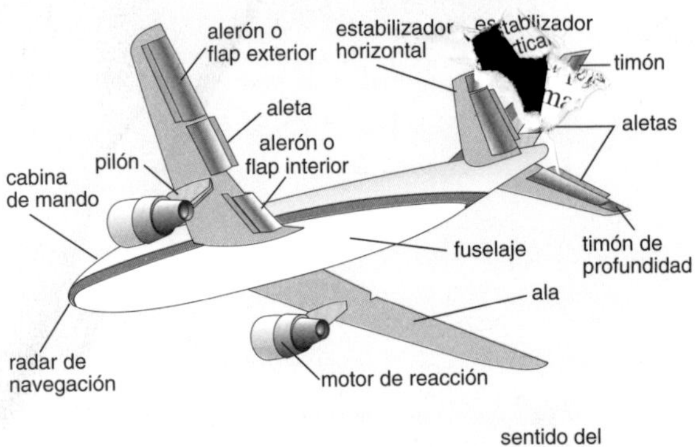

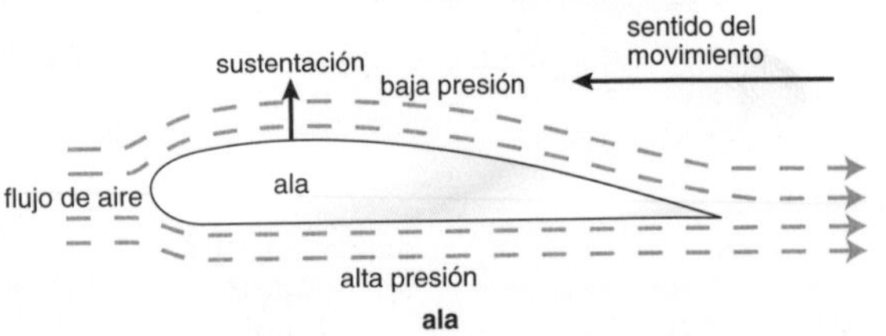

En un avión en vuelo actúan cuatro fuerzas físicas: gravedad (peso), fuerza propulsora, sustentación y resistencia al avance. Los motores de reacción, como el turboventilador que se muestra, proveen fuerza propulsora por la descarga posterior de un chorro de aire. El aire es captado por la parte delantera del motor, comprimido y usado para quemar combustible en la cámara de combustión. Los gases calientes y el aire son expelidos en un chorro de alta velocidad por la parte posterior, lo que impulsa al avión hacia delante. La sustentación es producida por la forma de las alas y su ángulo de ataque. Debido a su forma, el aire que fluye sobre la parte superior del ala se desplaza más rápido que el que fluye en la parte inferior; por consiguiente, el aire en la parte superior ejerce menor presión en el ala que el de la parte inferior, lo que produce una fuerza de ascensión en el ala.

avión golondrina Cualquiera de varias especies de aves canoras de la familia Hirundinidae. En EE.UU., el nombre alude a la golondrina de iglesias (*Progne subis*) de 20 cm (8 pulg.) de longitud, la mayor GOLONDRINA de ese país. El avión zapador (*Riparia riparia*) es un ave de 12 cm (5 pulg.), de colores pardo y blanco, que se reproduce en todo el hemisferio norte y anida en cuevas excavadas en bancos de arena. El avión común (*Delichon urbica*), de dorso azul y negro y con la rabadilla blanca, es corriente en Europa. El avión de río africano (*Pseudochelidon eurystomina*) del Congo es negro y tiene los ojos y el pico rojos.

Avión golondrina (*Progne subis*).

avispa Cualquiera de las más de 20.000 especies de insectos, por lo general alados, pertenecientes al orden Hymenoptera. Su abdomen está unido al tórax por un delgado pecíolo o "cintura" y el abdomen de la hembra tiene un aguijón formidable. La mayoría de las especies son solitarias; unas 1.000 especies son muy

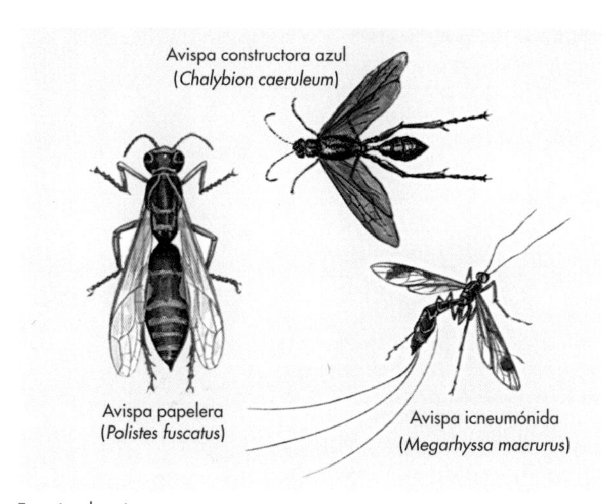

Especies de avispa.

sociales. Existen además algunas especies que muestran comportamiento mixto. Los adultos se alimentan principalmente de néctar. La mayoría de las avispas solitarias anidan en túneles excavados en el suelo y alimentan las larvas con insectos o arañas paralizados. Los nidos acartonados de las avispas sociales (familia Vespidae) consisten en material vegetal masticado mezclado con saliva y dispuesto en celdillas hexagonales adyacentes. La hembra deposita un huevo en cada celdilla y lo alimenta con una oruga macerada. Las generaciones sucesivas pueden agrandar el avispero y cuidar a los individuos jóvenes.

avispa sierra Cualquiera de las numerosas especies de insectos, de amplia distribución, pertenecientes a cinco familias (superfamilia Tenthredinoidea, orden Hymenoptera). La típica avispa sierra (familia Tenthredinidae) a menudo presenta un colorido brillante y se encuentra habitualmente en las flores. La oruga o larva del peral de Norteamérica se alimenta de las hojas del peral, cerezo y ciruelo. Las larvas de muchas especies de las otras cuatro familias también dañan los árboles. La larva de la avispa sierra argídea (familia Argidae) se alimenta de los rosales, sauces, robles y abedules. La de la avispa sierra del olmo de Norteamérica (familia Cimbicidae) se nutre de los olmos y sauces. Las avispas sierra de las coníferas de Norteamérica (familia Diprionidae) son plagas comunes, a veces graves para estos árboles. Las avispas sierra pergídea (familia Pergidae) son un género único en América del Sur y Australia.

avoceta Cualquiera de las grandes aves costeras (género *Recurvirostra*) de plumaje muy contrastado, patas largas azuladas y pico largo con la punta encorvada hacia arriba. Las avocetas viven en pantanos de agua dulce y salada que tienen zonas despejadas de aguas y marismas someras. Se alimentan en estos bajos barriendo con el pico entreabierto. A menudo vadean en grupos para acorralar pececillos y crustáceos de los cuales se nutren. Hay cuatro especies de avocetas en las regiones tropicales y templadas del mundo. La avoceta americana tiene una longitud, incluido el pico, de 45 cm (18 pulg.).

Avogadro, ley de Enunciado que establece que bajo las mismas condiciones de TEMPERATURA y PRESIÓN, volúmenes iguales de GASES diferentes contienen igual número de moléculas (ver número de AVOGADRO). Propuesta por primera vez por el científico italiano Amedeo Avogadro (n. 1776–m. 1856) en 1811, fue aceptada alrededor de 1860. De la ley se deduce que el volumen ocupado por un MOL de gas (en condiciones normales de 0 °C [32 °F] y 1 atmósfera de presión) es el mismo para todos los gases (22,4 litros [0,791 pies cúbicos]).

Avogadro, número de Número de unidades en un MOL de cualquier sustancia (definido como su PESO MOLECULAR en gramos), igual a $6{,}0221367 \times 10^{23}$. Las unidades pueden ser ELECTRONES, ÁTOMOS, IONES o MOLÉCULAS, según la naturaleza de la sustancia y el carácter de la reacción (si la hay). Ver también ley de AVOGADRO; ESTEQUIOMETRÍA; ley de acción de MASAS.

Avon Condado administrativo del sudoeste de Inglaterra. A orillas del río SEVERN y el canal de BRISTOL, fue creado en la reorganización gubernamental de 1974; su capital era BRISTOL. En 1996, el condado fue dividido en las siguientes unidades administrativas: Bath y Somerset nororiental, la ciudad de Bristol, Somerset del norte y Gloucestershire del sur. Durante la era romana se construyeron carreteras y BATH se hizo conocida por sus termas de aguas medicinales. Desde el s. VII, Avon fue incorporado al reino de WESSEX. En el s. XVIII, Bristol era un puerto importante y Bath se puso nuevamente de moda. La región tiene una economía diversificada que comprende la agricultura, la industria manufacturera y también el turismo.

Avon, río *o* **río Avon inferior** Río del sudoeste de Inglaterra. Nace en GLOUCESTERSHIRE y recorre 121 km (75 mi) hacia el sudoeste, pasa por BRISTOL y desemboca en el canal del mismo nombre en Avonmouth, el puerto de Bristol. Al sur de Bristol ha excavado una colina de piedra caliza, dando origen al desfiladero Clifton, célebre por su puente colgante.

Avon, río *o* **río Avon superior** Río del centro de Inglaterra. Nace en NORTHAMPTONSHIRE y recorre 154 km (96 mi) hacia el sudoeste hasta su confluencia con el río SEVERN, en Tewkesbury. Es conocido por la belleza de sus paisajes, principalmente el valle de Evesham. Entre las ciudades importantes que se encuentran a sus orillas destaca STRATFORD-UPON-AVON, ciudad natal de WILLIAM SHAKESPEARE.

El río Avon, a su paso por Stratford-upon-Avon, Inglaterrra; a la derecha, la Holy Trinity.

avutarda Cualquiera de unas 23 especies de aves de caza de tamaño mediano o grande de la familia Otididae, emparentadas con las GRULLAS y RASCONES del orden Gruiformes. Las avutardas se encuentran en África, Europa meridional, Asia, Australia y Nueva Guinea. Es un ave espigada y corredora, de patas largas, con un cuerpo compacto que mantiene en posición horizontal y cuello erecto ubicado delante de las patas. La especie más conocida es la gran avutarda (*Otis tarda*), el ave terrestre más grande de Europa. Los machos de esta especie pesan hasta 14 kg (31 lb) y alcanzan longitudes de 1,2 m (4 pies), con una envergadura de 2,4 m (8 pies).

AWACS (Airborne Warning and Control System) *español* **Sistema aerotransportado de alarma y control** Centro móvil de vigilancia y control mediante un RADAR de largo alcance para la defensa aérea. Usado por la fuerza aérea de EE.UU. desde 1977, el AWACS se instala en un avión Boeing 707, especialmente modificado, con su antena de radar principal montada en un domo rotatorio. Puede detectar, seguir e identificar aeronaves que vuelan a baja altura a una distancia de 370 km (200 mi náuticas) y objetivos en altura a distancias mucho mayores. Puede también monitorizar el tráfico marítimo y opera bajo cualquier condición climática. Su sistema computacional puede evaluar la acción del enemigo y determinar la ubicación y disponibilidad de cualquier aeronave dentro de su alcance. Los operadores de su sistema de comunicaciones protegido pueden guiar el ataque de los aviones amigos contra los aviones enemigos.

Awolowo, Obafemi (6 mar. 1909, Ikenne, colonia y protectorado de Nigeria del Sur–9 may. 1987, Ikenne). Político nacionalista nigeriano y líder del grupo étnico YORUBA. Mientras estudiaba derecho en Londres, escribió la influyente obra *Path to Nigerian Freedom* [Senda hacia la libertad de Nigeria] (1947) y sentó las bases del primer partido político yoruba, el Grupo Acción. Como primer ministro de la Región Occidental de Nigeria (1954–59), trabajó para mejorar la educación, los servicios sociales y la agricultura. Se mantuvo como una figura importante en la política nacional, pero nunca alcanzó altos cargos de elección popular.

Awrangzib ver AURANGZEB

axiología *o* **teoría del valor** Teoría filosófica del valor. La axiología es el estudio de los valores, o del bien, en su sentido más amplio. Comúnmente se distingue entre valor intrínseco y valor extrínseco (i.e., entre aquello que es valioso en sí mismo y aquello que es valioso sólo como medio para otra cosa), que a su vez puede ser intrínseca o extrínsecamente valioso. Se han dado diversas respuestas a la pregunta de "¿qué es intrínsecamente valioso? ". Para los hedonistas es el placer; para los pragmatistas, la satisfacción, el crecimiento o la adaptación; para los kantianos, la buena voluntad. Los pluralistas como G.E. MOORE y Sir WILLIAM DAVID ROSS afirman que hay varias cosas intrínsecamente valiosas. Según las teorías subjetivistas del valor, las cosas son valiosas sólo en tanto son deseadas; las teorías objetivistas sostienen que hay al menos algunas cosas que son valiosas independientemente del deseo o interés que se tenga por ellas. Las teorías cognitivistas del valor afirman que las atribuciones de valor funcionan lógicamente como enunciados de hecho, mientras que las teorías no cognitivistas afirman que son meramente expresiones de sentimientos (ver EMOTIVISMO), o prescripciones, o recomendaciones (ver PRESCRIPTIVISMO). Según los naturalistas, expresiones como "intrínsecamente bueno " pueden analizarse como referidas a propiedades naturales o no éticas, como 'ser agradable'. Es bien sabido que Moore niega lo anterior, pues sostiene que "bueno" se refiere a una propiedad no natural simple (inanalizable). Ver también DISTINCIÓN DE HECHO-VALOR; FALACIA NATURALISTA.

axioma En matemática o lógica, una regla no demostrable o primer principio aceptado como verdadero debido a que es evidente en sí mismo o particularmente útil (p. ej., "Nada puede ser y no ser al mismo tiempo y respecto de lo mismo"). El término se usa a menudo como sinónimo de postulado, aunque este último término se reserva algunas veces para aplicaciones matemáticas (como los postulados de la GEOMETRÍA EUCLIDIANA). Debería contrastarse con un TEOREMA, que requiere una demostración rigurosa.

Axminster, alfombra de Cubierta para el piso producida en una fábrica fundada en Axminster, Inglaterra, en 1755, por el tejedor de telas Thomas Whitty. Las alfombras eran de lana anudada sobre urdimbres de lana, con tramas de lino o cáñamo, y presentaban diseños renacentistas arquitectónicos o florales. La fábrica cerró en 1835 con el advenimiento de las máquinas tejedoras industriales. El nombre subsiste como término genérico para todas las alfombras hechas a máquina con una lanilla similar al terciopelo o a la felpilla.

Axum ver AKSUM

ayatolá En la rama CHIITA del Islam, autoridad religiosa de alto rango considerada por sus seguidores como el personaje más erudito de su generación. La autoridad del ayatolá descansa en el IMÁN infalible. Sus decisiones legales son aceptadas como obligatorias por sus seguidores personales y, actualmente, por la comunidad en general.

El ayatolá Jomeini, de regreso a Teherán, tras el exilio.
FOTOBANCO

Áyax Héroe griego de la guerra de TROYA. En la *Ilíada*, HOMERO lo describe de gran estatura y superado sólo por AQUILES en fuerza y valentía. Luchó en combate singular contra HÉCTOR y rescató el cuerpo de Aquiles de manos de los troyanos. Cuando las armas de Aquiles le fueron otorgadas a ODISEO, Áyax se enfureció tanto que enloqueció. Según varios poetas griegos y romanos, Áyax sacrificó un rebaño de ovejas que tomó por sus enemigos, luego volvió en sí y, avergonzado, se suicidó.

Ayckbourn, Sir Alan (n. 12 abr. 1939, Londres, Inglaterra). Comediógrafo británico. Comenzó a actuar en la compañía Stephen Joseph en Scarborough, Yorkshire, donde además escribió sus primeras piezas teatrales bajo el seudónimo de Roland Allen (1959–61). La mayoría de sus obras fueron estrenadas en el teatro de la compañía, de la que fue director artístico a partir de 1970. Ha escrito más de 50 obras, preferentemente farsas y comedias sobre conflictos matrimoniales y de clase, entre ellas, *Relatively Speaking* (1967), *Absurda persona del singular* (1972), la trilogía *The Norman Conquests* (1973), *Intimate Exchanges* (1982) y *Communicating Doors* (1995).

Ayer, Sir A(lfred) J(ules) (29 oct. 1910, Londres, Inglaterra–27 jun. 1989, Londres). Filósofo británico. Enseñó en el University College London (1946–59) y después en Oxford (1959–78). Obtuvo reconocimiento internacional en 1936 con la publicación de su primer libro, *Lenguaje, verdad y lógica*, manifiesto de POSITIVISMO LÓGICO basado en las ideas del CÍRCULO DE VIENA y la tradición del EMPIRISMO británico representado por DAVID HUME y BERTRAND RUSSELL. También se lo recuerda por sus aportes a la EPISTEMOLOGÍA y sus escritos sobre la historia de la filosofía angloestadounidense (ver también FILOSOFÍA ANALÍTICA). Otras de sus obras son *The Foundations of Empirical Knowledge* [Los fundamentos del conocimiento empírico] (1940), *El problema del conocimiento* (1956), *The Origins of Pragmatism* [Los orígenes del pragmatismo] (1968), *Russell y Moore* (1971), *The Central Questions of Philosophy* [Las cuestiones centrales de la filosofía] (1973) y *Wittgenstein* (1985).

Ayers Rock Macizo rocoso del sudoeste del Territorio del Norte, Australia. Llamado Uluru por los ABORÍGENES AUSTRALIANOS, está ubicado en el parque nacional Uluru-Kata Tjuta y tiene una altura de 335 m (1.100 pies); probablemente es el

El macizo rocoso Ayers Rock, parque nacional Uluru-Kata Tjuta, sudoeste del Territorio del Norte, Australia.
ARCHIVO EDIT. SANTIAGO

monolito más grande del mundo. Su arcosa (un tipo de arenisca) cambia de color según la altura del sol. Las cavernas poco profundas en la base de la roca, que contienen relieves y pinturas rupestres, son sagradas para varias tribus aborígenes. En 1985, la propiedad de Ayers Rock fue oficialmente devuelta a los aborígenes.

Aying *o* **A Ying** *orig.* **Qian Xingcun** (6 feb. 1900–17 jun. 1977). Crítico e historiador chino de la literatura moderna de su país. Miembro del Partido Comunista y del comité permanente de la Liga de escritores de izquierda, comenzó c. 1930 a recopilar y estudiar material acerca de la literatura china contemporánea y de las dinastías Ming y Qing. Sus obras publicadas, como *Women Writers in Modern China* [Escritoras de la China contemporánea] (1933) y *Two Talks on the Novel* [Dos conversaciones sobre la novela] (1958), contribuyeron en gran medida al historial de la cultura china moderna.

Aylesbury Ciudad (pob., est. 1995: 61.000 hab.) del centro-sur de Inglaterra. Es la capital del condado de BUCKINGHAMSHIRE, situado al noroeste de Londres en el valle del TÁMESIS, conocido como el valle de Aylesbury; destaca por la excelencia de su arcilla. Otrora centro comercial importante, hoy se ha convertido en centro industrial. Entre sus edificios históricos destacan el ayuntamiento del condado del s. XVIII y una posada del s. XV.

aymara *o* **aimara** Numeroso grupo indígena sudamericano, que habita en la meseta del lago Titicaca, en los Andes centrales, en territorios del Perú y Bolivia. Fueron sometidos por los INCAS y los españoles, si bien se rebelaron contra ambos conquistadores. En la actualidad, los aymaras tradicionales siguen viviendo en áreas de suelos pobres y clima inhóspito, donde pastorean llamas y alpacas, cuidan de sus cultivos y pescan en embarcaciones hechas de totora; presentan uno de los más altos índices de pobreza en el hemisferio. No obstante, otros se han incorporado a las actividades modernas en el comercio y la industria. Sus organizaciones políticas han llevado a Evo Morales a ser el primer pdte. aymara de la historia republicana en Bolivia.

Indígenas aymaras construyendo embarcaciones de junco en el lago Titicaca.
LOREN MCINTYRE–WOODFIN CAMP ASSOCIATES

Aymé, Marcel (29 mar. 1902, Joigny, Francia–14 oct. 1967, París). Novelista, ensayista y dramaturgo francés. Entre sus novelas se cuentan *La table-aux-crevés* (1929), *Le passe-muraille* (1943) y *Le chemin des écoliers* (1946). Encantó a un vasto público con sus ingeniosos cuentos de animales parlantes (que reflejan su propia crianza campesina). Aunque sus extravagantes creaciones, que mezclan fantasía y realidad, fueron desechadas durante mucho tiempo como obras menores, fue reconocido tardíamente como un maestro del cuento y de la ironía sutil.

Ayodhya *o* **Ajodhía** Ciudad (pob., est. 2001: 49.593 hab.) del norte de India. Situada a orillas del río GHAGHRA, justo al este de Faizabad, de la cual es hoy un suburbio. Antiguamente una de las ciudades más grandes de India, en la actualidad es una de las siete ciudades santas del HINDUISMO. Fue la capital de KOSALA, como se describe en el *Ramayana*. Durante los primeros años del BUDISMO (s. VI al IV AC) fue un importante centro budista y se dice que BUDA habría vivido allí. También es considerada sagrada por los seguidores del JAINISMO. En el s. XVI, el emperador mogol BABUR construyó una mezquita en un sitio tradicionalmente asociado con un antiguo templo hindú que marcaba el lugar de nacimiento del dios RAMA. El asalto a la mezquita por hinduistas en 1990, en medio de tensiones religiosas, fue seguido de revueltas, y la crisis que trajo consigo provocó la caída del gobierno. En 1992, la mezquita fue demolida por fundamentalistas hinduistas; se estima que más de 1.000 personas murieron en los disturbios posteriores que se expandieron por India.

Ayrshire Raza de GANADO BOVINO lechero robusta (ver LECHERÍA), originaria del condado de Ayr, Escocia, hacia fines del s. XVIII. Es considerada la única raza lechera especial originada en las islas Británicas. El color de su cuerpo varía desde un blanco casi puro hasta un rojo cereza o pardo. Ampliamente exportada a otros países, es común en R.U., EE.UU. y Canadá.

ayubí, dinastía (1173–1250). Dinastía kurda, fundada por SALADINO, que gobernó Egipto, la mayor parte de Siria, el alto Irak y Yemen. Tras derrocar a la dinastía FATIMÍ, Saladino defendió Palestina durante las CRUZADAS y convirtió a Egipto en el Estado musulmán más poderoso del mundo. Después de la muerte de Saladino, el régimen ayubí se descentralizó. En 1250, un grupo de mamelucos (militares esclavos) aprovechó un vacío temporal en la sucesión ayubí para apoderarse del gobierno de Egipto y fundar la dinastía de los MAMELUCOS. Príncipes ayubíes de menor importancia continuaron gobernando en ciertas partes de Siria por algunos años más.

ayuda extranjera Transferencia de capitales, bienes o servicios de un país a otro. La ayuda extranjera puede entregarse en forma de transferencias de capital o asistencia técnica y capacitación, ya sea para propósitos civiles o militares. En los tiempos modernos se comenzó a aplicar durante el s. XVIII, cuando Prusia subsidió a algunos de sus aliados. Después de la segunda guerra mundial, la ayuda extranjera se convirtió en un instrumento más sofisticado de política exterior. Se crearon organizaciones internacionales, como la ADMINISTRACIÓN DE LAS NACIONES UNIDAS DE SOCORRO Y RECONSTRUCCIÓN, para proporcionar ayuda a los países devastados por la guerra y a las colonias recientemente liberadas. La adjudicación de la ayuda extranjera a menudo está sujeta a condiciones, como la exigencia de que en su totalidad o en parte se utilice para la compra de bienes en el país donante. Ver también BANCO MUNDIAL; FMI; Plan MARSHALL.

ayuno Abstención de alimentarse, normalmente por razones religiosas o éticas. En las religiones antiguas se usaba para preparar a los adoradores o a los sacerdotes para acercarse a las deidades y lograr tener una visión, cumplir penitencia por los pecados, o aplacar a una divinidad encolerizada. Todas las grandes religiones incluyen el ayuno entre sus prácticas. El judaísmo tiene varios días de ayuno, destacándose el previo al YOM KIPPUR. Para los cristianos, se establece la CUARESMA como un período de 40 días de penitencia antes de la Pascua de Resurrección, que incluye los días de ayuno tradicionales de Miércoles de Ceniza y de Viernes Santo. En el Islam, el mes de RAMADÁN se observa como un período de abstinencia absoluta de comida desde el alba hasta el crepúsculo. El ayuno como protesta política es a menudo llamado huelga de hambre; las huelgas de hambre han sido empleadas, entre otros, por sufragistas femeninas del s. XIX, por MOHANDAS K. GANDHI y por nacionalistas irlandeses de fines del s. XX. El ayuno moderado también se practica a veces por sus supuestos beneficios para la salud.

Ayurveda *o* **medicina ayurvédica** Sistema tradicional de medicina india. Se le atribuye a Dhanvantari, el médico de los dioses en la mitología hindú, quien a su vez recibió este conocimiento de BRAHMA. Sus conceptos más antiguos se establecieron en la parte de los VEDAS conocida como el Atharvaveda (c. segundo milenio AC). Los textos ayurvédicos más importantes son el *Caraka samhita* y el *Susruta samhita* (escritos entre los s. I y IV DC). Estos textos analizan el cuerpo humano en términos de tierra, agua, fuego, aire y éter, así como los tres humores corporales (gases, bilis y flema). Para prevenir la enfermedad, la medicina ayurvédica privilegia la higiene, el ejercicio, las preparaciones herbáceas y el yoga. Para curar dolencias y enfermedades, recurre a medicamentos a base de hierbas, fisioterapia y dieta. La medicina ayurvédica es aún una forma popular de atención de la salud en India, donde se enseña en cerca de un centenar de universidades. También ha ganado adeptos en Occidente como un tipo de medicina alternativa.

Ayutthaya *o* **Ayuthia** *p. ext.* **Phra Nakhon Si Ayutthaya** Ciudad (pob., est. 2000: 75.898 hab.), antigua capital del reino thai de Ayutthaya. Está ubicada al nordeste de la actual Bangkok. Se dice que la moderna Tailandia (antigua Siam) se remonta a su fundación (entre 1347 y 1351). El reino de Ayutthaya fue otrora uno de los más poderosos del Sudeste asiático y su capital floreció por más de 400 años. Parte importante de la arquitectura, el arte y la literatura de la antigua ciudad fue destruida en 1767, cuando fue saqueada por Hsinbyushin de la dinastía ALAUNGPAYA. La moderna ciudad de Ayutthaya está emplazada entre las ruinas de la antigua. Existe cierta actividad manufacturera, siendo importante el turismo. El área fue declarada PATRIMONIO DE LA HUMANIDAD por la UNESCO en 1991.

Ayyub Kan, Muhammad (14 may. 1907, Hazara, India–19 abr. 1974, cerca de Islamabad, Pakistán). Presidente de Pakistán (1958–69). Después de estudiar en la Universidad musulmana de Aligarh y en el British Royal Military College, se convirtió en oficial del ejército de India (1928). Durante la segunda guerra mundial combatió en Birmania (Myanmar), y luego fue ascendiendo en el escalafón del ejército de Pakistán recién independizado. En 1958, el presidente pakistaní Iskander Mirza derogó la constitución y Ayyub se convirtió en el principal encargado de aplicar la ley marcial. Ese mismo año se autodenominó presidente, exiliando a Mirza. Estableció estrechas relaciones con China y en 1965 declaró la guerra a India por el control de la región de CACHEMIRA. Su fracaso militar, unido al malestar por las restricciones al sufragio, provocó revueltas, por lo que Ayyub debió renunciar en 1969.

azada Una de las herramientas agrícolas de mayor antigüedad para cavar la tierra. Se parece a un azadón moderno, pero a diferencia de este, su cuchilla es de piedra o de madera en vez de metal; está dispuesta en ángulo recto a un largo mango de madera. A pesar de que en la agricultura a gran escala se utilizan arados, rastras y azadones rotatorios que abren varios surcos simultáneamente, los jardineros y horticultores todavía ocupan la azada para soltar la tierra y desmalezar.

azafrán Condimento fuerte y tinte de color dorado obtenidos de los estigmas secos de las flores del azafrán (*Crocus sativus*), planta perenne, bulbosa, de la familia de las IRIDÁCEAS. Dado que 0,45 kg (1 lb) de azafrán representa 75.000 flores, es la especia más costosa del mundo. Su color y sabor son ingredientes esenciales para ciertos platos mediterráneos y asiáticos, así como para productos horneados especiales en Inglaterra, Escandinavia y los Balcanes. Desde tiempos antiguos, el azafrán ha sido el color oficial de las túnicas de los sacerdotes budistas y de atuendos reales en varias culturas. Los griegos y los romanos esparcían azafrán como perfume en salas, cortes, teatros y baños.

azalea Nombre de ciertas especies del género *Rhododendron* (familia de las ERICÁCEAS), antes designados con el nombre genérico de *Azalea*. Aunque algunos botánicos consideran a las azaleas distintas de los RODODENDROS, las características que distinguen a las especies de los dos grupos no son suficientemente consistentes como para separarlas en dos géneros. Las azaleas son típicamente deciduas (ver ÁRBOL DECIDUO) y tienen flores infundibuliformes, a veces bilabiadas y a menudo fragantes. Las variedades cultivadas se han obtenido de especies nativas de las regiones montañosas de Asia y Norteamérica.

azalī Miembro del movimiento bābī que permaneció fiel, a las enseñanzas de el BĀB y su sucesor escogido, Mīrzā Yahya, conocido como Ṣobḥ-e Azal, después de que el movimiento se escindiera en 1863. Durante 13 años, tras la ejecución de el Bāb, los seguidores reconocieron a Ṣobḥ-e Azal como su líder. Posteriormente, el medio hermano de ese caudillo, BAHĀ' ULLĀH, se autodeclaró en círculos cercanos como el profeta cuya venida había predicho el Bāb. Los azalīes lo rechazaron, pero la mayoría de los bābīes lo siguieron y establecieron en 1867 la fe BAHĀ'Ī. En la actualidad, los azalīes se encuentran casi sólo en Irán y probablemente no suman más que unos pocos miles.

azande ver ZANDÉ

Azaña (y Díaz), Manuel (10 ene. 1880, Alcalá de Henares, España–4 nov. 1940, Montauban, Francia). Primer ministro y presidente español. Como primer ministro entre 1931 y 1933, intentó formar un gobierno liberal moderado. Elegido presidente en mayo de 1936, fue poco lo que pudo hacer antes de que estallara la guerra civil ESPAÑOLA en julio. Sin poder político, permaneció en el cargo sólo como figura decorativa hasta 1939, cuando marchó al exilio tras la victoria de las fuerzas nacionalistas de FRANCISCO FRANCO.

Manuel Azaña y Díaz, óleo de J.M. López Mezquita, 1937; Colección de la Hispanic Society of America.
GENTILEZA DE LA HISPANIC SOCIETY OF AMERICA, NUEVA YORK

AZERBAIYÁN

- **Superficie:** 86.600 km² (33.400 mi²)
- **Población:** 8.381.000 hab. (est. 2005)
- **Capital:** BAKÚ
- **Moneda:** manat

Azerbaiyán *ofic.* **República de Azerbaiyán** País de la región del Cáucaso. La mayoría de sus habitantes son de origen turco y permanecen allí desde del s. XI DC. Las migraciones tardías producidas durante el período de la dinastía SELYÚCIDA llevaron a la región a otros grupos, incluso algunos de habla persa; los rusos constituyen una minoría. Idiomas: azerí (oficial), ruso. Religiones: Islam, minoría cristiana ortodoxa. Azerbaiyán se caracteriza por su diversidad de paisajes. Más del 40% de su territorio corresponde a tierras bajas, mientras que un 10% se encuentra a más de 1.500 m (5.000 pies) sobre el nivel del mar. La zona central corresponde a una planicie bañada por el río KURA y sus afluentes, incluido el Araks, cuyo curso superior forma parte del límite con Irán. El mar CASPIO sirve a Bakú de salida comercial. Las actividades económicamente importantes son la agricultura, la refinería de crudo y la industria ligera. Azerbaiyán es una república unicameral; su jefe de Estado y de Gobierno es el presidente, asistido por un primer ministro. Azerbaiyán colinda con la región iraní homónima y el origen de sus respectivos habitantes es el mismo. Hacia el s. IX DC cayó bajo dominio turco y en los siglos siguientes se la disputaron árabes, mongoles, turcos e iraníes. A principios del s. XIX, Rusia adquirió lo que actualmente es el Azerbaiyán independiente. Después de la REVOLUCIÓN RUSA DE 1917, Azerbaiyán declaró su independencia; en 1920 fue conquistada por el Ejército Rojo y se convirtió en República Socialista Soviética. Después de la disolución de la U.R.S.S.

en 1991, declaró nuevamente su independencia. Azerbaiyán posee dos peculiaridades geográficas. El enclave exterior de Naxçivan (Najichevan), que se encuentra separado del resto de Azerbaiyán por territorio armenio; y Alto KARABAJ, que se ubica dentro de Azerbaiyán y es administrado por esta, pero habitado por una mayoría armenia cristiana. Durante la década de 1990, la disputa por ambos territorios llevó a Azerbaiyán y Armenia a una guerra que ocasionó muchas muertes y una grave crisis económica. A pesar de que el cese al fuego fue declarado en 1994, la situación política quedó irresoluta.

Bakú, capital de Azerbaiyán, situada en la ribera occidental del mar Caspio.
FOTOBANCO

Azhar, Universidad, al- Principal escuela de aprendizaje del Islam y del árabe en el mundo, ubicada en la mezquita al-Azhar en el barrio medieval de El Cairo. Fue fundada por la dinastía fatimí en 970. El programa básico siempre se ha centrado en el derecho islámico, teología y en la lengua árabe. Durante la Edad Media se incorporaron estudios de filosofía y medicina, los cuales finalmente fueron eliminados. A fines del s. XIX se reincorporó la filosofía, y a principios de la década de 1960, en un campus anexo, se incorporaron las ciencias sociales. En 1962 fueron admitidas por primera vez las mujeres.

azidotimidina ver AZT

Azikiwe, Nnamdi (16 nov. 1904, Zungeru, Nigeria–11 may. 1996, Enugu). Primer presidente (1963–66) de Nigeria independiente. El partido de Azikiwe, Consejo Nacional, ganó las importantes elecciones federales de 1959 y contribuyó a obtener la independencia de Nigeria. En la guerra de Biafra (1967–70), Azikiwe primero respaldó a sus correlegionarios ibos, pero luego prestó su apoyo al gobierno federal. De ahí en adelante, fue un líder opositor del partido gobernante.

azimut ver ACIMUT

Azincourt, batalla de ver batalla de AGINCOURT

azo colorante Cualquiera de una clase de numerosos compuestos orgánicos sintéticos, COLORANTES que contienen dos átomos de nitrógeno unidos por un doble enlace (ver ENLACE, ENLACE COVALENTE) en la forma —N=N— como parte de su estructura molecular. Más de la mitad de los colorantes de uso comercial son azo colorantes. Generalmente, se clasifican según las fibras para las cuales son útiles, o los métodos por los cuales se aplican; los colorantes directos son absorbidos por las fibras de la solución misma, pero otros requieren una segunda solución (un mordiente) o una segunda etapa antes de que el color quede firme.

azogue ver MERCURIO

azor Cualquiera de las más poderosas aves rapaces cazadoras (GAVILANES del género *Accipiter*), con predominio de alas cortas y habitante de los bosques. El más conocido es el azor del norte, que alcanza una longitud de unos 60 cm (2 pies) con una envergadura de 1,3 m (4,3 pies) y tiene un fino plumaje gris listado. Muy usado en CETRERÍA, el azor caza presas tan grandes como zorros y urogallos. En estado salvaje vive en bosques templados o fríos del hemisferio norte, aunque se ha vuelto raro en las islas Británicas y ha venido declinando su número en Norteamérica. Diversas otras especies se encuentran en el hemisferio sur.

Azor del norte (*Accipiter gentilis*).
© ENCYCLOPÆDIA BRITANNICA, INC.

azora ver SURA

Azores, islas *portugués* **Açores** Archipiélago (pob., 2001: 242.073 hab.) del océano Atlántico norte, región autónoma de Portugal. Sus islas son Flores, Corvo, Terceira, São Jorge, Pico, Faial, Graciosa, São Miguel y Santa María; su capital es Ponta Delgada (en São Miguel). Cubre una superficie de 2.333 km^2 (901 mi^2). Expuesta a terremotos y erupciones volcánicas, las islas se sitúan a unos 1.600 km (1.000 mi) al oeste de Europa continental. Se presume que las Azores fueron descubiertas deshabitadas c. 1427 por el piloto portugués Diogo de Sevilha. El asentamiento comenzó c. 1432; a fines del s. XV, todas las islas estaban habitadas y el comercio con Portugal permanecía bien establecido. Estuvieron en manos de España entre 1580 y 1640, y una famosa batalla naval entre británicos y españoles tuvo lugar frente a las costas de la isla Flores en 1591. Los portugueses instalaron un gobernador y un capitán general para el grupo de islas en 1766; se les otorgó una autonomía limitada en 1895. Durante la segunda guerra mundial se construyeron importantes bases aéreas y navales; en 1951, EE.UU. estableció una base de la OTAN en Lajes.

Azov, mar de Mar interior de Europa entre Ucrania y Rusia. Se comunica con el mar NEGRO por el estrecho de Kerch. Tiene una longitud de aprox. 340 km (210 mi), unos 135 km (85 mi) de ancho y ocupa una superficie de 37.600 km^2 (14.500 mi^2). Con una profundidad máxima de solamente 14 m (46 pies), es el mar menos profundo del mundo. Se alimenta de los ríos KUBÁN y DON, y en la desembocadura de este último, en el golfo de Taganrog, su profundidad es de 1 m (3 pies) o menos. En el oeste se extiende el banco de Arabat, un largo banco de arena de unos 113 km (70 mi) que separa el mar de Azov del Syvash, un sistema de ensenadas pantanosas que separa la península de CRIMEA del territorio continental ucraniano.

AZT *sigla de* **azidotimidina** *llamada* **zidovudina** Droga que ha logrado retrasar el desarrollo del SIDA en pacientes con VIH. Desde su introducción, a mediados de la década de 1980, ha prolongado la vida de millones de pacientes. Es particularmente efectiva en prevenir la transmisión del VIH, de mujeres embarazadas infectadas a sus fetos. Puesto que ejerce un efecto mayor en la replicación de los VIRUS que en las células del cuerpo, tiene menos efectos colaterales que la mayoría de las otras drogas para tratar el sida, pero aún así muchos pacientes no la pueden tolerar. Debido a que el VIH se hace rápidamente resistente a la monoterapia con cualquier droga antirretroviral, la AZT se suministra por lo general en combinación con otras drogas.

Aztec Ruins National Monument Sitio arqueológico del noroeste de Nuevo México, EE.UU. Ubicado a orillas del río Ánimas, al norte de la localidad de Aztec, se estableció en

1923 y tiene una superficie de 1,3 km^2 (0,5 mi^2). Bautizado en forma errónea por los primeros pobladores, el sitio contiene realmente las ruinas excavadas de un asentamiento de indios PUEBLO del s. XII. Fue declarado PATRIMONIO DE LA HUMANIDAD en 1987.

azteca Pueblo de habla NÁHUATL, que en el s. XV y a comienzos del XVI gobernó un vasto imperio en lo que hoy es el centro y el sur de México. Es posible que sean originarios del norte de México, desde donde habrían migrado a su ubicación posterior. Su migración puede haber estado relacionada con el colapso de la civilización TOLTECA. El imperio azteca, que en su apogeo contaba con unas cinco a seis millones de personas repartidas en alrededor de 200.000 km^2 (80.000 mi^2), fue posible gracias a sus exitosas técnicas agrícolas, que comprendían cultivos intensivos, sistemas de riego y la recuperación de terrenos pantanosos. El Estado azteca era despótico, militarista y altamente estratificado según criterios de clase y casta. La religión era sincrética, basada especialmente en las creencias de los MAYAS. Los aztecas practicaban el SACRIFICIO HUMANO, actividad que ocasionalmente alcanzaba proporciones masivas. El imperio llegó a su fin cuando el conquistador español HERNÁN CORTÉS tomó prisionero al emperador MOCTEZUMA II y sometió a la gran ciudad de TENOCHTITLÁN (actual Ciudad de México). Ver también NAHUA.

Máscara azteca con incrustaciones de turquesas y conchas, que representa a Texcatlipoca, dios de la noche.
FOTOBANCO

azúcar Cualquiera de los numerosos compuestos orgánicos dulces e incoloros, que se disuelven fácilmente en agua y que existen en la savia de las plantas de semilla y en la leche de los mamíferos. Los azúcares (cuyos nombres terminan en *-osa*) son los CARBOHIDRATOS más sencillos. La más común es la SACAROSA, un disacárido; existen muchas otras, como la GLUCOSA y la FRUCTOSA (ambas MONOSACÁRIDOS); azúcar invertida (una mezcla por partes iguales de glucosa y fructosa producida por la acción de una ENZIMA sobre la sacarosa); la maltosa (producida en el malteado de la cebada) y la LACTOSA (ambas disacáridos). La producción comercial de azúcares es casi en su totalidad para alimentos.

azúcar común ver SACAROSA

azúcar de fruta ver FRUCTOSA

azúcar de maíz ver GLUCOSA

azúcar de uva ver GLUCOSA

Azúcar, ley del *inglés* **Sugar Act** (1764). Ley británica destinada a recaudar ingresos de las colonias de América del Norte. Fue una modificación de la ley de la Melaza (Molasses Act), de 1733, que nunca se hizo cumplir; impuso nuevos aranceles sobre el azúcar y la melaza importadas por las colonias desde el Caribe no británico y dispuso la incautación de los cargamentos que violaran las nuevas disposiciones. Esta ley fue el primer intento por recuperar, de las colonias, los gastos de la guerra FRANCESA E INDIA y el costo de mantener tropas británicas en América del Norte. Los colonos se opusieron a la ley porque constituía una tributación sin fundamento, y algunos comerciantes convinieron en no importar artículos británicos. Las protestas aumentaron cuando se aprobó la ley del TIMBRE.

azucena Cualquier planta del género *Hemerocallis* (familia de las LILIÁCEAS), que comprende unas 15 especies de plantas herbáceas PERENNES presentes desde Europa central hasta Asia oriental. Los ejemplares tienen racimos de tallos altos, con ramilletes de flores infundibuliformes o campaniformes, cuyos colores van del amarillo al rojo y son efímeras. Tienen raíces carnosas y hojas estrechas y ensiformes que se agrupan en la base de la planta. El fruto es una CÁPSULA. Algunas especies se cultivan con fines ornamentales o por sus flores y yemas comestibles.

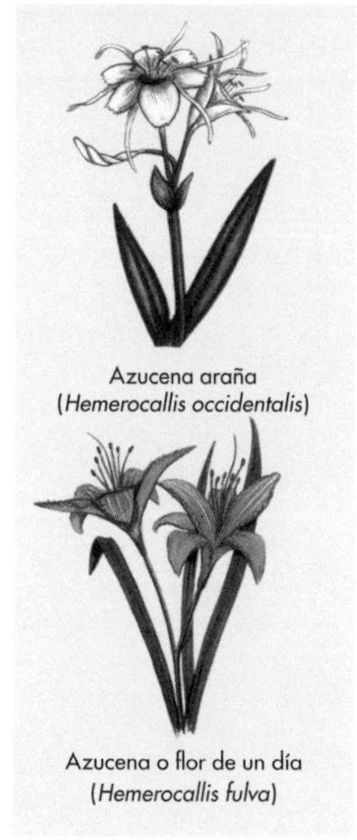

Especies de azucena.
© ENCYCLOPÆDIA BRITANNICA, INC.

azuela Herramienta manual para dar forma a la madera. Su versión más primitiva era una lasca desprendida o tallada a golpes en forma de hoja sostenida con la mano. Es una de las herramientas más antiguas y se usó ampliamente en los períodos PALEOLÍTICO y NEOLÍTICO. En tiempos de los egipcios se le incorporó un astil (mango) con una hoja de cobre o BRONCE colocada en forma perpendicular en la parte superior del astil para formar una T. Luego mantuvo su estructura, aunque la hoja fue reemplazada por una de acero, y siguió siendo la principal herramienta manual para dar forma y labrar la madera. El carpintero se para sobre un tronco u otro trozo de madera, o se coloca a horcajadas sobre él, blandiendo la azuela como una picota, hacia abajo y entre las piernas.

Azuela, Mariano (1 ene. 1873, Lagos de Moreno, Jalisco, México–1 mar. 1952, México, D.F.). Escritor mexicano. Médico, graduado en Guadalajara, prestó sus servicios a las tropas de PANCHO VILLA durante la REVOLUCIÓN MEXICANA. Desde que era estudiante hasta sus últimos días, hizo una larga trayectoria en la novela, pasando por diferentes etapas: romántica, revolucionaria, psicológica, vanguardista y realista costumbrista. Sus principales obras son *María Luisa* (1907); *Los fracasados* (1908); *Mala yerba* (1909); *Andrés Pérez, maderista* (1911); *Los de abajo* (1916), la más lograda y difundida expresión literaria de aquella confrontación armada; *Las moscas* (1918); *Las tribulaciones de una familia decente* (1918); *La malhora* (1923); *El desquite* (1925); *La luciérnaga* (1932); *El camarada Pantoja* (1937); *Regina Landa* (1939); *Avanzada* (1940); *Nueva burguesía* (1941); *La marchanta* (1944); *La mujer domada* (1946); *Sendas prohibidas* (1949); *La maldición* (1955) y *Esa sangre* (1956). Además cultivó el teatro, y ejerció la crítica literaria en *Cien años de novela mexicana* (1947). Obtuvo el Premio Nacional de Literatura en 1949.

azufre ELEMENTO QUÍMICO no metálico, de símbolo químico S y número atómico 16. Es muy reactivo, pero existe en estado natural en yacimientos, así como mezclado en diversas MENAS (p. ej., PIRITA, GALENA, CINABRIO); en el CARBÓN, el PETRÓLEO y el GAS NATURAL, y en el agua de termas sulfurosas. El azufre es el tercer componente más abundante de los MINERALES y uno de los cuatro elementos químicos básicos más importantes. El azufre puro, un sólido insípido, inodoro, quebradizo, amarillo, existe en varios ALÓTROPOS cristalinos y amorfos, como las flores de azufre. Se combina con VALENCIA 2, 4 ó 6

Cristales de azufre de Sicilia.
GENTILEZA DEL ILLINOIS STATE MUSEUM; FOTOGRAFÍA, JOHN H. GERARD

con casi todos los demás elementos. Su compuesto más conocido es el sulfuro de hidrógeno, un gas venenoso con olor a huevo podrido. Todos los metales, excepto el oro y el platino, forman sulfuros, y muchos minerales son sulfuros. Los ÓXIDOS son DIÓXIDO DE AZUFRE y trióxido de azufre, los que disueltos en agua forman ácido sulfuroso y ácido SULFÚRICO, respectivamente. Varios compuestos de azufre con elementos HALÓGENOS son importantes en la industria. El sulfito sódico (Na_2SO_3) es un agente reductor que se usa en pasta de papel y en fotografía. Los compuestos orgánicos con azufre comprenden varios AMINOÁCIDOS, SULFAS y muchos insecticidas, solventes y sustancias que se utilizan para fabricar caucho y rayón.

Azulejos de Sevilla, fines del s. XVI; Museo Boymans-van Beuningen, Rotterdam, Países Bajos.
GENTILEZA DEL MUSEO BOYMANS-VAN BEUNINGEN, ROTTERDAM

azulejo Baldosín español y portugués vidriado y policromado producido a partir del s. XIV. Introducido en España por los árabes durante la ocupación morisca, los azulejos se utilizaron en la arquitectura islámica para revestir muros y pisos. Los diseños primitivos eran geométricos y su forma cuadrada de 13–15 cm (5–6 pulg.) de lado. En los s. XV–XVI, Portugal importó azulejos de España para usarlos en edificios religiosos y privados. En el s. XVII, los portugueses los exportaban a las islas Azores, Madeira y Brasil, y los españoles los introdujeron en sus colonias americanas. Durante el s. XVIII se cubrieron interiores y exteriores de Puebla, México, con azulejos de colores brillantes a una escala inigualada en otra parte.

azulejo Planta herbácea (*Centaurea cyanus*) anual resistente, de la familia de las COMPUESTAS, con cabezuelas de flores azules, rosadas o blancas. Es nativa de la región mediterránea y ampliamente cultivada en Norteamérica. Es una planta común de jardín que a menudo aparece como maleza.

Azulejo del este (*Sialia sialis*).
© ENCYCLOPÆDIA BRITANNICA, INC.

azulejo Cualquiera de tres especies de aves de Norteamérica (aves canoras del género *Sialia*) del grupo de CHARLASZORZALES. El azulejo del este (*S. sialis*), que mide 14 cm (5,5 pulg.) de largo, y el azulejo del oeste (*S. mexicana*) son ejemplares de pecho rojo que habitan al este y al oeste de las montañas Rocosas, respectivamente. El azulejo de la montaña (*S. currucoides*), que también se encuentra en el oeste, es completamente azul. Los azulejos llegan desde el sur a principios de la primavera. Viven en territorios abiertos y bosques y anidan en agujeros de árboles o en postes de cercados y pajareras.

Vista de las montañas Azules en que destacan "The Three Sisters" (Las tres hermanas), Nueva Gales del Sur, Australia.
DAVID JOHNSON

Azules, montañas Parte de la GRAN CORDILLERA DIVISORIA, Australia. Localizada en NUEVA GALES DEL SUR, la cordillera alcanza una altura aproximada de 600–900 m (2.000–3.000 pies). Otrora utilizada como refugio para los residentes acomodados de SYDNEY, es ahora accesible por buenos caminos y una popular área turística. Ha vivido un fuerte incremento de la población. La ciudad de Blue Mountains (pob., est. 2001: 77.051 hab.) fue incorporada en 1947.

B

B-17 *o* **Fortaleza volante** BOMBARDERO pesado estadounidense utilizado en la segunda guerra mundial. Diseñado por Boeing Aircraft Co. en 1934, volaba a 10.700 m (35.000 pies) de altitud a una velocidad máxima de 462 km/h (287 mi/h). Se le llamaba Fortaleza volante por sus 13 AMETRALLADORAS calibre .50, ubicadas en todos sus puntos extremos. Podía cargar 2,7 Tm (3 t) de bombas en sus bodegas y más sujetas bajo las alas. Durante la segunda guerra mundial se fabricaron más de 12.000 aviones B-17, la mayoría de los cuales fueron empleados en el bombardeo de altura sobre Europa.

B-52 *o* **Estratofortaleza** BOMBARDERO pesado estadounidense, de largo alcance, diseñado en 1948 por Boeing Co. y que voló por primera vez en 1952. En principio concebido como un bombardero atómico capaz de llegar hasta la Unión Soviética, ha probado ser altamente adaptable y ha permanecido en servicio como bombardero convencional, portamisiles crucero y plataforma de reconocimiento marítimo. Tiene una envergadura de 56 m (185 pies) y un fuselaje de más de 49 m (160 pies). Propulsado por ocho MOTORES DE REACCIÓN, alcanza una velocidad máxima de 950 km/h (595 mi/h) a una altitud de 17.000 m (55.000 pies).

Baader-Meinhof, grupo *o* **Facción Ejército Rojo** Grupo terrorista germano-occidental de izquierda formado en 1968 y llamado popularmente con los nombres de dos de sus primeros líderes, Andreas Baader (n. 1943–m. 1977) y Ulrike Meinhof (n. 1934–m. 1976). Sus miembros se financiaban inicialmente mediante robos a bancos y se dedicaban a realizar atentados explosivos e incendiarios de carácter terrorista, especialmente a blancos germano-occidentales y estadounidenses en Alemania Occidental. Baader, Meinhof y otros 18 miembros fueron arrestados en 1972; Meinhof finalmente se ahorcó y, aparentemente, Baader también se suicidó. A mediados de la década de 1970, el grupo había virado hacia el terrorismo internacional; en 1976 dos de sus miembros tomaron parte en el secuestro palestino de un avión (ver operación ENTEBBE). Después del colapso del comunismo en Alemania Oriental (1989–90), se descubrió que la policía secreta germano-oriental había entrenado y apertrechado al grupo. La organización anunció el fin de su campaña terrorista en 1992.

Baal Dios adorado en muchas comunidades del antiguo Medio Oriente, en especial por los cananeos para quienes era una deidad de la fertilidad. En la mitología de CANAÁN, Baal se hallaba trabado en combate con Mot, dios de la muerte y la esterilidad; según cómo se iba dando esa lucha se sucedían ciclos de siete años de abundancia o de hambruna. Por haber capturado el reino de Yamm, el dios del mar, Baal era también rey de los dioses. El culto de Baal fue popular en Egipto, desde el Imperio Nuevo tardío hasta su término (1400–1075 AC). Los ARAMEOS usaron la pronunciación babilónica BEL; Bel se convirtió en el Belos griego, identificado con ZEUS. El ANTIGUO TESTAMENTO a menudo se refiere a un Baal local específico o a múltiples baales.

Baal, deidad de la fertilidad o rey de los dioses en el panteón cananeo.
FOTOBANCO

ba'al shem En el JUDAÍSMO, título otorgado a los varones que obraban maravillas y hacían curaciones a través del conocimiento secreto de los nombres de Dios. La práctica data del s. XI, mucho antes que el término se aplicara a ciertos rabinos y cabalistas. Abundaron en los s. XVII–XVIII en Europa oriental, donde exorcizaban demonios, inscribían amuletos, y realizaban curaciones utilizando hierbas, remedios populares y el TETRAGRÁMATON. Debido a que combinaban la sanación por la fe con el uso de la CÁBALA, rivalizaron con médicos, rabinos, y seguidores del HASKALA. Ver también BA'AL SHEM TOV.

Ba'al Shem Ṭov *orig.* **Israel ben Eliezer** (c. 1700, probablemente Tluste, Podolia, Polonia–1760, Medzhibozh). Carismático fundador del HASIDISMO (c. 1750). Huérfano, trabajó en sinagogas y yeshivas (academias), y cuando se retiró a los montes Cárpatos para consagrarse a la contemplación mística ganó reputación como BA'AL SHEM, o sanador. Desde c. 1736 vivió en el pueblo de Medzhibozh y se entregó a la búsqueda espiritual. Fue ampliamente conocido como el Beshṭ, un acrónimo de Ba'al Shem Ṭov. Rechazó la práctica del ascetismo en los rabinos mayores, proponiendo a cambio la comunión con Dios, el servicio al Señor en las tareas cotidianas, y la recuperación de los destellos de divinidad que, según la CÁBALA, están atrapados en el mundo material. Se han conservado sus sermones formulados con ocasión de las comidas del sabbat; sin embargo, no dejó ningún escrito propio. Insistió en conversar con la gente trabajadora sencilla. El hasidismo provocó agitación social y religiosa en el judaísmo y estableció un modo de culto, marcado por nuevos rituales y éxtasis religioso.

Baalbek *árabe* **Ba'labakk** Ciudad (pob., est. 1998: 150.000 hab.) del este de LÍBANO. En la antigüedad fue una gran ciudad construida en los faldeos occidentales de la cordillera del ANTILÍBANO. Su identificación con el culto a BAAL, dios-sol semita, dio origen a su nombre griego, Heliópolis. JULIO CÉSAR la transformó en colonia romana. En 637 DC pasó a control árabe y fue administrada por gobernantes musulmanes de Siria hasta el s. XX. Después de la primera guerra mundial (1914–18), las autoridades francesas que gobernaban por mandato la traspasaron a Líbano. El área, tanto dentro como alrededor de la ciudad, es conocida por sus extensas ruinas, entre ellas los templos de Júpiter, Baco y Venus, murallas fortificadas, mosaicos romanos, una mezquita y fortificaciones árabes. La ciudad actual alberga oficinas gubernamentales y es un centro agrícola.

Baat, Partido ver PARTIDO BAAS

Bab al- Mandab, estrecho de Estrecho que comunica el mar ROJO con el golfo de ADÉN. Sus límites terrestres son la península ARÁBIGA (al nordeste) y la costa africana (al sudeste), que están separadas por cerca de 32 km (20 mi). La isla Perim divide el estrecho en dos canales. Su nombre significa "puerta de las lágrimas", en referencia a los peligros que antiguamente acompañaban su navegación.

Bāb, el *orig.* **Mīrzā 'Alī Muḥammad de Shīrāz** (20 oct., 1819, u 8 oct., 1820, Shīrāz, Irán–9 jul. 1850, Tabriz). Líder religioso iraní, fundador de la religión Bābī y una de las figuras centrales del movimiento BAHĀ'Ī. Hijo de un mercader, fue influenciado por la escuela Shaykhī del Islam CHIITA. En 1844 escribió un comentario sobre el sura de JOSÉ en el Corán y se autoproclamó el Bāb (árabe: "puerta") al IMÁN oculto. Más tarde sostendría ser el imán mismo, y finalmente una manifestación divina. El mismo año congregó a 18 discípulos que difundieron la nueva fe en las distintas provincias persas. Tenía apoyo popular pero se le oponían los miembros de la clase religiosa; fue arrestado en 1847, cerca de Teherán y encarcelado. Al reunirse en 1848 en Badasht, sus seguidores, los ĀZALĪES, rompieron formalmente con el Islam. El Bāb fue ejecutado por un pelotón de fusileros en Tabriz en 1850.

Babbage, Charles (26 dic. 1791, Londres, Inglaterra–18 oct. 1871, Londres). Matemático e inventor británico. Educado en la Universidad de Cambridge, se dedicó desde 1812 a idear máquinas capaces de calcular tablas matemáticas. Su primera calculadora pequeña podía efectuar ciertos cómputos hasta con ocho decimales. En 1823 obtuvo el apoyo del gobierno para el diseño de una máquina proyectada para una capacidad de 20 decimales. En la década de 1830 desarrolló planes para la llamada *Analytical Engine* (máquina analítica), capaz de efectuar cualquier operación aritmética sobre la base de instrucciones mediante tarjetas perforadas, con una unidad de memoria para almacenar números, control secuencial de las instrucciones y con la mayoría de los demás elementos básicos de la computadora actual. La *Analytical Engine*, antecesora de la COMPUTADORA DIGITAL moderna, jamás se terminó. En 1991, científicos británicos construyeron la *Difference Engine* N° 2 o máquina diferencial N° 2 (con una precisión hasta de 31 dígitos) conforme a las especificaciones de Babbage. Entre otras de sus contribuciones figuran el establecimiento del sistema postal moderno de Inglaterra, la compilación de las primeras tablas actuariales confiables y la invención de las defensas frontales (quitapiedras) de las locomotoras.

Babbitt, Milton (Byron) (n. 10 may. 1916, Filadelfia, Pa., EE.UU.). Compositor estadounidense. Estudió con el compositor ROGER SESSIONS en la Universidad de Princeton y después se incorporó a ese plantel. Se convirtió en uno de los primeros compositores dodecafónicos en EE.UU. y quizás fue (con sus *Tres composiciones para piano*, 1947) el primer compositor que escribió música totalmente serializada basada en estructuras ordenadas no sólo de tono sino de elementos como el ritmo y la dinámica. Primer compositor que trabajó con el sintetizador Mark II de RCA, se convirtió en uno de los compositores estadounidenses pioneros en escribir música sintetizada electrónicamente. Compuso varias piezas que combinan intérpretes en vivo y cintas grabadas.

Milton Babbitt, compositor estadounidense.
FALTA CREDITO

Bábel, Isaak (Emmanuílovich) (13 jul. 1894, Odessa, Ucrania, Imperio ruso–17 mar. 1941, Siberia, Rusia, U.R.S.S.). Cuentista ruso. Nació en el seno de una familia judía de Ucrania y creció bajo una atmósfera de persecución, la que se ve reflejada en sus cuentos. MÁXIMO GORKI lo animó a viajar al extranjero para expandir sus horizontes. De sus experiencias en la guerra como soldado en Polonia, extrajo el material que dio origen a los cuentos de *Caballería roja* (1926). Sus *Cuentos de Odessa* (1931) incluyen escenas de realismo y humor ambientadas en los guetos de las afueras de su ciudad natal. Si bien en un comienzo sus relatos fueron vistos con buenos ojos por las autoridades soviéticas, a fines de la década de 1930 fueron considerados incompatibles con la doctrina literaria oficial del régimen comunista. Fue arrestado en 1939 y murió dos años más tarde en un campo de concentración en Siberia. Es considerado uno de los más grandes cuentistas rusos.

Babel, torre de En las escrituras hebreas, una torre alta construida en Shinar (BABILONIA). Según el GÉNESIS 11:1–9, los babilonios quisieron construir una torre "con la cúspide en los cielos". Enfadado con su presunción, Dios interrumpió la obra confundiendo los idiomas de los obreros para que ya no pudieran entenderse. La torre fue abandonada inconclusa y la gente se dispersó sobre la faz de la Tierra. El mito puede haberse inspirado en un templo en forma de torre, situado al norte del templo de MARDUK y conocido como Bab-ilu ("La puerta de Dios").

"La torre de Babel", pintura al óleo de Pieter Bruegel el Viejo, 1563; Kunsthistorisches Museum, Viena.
GENTILEZA DEL KUNSTHISTORISCHES MUSEUM, VIENA

Babenberg, casa de Casa gobernante austríaca en los s. X–XIII. Leopoldo I de Babenberg se convirtió en margrave (título nobiliario) de Austria en 976. El poder de los Babenberg fue más bien reducido hasta el s. XII, cuando lograron dominar a la nobleza austríaca. Con la muerte del duque Federico II en 1246, se acabó la descendencia masculina y el poder de la familia declinó rápidamente.

Bāber *o* **Bābur** *orig* **Ẓahīr al-Dīn Muḥammad** (15 feb. 1483, principado de Ferganá–26 dic. 1530, Agra, India). Emperador (1526–30) y fundador de la dinastía MOGOL de India. Descendiente de GENGIS KAN y TAMERLÁN, provenía de una tribu de origen mongol, pero era lingüística y culturalmente turco. En su juventud, intentó durante diez años (1494–1504) obtener el control de Samarcanda, la antigua capital de Tamerlán. Sus tentativas provocaron la pérdida de su propio principado en Ferganá (la moderna Uzbekistán), pero se consoló conquistando y ocupando Kabul (1504). Después de cuatro intentos fallidos, logró ocupar Delhi (1525). Rodeado por estados enemigos, Bāber (nombre que significa "Tigre") convenció a sus tropas, que añoraban su país, de mantenerse firmes y en los siguientes cuatro años derrotó a sus adversarios. Su nieto AKBAR consolidó el nuevo imperio. Fue además un talentoso poeta y un amante de la naturaleza que construyó jardines dondequiera que fuera. *Bāber Nāma*, sus memorias en prosa, se han convertido en un clásico mundial del género autobiográfico.

El emperador Bāber recorriendo un jardín, retrato en miniatura del Bāber Nāma, s. XVI; Biblioteca Británica (MS. Or 3714).
GENTILEZA DEL DIRECTORIO DE LA BIBLIOTECA BRITÁNICA

Babeuf, François-Noël (23 nov. 1760, Saint-Quentin, Francia–27 may. 1797, Vendôme). Agitador y periodista político francés. Durante el período de la Revolución francesa, abogó por una distribución equitativa de la tierra y el ingreso. Fue guillotinado por su participación en una conspiración para derrocar al DIRECTORIO y restablecer la constitución de 1793. Sus estrategias tácticas fueron un modelo para los movimientos de izquierda de los s. XIX y XX.

Babilonia Antigua región cultural situada en torno a los sistemas fluviales de los ríos TIGRIS y ÉUFRATES. La zona fue dividida en SUMER (al sudeste) y ACAD (al noroeste), cuando la primera generación babilónica de reyes amorritas tomó el poder después de 2000 AC. Principalmente debido a los esfuerzos de HAMMURABI (reinó c. 1792–50 AC), Babilonia obtuvo la hegemonía sobre la región, pero esta declinó después de su muerte; los casitas provenientes del Oriente a la postre tomaron el poder (c. 1595) y establecieron una dinastía que duró cerca de cuatro siglos. Después de que ELAM conquistó Babilonia (c. 1157 AC), una serie de guerras dieron lugar a una nueva dinastía babilónica que tuvo a Nabucodonosor I (reinó c. 1124–1103 AC) como su miembro más destacado. Tras su gobierno, se desarrolló una lucha por el control de Babilonia que involucró a tres potencias: ASIRIA, Aram (ver ARAMEOS) y CALDEA. Los asirios controlaron la región con mayor frecuencia (s. IX–VII AC). En los s. VII–VI AC el caldeo NABUCODONOSOR II (605–562 AC) estableció el período más extenso y significativo de la supremacía babilónica, conquistando SIRIA y PALESTINA y reconstruyendo BABILONIA, la ciudad capital. Fue conquistada en 539 AC por la dinastía AQUEMÉNIDA de origen persa, bajo el reinado de CIRO II el Grande y en 331 AC por ALEJANDRO MAGNO, tras lo cual la capital fue gradualmente abandonada.

Babilonia Antigua ciudad del Medio Oriente. Sus ruinas se ubican a unos 89 km (55 mi) al sur de Bagdad, cerca de la ciudad moderna de Al-Ḥillah, en Irak. Babilonia fue una de las ciudades más famosas de la antigüedad y es probable que fuera poblada por primera vez durante el tercer milenio AC. Cayó bajo el dominio de los reyes amorritas cerca de 2000 AC. Se convirtió en la capital de BABILONIA y su actividad comercial la transformó en la principal ciudad del sistema fluvial conformado por el TIGRIS y el ÉUFRATES. Fue destruida por SENAQUERIB en 689 AC y reconstruida más tarde. Logró su mayor gloria como capital del Imperio neobabilónico bajo NABUCODONOSOR II (r. 605–c. 561 AC). ALEJANDRO MAGNO, que capturó la ciudad en 331 AC, murió allí. Las pruebas indicadoras de su topografía provienen de excavaciones arqueológicas, textos cuneiformes y descripciones del historiador griego HERÓDOTO. La mayor parte de las ruinas son de la ciudad construida por Nabucodonosor. En su época fue la ciudad más grande del mundo y contenía muchos templos, entre ellos el gran templo de MARDUK con su ZIGURAT, que aparentemente fue la base para la historia de la torre de BABEL. Los jardines colgantes, colina simulada de terrazas revestidas de vegetación, fueron considerados una de las SIETE MARAVILLAS DEL MUNDO.

Babilonia, cautividad de Detención forzada de los judíos en Babilonia que siguió a la conquista de Judea por los babilonios, en 598/597 y 587/586 AC. La primera deportación puede haber ocurrido después que el rey Jehoiachin fuera depuesto en el año 597 AC o después que NABUCODONOSOR II destruyera JERUSALÉN en 586. En 538 AC, el rey persa CIRO II conquistó Babilonia y permitió a los judíos volver a Palestina. Algunos judíos prefirieron permanecer en Babilonia, iniciándose así la DIÁSPORA. Durante la cautividad de Babilonia, los judíos mantuvieron su espíritu nacional e identidad religiosa a pesar de las presiones culturales propias de la vida en tierra extranjera, gracias a EZEQUIEL y otros profetas que mantuvieron viva la esperanza. PETRARCA y otros escritores designaron el papado de AVIÑÓN como la cautividad de Babilonia del s. XIV, y MARTÍN LUTERO usó el término en el título de una de sus obras en que ataca al PAPADO y a la Iglesia católica en el s. XVI.

Babington, Anthony (oct. 1561, Dethick, Derbyshire, Inglaterra–20 sep. 1586, Londres). Conspirador inglés. Criado secretamente como católico, se unió a instancias del sacerdote John Ballard al fracasado "Complot Babington" para asesinar a la reina ISABEL I e instalar en el trono inglés a su prisionera MARÍA ESTUARDO. La conspiración incluyó a muchos católicos, a quienes FELIPE II de España les prometió ayuda inmediatamente después del asesinato. Fue encarcelado y ejecutado tras ser interceptado un intercambio de cartas con María, en donde le explicaba sus planes. Las cartas también fueron usadas como evidencia en el juicio que condenó a muerte a María al año siguiente.

babismo Religión que se desarrolló en Irán en torno a la afirmación hecha por Mīrzā ʿAlī Muḥammad (1844) de ser el BĀB. Sus creencias están consignadas en el *Bayán* (o Revelación), un libro santo escrito por el Bāb, que proclama una ley universal en reemplazo de todos los códigos legales religiosos existentes. El babismo se originó como un movimiento mesiánico en el Islam CHIITA. En 1867, el movimiento se dividió entre los seguidores AZALĪES que permanecen fieles a las enseñanzas originales del Bāb y Ṣobḥ-e Azal, su sucesor. La mayoría de los babíes aceptó la dirección del medio hermano de Ṣobḥ-e Azal, BAHĀʾ ALLĀH, y bajo su conducción se desarrolló la fe BAHĀʾĪ.

babosa Cualquier especie de GASTERÓPODO que se desliza mediante un amplio pie cónico, desprovisto de concha o en que esta es apenas una placa interna o una serie de gránulos. La mayoría de las babosas utilizan la cavidad del manto (ver MOLUSCO) a manera de pulmón. Las babosas tienen un cuerpo suave, viscoso y viven en hábitats terrestres húmedos (a excepción de una especie de agua dulce). Son todas hermafroditas. Las babosas comunes de regiones templadas comen hongos y hojas en descomposición. Algunas especies tropicales se alimentan de plantas y algunas especies europeas se nutren de caracoles de tierra y lombrices. Ver también BABOSA DE MAR.

Babosa de mar (*Dendronotus frondosus*).

babosa de mar Cualquiera de los GASTERÓPODOS marinos del orden Nudibranquios. La mayoría de las babosas de mar carecen de concha, cavidad del manto (ver MOLUSCO) y agallas y, respiran a través de la superficie corporal. Su cuerpo de colores delicados mide hasta 43 cm (16 pulg.) de largo, posee unas protuberancias defensivas extravagantes, llamadas ceratos, que descargan nematocistos ingeridos de CNIDARIOS que le sirven como presas. Desde la cabeza emergen órganos similares a antenas. Las babosas de mar viven en las aguas someras de todos los océanos, alimentándose principalmente de otros invertebrados, en particular de ANÉMONAS MARINAS. Algunas especies pueden nadar y otras se arrastran por el fondo. El término babosa de mar alude algunas veces a todos los miembros de la subclase Opisthobranquios.

babuino Cualquiera de las cinco especies de MONOS robustos (género *Papio*) de Arabia y África subsahariana que poseen una gran cabeza, abazones y un hocico largo perruno. Caminan en cuatro patas y la cola forma un arco característico. Pesan 14–40 kg (30–90 lb) y miden 50–115 cm (20–45 pulg.) de largo, excluyendo la cola que mide 45–70 cm (18–28 pulg.) de largo. Habitan principalmente la sabana árida y áreas rocosas y se alimentan de una gran variedad de plantas y animales. Muy sociales e inteligentes, se desplazan en manadas grandes y ruidosas comunicándose mediante llamados. Pueden destruir cultivos y sus enormes caninos y poderosos miembros los convierten en rivales peligrosos.

Babuino (*Papio porcarius*).

Babuyan, islas Grupo de islas en el norte de Filipinas. Ubicadas al norte de LUZÓN, consisten en un grupo de 24 islas que cubren una superficie total de 583 km^2 (225 mi^2). Las islas de mayor importancia son Babuyan, Camiguin, Calayan, Fuga y Dalupiri. Calayan es el poblado más grande y único puerto.

baby boom (inglés: "explosión de la natalidad"). En EE.UU., aumento de la tasa de natalidad entre 1946 y 1964; también, la generación nacida en EE.UU. durante ese lapso. Las privaciones e incertidumbres de la GRAN DEPRESIÓN y de la segunda GUERRA MUNDIAL determinaron que numerosas parejas de solteros retrasaran el matrimonio y que muchas parejas casadas postergaran la procreación. A la finalización de la guerra, seguida de un lapso de prosperidad económica sostenida (durante la década de 1950 y comienzos de la de 1960), se sumó un aumento repentino de la población. El mero tamaño de la generación del *baby boom* (unos 75 millones de personas) magnificó su impacto sobre la sociedad: en los años de la posguerra, el crecimiento de las familias determinó una migración desde las ciudades hacia los barrios residenciales y causó un auge en la construcción de viviendas, escuelas y centros comerciales. Durante las décadas de 1960–70, a medida que la generación llegaba a la edad adulta, sus preferencias en música, estilos de peinado y vestuario ejercieron una fuerte influencia sobre la cultura nacional, y el activismo político de algunos acentuó la impopularidad de la guerra de VIETNAM. En las décadas de 1980–90, a medida que iban envejeciendo y haciéndose prósperos, sus hábitos de compra determinaron el curso de numerosas industrias de consumo, entre ellas la automovilística. Se preveía que las necesidades de esta generación, en sus años de jubilación, iban a constituir un peso considerable sobre los recursos públicos.

Baby Yar Gran barranco ubicado cerca de Kíev, Ucrania, usado como fosa común de unas 100.000 personas asesinadas por los escuadrones SS de la Alemania nazi entre 1941 y 1943. La mayoría de las víctimas eran judías, pero algunas eran funcionarios comunistas y prisioneros de guerra rusos. Después de la masacre inicial de judíos, Baby Yar continuó siendo usado como lugar de ejecución de prisioneros de guerra soviéticos, así como de gitanos y judíos. Se convirtió en el símbolo de la primera etapa de exterminio durante el HOLOCAUSTO y de las masacres perpetradas por los *Einsatzgruppen* (alemán: "grupos de despliegue"), unidades móviles de exterminio. El lugar atrajo la atención mundial después de la publicación en 1961 del poema *Baby Yar* de EVGUENI YEVTUSHENKO. Aunque un pequeño obelisco y un memorial fueron erigidos en las décadas de 1960 y 1970, no fue sino hasta 1991 que la identidad de las víctimas judías fue recordada en el monumento por el gobierno de la recién independizada Ucrania.

bacalao Gran pez marino de importancia económica (*Gadus morhua*, familia Gadidae) que se encuentra en ambos lados del Atlántico norte, generalmente cerca del fondo en aguas frías. Habita entre las regiones costeras y las aguas profundas. Es apreciado por su carne comestible, el aceite de su hígado y otros productos. El bacalao presenta manchas oscuras sobre un fondo de diversas tonalidades que varían de verdoso o plomizo a marrón o negruzco, o incluso rojo mate o brillante. Su peso habitual es de unos 11,5 kg (25 lb), pero puede alcanzar más de 1,8 m (6 pies) de largo y 91 kg (200 lb) de peso. Se alimenta principalmente de otros peces y varios invertebrados.

bacalao, aceite de hígado de Aceite obtenido de preferencia del hígado de BACALAO del Atlántico y de peces relacionados. Principalmente, es una mezcla de glicéridos (ver GLICEROL) de muchos ácidos GRASOS, pero su importancia reside en sus componentes secundarios, la VITAMINA A y la VITAMINA D, solubles en grasa. En un tiempo fue utilizado para curar y prevenir el RAQUITISMO, pero la fortificación de la leche con vitamina D, que comenzó en la década de 1930 y fue ampliamente generalizada en EE.UU. y Europa, eliminó el raquitismo como un problema de salud pública significativo. Aún es utilizado como un remedio para el dolor de las articulaciones causado por la artritis y como una medida preventiva de la enfermedad cardiovascular, aunque estos beneficios no han sido probados en forma científica. También es utilizado en alimentos para aves de corral y otros animales.

bacalao búfalo *o* **bacalao malvo** Especie de pez apetecido comercialmente (*Ophiodon elongatus*) que vive sólo en aguas marinas de la costa del Pacífico de Norteamérica. Es un predador voraz con una gran boca y dientes parecidos a colmillos. Los bacalaos búfalo son populares piezas de pesca deportiva y de importancia comercial que pueden alcanzar una longitud de 1,5 m (5 pies). Presentan aletas y cola bien desarrolladas. La carne aunque de tonalidad verdosa, es muy apetecida.

Bacall, Lauren *orig.* **Betty Joan Perske** (n. 6 sep. 1924, Nueva York, N.Y., EE.UU.). Actriz estadounidense. Trabajó como modelo y en forma paralela interpretaba pequeños roles en Broadway; su fotografía en la portada de una revista le permitió acceder al casting de la película *Tener o no tener* (1944) junto a HUMPHREY BOGART, con quien se casó al poco tiempo. El filme tuvo un éxito inmediato, lo que le permitió hacer otras tres películas más con Bogart: *El sueño eterno* (1946), *La senda tenebrosa* (1947) y *Cayo Largo* (1948). También actuó en largometrajes memorables como *Cómo casarse con un millonario* (1953) y *Asesinato en el Expreso de Oriente* (1974). En Broadway obtuvo premios Tony por su desempeño en *Aplauso* (1970) y *Woman of the Year* (1981).

bacanales *o* **dionisíacas** En la religión grecorromana, cualquiera de las fiestas de Baco (DIONISO), el dios del vino, que probablemente se originaron como ritos de fertilidad. Los festivales griegos más famosos comprendían la Dionisíaca Mayor, con sus actuaciones teatrales, la ANTESTERIA, y la Dionisíaca Menor, caracterizada por ritos sencillos. Las bacanales fueron introducidas desde Italia meridional a Roma, siendo al principio celebraciones secretas, sólo abiertas a las mujeres, y celebradas tres veces al año. Más tarde, se admitieron hombres y se hicieron tan frecuentes que llegaron a celebrarse cinco veces al mes. En 186 AC, la reputación de las bacanales como orgías llevó al Senado a prohibirlas en toda Italia, excepto en ocasiones especiales.

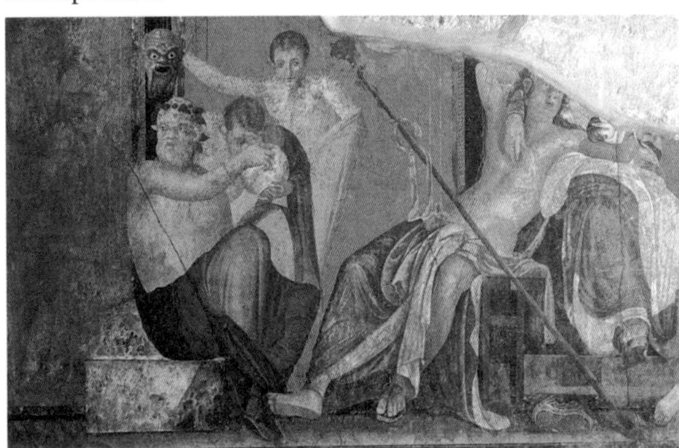

Detalle de Baco junto a silenos y sátiros en una bacanal; fresco de la Villa de los Misterios, Pompeya, Italia.
FOTOBANCO

bacantes ver MÉNADES Y BACANTES

bacará *francés* **baccarat** Juego de naipes de casino, versión más simple del blackjack o veintiuna. En el bacará básico, la casa es la banca. En el CHEMIN DE FER (un bacará más avanzado), la banca pasa de jugador en jugador. En *punta y banca*, la banca parece pasar de jugador en jugador, pero en realidad la mantiene la casa. El bacará de casino se juega con tres o seis barajas de naipes de 52 cartas que se mezclan y reparten desde una caja –llamada zapato–, diseñada para tener en ella varias barajas. Las cartas mantienen su valor nominal, salvo los diez, y las cartas con figuras, que valen cero. La banca reparte dos cartas a cada apostador y a sí misma, y el objetivo del apostador es recibir cartas que, sumadas, totalicen nueve o estén lo más cerca posible a esa cifra, con la esperanza de que la banca no tenga una cantidad igual o superior a la propia.

bacará francés ver CHEMIN DE FER

baccarat ver BACARÁ

Baccarat, cristal de Cristalería fabricada a partir de 1765 en Baccarat, Francia. En un comienzo, la firma producía vidrio para ventanas y uso industrial. En 1816 fue adquirida por un fabricante belga de cristal de plomo. Desde entonces se ha especializado en este tipo de cristal, sobre todo en pisapapeles. Baccarat exhibió obras en la importante Exposición de artes decorativas e industriales modernas en París, el año 1925. Hoy en día la fábrica produce vajilla con diseños tanto históricos como modernos.

Bach, Alexander, barón von (4 ene. 1813–1893). Político austríaco, conocido por establecer un sistema de gobierno centralizado. Ministro del interior (1849–59); después de la muerte del príncipe Félix zu SCHWARZENBERG en 1852 fue quien dictó en gran parte la política del régimen. Centralizó la autoridad administrativa del Imperio austríaco y también aprobó políticas reaccionarias que restringieron la libertad de prensa y desecharon los juicios públicos.

Bach, Carl Philipp Emanuel (8 mar. 1714, Weimar, Sajonia-Weimar–14 dic. 1788, Hamburgo). Compositor alemán. Segundo hijo de JOHANN SEBASTIAN BACH, recibió una educación musical excelente de su padre. En 1740 se convirtió en clavecinista de la corte de FEDERICO II el Grande, donde permaneció 28 años. Posteriormente se trasladó a Hamburgo para asumir la dirección de las actividades musicales de la ciudad. Fue un líder del movimiento conocido como *Empfindsamkeit* ("Estilo sensitivo"), que destacaba la libertad para fantasear y el sentimiento. Pionero del estilo clásico, es uno de los primeros compositores en cuyas obras la forma SONATA ya es clara y evidente. Escribió cerca de 200 obras para clavecín, clavicordio y piano (entre ellas decenas de sonatas), cerca de 50 conciertos para teclado y varias sinfonías, oratorios y pasiones. Su *Ensayo sobre la verdadera manera de tocar el piano* (1753) fue un tratado de práctica musical muy importante.

C.P.E. Bach, grabado de A. Stöttrup.
GENTILEZA DEL HAAGS GEMENTEMUSEUM, LA HAYA

Bach, Johann Christian (5 sep. 1735, Leipzig–1 ene. 1782, Londres, Inglaterra). Compositor británico de origen alemán. Hijo menor de JOHANN SEBASTIAN BACH, estudió con su hermano CARL PHILIPP EMANUEL BACH en Berlín antes de trasladarse a Italia. En 1762 se convirtió en compositor del King's Theatre en Londres, donde permaneció el resto de su vida. Llegó a ser profesor de música de la reina y posteriormente productor (junto con Carl Friedrich Abel) de una importante serie de conciertos (1765–81). Escribió cerca de 50 sinfonías, cerca de 35 conciertos para teclado y gran cantidad de música de cámara. Su música, melodiosa y bien configurada, pero sin profundidad ni rastros de la influencia de su padre, se convirtió en un prototipo importante del estilo clásico e influyó en WOLFGANG AMADEUS MOZART.

Bach, Johann Sebastian (21 mar. 1685, Eisenach, Turingia, Ducados Ernestinos de Sajonia–28 jul. 1750, Leipzig). Compositor alemán. Nacido en una familia de músicos, se convirtió en uno muy completo y sobresaliente; desde 1700 obtuvo puestos como cantor, violinista y organista. Su primer nombramiento importante, en 1708, fue como organista en la corte ducal de Weimar. Después trabajó seis años (1717–23) como maestro de capilla en la corte del principado de Köthen. A este trabajo siguió su nombramiento como kantor (supervisor principal de la música) de la gran iglesia de Santo Tomás en Leipzig, donde permaneció el resto de su vida. Imbuido del estilo contrapuntístico de Alemania del norte (ver CONTRAPUNTO) desde su tierna infancia, alrededor de 1710 descubrió el vivaz estilo italiano, especialmente en las obras de ANTONIO VIVALDI, de modo que gran parte de su música consiste en una mezcla muy convincente de los dos estilos. Escribió más de 200 cantatas sacras para la iglesia de Santo Tomás. Sus obras orquestales comprenden los seis *Conciertos de Brandeburgo*, cuatro suites orquestales y varios conciertos para clavecín, un género que él inventó. Sus obras para teclado sólo incluyen la gran colección didáctica *El clavecín bien temperado* (1722 y 1742), las soberbias *Variaciones Goldberg* (1742), el imponente pero inconcluso *Arte de la fuga* (1749), numerosas suites y varios preludios y fugas para órgano. Sus obras corales que han subsistido abarcan (además de las cantatas sacras) más de 30 cantatas seculares, dos Pasiones monumentales y la *Misa en si menor*. Sus obras, que nunca fueron ampliamente conocidas durante su vida, se eclipsaron casi por completo después de su muerte y sólo a comienzos del s. XIX fueron redescubiertas con enorme éxito. Fue tal vez el mejor organista y clavecinista de su tiempo. Actualmente, se considera a Bach como el compositor más grande de la época barroca y, para muchos, el compositor más grande de todos los tiempos.

Johann Sebastian Bach, litografía de Schlick.
FOTOBANCO

Bach, Wilhelm Friedemann (22 nov. 1710, Weimar, Sajonia-Weimar–1 jul. 1784, Berlín). Compositor y organista alemán. Hijo mayor de JOHANN SEBASTIAN BACH, fue formado por su padre. Uno de los mejores organistas de su tiempo, desempeñó importantes cargos como organista en Dresde (1723–46) y Halle (1746–64), pero posteriormente llevó una vida errante y cayó en el alcoholismo y la pobreza. Aunque fue un compositor muy talentoso, sus composiciones fluctuaban confusamente entre el viejo estilo contrapuntístico y los nuevos estilos preclásicos. Escribió más de 30 cantatas sacras, varios conciertos para teclado y gran cantidad de solos para teclado.

Bacharach, Burt (n. 12 may. 1928, Kansas City, Mo., EE.UU.). Escritor de canciones y pianista estadounidense. Estudió con DARIUS MILHAUD, BOHUSLAV MARTINŮ y HENRY COWELL. En la década de 1950 realizó arreglos para Steve Lawrence y Vic Damone y posteriormente realizó giras con MARLENE DIETRICH. A fines de la década de 1950 comenzó su larga asociación con el autor Hal David (n. 1921). Ambos escribieron muchas canciones exitosas especialmente para la cantante Dionne Warwick (n. 1940), como "Walk On By", "I Say a Little Prayer" y "Do You Know the Way to San Jose?". Ambos además escribieron la exitosa comedia musical *Promises, Promises* (1968) y la partitura para el filme *Dos hombres y un destino* (1969, ganadora de un premio de la Academia). Bacharach colaboró con el cantautor Elvis Costello (n. 1954) en el álbum *Painted from Memory* (1998).

Bachchan, Amitabh (n. 11 oct. 1942, Allahabad, India). Actor de cine indio. El primer éxito fílmico de Bachchan fue *Zanjeer* (1973); a fines de la década de 1970 ya era una especie de fenómeno cultural en India y considerado la estrella más popular en la historia del cine de ese país. A menudo es comparado con estrellas de acción estadounidenses como CLINT EASTWOOD, aunque los talentos de Bachchan incluyen también el canto, el baile y la comedia. Después de un breve paso por la política a mediados de la década de 1980, Bachchan ganó en la década siguiente una nueva generación de admiradores como conductor del concurso televisivo *Kaun banega crorepati*, la versión india del suceso británico y estadounidense *¿Quién quiere ser millonario?*

bacilo Cualquier bacteria gram positiva (ver tinción de GRAM) en forma de bastón (bacilar) que constituye el género *Bacillus*, que se encuentra comúnmente en el suelo y el agua. El término se usa a veces para designar cualquier bacteria bacilar. Con frecuencia, los bacilos se presentan en cadenas y pueden formar ESPORAS en condiciones ambientales desfavorables. Estas esporas son resistentes al calor, a las sustancias químicas y a la luz solar; pueden permanecer y ser capaces de crecer y desarrollarse por largos períodos de tiempo. Un tipo de bacilo produce a veces la descomposición de los alimentos enlatados. Otro bacilo muy difundido contamina los cultivos de laboratorio y a menudo se encuentra en la piel humana. La mayoría de las cepas no producen enfermedades en los seres humanos, infectándolos sólo de manera incidental cuando actúan como organismos del suelo; una excepción es el *B. antracis* que causa el ÁNTRAX. Algunos bacilos producen ANTIBIÓTICOS.

backgammon Juego en el que dos personas mueven fichas, o piezas de dos colores sobre un tablero. El movimiento de esas fichas lo determina el lanzamiento de dos dados. El tablero tiene cuatro secciones (las tablas), marcadas con seis cuñas angostas denominadas puntas, que se alternan de color. Representando los dos lados opuestos, hay 15 fichas blancas e igual cantidad de negras, que se mueven de punta en punta en direcciones contrarias, de acuerdo con el número de puntos que indican los dos dados. El que logra poner sus 15 piezas en la sección de su lado, denominada "tabla interna", puede comenzar a "retirarse", es decir, mover sus fichas a un punto imaginario fuera de los límites del tablero. El jugador que primero logra "retirar" las 15 piezas, gana el juego. El backgammon es uno de los juegos de tablero más antiguos, que data del año 3000 AC.

backpacking *o* **excursión con mochila** Variante del EXCURSIONISMO en el que se lleva ropa, comida y equipo de CAMPING en una mochila. A principios del s. XX, el backpacking era principalmente un medio para llegar a zonas deshabitadas, inaccesibles por medio de automóvil o mediante caminata de un día. Posteriormente, sin embargo, el nombre pasó a denominar en general el recorrido a pie de zonas rurales y urbanas. Se usan distintos tipos de mochila, desde el bolso sin armazón hasta aquellas con un marco de tubos de aluminio, que suelen llevar una pretina que transfiere la mayor parte del peso a las caderas.

Backus, John W(arner) (n. 3 dic. 1924, Filadelfia, Pa., EE.UU.). Matemático estadounidense. Obtuvo los grados académicos de licenciatura y magíster en la Universidad de Columbia. Fue líder de un pequeño grupo que en 1957 elaboró el lenguaje de computadora FORTRAN para el análisis numérico. Contribuyó al desarrollo del ALGOL e ideó la notación conocida como Forma Normal Backus o Formas de Backus-Naur para la definición de la sintaxis de un lenguaje de programación (1959). En 1977 recibió el Premio Turing.

Bacolod Ciudad (pob., 2000: 429.076 hab.) del centro-sur de Filipinas. Se ubica en las costas del estrecho de Guimaras, en el norte de la isla de Negros, frente a la isla de Guimaras. Se le considera la capital filipina del azúcar. Su puerto, ubicado al sur de la ciudad, es importante para la pesca.

Bacon, Francis (28 oct. 1909, Dublín, Irlanda–28 abr. 1992, Madrid, España). Pintor irlandés-británico. Vivió en Berlín y París antes de establecerse en Londres (1929) con el fin de iniciar una carrera como decorador de interiores. Sin formación académica, comenzó a pintar, dibujar y participar en exposiciones de galerías, pero con poco éxito. En 1944 cobró inmediata notoriedad con una serie de polémicas pinturas, *Tres estudios para personajes en la base de una crucifixión*. Su estilo acabado se manifestó completamente con la serie de obras conocida como "Los papas gritadores" (1949–mediados de la década de 1950), en la cual convirtió el famoso retrato *El papa Inocencio X* de Diego Velásquez en un espantoso icono de terror histérico. La mayoría de las pinturas de Bacon representan figuras aisladas, a menudo enmarcadas en construcciones geométricas y representadas con colores manchados y violentos. Su imaginería característica sugiere rabia, horror y degradación.

Bacon, Francis, barón de Verulam (22 ene. 1561, Londres, Inglaterra–9 abr. 1626, Londres). Estadista y filósofo británico, padre del MÉTODO CIENTÍFICO moderno. Estudió en Cambridge y en Gray's Inn. Fue partidario del conde de ESSEX, pero se volvió en su contra cuando este fue juzgado por traición. Bajo JACOBO I escaló posiciones, y llegó a ser sucesivamente procurador general (1607), fiscal de la Corona (1613) y lord canciller (1618). Condenado por aceptar sobornos de quienes eran juzgados en su corte, estuvo un corto período en prisión y perdió sus cargos públicos en forma permanente; murió sumido en deudas. Intentó dar un fundamento empírico sólido a la ciencia natural en el *Novum organum scientiarum* (1620), en el que estableció su método científico. Su elaborada clasificación de las ciencias inspiró a los enciclopedistas franceses del s. XVIII (ver la ENCICLOPEDIA), y su EMPIRISMO influyó sobre los filósofos ingleses de la ciencia del s. XIX. Otros de sus libros son *El avance del conocimiento* (1605), *Historia de Enrique VII* (1622) y varias importantes obras legales y constitucionales.

Bacon, Nathaniel (2 ene. 1647, Suffolk, Inglaterra–oct. 1676, Colonia de Virginia). Colono y hacendado norteamericano de origen inglés, cabecilla de la llamada rebelión de Bacon. Emigró de Inglaterra en 1673 y compró tierras en Virginia, donde fue nombrado miembro del consejo de WILLIAM BERKELEY, el gobernador británico. En 1676, luego de una disputa sobre política indígena, desobedeció las órdenes de Berkeley y organizó una expedición contra los indios. Luego dirigió sus fuerzas contra el gobernador, capturó Jamestown y, durante un breve lapso, controló la mayor parte de Virginia. Su muerte por influenza, a los 29 años de edad, cuando estaba en la cima de su poder, puso fin a la rebelión.

Nathaniel Bacon, detalle de un grabado.

GENTILEZA DE LA BIBLIOTECA DEL CONGRESO, WASHINGTON, D.C.

Bacon, Roger (c. 1220, Ilchester, Somerset, o Bisley, ¿Gloucester?, Inglaterra–1292, Oxford). Filósofo y científico inglés. Fue educado en Oxford y en la Universidad de París; en 1247 ingresó a la orden de los franciscanos. Desplegó una energía y un celo prodigiosos en la búsqueda de la ciencia experimental; sus estudios le aseguraron un lugar en la literatura popular como el Doctor admirable. Fue el primer europeo que describió en detalle el proceso de fabricación de la pólvora; además, propuso la construcción de máquinas voladoras, naves y carros motorizados. Representa, por tanto, una expresión históricamente precoz del espíritu empírico de la ciencia experimental, aunque parece haberse exagerado en cuanto a su dedicación práctica a ella. Su pensamiento filosófico fue esencialmente aristotélico, pero criticó los métodos de teólogos como san ALBERTO MAGNO y santo TOMÁS DE AQUINO, argumentando que un conocimiento experimental más exacto de la naturaleza sería de gran valor para confirmar la fe cristiana. Escribió también sobre matemática y lógica. Fue condenado y encarcelado c. 1277 por sus hermanos franciscanos debido a las "novedades sospechosas" de sus enseñanzas.

bacteria Grupo de organismos unicelulares microscópicos PROCARIONTES. Pueden ser esféricos, bacilares o espirales. Habitan virtualmente en todos los ambientes, incluidos el suelo, el agua, la materia orgánica y el cuerpo de los animales multicelulares. Se distinguen diferentes tipos, en parte por la estructura de su pared celular que se determina con la tinción de GRAM. Muchas bacterias nadan mediante FLAGELO. El ADN de la mayoría de las bacterias se encuentra en un CROMOSOMA circular único y se distribuye por todo el CITOPLASMA en lugar de estar contenido en un núcleo rodeado por una membrana. Aunque algunas bacterias pueden causar intoxicaciones alimentarias y enfermedades infecciosas en los humanos, la mayoría son inocuas y muchas son beneficiosas. Se usan en varios procesos industriales, en especial en la industria alimentaria (como la producción de yogur, quesos y encurtidos). Las bacterias se dividen en EUBACTERIA y ARCHAEBACTERIA. (Ver también BACTERIA COLIFORME; BACTERIA CUBIERTA; BACTERIA DE YEMACIÓN; BACTERIA DESNITRIFICANTE; BACTERIA NITRIFICANTE; BACTERIA SULFUROSA; CIANOBACTERIA).

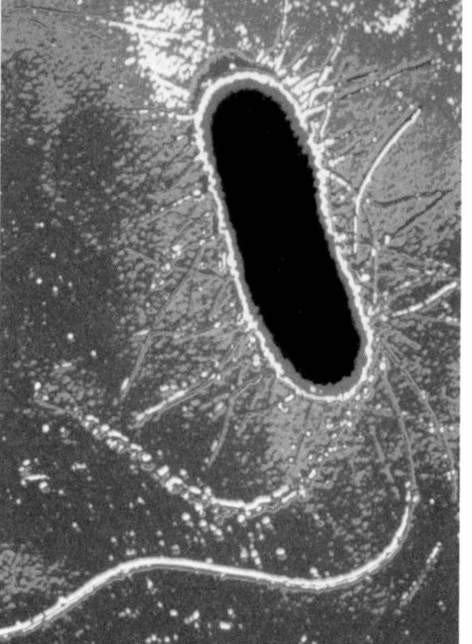

Microfotografía de *Escherichia coli*, bacteria que vive en el estómago e intestinos del ser humano.
FOTOBANCO

bacteria coliforme Bacteria bacilar que se encuentra habitualmente en el tracto intestinal de los animales, incluidos los seres humanos. No requieren oxígeno, pero pueden usarlo y no forman esporas. Producen ácidos y gas por fermentación del azúcar lactosa. Su presencia en el suministro de agua indica contaminación reciente por heces humanas o animales. La cloración es el tratamiento preventivo del agua más común.

bacteria cubierta Grupo de BACTERIAS muy difundidas en la naturaleza en aguas de flujo lento. Muchas especies se encuentran adheridas a las superficies subacuáticas. Se caracterizan por células de disposición filiforme y ramificadas rodeadas por una envoltura. Las envolturas de algunas tienen una variedad de incrustaciones de óxidos de hierro o manganeso, dependiendo del agua. Una de las más conocidas es una especie común, *Sphaerotilus natans*; en aguas contaminadas tiene una cubierta delgada, incolora, y en aguas no contaminadas ferruginosas tiene una envoltura incrustada en hierro de color pardo amarillento que a menudo crece en forma de borlas largas y viscosas.

bacteria de gemación Grupo de bacterias que se reproducen por gemación. Cada bacteria se divide después de un crecimiento celular desigual; la célula madre se conserva, formándose una nueva célula hija. En la gemación, la pared celular crece a partir de un punto en la célula, antes que en toda la extensión de ella; este tipo de crecimiento permite el desarrollo de estructuras y procesos más complejos. La mayoría de las bacterias de gemación son acuáticas y pueden fijarse a las superficies por sus pedúnculos; algunas flotan libremente.

bacteria desnitrificante Microorganismos del suelo por cuya acción los NITRATOS del suelo se convierten en NITRÓGENO atmosférico libre, agotando así la fertilidad de la tierra y reduciendo la productividad agrícola. Sin desnitrificación, la provisión de nitrógeno de la Tierra terminaría por acumularse en los océanos, ya que los nitratos son muy solubles y se lixivian en forma continua del suelo a los cuerpos de agua vecinos. Ver también BACTERIA NITRIFICANTE.

bacteria nitrificante Pequeño grupo de BACTERIAS que requieren oxígeno y emplean nitrógeno como fuente de energía. Estos microorganismos son importantes en el ciclo del NITRÓGENO, pues convierten el AMONÍACO del suelo en NITRATOS, compuestos que son aprovechados por las plantas. El proceso de la nitrificación requiere dos grupos de bacterias: las que convierten el amoníaco en NITRITOS y las que transforman nitritos en nitratos. En agricultura, el riego con soluciones diluidas de amoníaco aumenta los nitratos del terreno por la acción de bacterias nitrificantes. Ver también BACTERIA DESNITRIFICANTE.

bacteria sulfurosa Cualquiera de un grupo diverso de BACTERIAS capaces de metabolizar AZUFRE y sus compuestos. Son importantes en el ciclo del azufre. Miembros del género *Thiobacillus*, ampliamente distribuidos en hábitats marinos y terrestres, reaccionan con el azufre produciendo sulfatos útiles para las plantas; en yacimientos profundos generan ácido sulfúrico, que disuelve los metales en las minas y corroe el concreto y el acero. El *Desulfovibrio desulficans* reduce los sulfatos de terrenos inundados y aguas servidas a sulfuro de hidrógeno, un gas con el típico olor a huevo podrido.

bacterianas, enfermedades Afecciones causadas por BACTERIAS. Son las enfermedades infecciosas más comunes y varían desde infecciones menores de la piel a la PESTE bubónica y la TUBERCULOSIS. Hasta mediados del s. XX, la NEUMONÍA bacteriana era probablemente la principal causa de muerte entre las personas mayores. Con las mejoras higiénicas, las VACUNAS y los ANTIBIÓTICOS se han reducido las tasas de mortalidad por infecciones bacterianas, si bien las cepas resistentes a los antibióticos han hecho rebrotar algunas enfermedades. Las bacterias causan enfermedades cuando secretan o excretan TOXINAS (como en el BOTULISMO), producen internamente toxinas que se liberan cuando las bacterias se desintegran (como en la TIFOIDEA), o inducen sensibilización a sus propiedades antigénicas (como en la tuberculosis). Otras enfermedades bacterianas graves son el CÓLERA, la DIFTERIA, la MENINGITIS bacteriana y la SÍFILIS.

bacteriemia Presencia de bacterias en la sangre. Después de procedimientos dentales o quirúrgicos se producen bacteriemias breves, especialmente si existen infecciones focales o se realizan cirugías de alto riesgo que liberan bacterias desde sitios aislados. En algunos casos, el tratamiento previo con antibióticos puede evitarla. Causa pocos problemas en un sistema inmune sano, pero puede ser grave en personas con prótesis (donde puede asentarse una infección) o con alta susceptibilidad a la invasión bacteriana. Las bacteriemias severas pueden liberar toxinas en la sangre (SEPTICEMIA) que llevan al choque y colapso vascular. Las bacterias resistentes a antibióticos han aumentado la incidencia de bacteriemias graves.

bacteriófago *o* **fago** Cualquiera de un grupo de VIRUS habitualmente complejos que infectan bacterias. Descubiertos al comienzo del s. XX, se emplearon sin éxito para tratar enfermedades bacterianas humanas como la peste bubónica y el cólera; fueron abandonados con el advenimiento de los ANTIBIÓTICOS en la década de 1940. El aumento de bacterias resistentes a los antibióticos en la década de 1990 renovó el interés por el potencial terapéutico de los bacteriófagos. Existen miles de variedades, cada una de las cuales puede infectar sólo a una o unos pocos tipos de bacterias. Lo medular de su material genético puede ser ADN o ARN. Al infectar una célula huésped, los bacteriófagos conocidos como fagos líticos o virulentos, liberan las partículas virales replicadas, lisando (haciendo estallar) la célula huésped. Otros tipos conocidos como lisogénicos o templados integran su ácido nucleico al cromosoma del huésped para que se replique durante la división célular. En esta etapa no son virulentos. El genoma viral puede activarse después, iniciando la producción de partículas virales y la destrucción de la célula huésped. A.D. HERSHEY y Martha Chase usaron un fago en 1952, en un famoso experimento que respaldaba la teoría de que el ADN es el material genético. Como los genomas de los bacteriófagos son pequeños y se pueden preparar en grandes cantidades en el laboratorio, son herramientas de investigación favoritas de los biólogos moleculares. Los estudios de los fagos han ayudado a aclarar la RECOMBINACIÓN genética, la replicación del ácido nucleico y la síntesis de proteínas.

bacteriología Estudio de las bacterias. La comprensión actual de las formas bacterianas data de las clasificaciones de FERDINAND COHN. Otros investigadores, como LOUIS PASTEUR, establecieron la relación entre bacterias, fermentación y enfermedades. Los métodos modernos de la técnica bacteriológica comenzaron a fines del s. XIX con el uso de tinciones y el desarrollo de métodos para cultivar los organismos en placas con nutrientes. Hubo descubrimientos importantes, cuando Pasteur logró inmunizar animales contra dos enfermedades bacterianas, lo que condujo al desarrollo de la INMUNOLOGÍA. Ver también MICROBIOLOGÍA.

Bactriana Antiguo país del Asia central. Estaba ubicado entre el HINDU KUSH y el AMU DARYÁ, ocupando parte de las regiones de los actuales Afganistán, Uzbekistán y Tayikistán. Su capital era la ciudad de Bactra. Desde el s. VI AC estuvo controlada por la dinastía AQUEMÉNIDA. Conquistada por ALEJANDRO MAGNO, después de su muerte (323 AC) la región fue gobernada por la dinastía SELÉUCIDA y por un tiempo (c. 250 AC) constituyó un reino independiente. Fue muy importante como punto de confluencia de rutas comerciales y como lugar de encuentro de varias tradiciones artísticas y religiosas. Finalmente, en el s. VII DC, la zona quedó bajo dominio musulmán.

Baden Antiguo estado de Alemania, situado en el sur del país. El nombre (que significa "baños") alude a las aguas termales, ubicadas particularmente en la ciudad de Baden-Baden (pob., est. 2002: 53.300 hab.), famosas desde tiempos romanos. Baden se constituyó primero en una unidad política cuando Federico, hijo del margrave de Verona, asumió el título de margrave de Baden en 1112. Tras sucesivas divisiones, el territorio se reunificó finalmente bajo el margrave Carlos Federico en 1771. Como centro del liberalismo del s. XIX, tuvo una participación activa en las revoluciones de 1848–50. Se unió al Imperio alemán en 1871 y formó parte de la República de Weimar en 1919. La zona sur se constituyó en un estado de Alemania Occidental en 1949, mientras que la zona norte fue incorporada al estado alemán occidental de Württemberg-Baden. Luego de un plebiscito, ambos estados se fusionaron en uno: Baden-Württemberg, en 1952.

Puente cubierto sobre el río Limmat, Baden, Suiza.
PHOTO RESEARCH INTERNATIONAL

Baden, tratado de ver tratados de RASTADT y Baden

Baden-Powell (de Gilwell), Robert Stephenson Smyth, 1er barón (22 feb. 1857, Londres, Inglaterra–8 ene. 1941, Nyeri, Kenia). Oficial del ejército británico y fundador de los Boy Scouts y Girl Guides (luego Girl Scouts; ver ESCULTISMO). Fue célebre por su uso de globos de observación en la guerra en África (1884–85). En la guerra de los BÓERS, se convirtió en héroe nacional en el sitio de MAFIKENG. Al enterarse de que su manual militar *Aids to Scouting* [Ayudas para el escultismo] (1899) estaba siendo usado para instruir a los niños a orientarse en los bosques, escribió *Scouting for Boys* [Escultismo para muchachos] (1908) y ese mismo año fundó el movimiento Boy Scout. En 1910, junto con su hermana Agnes y su esposa Olave, fundó las Girl Guides.

Baden-Powell, pintura al óleo de S. Slocombe, 1916; National Portrait Gallery, Londres.
GENTILEZA DE LA NATIONAL PORTRAIT GALLERY, LONDRES

Badlands Región árida del sudoeste de Dakota del Sur, EE.UU, que abarca 5.200 km^2 (2.000 mi^2). Está formada por un paisaje extremadamente escarpado, casi desprovisto de vegetación. Fue generado por chaparrones de agua que excavaron profundas quebradas en lechos de roca poco consolidada; sus grandes depósitos de fósiles han proporcionado restos de animales como el caballo de tres dedos, camellos, el tigre dientes de sable y rinocerontes. El parque nacional de Badlands (982 km^2 [379 mi^2]), situado en su mayor parte entre el río CHEYENNE y el río Blanco, fue declarado monumento nacional en 1939 y parque nacional en 1978.

bádminton Deporte que se practica en una cancha con raquetas livianas, de mango largo, y una plumilla que vuela sobre la red. El juego debe su nombre a la residencia del duque británico de Beaufort, donde se supone que se originó este deporte c. 1873. Los partidos oficiales de bádminton se juegan bajo techo, para proteger la plumilla de los efectos del viento. El juego consiste en pegarle a la plumilla una y otra vez sin dejar que toque el piso. El campeonato All-England es el torneo más conocido de este deporte, que se convirtió en modalidad olímpica en los Juegos de Barcelona de 1992. La entidad rectora mundial es la Federación Internacional de Bádminton, localizada en Cheltenham, Gloucestershire, Inglaterra.

Badoglio, Pietro (28 sep. 1871, Grazzano Monferrato, Italia–1 nov. 1956, Grazzano Badoglio). General y político italiano. Oficial de ejército, fue jefe del Estado Mayor general en 1919–21 y nuevamente en 1925–28; fue nombrado mariscal de campo en 1926. Gobernó Libia (1928–34) y dirigió las fuerzas italianas en Etiopía (1935–36). En 1940 renunció como jefe de Estado Mayor por desacuerdos con BENITO MUSSOLINI y en 1943 ayudó a organizar su caída. Como primer ministro (1943–44) retiró a Italia de la segunda guerra mundial y pactó un armisticio con los aliados.

Pietro Badoglio, general y político italiano.
KEYSTONE

baduk ver GO

BAE Systems Fabricante británico de aviones, misiles, aviónica, buques y demás productos destinados a las industrias aeroespacial y de defensa. Fue formada en 1999 tras la fusión de British Aerospace (BAe) con Marconi Electronic Systems. A su vez, la empresa BAe era producto de una fusión anterior en 1977 con otras dos firmas, British Aircraft Corporation (BAC) y Hawker Siddeley Aviation. Estas empresas habían sido nacionalizadas un año antes debido a su situación financiera no lucrativa. BAE Systems heredó de su antecesora BAe el legado de cerca de 20 empresas británicas de aviación (p. ej., Bristol, Avro, Gloster, De Havilland, Supermarine), muchas de las cuales se remontan a las primeras décadas de la aviación. En las décadas de 1960 y principios de 1970, las empresas BAC y Hawker Siddeley producían cada una por separado importantes tipos de aviones. BAC fabricó los Vickers-Armstrongs VC10 y los jets One-Eleven y, en sociedad con Aerospatiale de Francia, el avión comercial supersónico Concorde. A su vez, Hawker Siddeley desarrolló el jet HS 121 Trident, el bombardero Vulcan, y el avión caza Harrier de despegue y aterrizaje corto y vertical (V/STOL). En 1979, la British Aerospace se unió al consorcio fabricante de jets comerciales AIRBUS S.A.S., y al inicio de la década de 1980 fue privatizada. En la década de 1990, BAE Systems participó como socio de empresas en países como Alemania, Italia y España para desarrollar el programa del avión caza europeo Typhoon. También se unió a la empresa liderada por LOCKHEED MARTIN CORP. en el desarrollo del avión caza Joint Strike.

Baeck, Leo (23 may. 1873, Lissa, Posen, Prusia–2 nov. 1956, Londres, Inglaterra). Rabino prusiano-polaco, líder espiritual de los judíos alemanes durante el periodo nazi. Después de obtener un Ph.D. en filosofía en la Universidad de Berlín, sirvió como rabino en Silesia, Düsseldorf y Berlín, llegando a ser el principal pensador religioso judío liberal de su tiempo. Sintetizó el NEOKANTISMO y la ética rabínica en *La esencia del judaísmo* (1905) y consideró los evangelios cristianos como literatura rabínica en *Los evangelios como un documento de la historia religiosa judía* (1938). Negoció con los nazis a fin de ganar tiempo para los judíos alemanes; finalmente fue arrestado y enviado al campo de concentración de Theresienstadt, donde escribió y enseñó sobre PLATÓN e IMMANUEL KANT. Liberado en 1945, el día anterior al que iba a ser ejecutado, se estableció en Inglaterra.

Baedeker, Karl (3 nov. 1801, Essen, ducado de Oldenburgo–4 oct. 1859, Coblenza, Prusia). Editor alemán. Hijo de un impresor y librero, fundó en 1827 una editorial en Coblenza, la que se hizo conocida por sus guías turísticas. Su objetivo era dar a los viajeros la información práctica necesaria que les permitiera prescindir de los guías turísticos pagados. Uno de los rasgos distintivos de estos libros fue el uso de "estrellas" para calificar elementos y lugares de especial interés, así como la calidad de los hoteles. Al momento de su muerte, gran parte de Europa ya había sido abarcada por sus libros turísticos. Bajo la tutela de sus hijos, la editorial se expandió y llegó a producir ediciones de sus publicaciones en inglés y francés.

Karl Baedeker, pintura al óleo de un artista desconocido.
POPPERFOTO

Baekeland, Leo (Hendrik) (14 nov. 1863, Gante, Bélgica–23 feb. 1944, Beacon, N.Y., EE.UU.). Químico industrial estadounidense de origen belga. Fue profesor de química en Bélgica y en 1889 emigró a EE.UU. Inventó el Velox, el primer papel fotográfico comercialmente exitoso, que podía ser revelado bajo luz artificial, y vendió los derechos a GEORGE EASTMAN por un millón de dólares en 1899. En 1909, su búsqueda para un sustituto de la goma laca lo llevó a descubrir un método para formar un plástico termoestable duro, que llamó baquelita, producido a partir de formaldehído y fenol. Su descubrimiento ayudó a establecer la industria moderna del plástico.

Baer, Karl Ernst, von (29 feb. 1792, Piep, Estonia, Imperio ruso–28 nov. 1876, Dorpat, Estonia). Embriólogo estonio nacido en Prusia. Estudió el desarrollo de los polluelos con Christian Pander (n. 1794–m. 1865), y amplió el concepto de Pander sobre la formación de la capa germinal a todos los vertebrados, sentando así los fundamentos de la embriología comparada. Subrayó que los embriones de una especie, pero no los adultos, podían parecerse a los de otra y que mientras más jóvenes eran los embriones, mayor era el parecido, concepto concordante con su creencia de que el desarrollo va de lo simple a lo complejo y de lo similar a lo diferente. También descubrió el óvulo en los mamíferos. Su obra *Uber Entwicklungsgeschichte der Thiere* [Sobre el desarrollo de los animales] (2 vol., 1828–37) abarca todo el conocimiento que existía sobre el desarrollo de los vertebrados y estableció la embriología como un tema concreto de investigación.

Baeyer, (Johann Friedrich Wilhelm) Adolf von (31 oct. 1835, Berlín, Prusia–20 ago. 1917, Starnberg, cerca de Munich, Alemania). Investigador químico alemán. Sintetizó el ÍNDIGO y formuló su estructura, descubrió los COLORANTES de ftaleína e investigó familias químicas, como los poliacetilenos, sales de oxonio y los derivados del ácido úrico (descubrió el ácido barbitúrico, compuesto del que derivan los BARBITÚRICOS). También hizo contribuciones a la química teórica. En 1905 fue galardonado con el Premio Nobel.

Adolf von Baeyer, 1905.
HISTORIA–PHOTO

Baez, Joan (Chandos) (n. 9 ene. 1941, Staten Island, N.Y., EE.UU.). Cantante de música folclórica y activista estadounidense. En su niñez se mudó constantemente y recibió poca formación musical, pero llegó a tener gran influencia en el resurgimiento de la canción folclórica en la década de 1960. Con su voz de soprano y acompañada normalmente de sus propios arreglos para guitarra, popularizó canciones tradicionales a través de sus interpretaciones y álbumes discográficos de gran venta. Participante activa en los movimientos de protesta de las décadas de 1960 y 1970, realizó presentaciones gratuitas en concentraciones en favor de los derechos civiles y en contra de la guerra de Vietnam. Sus éxitos incluyen *Diamonds and Rust* (1975) y *Gone from Danger* (1997).

Baffin, bahía de Gran ensenada del océano Atlántico, entre el oeste de GROENLANDIA y el este de la isla de BAFFIN. Con una superficie de 689.000 km^2 (266.000 mi^2), se extiende 1.450 km (900 mi) hacia el sur desde el Ártico y está conectada al Atlántico por el estrecho de DAVIS. Fue visitada por el capitán inglés Robert Bylot en 1615 y designada con el nombre de su teniente, William Baffin. Su clima es extremadamente riguroso y los icebergs son densos incluso en verano.

Baffin, isla de La mayor isla de Canadá y la quinta más grande en el mundo (476.068 km^2 [183.810 mi^2]), situada entre Groenlandia y Canadá continental. Ubicada al oeste de la bahía de BAFFIN y el estrecho de DAVIS, es administrada como parte del territorio de NUNAVUT. Probablemente recibió visitas de exploradores nórdicos en el s. XI. Fue avistada por MARTIN FROBISHER durante la búsqueda del paso del NOROESTE (1576–78). Está deshabitada excepto por unos pocos asentamientos costeros. Las minas más septentrionales del mundo están en Nanisvik. En 1972 se creó el parque nacional de Auyuittuq en la costa este.

baganda ver GANDA

bagazo Fibra sobrante después de la extracción del jugo de la CAÑA DE AZÚCAR. El término fue aplicado otrora en forma genérica a varios residuos desechados de materias de la planta de procesamiento. El bagazo puede ser utilizado como combustible en el trapiche o como fuente de CELULOSA para la fabricación de PIENSO. El papel se produce a partir del bagazo en varios países de América Latina, en Medio Oriente y en todos los países productores de azúcar de caña con recursos forestales escasos. El bagazo es el ingrediente esencial para la producción de tableros de madera prensada utilizados en la construcción, placas acústicas y otros materiales de construcción.

Bagdad Ciudad (pob., est. 1999: área metrop., 4.689.000 hab.), capital de Irak. Ubicada a orillas del TIGRIS, ha sido habitada desde la antigüedad. Adquirió importancia después de que en 762 DC fuera elegida por el califa al-Manṣūr (r. 754–775) capital de la ʿ dinastía ABASÍ. Durante el califato de HĀRŪN AL-RASHĪD alcanzó su mayor gloria –reflejada en los muchos cuentos de *Las mil y una noches*, que la tuvieron como escenario– como una de las ciudades más grandes y ricas del mundo. Ha sido un centro de desarrollo de la civilización islámica, siendo sobrepasada en comercio y cultura sólo por Constantinopla (la actual ESTAMBUL), capital del Imperio bizantino. Por un breve período en 809, la capital fue trasladada a Sāmarrā', después de lo cual la ciudad estuvo propensa a períodos de inestabilidad política. Durante el reinado de Hülagü en 1258 fue saqueada por los mongoles, tomada por TAMERLÁN en 1401 y capturada en 1508 por los persas de la dinastía SAFAWÍ. Bajo el sultán SOLIMÁN I, en 1534 la ciudad pasó a ser parte del Imperio OTOMANO hasta el fin de la primera guerra mundial (1914–18), a excepción de un breve período (1623–38) en que volvió a estar bajo dominio safawí. Se convirtió en capital primero del reino (1921) y luego de la república (1958) de Irak. La ciudad creció enormemente en tamaño y población durante el s. XX. Los bombardeos durante la primera y segunda guerra del GOLFO PÉRSICO le causaron graves daños y por más de una década sufrió los efectos de sanciones comerciales internacionales.

Bagehot, Walter (3 feb. 1826, Langport, Somerset, Inglaterra–24 mar. 1877, Langport). Economista, analista político y periodista inglés. Mientras trabajaba en el banco de un tío, Bagehot escribió ensayos literarios y artículos de economía, gracias a los que más tarde se vincularía con *The* ECONOMIST. Como editor del periódico, cargo que ocupó desde 1860, logró transformarlo en una de las publicaciones sobre política y economía más importantes del mundo. Su libro *La constitución inglesa* (1867), un clásico en su género, describe cómo opera realmente el sistema de gobierno británico. Otras obras incluyen *Physics and Politics* [Física y política] (1872), uno de los primeros intentos por aplicar el concepto de evolución a la sociedad, y *Lombard Street* (1873), un estudio sobre métodos bancarios. Sus ensayos literarios han sido continuamente reeditados.

Walter Bagehot, mezzo-tinto a partir de una fotografía de Norman Hirst.

GENTILEZA DEL DIRECTORIO DEL MUSEO BRITÁNICO; FOTOGRAFÍA, J.R. FREEMAN & CO. LTD.

baggara Pueblo árabe nómada. Suman unas 600.000 personas y descienden probablemente de los árabes que migraron desde Egipto hacia el oeste durante la Edad Media. En la actualidad viven en una región del Sudán que se extiende desde el lago Chad hasta el Nilo y migran con sus rebaños de ganado hacia la región fluvial en el sur durante la estación seca y hacia la zona de pastizales en el norte en la temporada de lluvias. También cultivan sorgo y mijo. Su vinculación con los FULANI y otros grupos ha hecho que hablen un dialecto bien definido del árabe.

Bagirmi ver BAGUIRMI

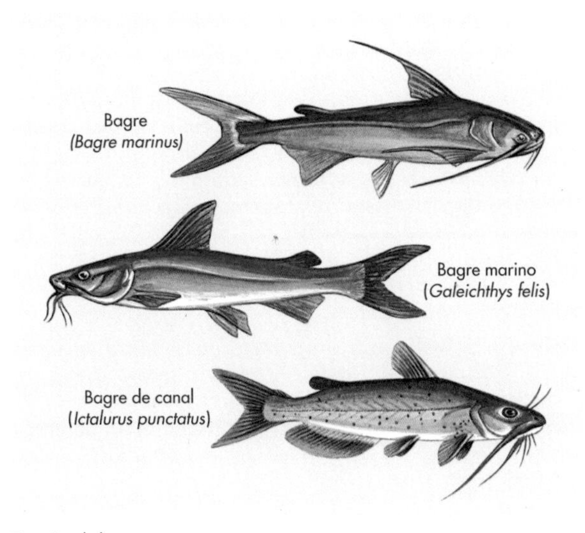

Especies de bagre.

bagre Cualquiera de unas 2.500 especies de peces sin escamas, en su mayoría de agua dulce (orden Siluriformes), emparentados con las CARPAS y PECECILLOS. Se denominan peces gato por sus barbillas en forma de bigotes (órganos sensitivos carnosos). Todas las especies tienen al menos un par de barbillas en la mandíbula superior y algunas tienen pares adicionales en el mentón. Muchas especies poseen espinas que pueden estar asociadas con glándulas venenosas. Distribuidas por casi todo el mundo, son generalmente carroñeras que habitan el fondo, donde se alimentan de todo tipo de plantas y animales muertos. Miden de 4 cm a 4,5 m (1,5 pulg.–15 pies) de largo y pueden pesar hasta 300 kg (660 lb). Entre las especies de mayor tamaño se encuentra el surubí de la cuenca del Río de la Plata. Muchas especies pequeñas son peces de acuario populares; otras grandes son comestibles.

bagre albino Especie (*Clarias batrachus*) de BAGRE asiático o africano que puede desplazarse grandes distancias sobre tierra firme. Para ello usa las espinas de sus aletas pectorales como anclas para evitar acodaduras, pues su musculatura corporal produce movimientos serpenteados. Unas estructuras respiratorias arboriformes situadas sobre las agallas le permiten respirar. Ha sido introducido en el sur de Florida, EE.UU., donde actualmente constituye una seria amenaza para la fauna nativa.

Baguirmi *o* **Bagirmi** Antiguo sultanato, actualmente parte del sudoeste de Chad. Situado al sudeste del lago CHAD, se estableció probablemente en el s. XVI. Su rey gobernaba desde la ciudad principal de Massénya. Aunque el s. XVII trajo la prosperidad como resultado del comercio de esclavos, Baguirmi llegó a ser un vasallo en conflictos entre imperios rivales del este y el oeste. Fue saqueado numerosas veces en el s. XIX hasta que finalmente quedó bajo dominio francés a fines de ese siglo.

Bagyidaw (m. oct. 1846). Séptimo monarca de la dinastía ALAUNGPAYA (r. 1819–37) de Myanmar. Era un rey incapaz, pero su general, Maha Bandula, lo convenció de emprender una política de expansión en el nordeste de India. Su conquista de Assam y Manipur disgustó a los británicos, quienes iniciaron la primera de las guerras ANGLO-BIRMANAS. Pasó el resto de su reinado tratando de mitigar los duros términos del tratado de Yandabo (1826), que puso fin al conflicto.

Bahā' Ullāh *orig.* **Mīrzā Ḥusayn 'Ali Nūrī** (12 nov. 1817, Teherán, Irán–29 may. 1872, Acre, Palestina). Líder religioso iraní, fundador de la fe BAHĀ'Ī. Musulmán chiita quien se alió con el BĀB, y se unió al medio hermano de aquel, Mīrzā Yaḥyā (llamado Ṣobḥ-e Azal) en el liderazgo del movimiento Bābī después de la ejecución del Bāb. Fue perseguido por los musulmanes sunníes, quienes lo exiliaron a Bagdad, al Kurdistán, y finalmente a Constantinopla, donde en 1867 se autoproclamó el imán-mahdi anunciado por el Bāb y enviado por Dios. Esta declaración dividió al BABISMO en dos facciones: por una parte un grupo pequeño (los AZALĪES) que adhería a las creencias originales, y otro grupo más grande que lo seguía, constituyendo lo que sería la fe bahā'ī. El gobierno otomano lo desterró a Acre donde, como Bahā' Ullāh, fomentó la doctrina bahā'ī como una enseñanza que defendía la unidad de todas las religiones y la hermandad universal de la humanidad.

baha'i *o* **behaísmo** Religión fundada en Irán a mediados del s. XIX por BAHĀ' ULLĀH. Surgió del BABISMO cuando en 1863 Bahā' Ullāh afirmó que él era el mensajero de Dios anunciado por el Bāb. Antes de su muerte en 1892, nombró a su hijo 'Abd al-Bahā para liderar la comunidad. Los escritos del Bāb, Bahā' Ullāh y 'Abd al-Bahā forman la literatura sagrada de la religión bahā'ī. El culto consiste en la lectura de las escrituras de todas las religiones. La fe bahā'ī proclama la unidad esencial de todas las religiones y la unidad de la humanidad. Se ocupa de la ética social, no tiene sacerdocio ni sacramentos. Debido a que los discípulos iniciales fueron 19, se considera el número 19 como sagrado, y el calendario consiste en 19 meses de 19 días (con cuatro días adicionales). Los adherentes deben orar diariamente, ayunar 19 días al año y guardar un estricto código ético. El movimiento bahā'ī experimentó un fuerte crecimiento desde la década de 1960, pero ha sido perseguido en Irán desde la revolución fundamentalista de 1979.

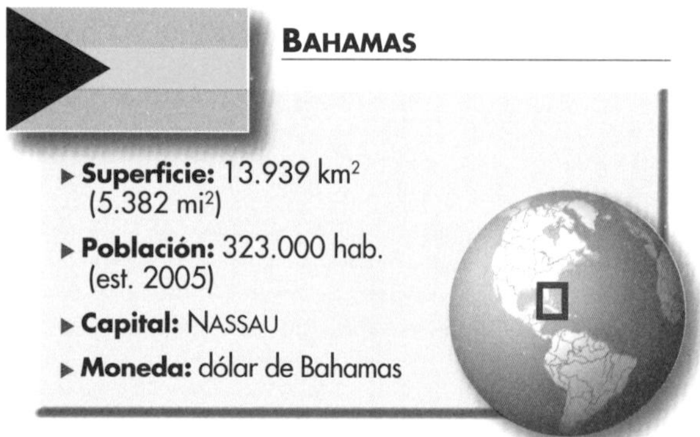

Bahamas *ofic.* **Commonwealth de Bahamas** Estado y archipiélago que consta de 700 islas y numerosos cayos, situado al sudeste de Florida y al norte de Cuba, en el extremo noroccidental de las ANTILLAS. La población es una mezcla de ancestros europeos y africanos, estos últimos como consecuencia del comercio de esclavos. Idioma: inglés (oficial). Religión: cristianismo. Las principales islas, de norte a sur, son las siguientes: Gran Bahama, Abaco, Eleuthera, Nueva Providencia, Andros, Cat e Inagua; la isla Nueva Providencia, donde se encuentra la capital, concentra la mayor parte de la población. Todas están constituidas por piedra caliza coralina y en su mayoría se elevan sólo unos pocos metros sobre el nivel del mar; el punto más alto es el monte Alvernia (63 m [206 pies]) en la isla Cat. En ellas no existen ríos. Su economía de mercado es altamente dependiente de los servicios financieros internacionales y del turismo, incluido el atractivo negocio de los juegos de azar. Los productos alimenticios son importados desde EE.UU.; el pescado y el ron se exportan en forma significativa. El país es una monarquía constitucional bicameral; el jefe de Estado es el monarca británico, representado por un gobernador general, y el jefe de Gobierno es el primer ministro. Originalmente, las islas estaban habitadas por indígenas lucayanos cuando CRISTÓBAL COLÓN las avistó el 12 de oct. de 1492. Se supone que desembarcó en la isla San Salvador (Guanahaní). Los españoles no trataron de asentarse, pero realizaron incursiones para obtener esclavos que despoblaron las islas; ahora bien, cuando los colonos ingleses llegaron en 1648 desde Bermuda, las islas estaban deshabitadas. Se transformaron en un lugar predilecto de piratas y bucaneros, y pocos asentamientos prosperaron. Las islas disfrutaron de cierto desarrollo después de la guerra de independencia estadounidense, cuando los REALISTAS huyeron de EE.UU. y establecieron allí sus plantaciones de algodón. Las islas fueron útiles para burlar el bloqueo durante la guerra de Secesión. La prosperidad económica permanente no llegó sino hasta que se desarrolló el turismo después de la segunda guerra mundial. En 1964 fue reconocido el autogobierno de Bahamas en materias internas, lo cual hizo posible que se transformara en un país independiente en 1973.

bahía Entrada de mar de concavidad semicircular o casi circular, similar a un GOLFO, pero a menudo más pequeña. Las bahías pueden extenderse desde algunos centenares de metros hasta varios centenares de kilómetros, de un extremo a otro. Por lo general, están ubicadas en áreas donde rocas fácilmente erosionables, como arcillas y arenisca, están rodeadas por formaciones de rocas ígneas más duras y resistentes a la erosión, como granito, o por rocas calcáreas duras, como calizas macizas. Algunas bahías forman excelentes puertos.

Bahía Estado del este de Brasil (pob., 2000: 13.066.764 hab.). Abarca una superficie de 567.295 km^2 (219.034 mi^2); su capital es SALVADOR. El río más grande es el SÃO FRANCISCO. Los portugueses entraron por primera vez en la región en 1501, a través de la bahía donde actualmente se sitúa Salvador. La colonización comenzó en la región costera, el descubrimiento de oro y piedras preciosas en la meseta Diamantina atrajo más colonizadores en el s. XVIII. Declarado estado desde 1889, Bahía es rica en recursos minerales, entre ellos petróleo, gas natural, plomo, cobre, cromo y estaño. Su industria pesada incluye refinación de petróleo y fundición de hierro. Además es un importante productor agrícola.

Barrio típico de Salvador, capital del estado de Bahía, Brasil.
ARCHIVO EDIT. SANTIAGO

Bahir ver SÉFER HA-BAHIR

Baḥr al-Gazāl, río Río del sudoeste de Sudán. Formado por la confluencias de los ríos 'Arab y Jur en un área pantanosa de Sudán meridional, tiene una extensión de 716 km (445 mi). Discurre hacia el este para unir el lago No con el río BAḤR AL YABAL y formar el NILO Blanco. El río fue cartografiado en 1772 por el geógrafo francés Jean-Baptiste de Bourguignon.

Baḥr al-Yabal, río Río del centro-sur de Sudán. Discurre hacia el norte 956 km (594 mi) sobre los rápidos de Fula, pasando por Yuba (cabecera de su curso navegable), y por una vasta región pantanosa. Recibe al BAḤR AL GAZĀL en el lago No, y luego se desvía al este para unirse con el río SOBAT de Etiopía occidental, formando después el Nilo Blanco (ver NILO).

BAHREIN

- ▸ **Superficie:** 720 km² (278 mi²)
- ▸ **Población:** 715.000 hab. (est. 2005)
- ▸ **Capital:** MANAMA
- ▸ **Moneda:** dinar de Bahrein

Bahrein *ofic.* **Reino de Bahrein** País del Medio Oriente. Ocupa un archipiélago integrado por la isla de Bahrein y cerca de 30 islas menores que se extienden a lo largo de la península ARÁBIGA en el golfo PÉRSICO. Arabia Saudita se sitúa al oeste, frente al golfo de Bahrein, y la península de Qatar, al este. La población es mayoritariamente árabe. Idioma: árabe (oficial). Religión: Islam (oficial), dividido entre sunníes y chiitas. La isla de Bahrein, que tiene 43 km (27 mi) de longitud y 16 km (10 mi) de ancho, representa el 88% de la superficie total del país y, con las islas de Al-Muḥarraq y Sitrah, frente a su costa nororiental, constituyen el centro económico y demográfico del país. Desde 1986, la principal isla fue conectada a Arabia Saudita a través de un puente carretero de 25 km (15 mi). La mayor elevación es el cerro Al-Dujān (132 m [440 pies]). Tiene una economía en desarrollo que combina la acción del Estado y la empresa privada, basada principalmente en la refinación del petróleo y del gas natural. Es una monarquía constitucional. El rey es el jefe de Estado y el primer ministro, el jefe de Gobierno. La región ha sido por mucho tiempo un centro comercial y es mencionada por textos persas, griegos y romanos. Fue gobernada por varios grupos árabes desde el s. VII DC; más adelante, fue ocupada por los portugueses (1521–1602). Desde 1783 ha estado en el gobierno un grupo tribal conocido como el Āl Jalīfa, aunque (a través de una serie de tratados) su defensa quedó bajo la responsabilidad británica durante un largo período (1820–1971). Después de que los británicos se retiraron del golfo Pérsico (1968), Bahrein declaró su independencia (1971). Fue centro de operaciones de los aliados en la primera guerra del GOLFO PÉRSICO (1990–91). Desde 1994 ha experimentado períodos de desorden político, principalmente entre su numerosa población chiita. Modificaciones constitucionales, ratificadas en 2002, transformaron esta nación en una monarquía constitucional y concedieron derechos a la mujer. En octubre de 2002 se realizaron elecciones parlamentarias (las primeras desde 1975).

bahutu ver HUTU

Bai, río *o* **río Pai** Río del nordeste de China. Nace más allá de la GRAN MURALLA en la provincia de HEBEI y sigue un curso en dirección sudeste a través del municipio de BEIJING. Continúa a través del municipio de TIANJIN, donde toma el nombre de HAI HE desde su confluencia con el GRAN CANAL a su desembocadura en el golfo del BOHAI. Mide aprox. 483 km (300 mi) de largo y es navegable cerca de 160 km (100 mi).

Baibars ver BAYBARS I

Baikal, lago Lago en el sur de SIBERIA, Rusia, en Asia. Con un largo de 636 km (395 mi) y una superficie cercana a los 31.500 km² (12.200 mi²), es la mayor cuenca de agua dulce de Eurasia. También es la masa de agua continental más profunda del planeta (1.620 m [5.315 pies]), con 20% del agua dulce en la superficie de la tierra. Más de 330 ríos y arroyos desembocan en él; desde el este recibe las aguas del Barguzin y el SELENGA, y la mayor parte de su desagüe ocurre a través del ANGARÁ en el extremo norte. En el centro se encuentra la isla de Oljon. Cuenta con una variada flora y fauna con más de 1.200 especies autóctonas. El aumento de la industrialización en sus costas ha producido una contaminación amenazante. En 1996, la zona de protección costera del lago Baikal fue nombrada PATRIMONIO DE LA HUMANIDAD de UNESCO.

baile ver DANZA

baile de salón Baile social europeo y americano ejecutado en pareja. Incluye los bailes típicos como fox-trot, VALS, POLCA, TANGO, CHARLESTÓN, JITTERBUG y MERENGUE. El baile de salón se popularizó en EE.UU. con VERNON E IRENE CASTLE y FRED ASTAIRE y, más tarde, con Arthur Murray (n. 1895–m. 1991), quien creó academias de bailes de salón por todo EE.UU. Existen concursos de bailes de salón, especialmente populares en Europa, en que se presentan tanto bailarines aficionados como profesionales.

Baile folclórico balinés.
ARCHIVO EDIT. SANTIAGO

baile folclórico Baile que se ha desarrollado sin un coreógrafo y que refleja las tradiciones de la gente común de un país o una región. Este término se acuñó en el s. XVIII y se usa a veces para diferenciar los bailes de la aristocracia de los del pueblo. Los bailes formales y cortesanos de los s. XVI–XX se desarrollaron, a menudo, a partir de bailes folclóricos, como la GAVOTA, GIGA, MAZURCA, MINUÉ, POLCA, SAMBA, TANGO y VALS. Ver también CLAQUÉ; CONTRADANZA; DANZA DEL SABLE; HULA; danza MORRIS; SQUARE DANCE.

Bailey, Pearl (Mae) (29 mar. 1918, Newport News, Va., EE.UU.–17 ago. 1990, Filadelfia, Pa.). Cantante y actriz de variedades estadounidense. Inició su carrera a los 15 años, apareciendo en clubes nocturnos, teatros y con conjuntos de jazz, entre ellos, con la banda de COUNT BASIE. Su primera comedia musical en Broadway fue *St. Louis Woman* en 1946; su primera película fue *Variety Girl* en 1947. Se destacó por su estilo mundano y vital. En 1952 se casó con el baterista y director de orquesta Louis Bellson, con quien trabajaría a menudo posteriormente. El más memorable de sus papeles en Broadway, entre los que figura también Carmen Jones (1954), fue el de Dolly Levi en *Hello, Dolly!* (1967–69), una producción íntegramente realizada por artistas afroamericanos.

Bailly, Jean-Sylvain (15 sep. 1736, París, Francia–12 nov. 1793, París). Astrónomo y político francés. Célebre por su cálculo de la órbita del cometa HALLEY en 1759, al estallar la Revolución francesa se dedicó a la política. Fue nombrado presidente del TERCER ESTADO en mayo de 1789 y fue proclamado primer alcalde de París en julio. Posteriormente perdió popularidad, especialmente después de que su orden de dispersar a una multitud alborotada condujo a la masacre del Campo de Marte (1791). Aunque se retiró de la política, luego fue arrestado, llevado ante el tribunal revolucionario y guillotinado.

Jean-Sylvain Bailly, detalle de un grabado de P.-M. Alix, 1791.
GENTILEZA DEL DIRECTORIO DEL MUSEO BRITÁNICO; FOTOGRAFÍA, J.R. FREEMAN & CO. LTD.

Baily, rosario de Arco de puntos brillantes visible durante un ECLIPSE total de Sol, nombrado así en honor de Francis Baily (n. 1774–m. 1844), astrónomo inglés que reparó en ellos por primera vez. Justo antes de que el disco lunar cubra completamente el Sol, el delgado arco de luz solar aún visible en los bordes de la Luna puede quebrarse en varias partes por montañas y valles del borde lunar, los puntos luminosos resultantes se parecen a una cadena de cuentas o rosario. El "efecto anillo de diamantes" ocurre cuando los últimos rayos solares en ser oscurecidos por la Luna se ven como un diamante brillante en la CORONA solar.

Baird, Bil y Cora (15 ago. 1904, Grand Island, Neb., EE.UU.–18 mar. 1987, Nueva York, N.Y.) (26 ene. 1912, Nueva York–6 dic. 1967, Nueva York). Titiriteros estadounidenses. Bil Baird (originalmente William Britton Baird) trabajó para el titiritero Tony Sarg durante cinco años y luego produjo sus propios espectáculos de títeres a partir de mediados de la década de 1930. Se casó con Cora Eisenberg en 1937 y comenzaron a crear títeres, escenarios y música original para sus obras. Produjeron una serie de programas de televisión en la década de 1950 y abrieron su propio teatro de MARIONETAS en Nueva York en 1966. Bil escribió *The Art of the Puppet* (1965) y fue maestro de titiriteros como JIM HENSON.

Baird, John L(ogie) (13 ago. 1888, Helensburgh, Dunbarton, Escocia–14 jun. 1946, Bexhill-on-Sea, Sussex, Inglaterra). Ingeniero escocés. Aquejado de precaria salud, abandonó su trabajo como ingeniero electricista en 1922 y se dedicó a la investigación en televisión. En 1924 produjo siluetas de objetos televisados y en 1925, caras humanas reconocibles. En 1926, fue la primera persona que televisó imágenes de objetos en movimiento. Hizo una demostración de televisión en colores en 1928. Al año siguiente, la oficina de correos alemana le proporcionó recursos para desarrollar un servicio de televisión. Cuando comenzó (1936) el servicio de la BBC, su sistema compitió con el de la Marconi Electric and Musical Industries. En 1937, la BBC adoptó este último en forma exclusiva. Se dice que, a la fecha de su muerte, Baird había completado una investigación sobre la televisión estereoscópica.

Bairiki, isla Pequeña isla y centro administrativo (pob., 2000: aglomeración urbana, 36.717 hab.) en Kiribati. Se encuentra en el atolón de TARAWA, en el norte del grupo de islas GILBERT. Cuenta con instalaciones portuarias y un centro de extensión de la Universidad del Pacífico Sur.

Baja California *ant.* **Baja California Norte** Estado del norte de la península de BAJA CALIFORNIA, en el noroeste de México. Cubre una superficie de 70.114 km² (27.071 mi²) y su capital es MEXICALI. Aunque hace tiempo que está habitada, se mantuvo escasamente poblada hasta 1950, cuando experimentó un crecimiento fenomenal. Esto se debió, en parte, a su proximidad con la frontera de EE.UU. Un gran número de compañías extranjeras han establecido en esta región fábricas orientadas al montaje (maquiladoras), tendencia que se aceleró con la implementación del TLC en 1994.

Baja California, península de Península del noroeste de México. Limita con EE.UU. al norte, con el océano Pacífico al oeste y con el golfo de California al este. Tiene una extensión de 1.220 km (760 mi) y cubre una superficie de 55.366 mi² (143.396 km²). Se divide políticamente en los estados de BAJA CALIFORNIA y BAJA CALIFORNIA SUR. Con más de 3.200 km (2.000 mi) de costa, cuenta con puertos protegidos en las costas occidentales y las del golfo. Estas tierras estuvieron habitadas por más de 9.000 años al momento de la llegada de los españoles en 1533. Los misioneros jesuitas establecieron asentamientos permanentes a fines del s. XVII, pero los indígenas nativos fueron prácticamente exterminados por epidemias introducidas por los españoles. La región fue separada de lo que es actualmente el estado de California de EE.UU., mediante un tratado de 1848, luego de la guerra MEXICANO-ESTADOUNIDENSE.

Baja California Sur Estado del sur de la península de BAJA CALIFORNIA, en el noroeste de México (pob., 2000: 423.516 hab.). Ocupa una superficie de 73. 475 km² (28.369 mi²) y su capital es LA PAZ. Pasó a ser un estado en 1974. Está muy poco poblado y sigue siendo relativamente subdesarrollado. Se ha plantado una gran cantidad de cultivos de algodón cerca de La Paz, pero la agricultura de subsistencia es la más común. Un incremento en el turismo y el mejoramiento de las comunicaciones ha empezado a aliviar el aislamiento del estado.

bajo Voz o registro musical más grave. En la música vocal, su extensión habitual es de unas dos octavas, desde cerca del mi a una octava y una sexta por debajo del do central. Un bajo profundo realza el registro más grave, mientras un bajo cantante lo hace en un registro algo más agudo. Fuera de Rusia, la voz de bajo solista generalmente ha sido relegada a ciertos papeles operáticos estereotipados. Normalmente se llama bajo al miembro de tesitura más grave en la mayoría de las familias de instrumentos (clarinete bajo, CONTRABAJO, etc.). En la música tonal occidental, con frecuencia la parte del bajo sólo es superada en importancia por la melodía, ya que es el determinante principal del movimiento armónico. Esta tendencia se hizo particularmente notoria después de la aparición del bajo CONTINUO c. 1600.

bajo continuo ver CONTINUO

bajorrelieve Forma escultórica en la que se tallan figuras sobre una superficie plana, las que sobresalen levemente a diferencia de las exentas. Dependiendo del grado en que sobresalen, los relieves también pueden ser clasificados en alto o mediorrelieve.

Bajtin, Mijaíl (Mijaílovich) (17 nov. 1895, Orel, Rusia–7 mar. 1975, Moscú, U.R.S.S.). Teórico literario y filósofo del lenguaje ruso. Sus primeras obras resultaron ofensivas a las autoridades soviéticas, por lo que en 1929 fue deportado de Vítebsk a Kazajstán. Su obra más conocida es *Los problemas de la poética de Dostoievski* (1929), en la que esboza las innovadoras teorías que luego desarrollaría en *Estética y teoría de la novela* (1975). Sus ideas, de amplios alcances, influenciaron significativamente el pensamiento occidental en materias como la historia de la cultura, la teoría literaria, la estética y la lingüística.

Baker, Chet *orig.* **Chesney Henry Baker** (23 dic. 1929, Yale, Okla., EE.UU.–13 may. 1988, Amsterdam, Países Bajos). Trompetista y cantante estadounidense. En 1952 y 1953, después de tocar en bandas militares, llamó la atención por sus presentaciones con CHARLIE PARKER y GERRY MULLIGAN. Durante la década de 1950 se convirtió en el epítome del *cool jazz* (ver BEBOP) debido a su sonido suave y su fraseo amable. Con sus grabaciones de temas como "My Funny Valentine" estableció un estilo melancólico y delicado como vocalista, que reflejaba su estilo como trompetista. Desarrolló gran parte de su carrera ulterior en Europa, interrumpida varias veces por problemas legales derivados de la drogadicción.

Josephine Baker, artista estadounidense.
H. ROGER-VIOLLET

Baker, Josephine *orig.* **Freda Josephine McDonald** (3 jun. 1906, San Luis, Mo., EE.UU.–12 abr. 1975, París, Francia). Artista de variedades francesa de origen estadounidense. Se unió a una compañía de baile a los 16 años y pronto se mudó a Nueva York, donde actuó en clubes nocturnos de Harlem y en el espectáculo de Broadway *Chocolate Dandies* (1924). Viajó a París en 1925 para bailar en *La Revue nègre*. Para el público francés ella personificaba el exotismo y la vitalidad de la cultura afroamericana, se convirtió en la artista de variedades (ver MUSIC HALL Y TEATRO DE VARIEDADES) más popular de París y recibió trato de estrella en el FOLIES-BERGÈRE. En la segunda guerra mundial trabajó con la Cruz Roja y animó a las tropas de FRANCIA LIBRE. A partir de 1950 adoptó a numerosos huérfanos de todas las nacionalidades como "un experimento de hermandad". Retornaba periódicamente a EE.UU. para apoyar la causa de los derechos civiles.

Newton D. Baker, 1915.
GENTILEZA DE LA BIBLIOTECA DEL CONGRESO, WASHINGTON, D.C.

Baker, Newton D(iehl) (9 dic. 1871, Martinsburg, W.Va., EE.UU.–25 dic. 1937, Cleveland, Ohio). Secretario de guerra estadounidense. Ejerció como abogado en Martinsburg desde 1897. Se trasladó a Cleveland, donde fue elegido alcalde (1912–16). Ayudó a obtener la candidatura presidencial demócrata de 1912 para WOODROW WILSON, quien lo nombró secretario de guerra (1916–21). Aunque pacifista, formuló un plan de reclutamiento militar y supervisó la movilización de más de cuatro millones de hombres durante la primera guerra mundial. En 1928 fue nombrado miembro de la Corte Internacional de Arbitraje, en La Haya.

Baker, Philip John ver barón NOEL-BAKER

Baker, Russell (Wayne) (n. 14 ago. 1925, Loudoun County, Va., EE.UU.). Columnista de periódicos estadounidense. Baker se integró al diario *Baltimore Sun* en 1947. En 1954 se trasladó a la oficina del *New York Times* en Washington, y a comienzos de la década de 1960 comenzó a publicar su columna "Observer". Si bien en un comienzo se dedicó principalmente a la sátira política, más tarde abordó otros temas a los que aplicó su pluma mordaz. En 1979 ganó el Premio Pulitzer en la categoría "comentario periodístico". Entre sus libros se destacan su autobiografía *Growing Up* [Desarrollo] (1982, Premio Pulitzer) y *The Good Times* [Los buenos tiempos] (1989). Desde 1993 anima el programa de televisión *Masterpiece Theatre* [Obras maestras del teatro].

Baker, Sara Josephine (15 nov. 1873, Poughkeepsie, N.Y., EE.UU.–22 feb. 1945, Nueva York, N.Y.). Médico estadounidense. La primera mujer de EE.UU. graduada con un doctorado en salud pública. En su calidad de primera directora de la New York City's Division of Child Hygiene (División de higiene infantil de la ciudad de Nueva York), contribuyó a que las tasas de mortalidad infantil de esa ciudad llegaran a ser las más bajas entre las principales urbes de EE.UU. Colaboró en la fundación de la American Child Hygiene Association (Asociación americana de higiene infantil) y organizó lo que después fue la Children's Welfare Federation of New York (Federación de beneficencia infantil de Nueva York). Publicó cinco libros sobre higiene infantil.

Sara Josephine Baker.
BIBLIOTECA DEL CONGRESO, WASHINGTON, D.C.; NEG. NO. LC USZ 62 058326

Baker v. Carr (1962). Causa ventilada ante la Corte Suprema de Justicia de EE.UU. a raíz de la cual la legislatura de Tennessee se vio obligada a redistribuir los distritos electorales sobre la base de la población. El caso puso fin al sistema que había hecho posible que las zonas rurales estuviesen excesivamente representadas en la legislatura y estableció que la Corte podía intervenir en los casos relacionados con la distribución de los distritos electorales. La Corte resolvió que el voto de todos los ciudadanos debía tener el mismo valor, sin considerar el lugar de residencia del elector. Su sentencia en el caso ReynoldsSims (1964), amplió lo resuelto en *Baker* al exigir la redistribución de los distritos electorales de casi todas las legislaturas estaduales, con lo cual en la mayoría de los estados el poder político se desplazó de las zonas rurales a las zonas urbanas.

Bakersfield Ciudad (pob., 2000: ciudad, 247.057 hab.; área metrop., 661.645 hab.) del sur de California, EE.UU. Localizada a orillas del río Kern en el valle de San Joaquín, fue fundada en 1869 por Thomas Baker. Era un área agrícola, pero cuando en 1899 se descubrieron los yacimientos de petróleo del río Kern, se dio comienzo a la prosperidad basada en el petróleo. La ciudad fue rápidamente reconstruida luego de un gran terremoto en 1952. Viñedos cercanos producen alrededor de una cuarta parte del vino hecho en California.

Bakewell, Robert (1725, Dishley, Leicestershire, Inglaterra–1 oct. 1795, Dishley). Agricultor inglés. Revolucionó la crianza de ganado ovino y bovino inglés, reproduciéndolo mediante un metódico sistema de selección y endogamia. Fue uno de los pioneros en la crianza de ovejas y vacunos destinados a la alimentación y el primero en establecer a gran escala la práctica de arrendar animales para la reproducción. Su granja se hizo célebre como un modelo de manejo científico.

Robert Bakewell, detalle de un grabado.
THE MANSELL COLLECTION

bakhtyārī *o* **bakhtiārī** Miembro de una comunidad de pastores nómadas, que viven en tiendas, en el oeste de Irán. Hablan un dialecto de la lengua luri (vinculada con el persa moderno) y son en su mayoría musulmanes chiitas. Están divididos en dos grupos tribales, los chahār lang y los haft lang; el rango de líder de todos los bakhtyārī se alterna cada dos años entre los jefes de los dos grupos tribales. Muchos de sus jefes han sido influyentes en la vida pública nacional y han ocupado diversos cargos. En general, las mujeres de estos pueblos han tenido una mejor educación y gozan de más libertad que otras mujeres musulmanas de Irán.

bakongo ver KONGO

Bakst, Léon *orig.* **Lev Samuilovich Rosenberg** (27 ene. 1866, San Petersburgo, Rusia–28 dic. 1924, París, Francia). Pintor y diseñador escénico ruso. Estudió en la Academia imperial de artes en San Petersburgo y en París. En 1898 cofundó la revista *Mir Iskusstva* ("El mundo del arte") con SERGEI DIÁGUILEV. Comenzó a diseñar escenografías para los teatros imperiales en 1900. En París diseñó decorados y trajes para los nuevos BALLETS RUSOS de Diáguilev. Sus colores atrevidos y suntuosos, que transmitían un "orientalismo" exótico, le ganaron fama internacional. Sus diseños para la producción londinense *La bella durmiente* de Piotr Ilich Chaikovski, de 1921, son considedas su obra más importante.

Bakú Ciudad (pob., est. 1997: 1.727.200 hab.), capital de Azerbaiyán. Ubicada en el mejor puerto natural de la ribera occidental del mar CASPIO, ha sido habitada por larguísimo tiempo. En el s. XI DC era una posesión de los shas de Shirvan, que la hicieron su capital en el s. XII. En 1723, PEDRO I capturó Bakú, pero la devolvió a Persia en 1735; Rusia volvió a capturarla en 1806. Fue la capital del gobierno BOLCHEVIQUE en 1917 y se transformó en la capital de la nueva república soviética de Azerbaiyán en 1920. El petróleo es la base de la economía de Bakú.

Fuente de agua en la céntrica plaza de la ciudad, Bakú, Azerbaiyán.
LUBA PAZ/PICTORIAL PARADE

bakufu (japonés: "gobierno de tienda de campaña"). En Japón, gobierno militar hereditario de un SOGÚN, opuesto al gobierno del emperador y la corte imperial. Han existido tres períodos de estos gobiernos en la historia japonesa: MINAMOTO YORITOMO estableció el *bakufu* Kamakura (ver período KAMAKURA) a fines del s. XII; Ashikaga Takauji estableció el *bakufu* Muromachi (ver período MUROMACHI) a principios del s. XIV, y TOKUGAWA IEYASU estableció el *bakufu* Edo (ver período de los TOKUGAWA) a comienzos del s. XVII. Este último, el más exitoso, fue un tiempo de paz y prosperidad que duró más de 250 años. Ver también DAIMIO; familia HŌJŌ; JITŌ.

Bakunin, Mijaíl (Alexándrovich) (30 may. 1814, Priamujino, Rusia–1 jul. 1876, Berna, Suiza). Anarquista y escritor político ruso. Recorrió Europa occidental y participó activamente en las REVOLUCIONES DE 1848. Después de asistir al Congreso eslavo en Praga, escribió el manifiesto *Un llamado a los eslavos* (1848). Arrestado por sus actividades revolucionarias en Alemania (1849), fue enviado a Rusia y exiliado a Siberia. Escapó en 1861 y regresó a Europa occidental, donde continuó su proselitismo militante anarquista. En la PRIMERA INTERNACIONAL (1872), se enfrentó en una famosa disputa con KARL MARX, la cual condujo a la división del movimiento revolucionario europeo.

Mijaíl Alexándrovich Bakunin.
ENCYCLOPÆDIA BRITANNICA, INC.

bala, lanzamiento de la Disciplina del atletismo en la que una bola metálica es lanzada a distancia. Deriva de la antigua competencia de "lanzar la piedra", que luego fue sustituida por una bala de cañón. Una bala de 7,3 kg (16 lb) fue adoptada para los hombre en los primeros Juegos Olímpicos de la era moderna (1896). Las mujeres usan una bala de 4 kg (8,8 lb).

Ba'labakk ver BAALBEK

balada Tipo de canción tradicional de narrativa breve. Su particular estilo cristalizó en Europa a fines de la Edad Media como parte de la tradición oral y se ha mantenido como forma musical y literaria. La balada tradicional a menudo relata una historia de manera condensada, con deliberada crudeza, y utilizando recursos como la repetición para intensificar los efectos. La balada literaria moderna (p. ej., aquellas compuestas por GABRIELA MISTRAL, FEDERICO GARCÍA LORCA, W.H. AUDEN, BERTOLT BRECHT y ELIZABETH BISHOP) evoca elementos rítmicos y narrativos presentes en la balada tradicional.

Balaguer (y Ricardo), Joaquín (Vidella) (1 sep. 1907, Villa Bisonó, República Dominicana–14 jul. 2002, Santo Domingo). Presidente de República Dominicana (1960–62, 1966–78, 1986–96). Ocupó numerosos cargos gubernamentales durante la dictadura de 30 años del general RAFAEL TRUJILLO. Fue vicepresidente de Héctor, el hermano de Trujillo, convirtiéndose en presidente cuando Héctor renunció, si bien Trujillo continuó detentando el verdadero poder hasta su asesinato en 1961. Realizó varios intentos de liberalizar el sistema, lo que provocó su derrocamiento por parte de los militares. Elegido presidente en 1966 tras la intervención militar de EE.UU. en 1965, logró un crecimiento económico estable y algunas reformas sociales menores. Fue reelegido en repetidas ocasiones, pero su último mandato fue acortado en dos años en medio de la violencia política y las acusaciones de fraude electoral y corrupción.

Balakirev, Mili (Alexéievich) (2 ene. 1837, Nizhni Nóvgorod, Rusia–29 may. 1910, San Petersburgo). Compositor ruso. En su juventud conoció al compositor nacionalista MIJAÍL GLINKA, el cual influyó en su estilo. El mismo Balakirev se convirtió posteriormente en el mentor de César Cui (n. 1835–m. 1918) y de MODEST MÚSORGSKI; entre 1861–62 su grupo creció hasta convertirse en el grupo de los CINCO. En 1862, Balakirev fue uno de los fundadores de la Escuela Libre de Música. Sus obras comprenden dos sinfonías, la fantasía para piano *Islamey* (1869), música incidental para *El rey Lear* (1858–61) y un concierto para piano. Con su imaginación colorida y el uso de temas folclóricos, fue quizás el proponente más influyente del nacionalismo ruso. Después de una crisis nerviosa en 1871, se convirtió en un religioso ortodoxo ferviente y fanático. Desde entonces sólo participó en actividades musicales en forma esporádica.

Balaklava, batalla de (25 oct. 1854). Confuso enfrentamiento militar de la guerra de CRIMEA. Los rusos intentaban capturar Balaklava, puerto de abastecimiento en el mar Negro que estaba bajo el control de británicos, franceses y turcos. Para ello ocuparon posiciones en las alturas de un valle cercano. Con el fin de desbaratar los movimientos de tropa rusos, el barón RAGLAN dio a lord CARDIGAN la ambigua orden de atacar con su brigada ligera. Este en vez de dirigir su caballería contra la artillería rusa ubicada en las alturas, descendió precipitadamente al valle persiguiendo a la caballería rusa que se batía en retirada. La batalla terminó con la pérdida de un 40% de la brigada ligera e inspiró el poema *Carga de la brigada ligera* (1855) de lord ALFRED TENNYSON.

balalaika Instrumento ruso de cuerdas con una caja sonora triangular, tres cuerdas y trastes movibles en su diapasón. Hay una variedad de seis tamaños, desde *piccolo* hasta contrabajo. Se desarrolló en el s. XVIII a partir de la dombra. Ha sido principalmente un instrumento folclórico solista que acompaña el canto y el baile, pero también existen grandes orquestas de balalaikas.

Balalaika tenor rusa, s. XX; Museo Metropolitano de Arte de Nueva York.
GENTILEZA DEL MUSEO METROPOLITANO DE ARTE DE NUEVA YORK, CROSBY BROWN COLLECTION OF MUSICAL INSTRUMENTS, 1889

balance Estado financiero que describe los recursos que controla una empresa en una fecha determinada e indica el origen de ellos. Consta de tres secciones principales: activos (derechos valorados de propiedad de la empresa), pasivos (fondos provistos por prestamistas externos y por otros acreedores) y el PATRIMONIO de los dueños. En el balance, el total de los activos debe siempre igualar el total de los pasivos más el patrimonio de los dueños.

Balanchine, George *orig.* **Gueorgui Melitónovich Balanchivadze** (22 ene. 1904, San Petersburgo, Rusia–30 abr. 1983, Nueva York, N.Y., EE.UU.). Coreógrafo estadounidense de origen ruso. Después de estudiar en la Escuela de ballet del Teatro Imperial de San Petesburgo, dejó la Unión Soviética en 1925 para incorporarse a los BALLETS RUSOS, donde con su coreografía para *Apollo* (1928) demostró el sobrio estilo neoclásico que fue su sello personal. Su trabajo cautivó al empresario artístico LINCOLN KIRSTEIN, quien en 1933 invitó a "Mr. B." a formar la School of American Ballet y su compañía de danza, el American Ballet. Este conjunto pasó a ser la compañía oficial de la Metropolitan Opera (1935–38), pero se disolvió en 1941. En 1946, Kirstein y Balanchine fundaron la Ballet Society, de donde surgió el NEW YORK CITY BALLET en 1948. Balanchine creó más de 150 obras para esta compañía, como *Cascanueces* (1954), *Don Quijote* (1965) y *Jewels* (1967), y también realizó coreografías para musicales y óperas. Trabajó estrechamente con el compositor ÍGOR STRAVINSKI, adaptando más de 30 obras a su música. Su obra sigue presente en el repertorio de muchas compañías del mundo, y Balanchine es ampliamente reconocido como el mejor coreógrafo del s. XX.

George Balanchine.

balanza Instrumento para comparar los pesos de dos cuerpos, generalmente para fines científicos, a fin de determinar su diferencia de MASA. La balanza de brazos iguales se remonta a los antiguos egipcios, posiblemente a una fecha tan antigua como 5000 AC. Esta balanza se fue perfeccionando y a comienzos del s. XX llegó a ser un dispositivo de medición de extraordinaria precisión. Las balanzas electrónicas dependen hoy más bien de la compensación eléctrica que de una deformación o desviación mecánica. La ultramicrobalanza es cualquier dispositivo de medición que sirve para determinar el peso de muestras más pequeñas que las que se pueden pesar con la microbalanza (que puede pesar muestras tan pequeñas como unos pocos miligramos), es decir, cantidades totales tan ínfimas como unos pocos microgramos.

balanza comercial Diferencia de valor en un cierto período de tiempo entre el total de las importaciones y exportaciones de bienes y servicios de una nación. La balanza comercial es parte integrante de una unidad económica mayor, la BALANZA DE PAGOS, la cual considera todas las transacciones económicas realizadas entre los residentes de un país con los residentes de otros países. Si las exportaciones de un país superan sus importaciones, se dice que dicho país tiene una balanza comercial favorable, o un superávit comercial. En cambio, si las importaciones son superiores a las exportaciones, el país tiene una balanza de pago desfavorable, o bien, un déficit comercial. Bajo el concepto del MERCANTILISMO una balanza comercial favorable era imprescindible; sin embargo, según la ECONOMÍA CLÁSICA, era más importante para una nación la plena utilización de sus recursos económicos que poseer un superávit comercial. No obstante, la idea de que los déficits comerciales son inconvenientes persistió, y los defensores del PROTECCIONISMO utilizan a menudo argumentos en contra de los déficits.

balanza de pagos Registro sistemático de todas las transacciones económicas entre los residentes de un país (incluido el gobierno) y los residentes de los demás países (incluidos sus gobiernos) durante un período determinado. Las transacciones se registran en la forma de contabilidad por partida doble. Por ejemplo, la balanza de pagos de EE.UU. registra las diversas formas en que los dólares pasan a manos de extranjeros a través de las importaciones que hace el país, el gasto de los turistas estadounidenses en el exterior, los préstamos internacionales, etc. Estos gastos son presentados como débitos en la balanza. Como créditos se muestran los variados usos que los extranjeros dan a sus dólares, como son los pagos de las exportaciones estadounidenses, el servicio de la deuda a EE.UU., etc. Los países extranjeros pueden adquirir más dólares de los que necesitan para comprar bienes y servicios de EE.UU., y conservar el excedente o bien comprar oro o valores. En cambio, si tienen menos dólares de los que necesitan para comprar bienes y servicios estadounidenses, tendrían que adquirir más dólares transfiriendo oro o vendiendo sus activos en EE.UU. Ciertas formas de transferencia de fondos (p. ej., grandes salidas de oro) son menos deseables como forma de cancelación de deuda externa que otras, como son la transferencia de monedas adquiridas a través del comercio internacional. El FMI ayuda a abordar problemas relacionados con la balanza de pagos. Ver también BALANZA COMERCIAL.

balanza de resorte Dispositivo de pesaje que usa la relación entre la carga aplicada y la deformación de un RESORTE o muelle. Esta relación suele ser lineal; es decir, si se duplica la carga, se duplica la deformación. Las balanzas de resorte o de muelle se usan mucho en el comercio. Las balanzas con grandes capacidades de carga frecuentemente se suspenden de ganchos de grúa y se conocen como balanzas de grúa.

balanza de torsión Dispositivo usado para medir la aceleración gravitatoria en la superficie de la Tierra. Se compone esencialmente de dos pequeñas masas a diferentes alturas, sostenidas en los extremos opuestos de un brazo. Este último está suspendido de un alambre que se tuerce porque la fuerza de gravedad afecta de manera diferente a ambas masas. Cuando el alambre se tuerce, un sistema óptico indica el ángulo de torsión y se podrá calcular el momento de torsión (ver TORQUE) o la fuerza de torsión. El momento de torsión se correlaciona con la fuerza de gravedad en el punto de observación. Balanza de torsión puede aludir también a un dispositivo utilizado para pesar, un tipo de balanza de brazos iguales.

Balatón, lago Lago de Hungría. Ubicado al sudoeste de Budapest, es el más extenso de Europa central, y cubre 598 km^2 (231 mi^2), con una profundidad máxima de unos 11 m (37 pies). Contiene dos reservas de vida silvestre. Mientras la agricultura sigue siendo importante en el área, la industria turística ha cobrado notoriedad y han surgido balnearios como Siófok y Balatonfüred.

Balbo, Italo (6 jun. 1896, cerca de Ferrara, Italia–28 jun. 1940, Tobruk, Libia). Aviador y político italiano. Dirigió a los CAMISAS NEGRAS fascistas en la marcha sobre ROMA (1922). Fue general de milicia (1923) y ministro de aviación (1929–33) en el gobierno de BENITO MUSSOLINI. Desarrolló la aviación militar y comercial italiana y se hizo famoso por promover masivos vuelos internacionales para demostrar el poder aéreo de Italia. Fue nombrado gobernador de Libia en 1933 y murió cuando su avión fue derribado accidentalmente por la artillería antiaérea italiana en Tobruk.

Balboa, Vasco Núñez de (1475, Badajoz, provincia de Extremadura, Castilla–12 ene. 1519, Acla, cerca del Darién, Panamá). Explorador y conquistador español. En 1500 exploró la costa de la actual Colombia; luego se estableció en La Española. Obligado a huir de los acreedores, se unió a una expedición de socorro a una colonia en Colombia. Convenció a los colonos de trasladarse al Darién, en la otra orilla del golfo de Urabá, en donde fundó Santa María de la Antigua del Darién o Santa María (1511), el primer asentamiento estable del continente sudamericano. En 1513 se convirtió en el primer europeo en contemplar las aguas orientales del océano Pacífico, tomando posesión del mar del Sur y tierras adyacentes para España. Aunque fue nombrado adelantado del mar del Sur, quedó subordinado a la autoridad de Pedro Arias Dávila, llamado Pedrarias Dávila (n. ¿1440?–m. 1531), recién nombrado gobernador de las provincias de Panamá y Coiba, quien, temeroso de su influencia, lo hizo arrestar y acusar de rebelión, traición y otros delitos. Después de un proceso absurdo, Balboa fue decapitado.

Balcanes, montes *búlgaro* **Stara Planina** Cadena montañosa de Europa oriental. Se extiende de este a oeste, a través del centro de Bulgaria, desde la frontera con Yugoslavia hasta el mar NEGRO; el punto más alto es el pico Botev, a 2.375 m (7.793 pies). La cadena forma la principal línea divisoria entre los ríos DANUBIO por el norte y el MARICA por el sur. La atraviesan alrededor de 20 pasos (especialmente, el paso de SIPKA), varias líneas ferroviarias y el río Iskur.

balcánica, Liga (1912–13). Alianza de Bulgaria, Serbia, Grecia y Montenegro que luchó contra el Imperio otomano en la primera de las guerras BALCÁNICAS. Creada supuestamente para limitar el poder austríaco en los Balcanes, en realidad fue formada por instigación de Rusia para expulsar a los turcos de esa misma región. Después de la victoria obtenida en la primera guerra balcánica, sus miembros entraron en disputa por la división de los territorios obtenidos, lo que significó el fin de la alianza.

Balcánica, península Península en Europa sudoriental. Situada entre el mar ADRIÁTICO, el MEDITERRÁNEO y los mares EGEO y NEGRO, en la península se encuentran varios países, entre ellos Eslovenia, Croacia, Bosnia y Herzegovina, Macedonia, Serbia y Montenegro, Rumania, Bulgaria, Albania, Grecia y la parte europea de Turquía. Desde 168 AC hasta 107 DC, una parte de la región fue incorporada como provincias al Imperio romano, entre otras Epiro, Moesia, Panonia, Tracia y Dacia. Con posterioridad, fue colonizada por los invasores eslavos, serbios, croatas, eslovenos y búlgaros eslavizados. Estos últimos fueron obligados a trasladarse a la región balcánica en el s. VI. Se organizó gradualmente en reinos, muchos de los cuales fueron invadidos por los turcos otomanos en los s. XIV–XV. A partir del s. XX, el conflicto entre facciones que se produjo en la zona, el cual provocó continuas divisiones y reagrupamientos de estados, dio origen al concepto de *balcanización.*

balcánicas, guerras (1912–13). Dos conflictos militares que privaron al Imperio OTOMANO de casi todo el territorio que aún poseía en Europa. En la primera guerra balcánica, el Imperio otomano perdió Macedonia y Albania, en virtud de los términos del tratado de paz (1913) impuestos por la triunfante Liga BALCÁNICA. El segundo de estos conflictos estalló después de que Serbia, Grecia y Rumania entraron en guerra con Bulgaria por la división de la conquistada Macedonia. Bulgaria fue derrotada, mientras que Grecia y Serbia se dividieron la mayor parte de Macedonia entre ambas. Estas guerras intensificaron las tensiones en los Balcanes y contribuyeron al estallido de la primera guerra mundial.

Balch, Emily Greene (8 ene. 1867, Jamaica Plain, Mass., EE.UU.–9 ene. 1961, Cambridge, Mass.). Socióloga estadounidense y activista de la paz. Asistió al Bryn Mawr College y, a partir de 1896, fue profesora de Wellesley College. Fundó un centro comunitario en Boston y perteneció a comisiones estaduales sobre relaciones industriales (1908–09) e inmigración (1913–14). En 1918 perdió su cargo de profesora por su oposición a la entrada de EE.UU. en la primera guerra mundial. En 1919, junto con JANE ADDAMS, colaboró en la fundación de la Women's International League for Peace and Freedom (Liga internacional de mujeres por la paz y la libertad). En 1946 compartió el Premio Nobel de la Paz con John R. Mott (n. 1865–m. 1955).

Baldaquín de bronce en la basílica de San Pedro, ciudad del Vaticano, obra de Gian Lorenzo Bernini, 1624–33.
SCALA—ART RESOURCE/EB INC.

baldaquín Dosel independiente de piedra, madera o metal que cubre un altar o tumba. El término italiano *baldacchino* originalmente se refería a un material brocado de Bagdad, colgado como un palio sobre un altar o trono. La forma arquitectónica característica consiste en cuatro columnas que soportan un CORNISAMENTO, que lleva una COLUMNATA en miniatura coronada por un techo piramidal o en gablete. El famoso baldaquín (1624–33) de bronce de GIAN LORENZO BERNINI se encuentra en la basílica de SAN PEDRO en Roma.

Baldovinetti, Alessio (14 oct. ¿1425?, Florencia–29 ago. 1499, Florencia). Artista italiano activo en Florencia. Poco se sabe de sus primeros estudios, pero su estilo evidencia la influencia de FRA ANGELICO y DOMENICO VENEZIANO. Dos de sus obras maestras, el fresco de *La Natividad* (1460–62) de la iglesia de la Santissima Annunziata, Florencia y su *Virgen con el niño* (década de 1460) en el Louvre representan, en segundo plano, vistas del valle del río Arno; estas se consideran las primeras pinturas europeas en incorporar el paisaje. Su obra, aunque rara vez innovadora, ejemplifica el cuidadoso modelado de la forma y la representación precisa de la luz, tan característica del estilo más progresivo de la pintura florentina de la última mitad del s. XV. Asimismo, diseñó los mosaicos ubicados encima de las puertas de LORENZO GHIBERTI en el baptisterio de Florencia (1453–55) y también realizó diseños para vitrales y marquetería.

"Virgen con el Niño", óleo sobre tela de Alessio Baldovinetti, c. 1465; Museo del Louvre, París.
GIRAUDON—ART RESOURCE/EB INC.

Baldr En la mitología nórdica, el hijo justo y hermoso de ODÍN y Frigg. Nada podía dañarlo, excepto el muérdago. Sabiendo que era invulnerable, los dioses se divertían lanzándole cosas. Engañado por LOKI, el dios ciego Hödr (Hoder) le lanzó muérdago y lo mató. Loki, disfrazado de la gigante Thökk, se negó a llorar las lágrimas que habrían liberado a Baldr del otro mundo.

Balduino I *llamado* **Balduino de Boulogne** (¿1058?–2 abr. 1118, Al-Arish, Egipto). Rey de Jerusalén (1100–18). Hijo de un conde francés, se unió a la primera CRUZADA y creó el primer estado cruzado cuando conquistó Edesa (en la actual Turquía) en 1098. En 1100, su hermano Godofredo murió en Jerusalén y entonces fue llamado por los nobles para sucederlo como rey del estado cruzado y defensor del Santo Sepulcro. Expandió el reino conquistando ciudades costeras como Arsuf y Cesarea, construyó el importante krak de Montreal (fortaleza) y estableció una administración que durante 200 años sirvió como base al dominio franco en Siria y Palestina.

Balduino I (1172, Valenciennes–1205). Primer emperador latino de Constantinopla (1204–05). Conde de Flandes y Hainaut, fue uno de los líderes de la cuarta CRUZADA contra el Imperio bizantino. Ayudó a instalar un emperador pro latino (1203). Cuando los cruzados en Constantinopla tomaron el poder, fue elegido emperador (1204) y reconocido por el papa. Estableció un gobierno según el modelo europeo occidental, concediendo tierras de Grecia a sus caballeros, pero fue derrotado, hecho prisionero y ejecutado por invasores búlgaros.

Balduino I (7 sep. 1930, castillo de Stuivenberg, cerca de Bruselas, Bélgica–31 jul. 1993, Motril, España). Rey de Bélgica (1951–93). Hijo del rey LEOPOLDO III, vivió junto a su familia bajo arresto domiciliario durante la ocupación alemana de Bélgica en la segunda guerra mundial. Después de un exilio de posguerra en Suiza, se convirtió en rey al abdicar su padre (1951). Ayudó a restaurar la confianza en la monarquía debilitada tras el tormentoso reinado de su progenitor, convirtiéndose en una fuerza unificadora en un país dividido entre las facciones flamenca (holandesa) y francófona. Casado con Fabiola, no tuvieron descendencia por lo que le sucedió su hermano Alberto II.

Balduino II *llamado* **Balduino de Bourg** (m. ago. 1131, Jerusalén). Rey de Jerusalén (1118–31). Noble francés, se unió a la primera CRUZADA y fue nombrado conde de Edesa por su primo BALDUINO I en 1100. Capturado por los turcos selyúcidas en 1104, fue rescatado cuatro años más tarde y recuperó Edesa por medio de la fuerza. Se convirtió en rey de Jerusalén en 1118 a la muerte de Balduino I. Fue retenido como rehén por los turcos en 1123–24. Luego expandió su reino y atacó Damasco con la ayuda de los caballeros de MALTA y los TEMPLARIOS. Concertó el matrimonio de su hija Melisend con Fulk V de Anjou y los nombró sus sucesores.

Balduino II Porfirogéneta (1217, Constantinopla–oct. 1273, Foggia, reino de Sicilia). Quinto y último emperador latino de Constantinopla (1228–61). Hijo del tercer emperador latino (Porfirogéneta significa nacido del púrpura, es decir, de nacimiento real), heredó el trono a la muerte de su hermano. Debido a su agotado tesoro y a que el imperio se vio reducido al área que rodeaba Constantinopla por las invasiones de griegos y búlgaros, debió viajar en dos ocasiones a Europa occidental en busca de ayuda. Vendió reliquias sagradas a LUIS IX de Francia y destruyó partes del palacio imperial para usarlo como leña. Perdió el trono en 1261 cuando MIGUEL VIII PALEÓLOGO capturó Constantinopla y restauró el gobierno griego. Huyó a Europa y murió más tarde en Sicilia.

Balduino IV *llamado* **Balduino el Leproso** (1161–mar. 1185, Jerusalén). Rey de Jerusalén (1174–85). Fue coronado a la edad de 13 años después de la muerte de su padre, pero el reino fue gobernado por una serie de regentes. Sufrió de lepra a lo largo de toda su corta vida, lo que contribuyó a las luchas por el poder entre la nobleza. Derrotó a SALADINO en 1177, asegurando así una tregua de dos años, pero en 1183 Saladino capturó Alepo y completó el cerco de Jerusalén. Coronó a su sobrino como rey en 1183.

Baldung, Hans *o* **Hans Baldung Grien** (c. 1484, Schwäbisch Gmünd, Württemberg–1545, Ciudad imperial libre de Estrasburgo). Pintor y artista gráfico alemán. Fue asistente de ALBERTO DURERO en Nuremberg y trabajó en Estrasburgo en calidad de pintor oficial del episcopado. Es sobre todo conocido por el gran altar de la catedral de Friburgo, donde vivió en 1512–17. Su producción fue variada y extensa, y abarcó pinturas religiosas, alegorías, mitologías, retratos, diseños para vitrales, tapicerías e ilustraciones de libros. Sus pinturas se consideran tan importantes como sus dibujos, grabados y xilografías, las que frecuentemente representaban temas como "la danza de la muerte" y "la muerte y la doncella". Baldung está próximo al estilo y espíritu de MATTHIAS GRÜNEWALD, por su atracción hacia lo horrendo.

Baldwin (de Bewdley), Stanley, 1er conde (3 ago. 1867, Bewdley, Worcestershire, Inglaterra–14 dic. 1947, Astley Hall, cerca de Stourport-on-Severn, Worcestershire). Político británico. Después de administrar las grandes propiedades industriales de su familia, se convirtió en miembro conservador de la Cámara de los Comunes (1908–37). Fue secretario financiero del tesoro (1917–21), ministro de comercio (1921–22) y posteriormente fue designado primer ministro (1923–24, 1924–29, 1935–37). Declaró el estado de emergencia durante la huelga general de 1926 y luego consiguió la aprobación de una ley de conflictos laborales de carácter antisindical. Nombrado nuevamente primer ministro en 1935, comenzó a fortalecer a las fuerzas armadas británicas mientras que demostraba poca preocupación pública por las políticas agresivas de Alemania e Italia. Fue criticado por no condenar la conquista italiana de Etiopía. En 1936 satisfizo a la opinión pública al conseguir la abdicación de EDUARDO VIII, cuyo deseo de contraer matrimonio con la divorciada Wallis Simpson amenazaba, en su opinión, el prestigio de la monarquía.

Stanley Baldwin, 1932.
BASSANO & VANDYK

Baldwin, James (Arthur) (2 ago. 1924, Nueva York, N.Y., EE.UU.–1 dic. 1987, Saint-Paul, Francia). Novelista, dramaturgo y ensayista estadounidense. Creció en un ambiente de pobreza en el distrito neoyorquino de Harlem, y se hizo predicador durante su adolescencia. Después de 1948 vivió por temporadas en Francia y EE.UU. Su primera novela, de carácter semiautobiográfico, fue *Ve y dilo en la montaña* (1953), considerada su mejor obra. Más tarde publicó los volúmenes de ensayos *Notas de mi hijo nativo* (1955) y *Nadie sabe mi nombre* (1961); las novelas *El cuarto de Giovanni* (1956), una historia de amor homosexual, y *Otro país* (1962); el polémico y extenso ensayo *La próxima vez el fuego* (1963), en que vaticina la expansión de la violencia racial, y la obra teatral *Blues para mister Charlie* (estrenada en 1964). Fue considerado durante muchos años el más connotado escritor de raza negra en virtud a su pasión y elocuencia en torno al tema racial.

James Baldwin.
UPI

Baldwin, Robert (12 may. 1804, York, Alto Canadá–9 dic. 1858, Toronto, Canadá). Político canadiense. Obtuvo el título de abogado en 1825 e inició su carrera política en la Asamblea Legislativa de Alto Canadá, en representación de York (1829–30). En 1842–43, Baldwin y Louis Hyppolyte LaFontaine formaron el primer gobierno del partido liberal; en 1848, cuando los liberales recuperaron el poder, lograron establecer un gobierno responsable, esto es, dirigido por el gabinete de ministros con responsabilidad ante el poder legislativo. Renunció en 1851.

Baldwin, Roger (Nash) (21 ene. 1884, Wellesley, Mass, EE.UU.–26 ago. 1981, Ridgewood, N.J.). Dirigente estadounidense de derechos civiles. Hijo de una aristocrática familia de Massachusetts, asistió a la Universidad de Harvard y enseñó sociología en la Universidad de Washington (1906–09), en St. Louis, donde también fue jefe de los agentes de vigilancia de delincuentes juveniles del tribunal de menores de la ciudad y ejerció como secretario de su Liga Cívica. Cuando EE.UU. entró en la primera guerra mundial, fue director de la institución pacifista American Union Against Militarism (Unión estadounidense contra el militarismo), predecesora de la AMERICAN CIVIL LIBERTIES UNION (ACLU) (Organización de libertades civiles). En su calidad de director de la ACLU (1920–50) y presidente nacional de la misma (1950–56), dio carácter universal a los derechos civiles, otrora causa predominantemente izquierdista.

Baleares, islas Archipiélago, (pob., 2001: 841.669 hab.), en el oeste del mar Mediterráneo, comunidad autónoma y provincia de España. Ocupa una superficie de 4.992 km^2 (1.927 mi^2); su capital es PALMA DE MALLORCA. Las principales islas son MALLORCA, Menorca, Ibiza, Formentera y Cabrera. Habitada desde tiempos remotos, las islas fueron gobernadas por CARTAGO en el s. V AC, por Roma c. 120 AC, y por el Imperio bizantino desde 534 DC. Invadida por los árabes, la zona fue conquistada en el s. X por la dinastía OMEYA de CÓRDOBA. Fue reconquistada por los españoles y unida con el reino de ARAGÓN en 1344. Luego de haber sido disputadas en el s. XVIII por españoles, británicos y franceses, las islas quedaron bajo dominio español en 1802. Su moderna economía se basa principalmente en el turismo.

Balenciaga, Cristóbal (21 ene. 1895, Guetaria, España–23 mar. 1972, Valencia). Diseñador de modas francoespañol. De niño estudió el arte y oficio de la costura. Una visita que realizó a París fue su fuente de inspiración para volcarse al diseño de modas. A los 20 años de edad tenía ya su propia firma en San Sebastián. Durante los siguientes 15 años fue el modisto líder de España. En 1937, cuando la guerra civil española interrumpió su negocio, se mudó a París. Durante los siguientes 30 años sus colecciones presentaron vestidos y trajes suntuosamente elegantes. Balenciaga ayudó a popularizar la tendencia a usar capas y ropa suelta, sin talle, a fines de la década de 1950, así como al uso del plástico para la ropa de lluvia a mediados de la década de 1960. Se retiró en 1968.

Balfour (de Whittingehame), Arthur James, 1er conde (25 jul. 1848, Whittingehame, East Lothian, Escocia–19 mar. 1930, Woking, Surrey, Inglaterra). Estadista británico. Sobrino del marqués de SALISBURY, fue miembro del parlamento (1874–1911) y secretario para Irlanda (1887–91) en el gobierno de su tío. A partir de 1891 fue líder del Partido Conservador en el parlamento y sucedió a su tío como primer ministro (1902–05). Ayudó a crear la ENTENTE CORDIALE (1904). Se hizo célebre en 1917 cuando, como secretario de asuntos exteriores (1916–19), escribió la llamada Declaración BALFOUR, en la que expresaba formalmente la aprobación británica al SIONISMO. Fue lord presidente del Consejo (1919–22, 1925–29) y redactó el Informe Balfour (1926), que definió las relaciones entre Gran Bretaña y sus dominios establecidas en el estatuto de WESTMINSTER.

Arthur James Balfour, c. 1900.
BASSANO & VANDYK

Balfour, Declaración (2 nov. 1917). Declaración del secretario de asuntos exteriores británico, ARTHUR JAMES BALFOUR, realizada en una carta a Lionel Walter Rothschild, uno de los líderes de los judíos británicos, a instancias de los líderes judíos sionistas rusos, CHAIM WEIZMANN y Nahum Sokolow. La declaración prometía el establecimiento de una patria para el pueblo judío en PALESTINA que no perturbaría a los grupos no judíos que ya residían allí. Los británicos preveían un mandato sobre Palestina para después de la primera guerra mundial (1914–18), esperando ganar la opinión pública judía para la causa de los aliados. También esperaban que los colonos pro británicos los ayudaran a proteger los accesos al canal de SUEZ, ruta vital que unía a Gran Bretaña con sus posesiones en el sur de Asia.

Templo de Ulu Danau a orillas del lago Bratan, construido en el s. XVII en honor a la diosa del agua; Bali, Indonesia.
ARCHIVO EDIT. SANTIAGO

Bali Isla (pob., est. 2000: 3.151.162 hab.) de Indonesia. Forma parte del archipiélago de las islas menores de la Sonda, frente a la costa oriental de JAVA, y junto con otras islas pequeñas adyacentes constituyen una provincia de Indonesia. Sus ciudades principales son Singaraja y Denpasar, capital provincial. Es una isla montañosa y su cumbre más alta es el monte Agung (3.142 m [10.308 pies]). Fue colonizada antiguamente por India, lo que se complementó durante el s. XVI con inmigrantes provenientes de Java; Bali es el último reducto del HINDUISMO en el archipiélago indonesio. Aunque navegantes holandeses arribaron por primera vez a fines del s. XVI, no fue hasta finales del s. XIX que pasó a dominio holandés. Los japoneses la ocuparon durante la segunda guerra mundial y pasó a formar parte de Indonesia en 1950. El turismo es uno de los actuales sostenes de su economía.

balinés Pueblo de la isla de BALI, Indonesia. Se diferencian de otros indonesios por su adhesión al HINDUISMO, aunque su cultura ha sido muy influenciada por los javaneses. En sus aldeas cada familia vive en su propia vivienda, rodeada por murallas de barro o piedra. Todas las aldeas tienen templos y un salón de asambleas. Su religión fusiona el SHIVAÍSMO hindú con el BUDISMO, el culto a los ANTEPASADOS y la creencia en los espíritus y la MAGIA. El matrimonio está a menudo restringido a los miembros de una misma organización de PARENTESCO y las relaciones familiares están determinadas según el linaje masculino.

Baliol, Juan de ver JUAN DE BALIOL

balista Antiguo lanzador de proyectiles diseñado para arrojar flechas largas o bolas pesadas. La versión griega era básicamente una enorme BALLESTA adosada a un soporte. La balista romana obtenía su fuerza de la torsión de dos gruesos enjambres de cuerdas trenzadas a través de las cuales pasaban dos brazos independientes, cuyos extremos estaban unidos por la cuerda que impulsaba al proyectil. Las balistas más grandes podían arrojar con precisión pesos de unos 27 kg (60 lb) hasta alrededor de 450 m (500 yd).

balística Ciencia de la propulsión, vuelo e impacto de los proyectiles. La balística interna trata sobre la propulsión de los proyectiles, como dentro del cañón de un arma de fuego o en el lanzamiento de un cohete. Las armas de fuego y los motores cohete convierten la ENERGÍA QUÍMICA del combustible propulsor en la ENERGÍA CINÉTICA de los proyectiles. La balística externa trata sobre el vuelo del proyectil. La trayectoria o recorrido de un proyectil está sujeta a las fuerzas de gravedad (ver GRAVITACIÓN), ARRASTRE por viscosidad del aire y SUSTENTACIÓN del mismo. La balística terminal trata sobre el impacto de proyectiles en un blanco. La balística de la herida trata sobre los mecanismos e implicancias médicas del trauma causado por balas y fragmentos proyectados explosivamente, como la metralla o esquirlas de una granada.

Baljash, lago Lago en el este de Kazajstán. Mide cerca de 600 km (375 mi) de largo, con una profundidad máxima cercana a 25 m (85 pies). Se alimenta principalmente de las aguas del río Ili, que desemboca en el lago en un ancho delta desde el sudeste. Las inclemencias climáticas afectan enormemente su tamaño; su superficie ha variado desde cerca de 15.500 km^2 (6.000 mi^2) a 19.000 km^2 (7.300 mi^2), según las precipitaciones estacionales. Se congela de noviembre a marzo. Los embalses y la contaminación industrial han causado graves daños ecológicos desde mediados del s. XX.

Ball, Lucille (Désirée) (6 ago. 1911, Celoron, cerca de Jamestown, N.Y., EE.UU.–26 abr. 1989, Los Ángeles, Cal.). Actriz y estrella de televisión estadounidense. Actuó en películas desde 1933 y protagonizó una serie cómica radial a partir de 1947. Con su marido, el director de orquesta Desi Arnaz, creó la tremendamente exitosa serie cómica de televisión *I Love Lucy* (1951–57) y posteriormente *Lucy-Desi Comedy Hour* (1957–60). Después de su divorcio en 1960, Ball actuó en *The Lucy Show* (1962–68) y *Here's Lucy* (1968–74). Con su cabello pelirrojo, su voz estridente y su divertido personaje alternadamente desvergonzado y femenino, fue la estrella más importante de las primeras décadas de la televisión en EE.UU.

Lucille Ball y Desi Arnaz.
PHOTOFEST

ballade Una de las diversas FORMES FIXES (formas fijas) en la poesía lírica y la canción francesa, cultivada particularmente en los s. XIV y XV. Consta de tres estrofas principales que tienen el mismo esquema de rima, y una estrofa dedicatoria final que suele ser más breve; las cuatro estrofas repiten el mismo estribillo en el último verso. Estos textos eran a menudo solemnes y formales, y se caracterizaban por su elaborado simbolismo y alusiones clásicas. Aunque existen ejemplos de este género lírico en la poesía de distintas épocas y regiones, la *ballade* en su forma más pura sólo se cultivó en Francia e Inglaterra. Sus orígenes se remontan a las canciones de los TROVADORES y TROVEROS.

Ballard, J(ames) G(raham) (n. 15 nov. 1930, Shanghai, China). Escritor británico. Ballard pasó cinco años de su infancia en un campo de prisioneros en Japón, experiencia que describió en *El imperio del sol* (1984; película, 1987). Suele ambientar sus relatos de ciencia ficción en parajes ecológicamente alterados, producto de la perversa y excesiva explotación de la tecnología. Entre sus apocalípticas novelas, salpicadas muchas de ellas de una inusitada violencia, se cuentan *Crash* (1973; película, 1996), *La isla de cemento* (1974) y *Rascacielos* (1975). Sus últimas obras incluyen la colección de cuentos *War Fever* [Fiebre de guerra] (1990) y las novelas *La bondad de las mujeres* (1991) y *Noches de cocaína* (1998).

Ballard Robert D(uane) (n. 1942, Wichita, Kan., EE.UU.). Oceanógrafo y geólogo marino estadounidense. Creció cerca de San Diego, Cal. En su labor como científico marino en el Instituto de investigación oceanográfica Woods Hole (Mass.), fue pionero en el uso de sumergibles de inmersión profunda, participó en la primera exploración tripulada a la dorsal MESOATLÁNTICA, y descubrió fuentes termales y sus extrañas comunidades animales en la falla de las Galápagos. Es más conocido por su espectacular descubrimiento del naufragio del TITANIC, en 1985. Desde entonces, se ha dedicado a buscar barcos hundidos en combate durante la segunda guerra mundial.

ballena Cualquiera de las decenas de especies de MAMÍFEROS exclusivamente acuáticos que se encuentran en los océanos, mares, ríos y estuarios del mundo, siendo en especial abundantes en el océano Antártico. Las ballenas se distinguen con facilidad de las MARSOPAS y DELFINES y algunas veces de los NARVALES, aunque todos son CETÁCEOS. Ver también BALLENA BARBADA; BALLENA DENTADA.

ballena asesina ver ORCA

ballena azul BALLENA BARBADA moteada y de color azul grisáceo (*Balaenoptera musculus*), también llamada ballena de vientre azufrado por el color amarillento producido por DIATOMEAS presentes en algunos ejemplares. La ballena azul es el más grande de los animales actuales; alcanza como máximo un largo de 30 m (100 pies) y un peso de 136.000 kg (150 t). Se encuentra solitaria o en pequeños grupos en todos los océanos. Durante el verano se alimenta de KRILL en aguas polares y en invierno migra hacia el ecuador para reproducirse. Fue una de las ballenas barbadas comerciales más cazadas llegando a reducirse notablemente su número. Considerada una de las ESPECIES EN PELIGRO DE EXTINCIÓN, en la actualidad se encuentra protegida.

ballena barbada Cualquiera de unas 13 especies de CETÁCEOS del suborden Mysticeti. Se caracterizan por poseer una estructura alimentaria especializada, llamada barba, que filtra PLANCTON y pequeños crustáceos del agua. Consiste en dos placas córneas adheridas al paladar. Cada placa (de hasta 3,6 m o 12 pies en la BALLENA FRANCA) se compone de hileras de flecos que se trenzan formando un colador. Otras ballenas barbadas son la BALLENA AZUL, el RORCUAL COMÚN, la ballena gris, la BALLENA JOROBADA, la BALLENA SEI y el RORCUAL. Estas placas se usaron otrora para fabricar las barbas de los corsés y todavía se usan para fabricar algunos cepillos industriales.

ballena dentada Nombre común aplicado a los CETÁCEOS miembros del suborden Odontoceti. Estas ballenas poseen dientes cortantes y una gran garganta capaz de tragar trozos de calamares gigantes, sepias y todo tipo de peces. Se incluyen en este grupo la BELUGA, la ORCA o ballena asesina, la BALLENA PILOTO, el CACHALOTE y otros mamíferos como los DELFINES, MARSOPAS y NARVALES.

ballena franca Cualquiera de las cinco especies (géneros *Balaena*, *Eubalaena* y *Caperea*) de BALLENAS BARBADAS (familia Balaenidae) corpulentas y de cabeza enorme. (El nombre ["right" en inglés] alude a dos especies de ballenas cuya caza es conveniente, apreciadas por su valor, lentitud al nadar y flotabilidad después de muertas). La mandíbula superior se presenta muy arqueada y el labio inferior se curva hacia arriba lateralmente, dándole a la mandíbula inferior una forma de cuchara. No poseen aleta dorsal, a excepción de la ballena franca pigmea (*Caperea marginata*), una pequeña ballena rara vez avistada, del hemisferio sur. La ballena de cabeza arqueada (*Balaena mysticetus*) habita el Ártico y las aguas templadas del norte, es negra pero de mentón, cuello y a veces vientre blancos. Alcanza unos 20 m (65 pies) de largo. La ballena franca del norte (*E. glacialis*) mide 18 m (60 pies). Similar a la ballena de cabeza arqueada, su arco cefálico es menos pronunciado y más reducido y puede presentar un "bonete", una protuberancia córnea infectada de parásitos en su hocico. Ambas especies están bajo protección desde 1946.

ballena jorobada BALLENA BARBADA de largas aletas (*Megaptera novaeangliae*). Viven cerca de la costa de todos los océanos y ocasionalmente nadan cerca de las orillas e incluso incursionan en los puertos o ríos. Llegan a medir 12–16 m (40–52 pies) de largo. Tienen el dorso de color negro y el vientre blanquecino y presentan grandes protuberancias en la cabeza y mandíbulas. Migran entre las aguas polares en verano y los lugares de reproducción tropicales y subtropicales en invierno. Se alimentan de crustáceos del tipo de los langostinos, pequeños peces y plancton. Es probablemente la ballena más vocinglera (emite "cantos" por períodos de 5–35 minutos) y una de las más acrobáticas (capaz de dar volteretas). La caza excesiva redujo drásticamente su población, pero luego de haber sido protegida en todo el mundo desde la década de 1960, algunas poblaciones parecen haberse incrementado.

ballena piloto Cualquiera de las tres especies (género *Globicephala*, familia Delphinidae) de BALLENAS DENTADAS que se encuentran en todos los océanos, excepto en el Ártico y Antártico. También se la ha bautizado con el nombre onomatopéyico de ballena caa'ing, por el bramido que da cuando queda varada. Es de color negro, salpicado de manchas más claras en la garganta y pecho, tiene una frente redonda y abultada, nariz corta y picuda, aletas delgadas y puntiagudas y llega a medir 4–6 m (13–20 pies) de largo. Se agrupan en grandes cardúmenes de cientos o miles de individuos y se alimentan principalmente de calamares. Han sido mantenidas en acuarios marinos y entrenadas para actuar.

ballena sei *o* **rorcual de Rudolphi** Especie veloz (*Balaenoptera borealis*) de BALLENA BARBADA de la familia de los RORCUALES. Mide 13–15 m (40–50 pies) de largo, es de color gris azulada o negruzca en el dorso y más pálida en el vientre. Tiene aletas pequeñas, unos 50 surcos cortos longitudinales en el pecho y barbas oscuras con flecos internos pálidos y sedosos. Habita todos los océanos desde el Ártico al Antártico, migra entre aguas frías y templadas durante el verano y se reproduce en invierno en aguas cálidas.

Ballenas, bahía de las Antigua ensenada del mar de Ross, barrera de hielo ROSS, en la Antártida. Fue vista por primera vez en 1842 por el explorador británico James C. Ross. La bahía era la ensenada abierta más meridional del continente en el verano y en ella se ubicaban varias bases importantes para la exploración antártica. Tenía más de 16 km (10 mi) de ancho en 1911, pero se fue angostando gradualmente en la medida que avanzaban y chocaban las capas de hielo. Terminó por desaparecer en 1987 cuando un témpano de 159 km (99 mi) de largo se desprendió de la barrera de hielo Ross.

ballenas, caza de Cacería de BALLENAS para alimento, aceite, o ambos. La caza de ballenas se remonta a tiempos prehistóricos, cuando los pueblos árticos usaban herramientas de piedra para cazarlas. Aprovechaban la totalidad del animal, una proeza que los balleneros comerciales occidentales no llegaron a alcanzar sino hasta el advenimiento de los buques factoría en el s. XX. Los vascos fueron los primeros europeos en cazar ballenas en forma comercial; cuando se empezaron a construir barcos adecuados para navegar en alta mar, se lanzaron a mar abierto (s. XIV–XVI). Fueron seguidos por los holandeses y alemanes en el s. XVII, y por los ingleses y colonos de sus posesiones en el s. XVIII. En 1712 se mató el primer CACHALOTE; su aceite resultó ser de más valor que el de la BALLENA FRANCA, que hasta entonces había sido el objetivo de las empresas balleneras. Las expediciones balleneras en persecución del cachalote, por su amplio hábitat, podían durar hasta cuatro años. El descubrimiento del petróleo (1859), la sobreexplotación, el uso de aceite vegetal, y la sustitución en los corsés de las barbas de ballenas (también llamadas simplemente "ballenas") por láminas de acero, llevaron a una rápida declinación de la caza de ballenas hacia fines del s. XIX. Pero innovaciones introducidas por los noruegos hicieron comercialmente posible la caza de las hasta entonces ballenas "inútiles" (RORCUALES, entre ellas la BALLENA AZUL y la BALLENA SEI; "inútiles" porque se hundían después de muertas). Con ello el número de ballenas capturadas se elevó entre 1900–11, de menos de 2.000 a más de 20.000. Los noruegos y los británicos dominaron la caza de ballenas hasta mediados del s. XX, cuando la sobreexplotación la hizo nuevamente no rentable para la mayoría de los países, excepto para Japón y la Unión Soviética, que se convirtieron en los principales países balleneros. La preocupación por la casi total extinción de muchas especies llevó en 1946 al establecimiento de la Comisión ballenera internacional. La caza comercial de ballenas fue prohibida en 1986, pero varios países se negaron a acatar la prohibición. A comienzos del s. XXI, Noruega y Japón continúan cazando anualmente cientos de ballenas de especies consideradas fuera de peligro.

ballesta El arma para lanzar proyectiles más importante de la Edad Media, consistente en un arco corto fijado transversalmente sobre una pieza de madera, dotada de una ranura para guiar el proyectil, y de un gatillo para soltarlo. El proyectil a menudo era una flecha, un dardo o un bodoque. Usado ya en la antigüedad, fue un importante avance en la actividad bélica. Su poder destructivo provenía de su arco metálico, que podía

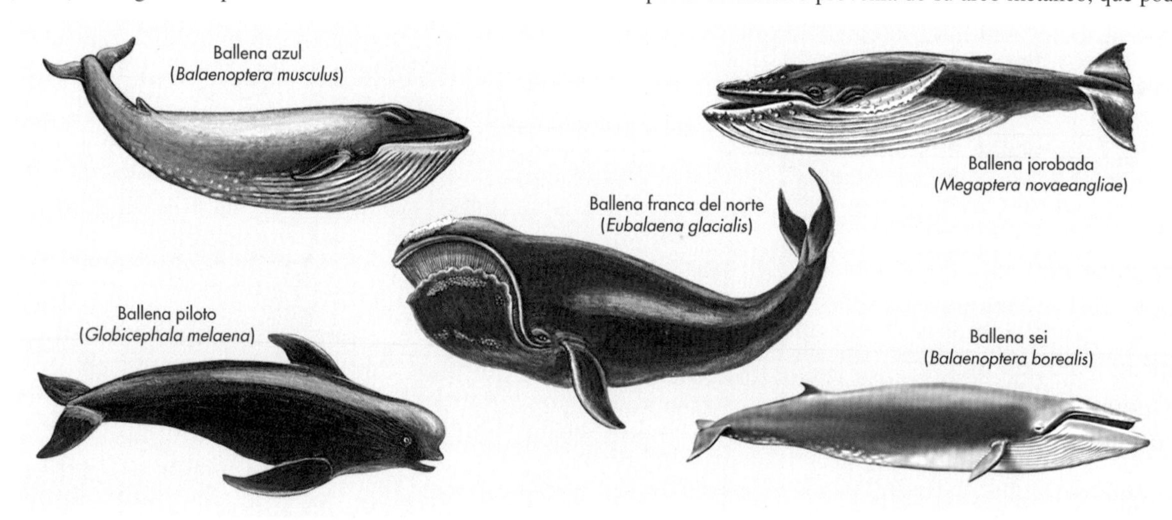

Diferentes especies de ballena.

proyectar la flecha a una velocidad suficiente para penetrar una COTA DE MALLAS y le proporcionaba un alcance de hasta 300 m (1.000 pies). Potente y versátil, permaneció en uso incluso con posterioridad a la introducción del ARCO LARGO INGLÉS y de las armas de fuego, y no fue desechada hasta el s. XV. Ha sido usada en tiempos modernos para la caza mayor.

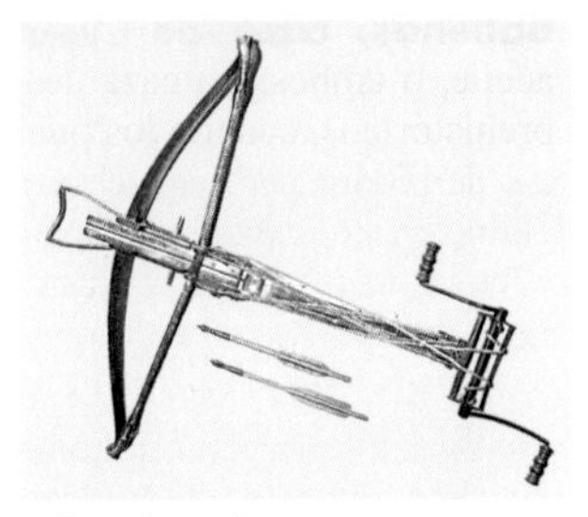
Ballesta de estribo, Francia, s. XIV.
GENTILEZA DE WEST POINT MUSEUM COLLECTIONS, ACADEMIA MILITAR DE EE.UU.

Ballesteros, Seve(riano) (n. 9 abr. 1957, Pedreña, España). Golfista español. Hermano de otros tres golfistas profesionales, ganó varias veces el Open británico (1979, 1984 y 1988) y el Torneo de Maestros (1980 y 1983). Además fue capitán del equipo europeo ganador de la Copa Ryder en 1997. Conocido por su vistoso e imaginativo estilo de juego, a fines de la década de 1990 acumulaba más de 70 triunfos en torneos internacionales.

ballet Danza teatral en que se combina una técnica académica formal llamada danza de escuela (*danse d'école*) con música, vestuario y escenografía. Desarrollado a partir de espectáculos cortesanos renacentistas, el ballet se renovó bajo Luis XIV, quien fundó en 1661 la Académie Royale de Danse de Francia, donde Pierre Beauchamp creó las cinco posiciones de BALLET. Los primeros ballets se acompañaban muchas veces de canto y compositores como JEAN-BAPTISTE LULLY los integraron en óperas ballets. En el s. XVIII, JEAN GEORGES NOVERRE y GASPARO ANGIOLINI crearon en forma paralela el ballet dramático (*ballet d'action*), narración de una historia que mezclaba pasos de danza y mímica; esta reforma repercutió en la música de CHRISTOPH WILLIBALD GLUCK. Entre los adelantos importantes de comienzos del s. XIX destacan el trabajo en pointe (equilibrio sobre las puntas de los dedos) y la aparición de las primeras bailarinas, como MARIA TAGLIONI y FANNY ELSSLER. A fines del s. XIX y comienzos del s. XX, Rusia se convirtió en el centro de las producciones y espectáculos de ballet, gracias al trabajo de innovadores como SERGEI DIÁGUILEV, ANNA PAVLOVA, VASLAV NIJINSKI, MARIUS PETIPA y MICHEL FOKINE; PIOTR CHAIKOVSKI e ÍGOR STRAVINSKI compusieron notables ballets. Desde entonces, las escuelas de ballet han elevado el nivel de su ballet a la altura del ballet ruso y han aumentado significativamente su audiencia. Ver también AMERICAN BALLET THEATRE; BALLET RUSO DE MONTECARLO; BALLETS RUSOS; Ballet BOLSHÓI; NEW YORK CITY BALLET; ROYAL BALLET.

Ballet Australiano Principal compañía de ballet de Australia. En 1962 fue auspiciada por patrocinadores de arte interesados en promover un ballet nacional. Peggy van Praagh fue su primera directora artística (1962–74). Desde 1965 la compañía ha recorrido Europa y América del Norte.

Arabesco ejecutado por Natalia Bessmertnova junto a Nikolái Fadéiechev; El lago de los cisnes, Ballet Bolshói.
NOVOSTI–SOVFOTO

ballet, posición de Cualquiera de las cinco posiciones fundamentales de los pies, de todo el BALLET clásico. Las posiciones fueron codificadas por primera vez en 1680 por Pierre Beauchamp (n. 1636–m. 1705) y constituyen la base sobre la cual el bailarín o bailarina logra la estabilidad o equilibrio (*aplomb*), ley básica del ballet. El giro, o rotación de las piernas hacia afuera desde las caderas, es fundamental para todas las posiciones, creando así una base firme para el movimiento en cualquier dirección. Las distintas posiciones de brazos y manos (*port de bras*) completan las figuras.

Ballet ruso de Montecarlo Compañía de ballet fundada en Montecarlo en 1932. Su nombre proviene de los BALLETS RUSOS de SERGEI DIÁGUILEV, disueltos después de su muerte en 1929. Bajo René Blum y Col. W. de Basil, esta compañía presentó obras de LEONID MASSINE y GEORGE BALANCHINE y contó con la actuación estelar de ALEXANDRA DANÍLOVA, ANDRÉ EGLEVSKI y David Lichine. En 1938 las discrepancias llevaron a la división de la compañía en dos grupos: el Ballet ruso original (dirigido por Basil), que realizó giras internacionales antes de su disolución en 1948; y el Ballet ruso de Montecarlo (dirigido por Massine), que hizo giras principalmente en EE.UU., con la Danílova, ALICIA MARKOVA y MARIA TALLCHIEF hasta 1963.

Ballets rusos Compañía de ballet rusa con sede en París. Fue llevada por SERGEI DIÁGUILEV en 1909 desde los teatros de la Rusia imperial a París. Considerada la cuna del ballet moderno, esta compañía empleó a los talentos creativos más destacados de la época. Entre sus coreógrafos se encuentran MICHEL FOKINE, LEONID MASSINE, BRONISLAVA NIJINSKA y GEORGE BALANCHINE, y entre sus bailarines, EKATERINA GELTSER, TAMARA KARSAVINA y VASLAV NIJINSKI. La música era encargada a compositores como ÍGOR STRAVINSKI, MAURICE RAVEL, DARIUS MILHAUD, SERGUÉI PROKÓFIEV y CLAUDE DEBUSSY, y los ballets presentaban escenografías diseñadas por artistas como ALEXANDR BENOIS, PABLO PICASSO, GEORGES ROUAULT, HENRI MATISSE y ANDRÉ DERAIN.

Ballinger, Richard A(chilles) (9 jul. 1858, Boonesboro, Iowa, EE.UU.–6 jun. 1922, Seattle, Wash.). Secretario del interior estadounidense (1909–11). En su calidad de alcalde reformista de Seattle, estado de Washington (1904–06), concitó la atención nacional y en 1907 fue nombrado comisionado de la Oficina general de tierras; en 1909 ocupó el cargo de secretario del interior. Durante los dos años de su desempeño en ese puesto procuró aumentar la disponibilidad de recursos públicos para explotaciones privadas. Se vio envuelto en un negocio fraudulento de tierras en Alaska y aunque fue absuelto luego de una investigación parlamentaria, renunció a su cargo en 1911. El episodio dividió a los republicanos entre conservadores, encabezados por el pdte. WILLIAM H. TAFT, y progresistas leales a THEODORE ROOSEVELT.

Ballot Act (1872). Ley británica que introdujo la papeleta secreta en todas las elecciones parlamentarias y municipales. La papeleta secreta fue también llamada papeleta australiana, porque fue usada por primera vez en las elecciones de esa nación (1856). La ley británica, ideada para proteger a los votantes del cohecho y la coerción, fue uno de los logros más importantes de la primera administración de WILLIAM GLADSTONE.

Ballycastle Localidad (pob., 1991: 4.005 hab.), sede del distrito de MOYLE, Irlanda del Norte. Se sitúa a lo largo de la bahía de Ballycastle, frente a una isla donde se dice que el rey de Escocia ROBERTO I se ocultó de sus enemigos en una cueva. Es centro de comercio, puerto pesquero y balneario.

Ballymena Distrito (pob., 2001: 58.610 hab.) de Irlanda del Norte, establecido en 1973. Zona agrícola. Los montes de Antrim, que alcanzan una altura de 435 m (1.430 pies), atraviesan el este del distrito y van descendiendo hasta el valle del río MENO. La ciudad de Ballymena, capital del distrito, es un centro comercial para la zona circundante; es famosa desde hace mucho tiempo por su producción de lino y de lana.

Ballymoney Distrito (pob., 2001: 26.894 hab.) de Irlanda del Norte. Establecido en 1973, es una zona agrícola intersectada por los montes de Antrim. La ciudad de Ballymoney es la capital del distrito.

Balmain, Pierre (-Alexandre-Claudius) (18 may. 1914, Saint-Jean-de-Maurienne, Francia–29 jun. 1982, París). Diseñador de modas francés. En 1934 renunció a los estudios de arquitectura para convertirse en diseñador. Trabajó breve tiempo con CHRISTIAN DIOR, quien llegó a ser su rival después de la segunda guerra mundial. Los diseños de Balmain, especialmente los trajes de noche, se caracterizaban por su excelente calidad y una combinación de femineidad y elegancia imponente. Entre sus clientes se contaban estrellas de cine y gente de la realeza. Posteriormente abrió sucursales en las ciudades de Nueva York y Caracas y extendió su negocio a los perfumes y accesorios.

balompié ver FÚTBOL

baloncesto *o* **básquetbol** Deporte entre dos equipos de cinco jugadores cada uno, en el que se tira o lanza un balón hacia cestos elevados o aros, localizados en los extremos opuestos de la cancha. Cuando la pelota traspasa el aro (la encestada) generalmente vale dos puntos; las conversiones valen tres puntos cuando el lanzamiento se produce desde detrás de un límite específico. Se adjudica un lanzamiento libre, cuya conversión vale un punto por tiro, cuando un jugador comete una falta (las que se cobran por contactos físicos injustificados) sobre otro. Se conceden dos lanzamientos libres si la falta ocurre en el momento en que se intenta un lanzamiento. Tras de ser inventado en 1891 por JAMES A. NAISMITH en Springfield, Mass., EE.UU., el baloncesto se hizo rápidamente muy popular en todo el país, con partidos organizados a nivel escolar y universitario de ambos sexos. Al principio, las mujeres jugaban bajo un reglamento muy distinto. El juego se desarrolló internacionalmente a un paso más lento. El primer partido de baloncesto a nivel olímpico se realizó en 1936, y la Federación Internacional de Baloncesto Aficionado (FIBA) comenzó con los campeonatos mundiales para hombres en 1950, y para mujeres en 1953. En EE.UU., los torneos escolares y universitarios se realizan en marzo, y generan gran expectación. En 1898 se organizó una liga profesional de hombres, pero no logró mayor importancia sino hasta 1949, año en que fue reestructurada bajo el nombre de NBA (National Basketball Association). Las primeras ligas profesionales femeninas surgieron durante la década de 1970, pero fracasaron en su intento luego de uno o dos años. En 1997 se creó la WNBA (Women's National Basketball Association), de propiedad de la NBA. El baloncesto de clubes profesionales fuera de EE.UU. se desarrolló rápidamente en la última parte del s. XX. El Salón de la Fama del baloncesto está ubicado en Springfield.

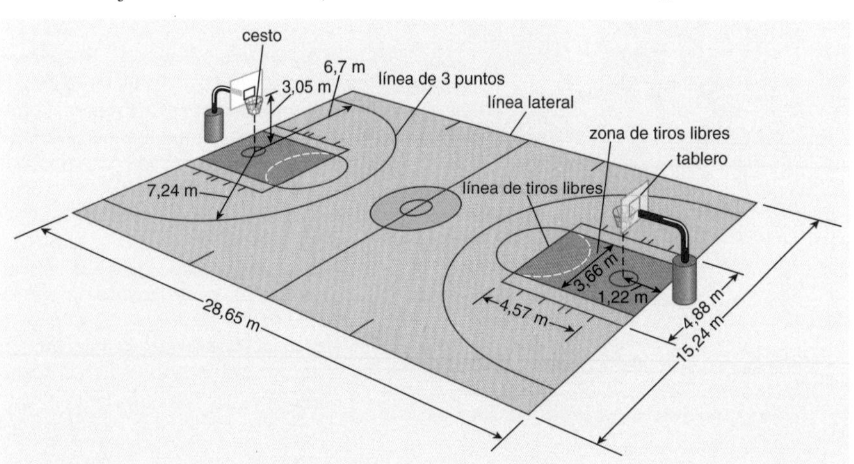

Cancha de baloncesto profesional estadounidense. La cancha universitaria tiene dimensiones similares, pero la línea de tres puntos es más cerrada (6 m). Las canchas internacionales son un poco más pequeñas y tienen líneas de tres puntos de 6,25 m y zonas de tiros libres trapezoidales que son más anchas en la línea lateral que en la de tiros libres. El cesto está a 3 m de altura en todas las canchas.

balsa Árbol (*Ochroma pyramidale*, u *O. lagopus*) de la familia Bombacaceae, originario de Sudamérica tropical y notable por su madera extremadamente liviana, parecida a la del pino blanco o a la del TILO AMERICANO. Debido a su flotabilidad (casi dos veces la del corcho), la balsa se ha utilizado desde antaño en la fabricación de flotadores para cuerdas de salvamento y salvavidas. Por su elasticidad, constituye un excelente material de amortiguación para embalaje. Sus propiedades aislantes la transforman en un buen material de revestimiento para incubadoras, refrigeradores y cámaras frigoríficas. Debido a que combina liviandad con alto poder aislador, es un valioso material de construcción de contenedores para transportar hielo seco (bióxido de carbono solidificado). También se utiliza en la construcción de los compartimientos de pasajeros de los aviones y en maquetas de aviones y barcos.

bálsamo Sustancia resinosa aromática que fluye de una planta, ya sea en forma espontánea o a causa de una incisión, y que se usa principalmente en preparaciones medicinales. Algunas de las variedades más aromáticas se emplean en la elaboración de incienso. El bálsamo del Perú, un fluido fragante, denso, de color marrón oscuro o negro y utilizado en perfumería, es un bálsamo genuino, producido por un gran árbol leguminoso, *Myroxylon pereirae*, nativo de ese país e introducido en Sri Lanka. El bálsamo de Tolú (Colombia) se usa en perfumes y jarabes y pastillas para la tos; con el paso del tiempo se endurece. Los bálsamos de Canadá y de La Meca no corresponden a bálsamos genuinos.

balseros Refugiados que huyen en embarcaciones. El término se refería originalmente a los miles de vietnamitas que huyeron de su país por mar después del colapso del gobierno sudvietnamita en 1975. Apiñados en pequeñas embarcaciones, fueron presa de los piratas y muchos padecieron por la falta de agua y de alimentos, o murieron ahogados. Posteriormente, el término fue aplicado a las oleadas de refugiados que intentaban llegar a EE.UU. por mar desde Cuba y Haití, y también a los afganos y otros refugiados que buscaban asilo en Australia.

Baltasar *babilonio* **Bel-sar-usur** (murió c. 539 AC). Corregente de BABILONIA. Aunque en el libro de DANIEL se hace referencia a él como hijo de Nabucodonosor, las inscripciones babilónicas sugieren que Baltasar era el hijo mayor del rey Nabonides. Cuando, en 550 AC el rey babilonio fue desterrado, el reino y la mayoría del ejército habría sido confiado a Baltasar. En la historia bíblica, Baltasar celebra un último gran festín en el que ve una mano que escribe en una pared las palabras arameas "*Mene, Tekel, Parsín*", que Daniel interpretó como un juicio de Dios que predecía la caída de Babilonia. En 539 AC, Baltasar murió después de que Babilonia cayera en manos de los persas.

Balthus *orig.* **Balthazar Klossowski** (29 feb. 1908, París, Francia–18 feb. 2001, La Rossinière, Suiza). Pintor francés. Nacido en París de padres polacos, fue considerado niño prodigio e incentivado por amigos de la familia como PIERRE BONNARD, ANDRÉ DERAIN y RAINER MARIA RILKE. Sin tener formación académica, se sustentó con trabajos por encargo de escenografías y retratos. En 1934 tuvo su primera exhibición individual. En la mitad del vanguardismo del s. XX, exploró las categorías tradicionales de la pintura europea: el paisaje, la naturaleza muerta, la pintura temática y el retrato. Representó momentos cotidianos de la vida contemporánea en gran formato, y utilizó las técnicas pictóricas tradicionales de los antiguos maestros. Balthus es conocido principalmente por sus polémicas representaciones de niñas adolescentes. Sus imágenes inquietantes y eróticas, junto con el cuidadoso cultivo de su imagen personal, hicieron de él una figura de culto internacional. Desde 1961 hasta 1977 fue director de la Academia Francesa en Roma.

báltica, religión Creencias y prácticas antiguas de los pueblos bálticos de Europa oriental. Se piensa que tienen una fuente común con el VEDISMO y las religiones IRANIAS. Las divinidades bálticas más importantes eran los dioses del cielo: Dievs (el cielo), Perkunas (el que truena), Saule (diosa del Sol), y Meness (dios Luna). Una divinidad del bosque, la Madre del Bosque, era común a todos los pueblos bálticos y estaba diferenciada en diosas que personificaban varios aspectos de naturaleza. Destino o suerte eran personificados en la diosa Laima, que determinaba el destino de una persona al nacer. Se pensaba que los muertos volvían a visitar el mundo como buenos o malos espíritus; el mal también resultaba de la acción del diablo, Velns, y de una criatura licantrópica conocida como Vilkacis o Vilkatas. La estructura del mundo, con el ÁRBOL DE LA VIDA en su centro, y la enemistad entre Saule y Menuo eran temas importantes. Distintos festivales marcaban el solsticio de verano, la cosecha, los matrimonios y los funerales. El culto se rendía en bosquecillos sagrados y colinas pequeñas; aunque algunas excavaciones también han revelado templos circulares de madera.

bálticas, lenguas Rama de lenguas INDOEUROPEAS que comprende tres lenguas verificadas, el LITUANO, el LETÓN y el prusiano antiguo. Se hablaban o se hablan en la costa oriental y sudoriental del mar Báltico y en su interior. Las crónicas medievales mencionan otros cuatro pueblos hablantes de lenguas bálticas en la región, aunque ya habían sido completamente asimilados en el s. XVI. Las lenguas bálticas tienen ciertos rasgos llamativos que comparten con las lenguas ESLAVAS, aunque las profundas divisiones dentro de las propias bálticas, entre otros factores, hacen difícil sostener la hipótesis de una protolengua baltoeslava común.

Báltico, mar Mar del norte de Europa. Es un brazo del océano Atlántico, que se conecta con el mar del Norte. Tiene 1.699 km (1.056 mi) de longitud, cubre una superficie de 422.300 km^2 (163.050 mi^2) y alcanza una profundidad máxima de 469 m (1.539 pies). Recibe a los ríos VÍSTULA y ODER, así como muchos otros. Está circundado por Dinamarca, Suecia, Finlandia, Estonia, Letonia, Lituania, Polonia y Alemania. Tiene dos grandes brazos, el golfo de BOTNIA y el golfo de FINLANDIA. El efecto modificador de la corriente del Atlántico norte es apenas perceptible; sus aguas contienen aproximadamente sólo una cuarta parte de la sal que contienen los océanos y se congela con rapidez.

Bálticos, países Repúblicas de Lituania, Letonia y Estonia, situadas en la orilla oriental del mar BÁLTICO. A veces la denominación ha sido utilizada para incluir a Finlandia y Polonia. Fueron creados como estados independientes en 1917 a partir de las provincias bálticas de Rusia, la ciudad de Kovno y parte del departamento polaco de Wilno (más tarde Lituania). Con la ayuda de Alemania y las fuerzas aliadas, los estados bálticos resistieron una invasión BOLCHEVIQUE en 1919. En 1940 fueron ocupados violentamente por la Unión Soviética e incorporados como repúblicas integrantes de esta. En 1944, las tropas soviéticas recuperaron el territorio invadido por las fuerzas germanas en 1941. Los países Bálticos obtuvieron la independencia tras el colapso de la Unión Soviética en 1991.

Baltimore Ciudad (pob., 2000: 651.154 hab.) en el centro-norte de Maryland, EE.UU. Ubicada en la cabecera del estuario del río Patapsco, 24 km (15 mi) en el fondo de la bahía de CHESAPEAKE. Es la ciudad más grande y el mayor centro económico de Maryland. Establecida en 1729, fue designada con este nombre en honor de la baronía irlandesa de Baltimore (sede de la familia Calvert, propietarios de la colonia de Maryland). En 1789 se convirtió en la primera diócesis católica de EE.UU. En 1827 comenzaron a operar ahí las primeras vías ferroviarias del país. Durante la primera guerra mundial, Baltimore empezó a desarrollarse industrialmente y desde entonces se ha convertido en un importante puerto marítimo.

Vista de la ciudad estadounidense de Baltimore, en el estuario del Patapsco.
ARCHIVO EDIT. SANTIAGO

Baltimore, David (n. 7 mar. 1938, Nueva York, N.Y. EE.UU.). Virólogo estadounidense. Se doctoró en el Instituto Rockefeller. Junto con Howard Temin (n. 1934–m. 1994) descubrió, trabajando en forma independiente, una enzima que sintetiza ADN a partir de ARN, a la inversa del proceso habitual. Esta enzima, la transcriptasa inversa, se ha convertido en una herramienta valiosísima en la tecnología de ADN recombinante. Las investigaciones de Baltimore, Temin y RENATO DULBECCO contribuyeron a aclarar el papel de los virus en el cáncer; los tres compartieron en 1975 el Premio Nobel. En 1990, Baltimore se convirtió en presidente de la Universidad Rockefeller y, en 1997, en presidente del Instituto Tecnológico de California.

Baltimore (de Baltimore), George Calvert, 1er barón (1578/79, Kipling, Yorkshire, Inglaterra–15 abr. 1632). Político y colonizador inglés. Se desempeñó en la Cámara de los Comunes a partir de 1621; a cargo de comunicar las políticas de JACOBO I, no contaba con la confianza del parlamento. Luego de declararse católico (1625), renunció a su cargo. Fue nombrado barón de Baltimore y recibió tierras en Irlanda. En 1628, para asegurar la prosperidad de sus posesiones en el Nuevo Mundo, llevó a su familia a su colonia de Terranova. Debido a dificultades suscitadas por su catolicismo y al clima riguroso, solicitó a CARLOS I una concesión de tierras en la zona de la bahía de Chesapeake. Murió antes de que esta se hiciera realidad y su hijo Cecil fue el propietario de la colonia de Maryland.

Baltimore Sun Diario editado en Baltimore, Md., EE.UU. Comenzó como un tabloide de bajo costo y de cuatro páginas en 1837, dirigido por Arunah Shepherdson Abell, un ayudante de impresor de Rhode Island. Conocido a lo largo de gran parte de su historia por su cobertura de noticias nacionales e internacionales, el diario fue controlado por la familia Abell hasta 1910, cuando pasó a manos de un grupo de empresarios de

Baltimore, entre ellos H. Crawford Black. Los miembros de la familia Black ocuparon la presidencia del diario hasta 1984. En 1986, el *Sun* fue adquirido por la Times Mirror Company, que a su vez fue adquirida por la Tribune Company en 2000. El escritor H.L. MENCKEN fue durante muchos años un prominente colaborador del *Sun*.

baluba ver LUBA

baluchi *o* **beluchi** Miembro de un grupo de tribus que hablan la lengua baluchi y que habitan la provincia de BALUCHISTÁN en Pakistán y áreas vecinas de Irán, Afganistán, Bahrein y el Panjab (India). Cerca del 70% del total de esta población vive en Pakistán, donde están divididos en dos grupos, los sulaimaníes y los makraníes. Mencionados en crónicas árabes del s. X, probablemente provenían originalmente de la meseta iraní. Los baluchis tradicionales son nómadas, pero la vida sedentaria se hace cada vez más común. Crían camellos, entre otros ganados, y se ocupan en la confección de alfombras y bordados.

Baluchistán *o* **Beluchistán** Provincia (pob., 1998: 6.511.000 hab.) del sudoeste de Pakistán. Su capital es Quetta (pob., 1998: 560.307 hab.). Su topografía presenta territorios montañosos, entre los que se destacan las cadenas de SULAYMAN y Kithar, llanuras estériles, desiertos áridos y pantanos fangosos. En la antigüedad formaba parte de GEDROSIA. ALEJANDRO MAGNO la cruzó en 325 AC. Formó parte del reino bactriano y luego fue gobernada por los árabes desde el s. VII hasta el s. X DC. Por siglos estuvo bajo dominio persa, a excepción de un breve período en que perteneció al Imperio mogol de India (1594–1638). Constituyó una dependencia británica en 1876 y provincia británica de India en 1887. Pasó a formar parte de Pakistán en 1947–48 y en 1970 se le designó provincia separada. Sus principales cultivos son el trigo, el sorgo y el arroz; entre sus productos manufacturados destacan los textiles de algodón y tejidos de lana.

Balzac, Honoré de *orig.* **Honoré Balssa** (20 may. 1799, Tours, Francia–18 ago. 1850, París). Escritor francés. Balzac empezó a trabajar a los 16 años como empleado en París. Un primer intento por hacer carrera en el mundo de los negocios le significó contraer una gran cantidad de deudas, por lo que tuvo que trabajar intensamente durante décadas para mejorar su alicaída situación financiera, que empeoraba día a día. En 1829, sus novelas y relatos comenzaron a tener un éxito relativo que fue antesala de sus primeras obras maestras. En su vasta serie de obras narrativas que agrupó bajo el título *La comedia humana*, formada por aproximadamente 90 novelas y novelas cortas, intentó crear un exhaustivo fresco de la sociedad contemporánea, en el que retrató los distintos arquetipos y variedades de naturaleza humana que produjo esa sociedad. Entre sus obras cabe mencionar *Eugenia Grandet* (1833), *Papá Goriot* (1835), *Las ilusiones perdidas* (1837–43), *Esplendores y miserias de las cortesanas* (1843–47) y *La prima Bette* (1846). Sus novelas se destacan por su gran fuerza narrativa, su amplia y diversa galería de vívidos personajes, y su obsesivo interés por examinar prácticamente todas las esferas de la vida. Su conjunto de relatos más conocido es *Cuentos libertinos* (3 vol., 1832–37). Su tumultosa vida se caracterizó por las crecientes deudas que fue acumulando y por su incesante dedicación al trabajo, a menudo expresada en tandas de escritura febril de más de 15 horas seguidas (su muerte, de hecho, se atribuyó al exceso de trabajo y a su inmoderado consumo de café). Es considerado unánimemente uno de los precursores y más influyentes representantes del REALISMO O NATURALISMO en la novela y uno de los más grandes narradores de todos los tiempos.

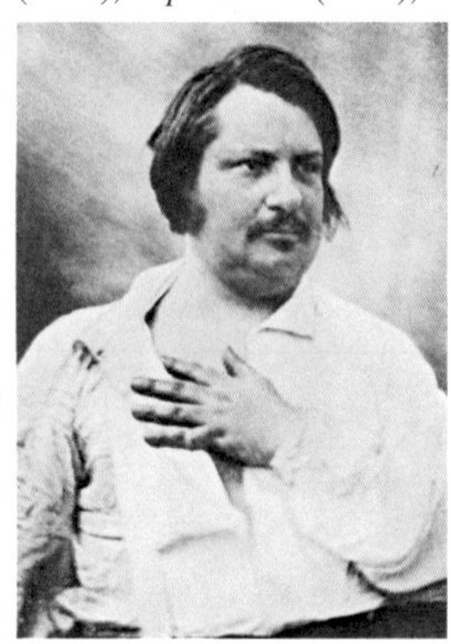
Honoré de Balzac, daguerrotipo, 1848.
J.E. BULLOZ

Bamako Ciudad (pob., 1996: área metrop., 809.552 hab.), capital de Malí. Situada al sudoeste de Malí, a orillas del río NÍGER, era un asentamiento de pocos centanares de habitantes cuando fue ocupada por Francia en 1880. Capital del ex Sudán francés en 1908, actualmente se extiende sobre ambos lados del río; tiene varias universidades y las empresas industriales más importantes del país. La ciudad triplicó con creces su tamaño en la década de 1960, en gran parte debido a la migración proveniente de áreas rurales asoladas por la sequía.

bambara Pueblo de la región del Alto Níger en Malí que habla una de las lenguas MANDÉ, rama de la familia de lenguas NIGEROCONGOLEÑAS. Su población es de 3,4 millones de personas. Usan el peculiar alfabeto n'ko, que se lee de derecha a izquierda, y se distinguen por sus esculturas en madera y metal. En los s. XVII y XVIII crearon dos imperios separados, uno con base en Ségou (que incluye a TOMBOUCTOU), y el otro en Kaarta.

Tocado de madera en forma de antílope, cultura bambara de Malí.
GENTILEZA DEL DEPARTAMENTO ETNOGRÁFICO DEL MUSEO NACIONAL DE COPENHAGUE, DINAMARCA

bambocciati (italiano: "niñerías"). Pequeñas pinturas anecdóticas de la vida cotidiana realizadas en Roma a mediados del s. XVII. El inventor del género y su exponente más destacado fue el pintor holandés Pieter van Laer (n. 1599–m. 1642). El vocablo deriva del apodo de este, Il Bamboccio ("pequeño torpe", en alusión a su deformidad física). Van Laer llegó a Roma desde Haarlem c. 1625 e influenció a varios otros pintores europeos nórdicos activos en Roma. Sus imágenes, que representaban a las clases bajas de modo humorístico o grotesco, fueron condenadas por los principales críticos y pintores. Los *bamboccianti* (pintores de *bambocciati*) ejercieron influencia en los pintores de género holandeses ADRIAEN BROUWER y ADRIAEN VAN OSTADE.

bambú Gramíneas altas (ver HIERBA), arboriformes, de las regiones tropicales, subtropicales y templadas suaves, pertenecientes a la subfamilia Bambusoideae, familia Poaceae (o Gramineae). Los bambúes son hierbas gigantes, de crecimiento rápido, con tallos leñosos. Algunas especies del género *Arundinaria* son originarias del sur de EE.UU., donde forman cañaverales tupidos a lo largo de riberas fluviales y en zonas pantanosas. Los tallos aéreos, leñosos y huecos, crecen agrupados a partir de un RIZOMA grueso, formando a menudo un sotobosque espeso que excluye otras plantas. Todas las partes del bambú se utilizan para distintos propósitos, como

Bosque de bambúes de región tropical.
SVEN SAMELIUS

alimento, forraje para el ganado, papel de fina calidad, materiales de construcción y medicamentos. También tienen uso ornamental en jardines y parques.

bambuti *o* **mbuti** Pueblos de PIGMEOS que viven en la región de Ituri, en el Congo oriental (Kinshasa). Bambuti es un nombre colectivo que designa a cuatro poblaciones de pigmeos ituri -sua (asua), aka, efe y mbuti-, cada una de las cuales ha establecido una relación informal de interdependencia económica y cultural con alguna aldea de campesinos. Tienen en promedio una altura inferior a 1,37 m (4 pies, 6 pulg.). Probablemente fueron los primeros habitantes de la región. Son cazadores y recolectores nómadas que viven en pequeños grupos de 10 a 100 personas. No tienen jefes ni consejos de ancianos formalmente organizados y creen en una deidad benevolente de la selva. Su música, compleja en ritmo y armonía, es a menudo acompañada de danzas o representaciones de mimos. En la actualidad suman varias decenas de miles.

banana Fruto del género *Musa* (familia Musaceae), planta herbácea gigante que se propaga por RIZOMAS y uno de los cultivos alimentarios más importantes del mundo. La banana se consume ampliamente en las zonas tropicales, donde se cultiva, y también es apreciada en las zonas templadas por su sabor, valor nutricional y disponibilidad constante. Se cultivan centenares de variedades. Quizás la especie más importante es la banana común *M. sapientum*. El fruto maduro es rico en carbohidratos (principalmente azúcar), potasio y vitaminas A y C, pero pobre en proteínas y grasas. Aunque se suele comer fresco, también puede ser cocinado. EE.UU. importa más bananas que cualquier otro país. Ver también PLÁTANO.

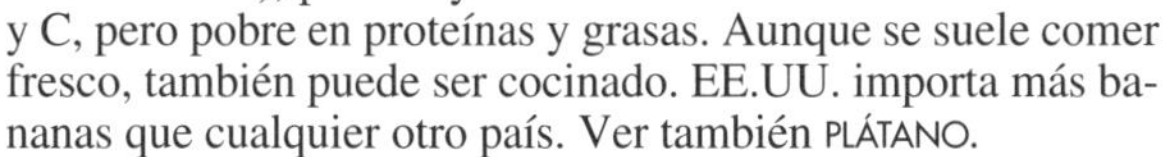

Banana común (*Musa sapientum*).

banano ver MALACHO

Banbridge Distrito (pob., 2001: 41.392 hab.) de Irlanda del Norte establecido en 1973. En esta región se encuentran las colinas de Legananny, que alcanzan una altura de 532 m (1.745 pies) al este del distrito y descienden al sudoeste hasta las llanuras surcadas por el río BANN. A orillas del Bann se encuentra la ciudad de Banbridge, fundada en 1712; es la capital del distrito, el principal centro agrícola y núcleo de población de la zona.

banca electrónica Uso de computadoras y telecomunicaciones para permitir que las transacciones bancarias se puedan efectuar por teléfono o computadora en lugar de interacción humana. Entre sus características destacan la transferencia electrónica de fondos para ventas al por menor, máquinas de cajeros automáticos (ATM del inglés, *Automatic Teller Machines*) y depósitos automáticos de planillas de sueldo y pago de cuentas. Algunos bancos ofrecen el sistema de banca en casa, mediante el cual una persona puede realizar transacciones a través de una computadora personal, tanto por conexión directa o accediendo a un sitio web. La banca electrónica ha reducido enormemente la transferencia física de papel moneda y monedas metálicas de un lugar a otro e incluso de una persona a otra.

banco Institución que opera con DINERO y sus sustitutos, y ofrece otros servicios financieros. Los bancos captan depósitos y préstamos, generando una UTILIDAD por concepto de la diferencia entre los intereses pagados a los prestamistas (depositantes) y los intereses cobrados a los prestatarios (deudores). Los bancos también generan utilidades por las comisiones cobradas por concepto de servicios varios. Las tres principales clases de bancos son los BANCOS COMERCIALES, BANCOS DE INVERSIONES y los BANCOS CENTRALES. La banca depende totalmente de la confianza pública en la solvencia del sistema: ningún banco podría pagar a todos sus depositantes si ellos exigieran simultáneamente el pago de sus depósitos, como podría ocurrir en momentos de PÁNICO. Ver también asociación de AHORRO Y PRÉSTAMO; BANCO DE AHORRO; COOPERATIVA DE CRÉDITO; Sistema de la RESERVA FEDERAL.

Banco Bilbao Vizcaya Argentaria, Sociedad Anónima ver BBVA S.A.

banco central Institución, como el Sistema de la RESERVA FEDERAL de EE.UU., encargada de regular el monto de la OFERTA MONETARIA de un país, la disponibilidad y el costo del CRÉDITO, y el valor de cambio de su MONEDA (ver cambio de DIVISAS). Un banco central actúa como agente financiero del gobierno: emite los billetes que habrán de utilizarse como moneda legal, supervisa las operaciones del sistema bancario comercial e implementa la política MONETARIA del país. Mediante el aumento o reducción de la oferta de dinero y crédito, el banco central influye en las tasas de interés y, por ende, en la economía. Los bancos centrales modernos regulan la oferta monetaria mediante la compraventa de activos (p. ej., mediante la compraventa de valores del gobierno). También pueden aumentar o reducir la TASA DE DESCUENTO para desincentivar o incentivar la obtención de préstamos por parte de los BANCOS COMERCIALES. Los bancos centrales contraen o expanden la oferta monetaria al ajustar las exigencias respecto de las reservas (las reservas mínimas en efectivo que los bancos deben mantener para respaldar su pasivo por depósitos). El objetivo es mantener condiciones económicas que respalden altos niveles de empleo y producción y precios internos estables. Los bancos centrales también participan en acuerdos monetarios internacionales de cooperación diseñados para ayudar a estabilizar o regular los tipos de cambio de los países participantes. Las facultades, la autonomía, las funciones y los instrumentos con que cuentan los bancos centrales varían, pero ha aumentado de manera sistemática el énfasis en la importancia de la interdependencia de las políticas monetarias y demás políticas económicas nacionales, especialmente las políticas FISCALES y las políticas de administración de deuda. Ver también BANCO; BANCO DE AHORRO; BANCO DE INVERSIONES.

banco comercial Bancos que realizan préstamos a empresas, consumidores e instituciones no comerciales. Los primeros bancos comerciales se limitaban a aceptar depósitos en dinero u objetos de valor para custodiarlos y verificar la acuñación, o para intercambiar monedas de una jurisdicción por las de otra. Alrededor del s. XVII, la mayoría de los servicios esenciales de la banca moderna estaba en pleno funcionamiento: el otorgamiento de préstamos, el cambio de DIVISAS y el pago de INTERESES. Se hizo habitual para las personas y las empresas poder intercambiar fondos mediante los banqueros con una letra de cambio, la antecesora de los CHEQUES actuales. Como los bancos comerciales están obligados a mantener sólo una fracción de sus depósitos como reservas disponibles, pueden utilizar parte del dinero depositado por sus clientes para otorgar créditos. Los bancos comerciales ofrecen también una amplia gama de servicios como son las cuentas de ahorros, cajas de seguridad y servicios fiduciarios. Ver también BANCO; BANCO CENTRAL; BANCO DE AHORRO; BANCO DE INVERSIONES.

banco de ahorro Institución financiera que capta el ahorro y paga un INTERÉS o DIVIDENDOS a los ahorrantes. Estos bancos canalizan los ahorros de las personas que desean consumir menos que sus ingresos hacia los prestatarios que desean gastar más. Esta función es llevada a cabo por bancos de ahorro mutuales, asociaciones de AHORRO Y PRÉSTAMO, COOPERATIVAS DE CRÉDITO, sistemas de ahorro postal y bancos de ahorro municipales. A diferencia de los BANCOS COMERCIALES, los bancos de ahorro no aceptan depósitos a la vista. Muchos bancos de ahorro se originaron como parte de un esfuerzo filantrópico para incentivar el ahorro entre la gente de bajos recursos. Los primeros bancos de ahorro municipales provienen de los casas de empeño municipales de Italia (ver crédito PRENDARIO). Otros bancos de ahorro pioneros se fundaron en Alemania en 1778 y en Holanda en 1817. Los primeros bancos de ahorro que se fundaron en EE.UU. eran instituciones sin fines de lucro que se establecieron en el país a principios de la década de 1800 para fines caritativos.

banco de arena Loma de arena o sedimento grueso sumergido o que aflora parcialmente, formado por la acción de las olas frente a la playa. La turbulencia arremolinada de las rompientes excava una depresión en el fondo arenoso. Parte de esta arena es llevada hasta la playa y el resto es depositado en el flanco mar adentro de la depresión. La arena suspendida en la resaca y en las corrientes de la misma se suma al banco, así como la arena proveniente de aguas más profundas que se mueven hacia la costa. Las olas que rompen sobre el banco mantienen su coronamiento bajo el nivel de aguas quietas.

banco de desarrollo *o* **banco de fomento** Instituciones financieras de carácter regional o nacional diseñadas con el fin de proveer de capital de mediano y largo plazo para inversiones productivas. Este tipo de inversiones habitualmente implica asistencia técnica. Algunos bancos de desarrollo son de propiedad privada, mientras que otros pertenecen y son operados por los gobiernos. Muchos de estos bancos se han establecido con el auspicio del BANCO MUNDIAL. Entre sus exponentes más importantes figuran el Banco Interamericano de Desarrollo, el Banco Asiático de Desarrollo y el Banco Africano de Desarrollo.

banco de inversiones Empresa que origina, suscribe y distribuye nuevas emisiones de valores de corporaciones y de agencias de gobierno. En EE.UU., la ley de Bancos de 1933 exigió la separación de funciones de los bancos de inversiones y de los BANCOS COMERCIALES. Los bancos de inversiones desarrollan sus operaciones a través de la compra de la totalidad de los nuevos valores emitidos por una compañía a un determinado precio, para con posteriodidad vender al público inversionista fracciones de esta nueva emisión a un precio lo suficientemente alto como para obtener utilidades. El banco de inversiones se encarga de fijar el precio de oferta pública del instrumento, basándose en su demanda potencial y en la evaluación de las circunstancias económicas. La mayoría de las emisiones de valores son suscritas y distribuidas por un sindicato de bancos de manera de repartirse el RIESGO de la nueva emisión. La oferta pública inicial (OPI) se refiere a la emisión de las primeras acciones públicas de una empresa sin participación previa en la Bolsa de Valores. Ver también BANCO; BANCO CENTRAL; BANCO DE AHORRO; VALOR.

banco de sangre Servicio de recolección, almacenamiento, procesamiento y suministro de SANGRE. La mayor parte de la sangre donada se separa en sus componentes, los que pueden congelarse, almacenarse por más tiempo que la sangre completa y emplearse en múltiples pacientes. La hemaferesis permite separar grandes cantidades de un componente de la sangre de un donante y devolverle el resto. Antes de la primera guerra mundial, los médicos debían encontrar un donante compatible y hacer una TRANSFUSIÓN DE SANGRE inmediata. El almacenamiento seguro de la sangre y sus componentes hizo posible innovaciones como la máquina de circulación extracorpórea.

Banco Interamericano de Desarrollo ver BID

Banco Internacional de Cooperación Económica (BICE) Institución bancaria internacional creada en 1963 tras el acuerdo suscrito por Bulgaria, Hungría, Alemania Oriental, Mongolia, Polonia, Rumania, Checoslovaquia y Unión Soviética con el objeto de facilitar la cooperación y el desarrollo económico entre los países miembros. Posteriormente, ingresaron Cuba y Vietnam. Sus funciones comprendían la liquidación multilateral en rublos transferibles; el otorgamiento de anticipos crediticios a aquellos países miembros que presentaban desequilibrios comerciales temporales; la aceptación de depósitos en rublos transferibles, oro y monedas convertibles, así como la realización de operaciones financieras diversas, como las operaciones de ARBITRAJE. Después de la caída de la Unión Soviética, esta institución se transformó en un banco ruso con nuevos estatutos.

Banco Internacional de Reconstrucción y Fomento (BIRF) Principal organización entre las que componen el BANCO MUNDIAL. El BIRF presta dinero a países de ingresos medios y países de menores recursos y con capacidad crediticia. La mayor parte de sus fondos provienen de la venta de bonos en los mercados de capitales internacionales. Más de 180 países son miembros del BIRF. El poder de voto de cada país está vinculado al capital que ha suscrito; EE.UU., que posee cerca del 16% de las acciones del BIRF, tiene derecho a veto sobre cualquier proposición de cambios en la estructura del banco. Ver también FMI; PNUD.

Banco Mundial Organismo especializado del sistema de las NACIONES UNIDAS (NU), creado en la conferencia de BRETTON WOODS para la reconstrucción de posguerra. Es la principal institución internacional para el desarrollo. Sus cinco divisiones son el BANCO INTERNACIONAL DE RECONSTRUCCIÓN Y FOMENTO (BIRF; su componente principal), la Asociación Internacional de Fomento (AIF), la Corporación Financiera Internacional (CFI), el Organismo Multilateral de Garantía de Inversiones (OMGI), y el Centro Internacional de Arreglo de Diferencias Relativas a Inversiones (CIADI). La AIF (fundada en 1960) hace préstamos sin interés a los países más pobres miembros del banco. La CFI (fundada en 1956) presta a empresas privadas en los países en desarrollo. El OMGI (fundado en 1985) apoya a los organismos estatales y privados que promueven la inversión extranjera directa ofreciendo seguros contra riesgos no comerciales. El CIADI (fundado en 1966) fue creado con el fin de liberar al BIRF del peso de resolver disputas en materia de inversiones. Ver también FMI.

banco nacional En EE.UU., cualquier BANCO COMERCIAL debidamente constituido, operado por privados y fiscalizado por el gobierno federal. Los bancos nacionales se crearon durante la guerra de Secesión, de conformidad con la ley Nacional de Bancos de 1863, a fin de combatir la inestabilidad financiera causada por los bancos estaduales y ayudar a financiar los esfuerzos bélicos. Cuando los bancos nacionales adquirieron BONOS federales y los depositaron en el organismo fiscalizador de bancos, se les permitió poner en circulación billetes bancarios nacionales, situación que dio origen a una MONEDA nacional estable y uniforme. Después de la guerra de Secesión, el gobierno empezó a rescatar los bonos emitidos durante la guerra, reduciendo así el número de billetes bancarios nacionales que podían emitirse. Debido al interés por el mantenimiento de los billetes bancarios nacionales, se estableció en 1913 el Sistema de la RESERVA FEDERAL, al que debían incorporarse todos los bancos nacionales. En 1935, el Departamento del Tesoro de EE.UU. asumió la obligación de emitir billetes bancarios nacionales, con lo que se puso término a la emisión de dinero por los bancos comerciales privados.

Banco, Nanni di ver NANNI DI BANCO

Banco Santander Central Hispano, Sociedad Anónima ver BSCH S.A.

bancos, guerra de los Controversia suscitada en la década de 1830 por la existencia del Banco de los ESTADOS UNIDOS DE AMÉRICA, única institución bancaria nacional de la época.

Primer Banco de Estados Unidos que recibió su escritura de constitución en 1791 para actuar como agente fiscal del tesoro de Estados Unidos por dos décadas y cerró en 1811 cuando los republicanos jeffersonianos (democráticos) se negaron a renovar su autorización. El congreso autorizó en 1816 el segundo Banco de Estados Unidos, por otro período de 20 años. El pdte. ANDREW JACKSON, en 1829 y nuevamente en 1830, dejó en claro sus objeciones constitucionales y su antagonismo personal en relación con el banco, pues estimaba que la institución concentraba un poder económico excesivo en manos de una pequeña elite adinerada y desligada del control del público. En 1832, el presidente de la institución bancaria, NICHOLAS BIDDLE, con el apoyo de HENRY CLAY y de DANIEL WEBSTER, solicitó una nueva autorización, cuatro años antes del vencimiento de la antigua, con lo que se aseguró que el tema fuera motivo de debate durante la elección presidencial del mismo año (1832). Jackson vetó el proyecto de ley de renovación y ganó la elección posterior, triunfo que interpretó como mandato de destruir el banco. Prohibió el depósito de fondos públicos en él; en represalia, Biddle exigió el reembolso de los préstamos, lo que precipitó una crisis crediticia. Ante el rechazo de su constitución federal, el banco, en 1836, obtuvo una escritura de constitución en Pensilvania. En 1841 debió cerrar sus puertas a causa de erradas decisiones de inversión.

banda Tipo de organización social humana que consiste en un pequeño número de familias nucleares (ver FAMILIA) o subgrupos relacionados, que están organizados informalmente para fines de subsistencia o seguridad. Las bandas pueden integrarse dentro de una comunidad mayor o TRIBU. Por lo general se encuentran en zonas escasamente pobladas y poseen tecnologías de relativa simplicidad; sus territorios varían desde el desierto (ABORIGEN AUSTRALIANO), los bosques lluviosos africanos (BAMBUTI) hasta la tundra de América del Norte (kaska). Las bandas pueden reunirse ocasionalmente para ceremonias comunitarias ampliadas, para actividades de caza o con fines guerreros. Ver también sociedad de CAZADORES Y RECOLECTORES; EVOLUCIÓN SOCIOCULTURAL.

Duke Ellington y su banda en el musical *Una cabaña en el cielo* de la Metro-Goldwyn-Mayer, 1943.
FOTOBANCO

banda Conjunto musical que generalmente excluye a los instrumentos de CUERDA. Los conjuntos de VIENTO-MADERA, METÁLICOS y de PERCUSIÓN tienen su origen en la Alemania del s. XV y asumieron principalmente un papel militar. Estos conjuntos se propagaron a Francia, Gran Bretaña y finalmente el Nuevo Mundo. Entre los s. XV y XVIII, en muchas ciudades europeas había músicos y juglares que, con ocasión de ceremonias importantes, se reunían en forma especial para tocar en bandas de instrumentos de viento, las que estaban integradas principalmente por CHIRIMÍAS y sacabuches. Entre los s. XVIII y XIX la banda de aficionados inglesa, integrada principalmente por varios instrumentos de bronce renovados, asumió la importante función civil de representar a organizaciones de toda especie. En EE.UU., la banda virtuosa de PATRICK GILMORE se hizo famosa a mediados del s. XIX; su principal sucesor, JOHN PHILIP SOUSA, legó un repertorio de marchas que todavía es muy popular. La gran orquesta de jazz, con directores como DUKE ELLINGTON y COUNT BASIE, fue el centro de la música popular estadounidense en las décadas de 1930 y 1940. En la banda o grupo de rock, al contrario de la mayoría de las otras bandas, los instrumentos de cuerda (guitarras eléctricas y bajo eléctrico) son primordiales.

banda ancha Término que describe la RADIACIÓN desde una fuente que produce un ESPECTRO de FRECUENCIAS ancho y continuo (en contraste con un LÁSER que produce una frecuencia única o una banda de frecuencias muy estrecha). Un filamento metálico calentado a una alta temperatura, como una bombilla de tungsteno, es una típica fuente luminosa de banda ancha, la que se puede usar para ESPECTROSCOPIA de emisión o de absorción. La luz solar también es una radiación de banda ancha. Ver también tecnología de BANDA ANCHA.

banda ancha, tecnología de Dispositivos de telecomunicaciones, líneas de transferencia o tecnologías que permiten la comunicación sobre una banda amplia de frecuencias, y especialmente sobre un rango de frecuencias divididas en varios canales independientes para la transmisión simultánea de varias señales diferentes. Los sistemas de banda ancha permiten la transmisión de voz, datos y vídeo sobre el mismo medio y al mismo tiempo. También pueden permitir la transmisión simultánea de múltiples canales de datos.

banda, ancho de Medida de la capacidad de una señal de comunicación. Para las señales digitales, el ancho de banda es la velocidad o tasa de transmisión de datos medida en bits por segundo (bps). Para las señales analógicas es la diferencia entre los componentes de las frecuencias mínima y máxima medida en hertz (ciclos por segundo). Por ejemplo, un MÓDEM con un ancho de banda de 56 kilobits por segundo (Kbps) puede transmitir un máximo aproximado de 56.000 bits de datos digitales en un segundo. La voz humana, que produce ondas de sonido analógicas, tiene un ancho de banda típico de tres kilohertz entre la frecuencia mínima y máxima del sonido que puede generar.

Banda de los cuatro Grupo conformado por los miembros más poderosos de una elite política radicalizada, quienes fueron declarados culpables de implementar las duras políticas de MAO ZEDONG durante la REVOLUCIÓN CULTURAL. Estaba integrada por Wang Hongwen, Zhang Chunqiao, Yao Wenyuan y JIANG QING, la tercera esposa de Mao. Mediante la manipulación de la organización juvenil GUARDIAS ROJOS controló cuatro áreas: la educación intelectual, las teorías básicas de ciencia y tecnología, las relaciones profesor-estudiante y la disciplina escolar, y las políticas partidistas respecto de los intelectuales. Los disturbios provocados por la Revolución cultural amainaron después de 1969, pero la Banda de los cuatro se mantuvo en el poder hasta la muerte de Mao en 1976, época en que fueron encarcelados. Se les sometió a juicio en 1980–81.

Banda, Hastings (Kamuzu) (c. 1898, cerca de Kasungu [Malawi] – 25 nov. 1997, Johannesburgo, Sudáfrica). Primer presidente de Malawi (1963–94). Luego de obtener el título de médico en EE.UU., se trasladó a Escocia donde practicó su profesión. Intervino en política cuando los colonos blancos exigieron en 1949 la federación de Nyasalandia (posteriormente Malawi) y las Rhodesias. En la década de 1950 viajó por el país pronunciando discursos contra la federación, la que veía como una extensión de la dominación blanca, por lo que fue arrestado por las autoridades coloniales británicas. En 1963, cuando la federación fue disuelta, se convirtió en primer ministro. Se dedicó a desarrollar la infraestructura y a incrementar la productividad agrícola del país. Declarado presidente vitalicio en 1971, su gobierno unipartidista fue cada vez más autocrático y estricto. Perdió el cargo en las primeras elecciones multipartidarias realizadas en 1994.

Bandama, río Río del centro de Costa de Marfil. Es el río más largo y de mayor importancia comercial del país; él y sus afluentes avenan la mitad de la superficie del país. El río nace en las tierras altas y corre hacia el sur 800 km (497 mi) hasta desembocar en el golfo de GUINEA y en la laguna Taga. Una gran planta hidroeléctrica está situada en Kossou.

Mezquita Sultán Omar Alí Saifuddin, la mayor de Asia oriental, ubicada en Bandar Seri Begawan, capital del sultanato de Brunei.
FOTOBANCO

Bandar Seri Begawan *ant.* **Brunei** Ciudad (pob., 1991: ciudad, 22.000 hab.; área metrop. est., 1999: 85.000 hab.), capital de Brunei. Se ubica en las riberas del río Brunei, cerca de su desembocadura en la bahía del mismo nombre; es un centro de comercio y puerto fluvial. Aunque sufrió graves daños durante la segunda guerra mundial, ha sido reconstruida en su mayor parte. Entre sus nuevas edificaciones se encuentra la mezquita más grande de Asia oriental.

Bandaranaike, S(olomon) W(est) R(idgeway) D(ias) (9 ene. 1899, Colombo, Ceilán–26 sep. 1959, Colombo). Estadista y primer ministro (1956–59) de Ceilán (Sri Lanka). Educado en la Universidad de Oxford, se convirtió en un importante miembro del Partido de Unión Nacional de Ceilán, de tendencia pro occidental. En 1952 fundó el Partido de la Libertad de Sri Lanka, de tendencia nacionalista, y se transformó en el líder de la oposición en la legislatura. Formó luego una alianza de cuatro partidos socialistas-nacionalistas que arrasó en las elecciones de 1956 y que lo llevó al cargo de primer ministro. Bajo su gobierno, el cingalés reemplazó al inglés como lengua oficial del país, el budismo (la religión mayoritaria) pasó a ocupar un lugar importante en los asuntos de Estado, y Ceilán estableció relaciones diplomáticas con estados comunistas. Fue asesinado en 1959. Su viuda, Sirimavo Ratwatte Dias Bandaranaike (n. 1916– m. 2000), se convirtió en 1960 en la primera mujer del mundo en ocupar el cargo de primera ministra, que desempeñó hasta 1965 y en otras dos ocasiones (1970–77 y 1994–2000). Durante su segundo período se adoptó una nueva constitución que proclamó la república (1972) y cambió el nombre del país por Sri Lanka. Fue nombrada para un tercer período cuando su hija, Chandrika Bandaranaike Kumaratunga (n. 1945), llegó a la presidencia en 1994.

S.W.R.D. Bandaranaike.
CAMERA PRESS

bandas, teoría de En química y física, un modelo teórico que describe los estados de los ELECTRONES en materiales sólidos, los cuales pueden tener valores de energía sólo dentro de ciertos rangos específicos, llamados bandas. A los rangos de energía entre dos bandas permitidas se los llama bandas prohibidas. Así como los electrones en un átomo pueden pasar de un nivel de energía a otro, los electrones en un sólido pueden hacer lo mismo de un nivel de energía en una banda a otro en la misma o en otra banda. La teoría de bandas explica muchas de las propiedades eléctricas y térmicas de los sólidos y forma la base de la tecnología de dispositivos, como los SEMICONDUCTORES, elementos calefactores y condensadores. (ver CAPACITANCIA).

bandeira Serie de expediciones portuguesas de caza de esclavos durante el s. XVII en el interior de Brasil. Las *bandeiras* comprendían desde 50 hasta varios miles de hombres (conocidos como *bandeirantes*), usualmente de São Paulo, que eran organizados y controlados por ricos empresarios. Penetraban en regiones no cartografiadas y expandían las reclamaciones portuguesas de soberanía hacia al interior de América del Sur. Durante sus travesías construían caminos, establecían asentamientos y sentaban las bases para la ganadería y la agricultura en el interior, mientras acumulaban grandes ganancias e infligían padecimientos indecibles a las tribus indígenas locales.

Bandelier National Monument Sitio arqueológico en el centro-norte de Nuevo México, EE.UU. Situado a orillas del río Grande del Norte (ver río BRAVO), 32 km (20 mi) al nordeste de SANTA FE, fue establecido en 1916. Comprende un territorio de 132 km^2 (51 mi^2) y le fue dado su nombre en honor de Adolph Bandelier, arqueólogo suizo-estadounidense. El monumento comprende varios acantilados y ruinas abiertas de los indios precolombinos (mayormente del s. XIII) en el cañón Frijoles. También se han desenterrado esculturas en piedra y cuevas hechas por el hombre.

bandera Combinación de símbolos representados en una pieza de tela que sirve como medio de comunicación social y, por lo general, política. Suele ser rectangular y se ata en uno de sus lados a un asta o se iza en un poste con drizas. Las banderas parecen ser tan antiguas como la sociedad humana civilizada, a pesar de que no se comprende bien su origen. Los chinos pueden haber sido los primeros en elaborar banderas de género, y se piensa que fueron introducidas en Europa por los cruzados a su regreso. La mayoría de las banderas nacionales en uso actualmente fueron diseñadas en los s. XIX y XX.

bandicut Cualquiera de unas 22 especies de MARSUPIALES (familia Peramelidae) que se encuentran en Australia, Tasmania, Nueva Guinea e islas aledañas. Los bandicuts alcanzan 30–80 cm (12–30 pulg.) de largo, incluida la cola de pelaje ralo de 10–30 cm (4–12 pulg.). Son corpulentos, de pelaje tosco, hocico ahusado y miembros delanteros más largos que los traseros. A diferencia de otros marsupiales, los bandicuts son placentarios. Son animales terrestres y solitarios que cavan agujeros en busca de insectos y plantas de los que se alimentan. Los agricultores los consideran una plaga. Todas las especies han mermado su número y algunas están actualmente en peligro de extinción.

Bandicut (*Perameles nasuta*).
WARREN GARST–TOM STACK AND ASSOCIATES

Bandinelli, Baccio (12 nov. ¿1493?, Florencia–7 feb. 1560, Florencia). Escultor y pintor italiano activo en Florencia. Aunque adiestrado como orfebre por su padre, muy pronto se convirtió en uno de los principales escultores de la corte de los MÉDICIS. Con frecuencia dejaba inconclusos sus trabajos por encargo y era acusado de envidia e incompetencia por BENVENUTO CELLINI y GIORGIO VASARI. Se le recuerda más por narraciones sobre su carácter poco atractivo, que por la calidad de su obra, aunque los trabajos que se conservan de él prueban que fue un escultor más distinguido de lo que reconocían sus contemporáneos. Su escultura más famosa es *Hércules y Caco* (1534), en la Piazza della Signoria.

Bandung Ciudad (pob., est. 1996: 2.429.000 hab.) de Indonesia. Capital de la provincia de Java occidental, fue fundada por los holandeses en 1810 en una meseta al interior de JAVA a 730 m (2.400 pies) de altitud. Está rodeada de hermosos parajes. Es el centro de la vida cultural de los sondaneses, que componen la mayor parte de la población de la provincia y difieren en costumbres y lenguaje de sus vecinos javaneses. Es un centro educacional tanto del estudio como de la preservación de la cultura sondanesa.

Edificio del Instituto de Tecnología de Bandung, de arquitectura local, Java, Indonesia.
C. MAY—SHOSTAL/EB INC.

Banerjea, Sir Surendranath (10 nov. 1848, Calcuta, India–6 ago. 1925, Barrackpore, cerca de Calcuta). Estadista indio y uno de los fundadores de la India moderna. En su juventud intentó de manera infructuosa ingresar a la administración pública del país, en una época en que estaba virtualmente vedado a los indios étnicos. Se convirtió luego en profesor y fundó un colegio en Calcuta (actual Kolkata), que más tarde recibió su nombre. Intentó atraer a hindúes y musulmanes a una acción política conjunta y durante 40 años promovió un punto de vista nacionalista a través de su periódico, *The Bengalee*. Elegido en dos ocasiones presidente del Congreso Nacional Indio, abogó por una constitución india según el modelo canadiense. Fue elegido en 1913 a participar en dos consejos legislativos y posteriormente se le concedió el título de sir (caballero) (1921). En 1924 fue derrotado por un candidato independentista, tras lo cual se retiró a escribir su autobiografía, *A Nation in the Making* [Una nación en formación] (1925).

Banff, parque nacional Parque en el sudoeste de Alberta, Canadá. Establecido en 1885 como el primer parque nacional de Canadá, está situado en la pendiente oriental de las montañas ROCOSAS y comprende fuentes de minerales, campos de hielos y lagos glaciares, entre ellos el lago Louise. Se ha expandido extensamente hasta su actual territorio de 6.641 km^2 (2.564 mi^2). Banff es famoso por su espectacular belleza, y los visitantes son tan numerosos que hoy día es más un área de recreación que de conservación.

Bangalore Ciudad (pob., est. 2001: ciudad, 4.292.223 hab.; área metrop., 5.686.844 hab.), capital del estado de KARNATAKA, en el sur de India. Es un lugar de convergencia cultural para pueblos de habla kannada, telugu y tamil. Fue fundada en el s. XVII y más tarde pasó a ser posesión de la Confederación MAHRATTA. En 1748 se transformó en feudo del soberano indio HYDER ALÍ, pero fue capturada por los británicos en 1791. Fue el cuartel general de la administración británica en 1831–81, fecha en que fue devuelta al rajá de MYSORE (actual Karnataka). Hoy es una de las ciudades más populosas de India y un centro industrial y educacional.

Bangka, isla *o* **isla Banka** Isla de Indonesia. Se ubica al este de la costa de SUMATRA, atravesando el estrecho de Bangka; el estrecho de Gaspar la separa de la isla BELITUNG. Su superficie cubre 11.937 km^2 (4.609 mi^2); su pueblo principal es Pangkalpinang. El sultán de PALEMBANG cedió Bangka a los británicos en 1812; a su vez, ellos la intercambiaron por territorios holandeses en India, en 1814. Durante la segunda guerra mundial fue ocupada por Japón y pasó a formar parte de Indonesia en 1949. Bangka es uno de los principales productores mundiales de estaño.

Bangkok *thai* **Krung Thep** Ciudad (pob., 2000: área metrop., 6.355.144 hab.), capital de Tailandia. Se encuentra a 40 km (25 mi) de la desembocadura del río CHAO PHRAYA y es el principal puerto del país, así como su centro cultural, financiero y educacional. Se estableció como una fortaleza contra los birmanos antes de 1767 y pasó a ser la capital en 1782. Fue capturada por los japoneses durante la segunda guerra mundial y más tarde sufrió intensos bombardeos aliados. En 1971–72 incorporó varios distritos de las afueras para formar una metrópolis de nivel provincial y desde esa fecha ha experimentado un crecimiento impresionante. Por toda la ciudad existen templos y monasterios budistas amurallados que constituyen puntos de convergencia de su vida religiosa.

Santuarios y templo budistas en el Gran Palacio de Bangkok, Tailandia.
ARCHIVO EDIT. SANTIAGO

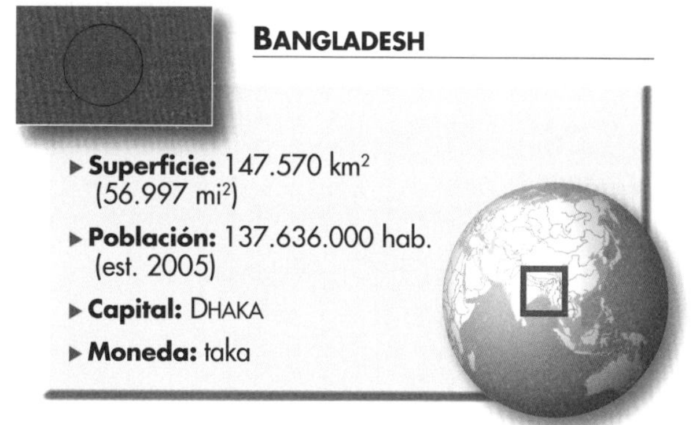

BANGLADESH

- **Superficie:** 147.570 km^2 (56.997 mi^2)
- **Población:** 137.636.000 hab. (est. 2005)
- **Capital:** DHAKA
- **Moneda:** taka

Bangladesh *ofic.* **República Popular de Bangladesh** País de la región centro-sur de Asia. La inmensa mayoría de la población es bengalí. Idioma: bengalí (oficial). Religiones: Islam (oficial; principalmente sunní) e hinduismo (más del 10%). Bangladesh es un país de tierras bajas; el lugar más alto alcanza sólo los 200 m (660 pies) sobre el nivel del mar. Se caracteriza por sus llanuras aluviales cruzadas por numerosos ríos interconectados. La región meridional corresponde a la sección oriental del delta Ganges–Brahmaputra. Los principales ríos son el GANGES (Ganga) y el BRAHMAPUTRA (conocido localmente como Jamuna), que en conjunto, forman el Padma. Aunque el país es principalmente agrícola, no ha logrado autoabastecerse de alimentos. Las lluvias monzónicas, que caen de mayo a octubre, producen grandes inundaciones en la mayor parte del país, causando a menudo graves daños en las cosechas, además de muchas pérdidas humanas; en 1991, un tifón provocó la muerte de 130.000 bengalíes, y varios otros que se produjeron en 1997 ocasionaron grandes desastres. Bangladesh es una república unicameral; el jefe de Estado es el presidente y el jefe de Gobierno, el primer ministro. En sus primeros años, fue conocida como BENGALA. Cuando los británicos abandonaron el subcontinente en 1947, la región que había sido Bengala oriental se transformó en parte de Pakistán, denominada Pakistán oriental. El sentimiento nacionalista bengalí aumentó después de la independencia de Pakistán. En 1971 estalló la violencia; cerca de un millón de bengalíes fueron asesinados y millones más huyeron a India, que finalmente entró a la guerra dándoles su apoyo, asegurando así la derrota de Pakistán occidental. Pakistán oriental se transformó en la nación independiente de Bangladesh. Sólo se ha reconstruido una pequeña parte de la devastación originada por el conflicto bélico, y la inestabilidad política ha continuado, incluido el asesinato de dos presidentes.

Bangor Ciudad (pob., 1991: 52.437 hab.) de Irlanda del Norte, capital del distrito de NORTH DOWN. Situada en la ribera sur del lago Belfast, 19 km (12 mi) al nordeste de BELFAST. San Comgall fundó un monasterio en Bangor c. 555, que se destacó como sede del saber. Fue saqueada por los daneses en el s. IX, y reconstruida parcialmente por San Malaquías en el s. XII. En la actualidad es un balneario.

Bangui Ciudad (pob., 1995: 553.000 hab.), capital de la República Centroafricana. Importante puerto del río UBANGUI, está conectada por un extenso sistema fluvial y ferroviario de 1.800 km (1.100 mi) con las ciudades congoleñas de POINTE-NOIRE y BRAZZAVILLE. Es principalmente un centro comercial y administrativo, pero también se encuentran en ella una universidad e institutos de investigación.

Bangweulu, lago Lago del norte de Zambia. Situado al sudeste del lago MWERU y al sudoeste de lago TANGANYIKA a una altitud de 1.140 m (3.740 pies), tiene una extensión aproximada de 72 km (45 mi); con sus pantanos adyacentes cubre una superficie de 9.840 km^2 (3.800 mi^2). Desagua a través del Luapul, un afluente del río CONGO. Posee tres islas habitadas. DAVID LIVINGSTONE fue el primer europeo que visitó el lago; murió allí en 1873.

baniano *o* **higuera de Bengala** Árbol de forma poco común (*F. benghalensis* o *F. indica*) del género *Ficus* (ver HIGUERA) de la familia de las MORÁCEAS, originario de Asia tropical. Sus RAÍCES aéreas, que salen de sus ramas, descienden y se arraigan en el suelo para convertirse en troncos nuevos. El baniano alcanza una altura de hasta 30 m (100 pies) y se expande lateralmente sin cesar. Con el tiempo, un árbol puede adquirir la apariencia de un matorral muy denso, debido a la maraña de raíces y troncos.

Banja Luca Ciudad (pob., est. 1997: 160.000 hab.), del nordeste de Bosnia y Herzegovina. En tiempo de los turcos, fue un importante centro militar y la capital (1583–1639) del territorio bosnio, gobernado por un bajá. En los s. XVI–XVIII, fue campo de batalla para austríacos y turcos, y desempeñó un papel importante durante las insurrecciones bosnias en contra de Turquía en el s. XIX, al igual que en la sedición serbia. Durante la segunda guerra mundial, fue un centro de resistencia en CROACIA, país dominado por las potencias del Eje. En 1992 se convirtió en la capital de la República Serbia de Bosnia (o República Serbobosnia). Durante el conflicto BOSNIO fue escenario de numerosos enfrentamientos.

banjo Instrumento musical de cuerdas pulsadas de origen africano. Tiene una caja con forma de tamboril, cuatro o cinco cuerdas y un mástil largo con trastes. La quinta cuerda (si existe) tiene su clavija en el quinto traste y funciona principalmente como nota pedal pulsada con el pulgar. En su forma original, el banjo sólo tenía cuatro cuerdas y carecía de trastes. Los esclavos introdujeron el instrumento en EE.UU., donde se popularizó en el s. XIX por medio de los MINSTREL SHOWS y después fue exportado a Europa. Ha sido un instrumento folclórico norteamericano importante, especialmente en el BLUEGRASS, y se usó en el jazz temprano.

Banjul *ant. (1816–1973)* **Bathurst** Puerto marítimo (pob., 1993: aglomeración urbana, 270.540 hab.), capital de Gambia. Situada en la isla de St. Mary en el río GAMBIA, es la ciudad más grande del país. Fundada por los ingleses en 1816 para suprimir el comercio de esclavos, posteriormente fue la capital de la colonia inglesa de Gambia. Con la independencia de este en 1965, se convirtió en la capital nacional. El turismo es de una importancia creciente, y Banjul también sirve de centro de transporte con conexiones hacia el interior y Senegal.

Banka ver BANGKA

Bankhead, Tallulah (Brockman) (31 ene. 1902, Huntsville, Ala., EE.UU.–12 dic. 1968, Nueva York, N.Y.). Actriz de cine y teatro estadounidense. Nacida en una prestigiosa familia (su padre llegó a ser un prominente congresista), hizo su debut en Broadway en 1918 y alcanzó fama en los escenarios londinenses con *The Dancer* (1923). Su intensa presencia y ronca voz contribuyeron a sus singulares interpretaciones en los éxitos teatrales de *La loba* (1939), *La piel de nuestros dientes* (1942) y *Vidas privadas* (1946). Hizo películas como *A Woman's Law* (1928) y *Náufragos* (1944) de ALFRED HITCHCOCK, a pesar de que siguió siendo fundamentalmente una actriz de teatro. Su última aparición en escena fue en *El tren lechero ya no para aquí* (1964).

Banks, Ernie *p. ext.* **Ernest Banks** (n. 31 ene. 1931, Dallas, Texas, EE.UU.). Beisbolista estadounidense. En 1950 fue contratado por los Kansas City Monarchs, uno de los mejores equipos de las Ligas Negras. Después de una temporada con los Monarchs, Banks pasó dos años en el ejército estadounidense. Duró poco tiempo en las Ligas Negras, pues después de cumplir el servicio militar fue fichado por los Chicago Cubs en 1953. Pronto se convirtió en uno de los mejores bateadores de la Liga Nacional. En su carrera totalizó 512 *home runs* y 1.636 carreras impulsadas, con más de 40 *home runs* por temporada en cinco oportunidades. Fue integrado al Salón de la Fama del béisbol en 1977, primer año en que cumplía los requisitos.

Banks, isla Isla en los Territorios del Noroeste de Canadá. Es la isla más occidental del archipiélago ÁRTICO de Canadá, situada al noroeste de la isla VICTORIA, separada del continente por el golfo de AMUNDSEN. Mide alrededor de 400 km (250 mi) de largo, y tiene una superficie de 70.028 km^2 (27.038 mi^2). Fue avistada por primera vez por la expedición de Sir William Parry en 1820, y debe su nombre al naturalista Sir JOSEPH BANKS.

Banks, península de Península de la isla del Sur en Nueva Zelanda, que se extiende alrededor de 55 km (35 mi) en el océano Pacífico. Originalmente fue una isla formada por dos conos volcánicos contiguos; en 1770 la visitó el capitán JAMES COOK, quien la bautizó en honor a Sir JOSEPH BANKS. La ciudad de CHRISTCHURCH se encuentra en su base.

Banks, Russell (n. 28 mar. 1940, Newton, Mass., EE.UU.). Novelista estadounidense. Banks estuvo relacionado en la década de 1960 con la editorial Lillabulero, y ha enseñado en varias universidades. Acaparó gran atención con *Continental Drift* [Deriva continental] (1985), inspirada en una breve temporada que el autor pasó en Jamaica. Sus últimas novelas, al igual que sus primeras obras, suelen retratar a personajes manejados por fuerzas económicas y sociales que no comprenden. Entre ellas se distinguen *Aflicción* (1989; película, 1998), *Como en otro mundo* (1991; película, 1997) y *Cloudsplitter* [El desintegrador de nubes] (1998), novela histórica sobre el abolicionista JOHN BROWN.

Banks, Sir Joseph (13 feb. 1743, Londres, Inglaterra–19 jun. 1820, Isleworth, Londres). Explorador y naturalista británico. Después de realizar sus estudios en Oxford, heredó una fortuna que le permitió viajar extensamente recolectando especímenes de plantas y otros relacionados con la historia natural. Entre 1768 y 1771 pertrechó a JAMES COOK y lo acompañó en su viaje alrededor del mundo. Se interesó especialmente en plantas de valor económico y en su introducción de un país a otro. Fue el primero en sugerir que la roya del trigo y el hongo

Berberis eran la misma cosa (1805). Además, fue el primero en demostrar que los mamíferos marsupiales eran más primitivos que los mamíferos placentarios. Fue presidente de la Royal Society entre 1778 y 1820 y director oficioso de los jardines de KEW, transformándolos en una de las instituciones botánicas de mayor importancia. Su HERBARIO, uno de los más importantes existentes, así como su biblioteca, una de las mayores colecciones de trabajos sobre historia natural, ahora forman parte del Museo Británico.

Bann, río Río de Irlanda del Norte. El Bann superior fluye 40 km (25 mi) hacia el noroeste hasta el lago NEAGH, mientras que el Bann inferior recorre 53 km (33 mi) desde el lago hasta el océano Atlántico.

Bannā', Ḥasan al- (1906, Egipto–feb. 1949, El Cairo). Líder político y religioso egipcio. Comenzó en 1927 enseñando árabe en una escuela primaria en Ismailía. En 1928 estableció la HERMANDAD MUSULMANA, cuyo propósito era rejuvenecer el Islam y la sociedad egipcia, así como expulsar a los británicos de Egipto. En 1940 había logrado atraer a sus filas a estudiantes, empleados públicos y obreros urbanos. Intentó mantener una alianza con el gobierno egipcio, pero muchos miembros de su fraternidad consideraron al régimen como traidor del nacionalismo egipcio; de esa manera, después de la guerra, algunos se vieron envueltos en varios asesinatos políticos, como el del primer ministro al-Nuqrāshī, ocurrido en 1948. Al año siguiente, Ḥasan al-Bannā' fue asesinado, hecho en el que hubo participación del gobierno.

Banneker, Benjamin (9 nov. 1731, Ellicott's Mills, Md., EE.UU.–25 oct. 1806, Baltimore, Md.). Astrónomo estadounidense, compilador de almanaques e inventor. Afroamericano liberto, propietario de una granja cerca de Baltimore, fue casi completamente autodidacta en astronomía y matemática. En 1761 adquirió fama por fabricar un reloj de madera que indicaba la hora exacta. Alrededor de 1773 inició cálculos astronómicos, predijo con exactitud un eclipse de sol en 1789 y, desde 1791 hasta 1802, publicó anualmente el *Pennsylvania, Maryland, and Virginia Almanac and Ephemeris* [Almanaque y efemérides de Pensilvania, Maryland y Virginia]. (Envió a THOMAS JEFFERSON uno de los primeros ejemplares del almanaque, para contrarrestar una controversia relativa a la inferioridad de la inteligencia de los afroamericanos). En 1790 fue miembro de la comisión que hizo el levantamiento del lugar donde se emplazaría la nueva capital del país, Washington, D.C. También escribió ensayos en denuncia de la esclavitud y la guerra.

Miembros del pueblo zulú que habitan en Sudáfrica, hablantes de una lengua bantú, de la rama benué-congo.
FOTOBANCO

Bannister, Sir Roger (Gilbert) (n. 23 mar. 1929, Harrow, Middlesex, Inglaterra). Atleta británico. Estudió en la Universidad de Oxford, donde se tituló de médico. En 1954 se convirtió en la primera persona en correr 1,6 km (1 mi) en menos de 4 m. (3 m. y 59,4 s). Antes de eso, muchos expertos afirmaban que la "barrera" de los 4 m. para dicha distancia era inquebrantable. Como neurólogo, escribió ensayos sobre la fisiología del ejercicio, y se afirma que consiguió su velocidad gracias a métodos científicos de entrenamiento.

Bannockburn, batalla de (23–24 jun. 1314). Decisiva batalla en la historia de Escocia, en la que las fuerzas dirigidas por Robert Bruce (más tarde ROBERTO I) derrotaron a los ingleses comandados por EDUARDO II. Estos, tres veces más numerosos que los escoceses, fueron vencidos mediante el uso magistral del terreno, forzados a luchar en un estrecho y pantanoso campo de batalla, con poco espacio para maniobrar. Las fuerzas inglesas fueron obligadas a huir y muchos soldados resultaron masacrados por sus perseguidores escoceses. La victoria liberó a Escocia de las últimas tropas inglesas y aseguró su independencia; Robert fue confirmado como rey de los escoceses.

Banpocun *o* **Pan p'o-ts'uen** Lugar donde se ubicaba una aldea neolítica a orillas del río Wei, China, perteneciente a la etapa temprana de la cultura de YANGSHAO, 5000–4000 AC. Allí se ha descubierto una enorme cantidad de artefactos, que incluyen 8.000 herramientas de piedra y hueso, fragmentos de cerámica y figurillas de arcilla. El principal cultivo era el mijo; complementaban su dieta mediante la caza y la recolección. Cerdos y perros estaban domesticados y los indicios de cultivos de cáñamo y gusano de seda permiten suponer la existencia de manufactura textil. Se han excavado unas 250 tumbas. Ver también período NEOLÍTICO.

Banten *o* **Bantam** Antigua ciudad y sultanato de JAVA. Se ubicaba en el extremo occidental de Java, entre el mar de Java y el océano Índico. A inicios del s. XVI llegó a ser un poderoso sultanato musulmán, que extendía su control sobre partes de SUMATRA y BORNEO. Invadida sucesivamente por holandeses, portugueses y británicos, en última instancia reconoció soberanía holandesa en 1684. La ciudad fue el puerto más importante de Java para el comercio europeo de especias hasta que la rada se obstruyó con légamo a fines del s. XVIII. Fue severamente afectada por la erupción del KRAKATOA en 1883.

Banting, Sir Frederick Grant (14 nov. 1891, Alliston, Ontario, Canadá–21 feb. 1941, Terranova). Médico canadiense. Enseñó en la Universidad de Toronto desde 1923. Con CHARLES H. BEST, fueron los primeros en obtener un extracto pancreático de insulina (1921), que, en el laboratorio de J.J.R. MACLEOD, aislaron en una forma efectiva contra la diabetes. Banting y Macleod recibieron el Premio Nobel en 1923 por el descubrimiento de la insulina; Banting compartió voluntariamente su parte del premio con Best.

bantúes Pueblos que hablan cerca de 500 diferentes lenguas BANTÚES. Ascienden a más de 200 millones de personas y ocupan casi por completo el cono sur de África. Su clasificación es básicamente lingüística, ya que las características culturales de los bantués son extremadamente diversas. Entre los grupos se incluyen los bemba, bena, chaga, CHEWA, embu, FANG, GANDA, gusii, hehe, HERERO, HUTU, kagwe, KIKUYU, LUBA, LUHÍA, lunda, makonde, meru, nayamwezi, NDEBELÉ, nkole, NYAKYUSA, NYORO, pedi, SHONA, SOTHO, SWAZI, tsonga, TSWANA, TUTSI, VENDA, XOSA, YAO, zaramo y ZULÚ.

bantúes, lenguas Grupo de unas 500 lenguas pertenecientes a la rama BENUÉ-CONGO de la familia de lenguas NIGEROCONGOLEÑAS. Más de 200 millones de personas hablan estas lenguas en un área muy extensa que incluye la mayor parte de África, desde el sur de Camerún hacia el este hasta Kenia, y hacia el sur hasta el extremo meridional del continente. Doce lenguas bantúes, entre ellas el rundi (kirundi), el ruanda (kinyarwanda), el shona, el zulú y el xosa, son habladas por más de 5 millones de personas.

Bánzer Suárez, Hugo (10 jul. 1926, Santa Cruz, Bolivia–5 may. 2002, Santa Cruz). Militar y presidente de Bolivia (1971–78, 1997–2001). Después de educarse en institutos militares bolivianos y estadounidenses, ejerció varios cargos gubernamentales. Se convirtió en presidente tras participar en el derrocamiento de dos gobiernos bolivianos en 1970 y 1971. Siendo un conservador, estimuló la inversión extranjera y reprimió severamente cualquier oposición. Sus restricciones a las actividades sindicales y a las libertades constitucionales le granjearon la oposición de los trabajadores, el clero, los campesinos y los estudiantes. En 1978, un golpe de Estado lo derrocó, pero en 1997 fue elegido democráticamente. Renunció en 2001 por razones de salud y falleció en 2002.

baño termal ver SPA

baño turco Baño originario del Medio Oriente, que combina exposición al aire caliente, inmersión en vapor, masaje y un baño o ducha fríos. El baño turco (*ḥammām*) refleja la fusión del masaje y los aspectos cosméticos de la tradición oriental del baño, con las técnicas romanas de fontanería y calefacción. Los baños turcos eran más pequeños que las TERMAS ROMANAS y menos iluminados. Los baños de Constantinopla eran abovedados y las habitaciones estaban suntuosamente decoradas con mármol o mosaicos. Usado como un modo de socialización y esparcimiento, tanto como para bañarse, el *ḥammām* se hizo popular en todo el mundo islámico. Algunos baños aún permanecen en uso. En el s. XIX, el baño turco fue adaptado y exportado a Europa y EE.UU.

baobab Árbol (*Adansonia digitata*) de la familia Bombacaceae, originario de África. El tronco, parecido a un barril, puede alcanzar un diámetro de 9 m (30 pies) y una altura de 18 m (60 pies). Su fruto grande, leñoso, parecido a una calabaza, contiene una pulpa sabrosa. Una fibra resistente, obtenida de la corteza, se usa localmente para confeccionar cuerdas y paños. Los troncos se excavan a menudo, ya que sirven como reservas de agua o abrigos temporales. Por su forma extraordinaria, el baobab se planta como curiosidad en zonas de clima caluroso, como Florida, EE.UU. Una especie afín, *A. gregorii*, se encuentra en Australia, donde se le denomina árbol botella.

Baobab (*Adansonia digitata*), originario de África.

ARCHIVO EDIT. SANTIAGO

Bao-Dai *orig.* **Nguyen Vinh Thuy** (22 oct. 1913, Vietnam–1 ago. 1997, París, Francia). Último emperador reinante de Vietnam (r. 1926–45, 1949–55). Fue educado en Francia y en 1926 ascendió al trono, bajo la tutela de los franceses. Convertido en un gobernante sin poder bajo el dominio japonés durante la segunda guerra mundial, abandonó el país después que el VIETMINH expulsó a los japoneses. En 1949, los franceses, habiendo acordado un principio de independencia para Vietnam, lo invitaron a regresar como soberano. Aunque accedió, obtuvo escasos resultados y se retiró a Francia en 1955, cuando después de un referéndum nacional, se instauró la república en Vietnam.

baojia *o* **pao-chia** Sistema chino de aldeas militarizadas creado por WANG ANSHI como parte de sus reformas de 1069–76. Eran unidades de diez familias regularmente adiestradas y abastecidas con armas, con el fin de reducir la dependencia que el gobierno tenía de mercenarios. Sus miembros eran mutuamente responsables uno del otro. El sistema fue revivido en el s. XIX para ayudar a sofocar la rebelión TAIPING, e imitado tanto por el GUOMINDANG como por el PARTIDO COMUNISTA CHINO (PCCH) en el s. XX.

baptista Miembro de un grupo de cristianos protestantes que sostiene que se debe bautizar sólo a los creyentes adultos, y además, sólo por inmersión. Durante el s. XVII surgieron en Inglaterra dos grupos de baptistas: los *general baptists* (baptistas generales), quienes sostenían que la redención de Cristo se aplicaba a todas las personas; y los *particular baptists* (baptistas selectivos), que afirmaban que la salvación era sólo para los elegidos. Los orígenes baptistas en las colonias norteamericanas se remontan a ROGER WILLIAMS, quien estableció en 1639 una iglesia baptista en Providence, R.I. Hacia mediados del s. XVIII, el crecimiento del baptismo en EE.UU. fue estimulado por el GRAN DESPERTAR. La Convención General de 1814 mostró divisiones entre los baptistas estadounidenses por el tema de la esclavitud; se produjo una división formal cuando, en 1845, se organizó la Convención baptista del sur, quiebre que se confirmó al organizarse la Convención baptista del norte, en 1907. En la década de 1960, las iglesias baptistas afroamericanas lideraron el movimiento por los DERECHOS CIVILES, en especial a través de la labor de MARTIN LUTHER KING. La creencia baptista enfatiza la autoridad de las congregaciones locales en materias de fe y práctica; el culto se caracteriza por oraciones improvisadas y el canto de himnos, así como por sermones en que se analizan textos religiosos.

baptisterio Sala o capilla abovedada, adyacente a una iglesia o a parte de ella, donde se celebra el BAUTISMO. Hacia el s. IV el baptisterio había tomado una forma octogonal (el ocho en la numerología cristiana representa el símbolo de una nueva vida) tal como la pila bautismal ubicada en su interior. La pila estaba cubierta por un BALDAQUÍN abovedado y rodeada por columnas y un deambulatorio o pasillo, ambos elementos usados por primera vez por los bizantinos.

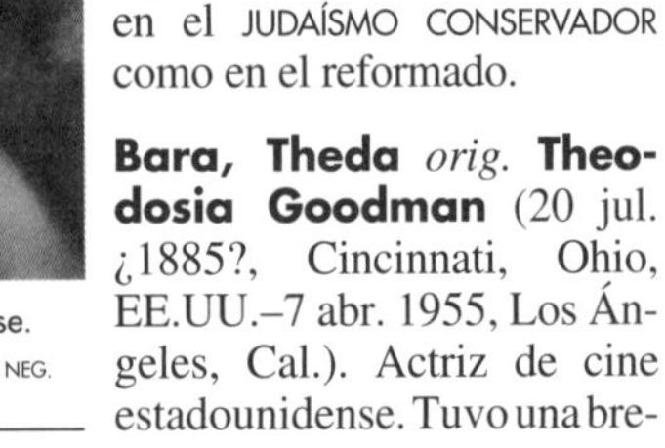

Baptisterio de Parma, exterior revestido con mármol rojizo de Verona; autor anónimo, Italia.

ARCHIVO EDIT. SANTIAGO

Bar Mitzvá Ritual judío que celebra el decimotercer cumpleaños de un muchacho y su entrada en la comunidad del JUDAÍSMO. Normalmente tiene lugar durante un servicio sabático, cuando el adolescente lee la TORÁ y puede ofrecer una reflexión acerca del texto. El servicio es seguido a menudo por un alegre kiddush y una cena familiar el mismo día o al día siguiente. El JUDAÍSMO REFORMADO sustituyó a contar de 1810 el Bar Mitzvá por la confirmación de niños y niñas, pero en el s. XX, muchas congregaciones restauraron el Bar Mitzvá. También se instituyó para las niñas una ceremonia separada, el Bat Mitzvá, tanto en el JUDAÍSMO CONSERVADOR como en el reformado.

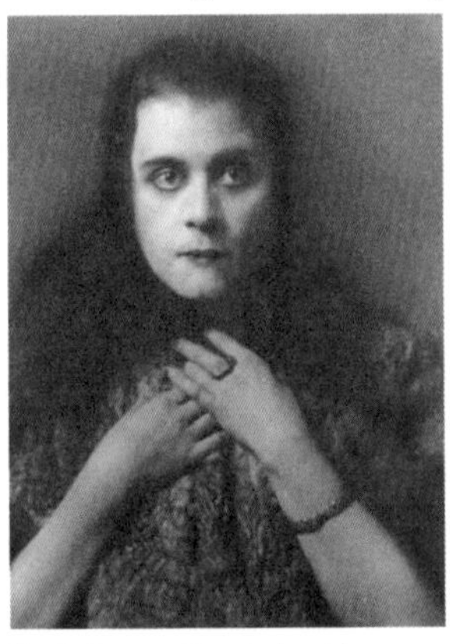

Theda Bara, actriz estadounidense.

BIBLIOTECA DEL CONGRESO, WASHINGTON, D.C.; NEG. Nº LC USZ 62 52463

Bara, Theda *orig.* **Theodosia Goodman** (20 jul. ¿1885?, Cincinnati, Ohio, EE.UU.–7 abr. 1955, Los Ángeles, Cal.). Actriz de cine estadounidense. Tuvo una breve carrera como actriz de teatro antes de partir a Hollywood. Su primera película importante, *A Fool There Was* (1915), fue acompañada por una campaña publicitaria que la presentaba como la hija de un potentado del Medio Oriente, lo que la catapultó instantáneamente al éxito. Su presencia exótica y sensual la convirtió en el prototipo de la vampiresa del cine. Hizo más de 40 películas en pocos años, pero su popularidad no tardó en declinar. Se retiró finalmente en la década de 1920.

Barada, río *antig.* **Chrysorrhoas** Río del oeste de Siria. Fluye cerca de 72 km (45 mi) desde la cordillera del ANTILÍBANO hasta más allá de DAMASCO. Con el fin de desviar sus aguas, a lo largo de la historia se han cavado canales en diferentes niveles paralelos al brazo principal. Los canales (de origen nabateo, arameo y, en especial, romano) se abren en forma de abanico al llegar a Damasco e irrigan una gran superficie. Este sistema creó el paraje de Damasco, que es un oasis artificial extremadamente fértil.

Baraka, (Imamu) Amiri *orig.* **(Everett) LeRoi Jones** (n. 7 oct. 1934, Newark, N.J., EE.UU.). Dramaturgo, poeta y activista estadounidense. Después de graduarse en la Howard University y servir en la Fuerza Aérea de EE.UU., se unió al movimiento BEAT y en 1961 publicó su primera colección importante de poesía. En su obra *El holandés* (1964), producida en el circuito Off-Broadway, exploró la hostilidad latente de los afroamericanos estadounidenses hacia la cultura blanca dominante. Después del asesinato de MALCOLM X en 1965, Baraka se involucró con el nacionalismo afroamericano y fundó el teatro Black Arts Repertory en Harlem. En 1974 adoptó una filosofía marxista-leninista. Fue nombrado poeta laureado de Nueva Jersey en 2002.

barangay Antiguo asentamiento filipino. El término deriva de *balangay*, barcos de vela que trasladaban colonos malayos desde Borneo hasta las Filipinas. Cada barco traía un grupo familiar que se establecía en una aldea. Esas aldeas, que algunas veces crecían hasta sumar entre 30 y 100 familias, permanecían aisladas unas de otras. El hecho de que no haya surgido una organización política mayor (excepto en Mindanao) facilitó la conquista española en el s. XVI. Los españoles conservaron el barangay como una unidad de administración local.

Barataria, bahía de Ensenada del golfo de México en el sudeste de Louisiana, EE.UU. La bahía mide alrededor de 24 km (15 mi) de largo y 19 km (12 mi) de ancho, y su entrada es un canal angosto, navegable a través de vías fluviales conectadas con el sistema del CANAL INTRACOSTAL DEL GOLFO. La región es conocida por su industria de camarones y yacimientos de gas natural y de petróleo. Jean Laffite y su hermano organizaron una colonia de piratas que operaban alrededor de sus costas en 1810–14, por esto a veces se le llama Tierra de Laffite.

barba del español Planta EPÍFITA (*Tillandsia usneoides*) de la familia de las Bromeliáceas (ver ANANÁS), que se encuentra en el sur de Norteamérica, Antillas, Centro y Sudamérica. Frecuentemente cuelga en grandes masas de color gris plateado, parecidas a barbas, sobre árboles y otras plantas, e incluso, postes telefónicos, pero no es parásita, ni está entrelazada estructuralmente con su huésped. Absorbe el dióxido de carbono y el agua de lluvia o el rocío para realizar la FOTOSÍNTESIS mediante minúsculas escamas, parecidas a pelos, que cubren sus hojas y largos tallos filiformes. Absorbe nutrientes del polvo y solventes del agua de lluvia o de la materia orgánica en descomposición en torno a sus raíces aéreas. Rara vez da flores amarillas sésiles. La barba del español se utiliza a veces como relleno en cajas de embalaje y tapicería, y alrededor de las plantas de maceta o de arreglos florales.

BARBADOS

- **Superficie:** 430 km² (166 mi²)
- **Población:** 270.000 hab. (est. 2005)
- **Capital:** BRIDGETOWN
- **Moneda:** dólar de Barbados

Barbados País insular de las Antillas. Es la más oriental de las islas del Caribe, y se ubica a unos 430 km (270 mi) al nordeste de Venezuela. Más del 90% de la población es de raza negra. Idioma: inglés (oficial). Religión: cristianismo. Compuesta de sedimentos de coral, la superficie del país es baja y llana, con la excepción de la zona centro-norte; su punto más alto es el monte Hillaby, a 336 m (1.104 pies). Existe escasa agua superficial. Está casi totalmente rodeada de arrecifes de coral y carece de buenos puertos naturales. Su economía se basa en el turismo y el azúcar, mientras que el sector financiero está en proceso de crecimiento. Es una monarquía constitucional con dos cámaras legislativas; el jefe de Estado es el monarca británico, representado por un gobernador general, y el jefe de Gobierno, el primer ministro. Probablemente, las islas fueron habitadas por los ARAWAKS, provenientes de América del Sur. Se estima que los españoles bien podrían haber desembarcado hacia el año 1518, y al parecer ya habían exterminado la población indígena alrededor de 1536. Barbados fue colonizada por los ingleses a partir de 1620. Se introdujeron esclavos para trabajar en las plantaciones de azúcar, que fueron especialmente prósperas en los s. XVII–XVIII. El Imperio británico abolió la esclavitud en 1834, y todos los esclavos de la isla fueron liberados alrededor de 1838. En 1958 se anexó a la Federación de las Indias Occidentales. Cuando esta última se disolvió en 1962, Barbados trató de independizarse de Gran Bretaña, lo que consiguió en 1966, convirtiéndose en miembro de la COMMONWEALTH.

Barbanegra *orig.* **Edward Teach** (¿Bristol?, Inglaterra–22 nov. 1718, Ocracoke Island, Carolina del Norte). Pirata inglés. Probablemente fue corsario en las Antillas hasta 1716. Con su buque de 40 cañones, se dedicó a atacar naves en las costas de Virginia y Carolina, compartiendo sus botines con el gobernador de la colonia de Carolina del Norte a cambio de protección. Finalmente fue muerto por una fuerza naval británica y su cabeza, con su gran barba negra, fue colocada en el tope de su bauprés. Según la leyenda, dejó enterrado un gran tesoro; nunca ha sido encontrado y probablemente jamás existió.

Bárbara, santa (m. 200 DC, festividad: 4 de diciembre). Mártir del cristianismo primitivo y patrona de los artilleros. Hija de Dióscoro, pagano que la mantuvo a buen resguardo para proteger su belleza y virginidad. Cuando Bárbara se convirtió al cristianismo, su padre se enfureció al extremo que la llevó ante el prefecto romano, quien ordenó que fuera torturada y decapitada. Su padre realizó personalmente la ejecución; mas, cuando el hombre volvía a su casa, fue alcanzado por un rayo que lo redujo a cenizas. Bárbara fue una santa popular durante la Edad Media y se invocaba su ayuda en las tormentas. Fue sacada del calendario de la Iglesia en 1969.

Barbarroja *orig.* **Khiḇr** *post.* **Khayr al-Dīn** (m. 1546). Pirata y almirante turco-griego al servicio del Imperio OTOMANO. Con su hermano ʿArūj, ambos hijos de un turco de Lesbos, odiaban a los españoles y portugueses por sus ataques en África del norte, y se dedicaron a la piratería en la costa de BERBERÍA a fin de conquistar para sí mismos un territorio en África. Cuando ʿArūj fue asesinado en 1518, Khiḏr tomó el título de Khayr al-Dīn. Le ofreció lealtad al sultán otomano, recibiendo a cambio ayuda militar que le permitió capturar Argel en 1529. Nombrado almirante en jefe del Imperio otomano (1533), conquistó todo Túnez. El emperador CARLOS V capturó la ciudad de Túnez en 1535, pero Barbarroja derrotó a su flota en la batalla de Preveza (1538), asegurando el Mediterráneo oriental para los turcos durante 33 años. El origen del epíteto usado por los europeos se encuentra en el color de su barba.

Barbarroja, Federico ver FEDERICO I

Barbazul *o* **Gilles de Rais** *o* **Gilles de Retz** (sep./oct. 1404, Champtocé, Francia–26 oct. 1440, Nantes). Barón y mariscal de Francia, célebre por su crueldad. Su nombre fue luego relacionado con el cuento "Barbazul" de CHARLES PERRAULT. Combatió en varias batallas junto a santa JUANA DE ARCO y fue nombrado mariscal de Francia (1429). De regreso en Bretaña llevó una vida disipada y finalmente se dedicó a la alquimia y al satanismo. Acusado de secuestrar y asesinar a más de 140 niños, fue procesado por tribunales civiles y eclesiásticos. Condenado por herejía, confesó, mostró arrepentimiento y murió valientemente en la horca; su cuerpo fue quemado. Algunos escépticos han hecho notar las irregularidades de los procesos y el interés que existía en provocar su ruina. El Barbazul del cuento de hadas se casa con una mujer que, intrigada acerca de una habitación del castillo cuya llave él se niega a darle, descubre ahí los esqueletos de sus predecesoras.

"Barbazul", ilustración de Gustave Doré.

GENTILEZA DEL DIRECTORIO DEL MUSEO BRITÁNICO; FOTOGRAFÍA, J.R. FREEMAN & CO., LTD.

Barber, Red *orig.* **Walter Lanier Barber** (17 feb. 1908, Columbus, Miss., EE.UU.–22 oct. 1992, Tallahassee, Fla.). Locutor deportivo estadounidense. Fue el relator de radio y televisión de los partidos de béisbol de los Reds de Cincinnati (1934–39), los Dodgers de Brooklyn (1939–53) y los Yankees de Nueva York (1954–66). Combinaba el conocimiento técnico con comentarios coloquiales propios, y su exclamación característica era "Oh-ho, Doctor!". Emitió comentarios semanales en la Radio Pública Nacional desde 1981 y escribió dos libros sobre béisbol y su autobiografía.

Barber, Samuel (9 mar. 1910, West Chester, Pa., EE.UU.–23 ene. 1981, Nueva York, N.Y.). Compositor estadounidense. Estudió piano, canto, dirección orquestal y composición en el Curtis Institute. Tras egresar en 1934 se dedicó a la composición. El estilo de Barber, frecuentemente lírico y neorromántico, resultó ser muy atractivo para el público. Sus obras incluyen el popular *Adagio para cuerdas* (1936), dos *Ensayos para orquesta* (1937, 1942), la ópera *Vanessa* (1957, Premio Pulitzer) y un *Concierto para piano* (1962, Premio Pulitzer).

Barbera, Joseph ver William HANNA y Joseph Barbera

Barbie *p. ext.* **Barbara Millicent Roberts** Muñeca plástica de 29 cm (11,5 pulg.) de alto, con la figura de una mujer adulta, lanzada al mercado en 1959 por la fábrica de juguetes californiana Mattel. Ruth Handler, cofundadora de la empresa junto a su marido Elliot, fue la vanguardista que impulsó la fabricación de la muñeca. Desde la década de 1970, Barbie ha sido criticada por su materialismo (autos de lujo, casas y ropa) y sus poco reales proporciones corporales. Aun así, muchas mujeres que jugaron con esta muñeca cuando niñas, atribuyen a Barbie el mérito de entregarles alternativas al restrictivo rol del género femenino preponderante en la década de 1950. En la actualidad, la muñeca se ha convertido en un símbolo del consumismo y es una marca mundial, con mercados importantes en Europa, América Latina y Japón. Sin embargo, nunca ha podido ingresar al mundo musulmán. En 1995, Arabia Saudita detuvo su venta, porque violaba los códigos de vestimenta islámicos. Muñecas similares, con *ḥijābs* que cubrían sus cabezas, se lanzaron para las niñas musulmanas.

Barbie, Klaus (25 oct. 1913, Bad Godesberg, Alemania–25 sep. 1991, Lyon, Francia). Dirigente nazi. Como jefe de la Gestapo en Lyon, Francia (1942–44), persiguió a los miembros de la RESISTENCIA francesa y fue responsable de la tortura y ejecución de miles de prisioneros. Después de la segunda guerra mundial fue capturado por las autoridades estadounidenses en Alemania, que lo reclutaron para labores de contrainteligencia (1947–51). Luego lo trasladaron con su familia a Bolivia donde vivió como empresario desde 1951 hasta que fue extraditado a Francia en 1983 para ser sometido a proceso. A lo largo de su juicio, "el Carnicero de Lyon" no mostró arrepentimiento y se manifestó orgulloso de sus servicios a la causa nazi. Sindicado como culpable de la muerte de unas 4.000 personas y de la deportación de otras 7.500, fue sentenciado a cadena perpetua.

barbitúrico Cualquiera de una clase de COMPUESTOS HETEROCÍCLICOS derivados del ácido úrico y que se utilizan en medicina. Deprimen el sistema NERVIOSO central, actuando particularmente sobre ciertas partes del ENCÉFALO, aunque tienden a deprimir el funcionamiento de todos los tejidos del cuerpo. Los barbitúricos de acción prolongada (p. ej., barbital y fenobarbital) se utilizan para tratar la EPILEPSIA. Los de acción intermedia (p. ej., amobarbital) se emplean para tratar el INSOMNIO, los de acción rápida (p. ej., pentobarbital) para vencer la dificultad de quedarse dormido (un aspecto del insomnio) y los de acción ultrarrápida (p. ej., tiopental de sodio) para inducir inconsciencia en pacientes quirúrgicos antes de la administración de otros ANESTÉSICOS. El uso prolongado de barbitúricos puede ocasionar adicción. La suspensión repentina puede ser fatal; los adictos deben ser alejados de la droga bajo supervisión médica. La sobredosis puede producir un estado de coma e incluso la muerte; los barbitúricos son particularmente peligrosos, aun en dosis normales, cuando se combinan con bebidas alcohólicas.

Barbizon, escuela de Grupo de paisajistas franceses del s. XIX. Formaron parte de un movimiento europeo mayor proclive al NATURALISMO, que contribuyó de manera significativa al REALISMO en la pintura de paisajes francesa. Encabezados por THÉODORE ROUSSEAU y JEAN-FRANÇOIS MILLET atrajeron a un gran número de pintores que inmigraron a Barbizon, un pueblo cercano a París. Los más destacados miembros de este grupo fueron CHARLES-FRANÇOIS DAUBIGNY, Narcisse-Virgile Díaz de la Peña, Jules Dupré, Charles-Émile Jacque y Constant Troyon. Cada uno tenía su estilo propio, pero todos se interesaron por pintar al aire libre y usar una paleta limitada que les permitiera crear una atmósfera o estado de ánimo determinados en sus paisajes.

Barbosa, Ruy (5 nov. 1849, Salvador, Bahía, Brasil–1 mar. 1923, Petrópolis). Orador, estadista y jurista brasileño. Liberal elocuente, redactó la constitución de la naciente república de Brasil en 1890 y ocupó varios cargos, entre ellos el de ministro de finanzas en el gobierno provisional que inauguró la república. Fue elegido senador en 1895 y en 1907 encabezó una delegación enviada a la segunda convención de LA HAYA, donde ganó renombre internacional por su oratoria y defensa de la igualdad legal entre naciones ricas y pobres. Se postuló a la presidencia en 1910, con una plataforma antimilitarista, y nuevamente en 1919, perdiendo en ambas ocasiones.

Barbuda ver ANTIGUA Y BARBUDA

barbudo Cualquiera de unas 75 especies de aves tropicales (familia Capitonidae), llamadas así por las cerdas que presentan en la base de su robusto y aguzado pico. Son cabezonas y de corta cola, miden 9–30 cm (3,5–12 pulg.) de largo, y de color verdoso o pardusco salpicados de colores vivos o blanco. Los barbudos se encuentran en América Central y el norte de Sudamérica, en el África subsahariana y en Asia meridional. Vuelan poco y se posan en la copa de los árboles cuando no están alimentándose de insectos, lagartijas, huevos de aves, frutos y bayas. Su reclamo es chillón mientras sacuden la cabeza o la cola. Las especies que por lo vocingleras o repetitivas resultan enloquecedoras se denominan a veces pájaros locos.

Barbudo cabecirrojo (*Eubucco bourcierii*).
C. LAUBSCHER–BRUCE COLEMAN INC.

Barcelona Ciudad portuaria (pob., 2001: ciudad, 1.503.884 hab.; área metrop., 3.765.994 hab.), capital de la región autónoma de CATALUÑA, del nordeste de España. Es el mayor puerto de ese país y la segunda ciudad en cuanto a tamaño; asimismo, es el principal centro industrial y comercial, a la vez que un importante centro cultural. Tradicionalmente se ha señalado que fue fundada en el s. III AC por el cartaginés Amílcar Barca (¿270?–229/28), a quien probablemente debe su nombre; más tarde fue gobernada por los romanos y los visigodos. Capturada por los moros c. 715 DC, luego fue recuperada por los francos bajo el imperio de CARLOMAGNO en 801 y convertida en la capital de la Marca Hispánica (Cataluña). Luego de que Cataluña y ARAGÓN se unieran en 1137, Barcelona se convirtió en un floreciente centro comercial y rival de los puertos italianos. En el s. XIX se transformó en un caldo de cultivo para movimientos sociales radicales y el separatismo catalán. Fue la capital de los leales (republicanos) en 1937–39 durante la guerra civil ESPAÑOLA; su captura por FRANCISCO FRANCO trajo consigo el colapso de la resistencia catalana y la reintegración de Cataluña a España. La Barcelona moderna destaca por su hermosa arquitectura, ejemplo de la cual son los edificios de ANTONIO GAUDÍ. Constituye un centro cultural y educacional catalán. En 1992 fue sede de los Juegos Olímpicos.

Vista de Barcelona, importante centro cultural e industrial de España.
ARCHIVO EDIT. SANTIAGO

Barcelona, Universidad de Universidad pública de España, cuyos orígenes se remontan a las escuelas eclesiásticas fundadas en el s. XI. En 1430, el concejo de la ciudad de Barcelona adoptó las medidas para la fundación de un Estudio General, y en 1450 ALFONSO V de Aragón autorizó su creación, la que fue confirmada por el papa NICOLÁS V. El pontífice autorizó la creación de cátedras en teología, derecho canónico y derecho civil, artes y medicina. En 1714, las facultades, excepto la de medicina (establecida en 1764), fueron transferidas a Cervera, y regresaron a Barcelona en 1823. En 1837 fue inaugurada oficialmente la nueva universidad y pasó a control estatal en 1857. En la actualidad ofrece programas de pregrado y posgrado, además de cursos de extensión e investigación en sus 20 facultades, estructuradas en cinco divisiones: ciencias humanas y sociales, ciencias económicas, jurídicas y sociales; ciencias experimentales y matemáticas; ciencias de la salud y ciencias de la educación.

Barclay de Tolly, Mijaíl (Bogdánovich), príncipe (13 dic. 1761, Pamuskis, Polonia–Lituania-14 may. 1818, Insterburg, Prusia Oriental). Mariscal de campo ruso que se destacó en las guerras NAPOLEÓNICAS. Miembro de una familia escocesa que se había establecido en Livonia, ingresó al ejército ruso en 1786. En 1812 tomó el mando de uno de los dos ejércitos rusos que lucharon contra NAPOLEÓN I. Su estrategia de evitar un enfrentamiento decisivo y replegarse al interior de Rusia fue impopular y se vio forzado a renunciar al mando. En 1814 participó en la invasión de Francia y en 1815 fue comandante en jefe del ejército ruso que invadió ese país cuando Napoleón regresó de Elba.

barco vikingo ver DRAKKAR

Barcokebas *orig.* **Simeon bar Koseba** (m. 135 DC). Líder de una fracasada revuelta judía contra el gobierno romano en Palestina. En el año 131, ADRIANO prohibió la circuncisión e hizo construir un templo dedicado a Júpiter encima de las ruinas del templo de JERUSALÉN. Los judíos se rebelaron en 132, encabezados por Simeón Bar Koseba quien, según una leyenda, fue proclamado mesías por AKIBA BEN JOSEF. Simeón fue llamado Barcokebas ("hijo de la estrella"), una alusión mesiánica tomada del libro de Números. El ejército judío capturó Aelia, causando graves pérdidas a los romanos, pero Adriano visitó el campo de batalla y pidió refuerzos, y sus legiones retomaron Jerusalén. Barcokebas fue muerto en Betar en 135, y el remanente de las fuerzas judías fue aplastado en poco tiempo. El total de bajas judías, según el historiador romano del s. III Dion Casio, ascendió a 580.000. Los judíos sobrevivientes fueron desterrados e impedidos de volver a Jerusalén.

Barcoo, río ver río COOPER CREEK

Bard College Colegio universitario privado de artes liberales establecido en 1860 en Annandale-on-Hudson, N.Y., EE.UU. Fue fundado por John Bard y los líderes de la Iglesia episcopal como St. Stevens, una escuela episcopal para estudiantes de sexo masculino. En 1934 cambió de nombre, y pasó a llamarse Bard College. Entre 1928 y 1944 fue la escuela de pregrado de la Universidad de COLUMBIA. En 1944 se transformó en un *college* mixto. Sus programas de estudio de pregrado abarcan asignaturas de las ciencias sociales, los idiomas y la literatura, las artes y las ciencias naturales, y la matemática.

Bardaisanes ver BARDESANES

bardana Cualquier planta del género *Arctium*, de la familia de las COMPUESTAS, con cabezuelas o globulares y BRÁCTEAS espinosas. Originarias de Europa y Asia, las bardanas se han naturalizado en toda Norteamérica. Consideradas malezas en EE.UU., se cultivan en Asia por su raíz comestible. Sus frutos son aquenios redondeados que se pegan a la ropa y a las pieles.

Bardeen, John (23 may. 1908, Madison, Wisc., EE.UU.–30 ene. 1991, Boston, Mass.). Físico estadounidense. Obtuvo su Ph.D. en física matemática en la Universidad de Princeton. Trabajó para el Laboratorio de artillería naval durante la segunda guerra mundial y después para los Laboratorios Bell Telephone. En 1956, junto con WILLIAM B. SHOCKLEY y

John Bardeen, físico estadounidense.
GENTILEZA DE LA UNIVERSIDAD DE ILLINOIS EN URBANA-CHAMPAIGN

WALTER H. BRATTAIN, obtuvo el Premio Nobel por la invención del TRANSISTOR. En 1972 compartió nuevamente el Premio Nobel, esta vez con LEON COOPER y J. Robert Schrieffer, por el desarrollo de la teoría de la SUPERCONDUCTIVIDAD (1957); llamada teoría BCS, por Bardeen-Cooper-Schrieffer, es la base de todo el trabajo teórico posterior en superconductividad. Bardeen también fue el autor de una teoría que explica ciertas propiedades de los SEMICONDUCTORES.

Bardesanes *o* **Bardaisanes** (11 jul. 154, Edessa, Siria–c. 222, Edessa). Cristiano gnóstico y pensador especulativo sirio. Se convirtió al cristianismo en 179 y se hizo misionero. Atacó el fatalismo de los filósofos griegos y, mostrando la influencia del GNOSTICISMO, atribuyó la creación del mundo, el demonio y el mal a una jerarquía de dioses en lugar de a un solo Dios supremo. Su principal obra escrita, *El diálogo sobre el destino*, es el ejemplo más antiguo conocido de literatura siríaca. También se le recuerda por sus himnos siríacos.

bardo Poeta y cantor tribal celta, diestro en el arte de componer y recitar versos laudatorios y satíricos o sobre héroes y sus hazañas. La tradición bárdica se extinguió en la Galia, pero se mantuvo vigente en Irlanda, donde los bardos han preservado la tradición de cantar loas poéticas, y en Gales, donde la orden bárdica fue codificada y jerarquizada durante el s. X. A pesar de haber entrado en decadencia ya durante la Edad Media tardía, la tradición galesa se conmemora anualmente en una asamblea nacional de arte y poesía denominada EISTEDDFOD.

Bardot, Brigitte (n. 28 sep. 1934, París, Francia). Actriz de cine francesa. Fue descubierta por ROGER VADIM cuando apareció en la portada de una revista a los 15 años. Debutó en las pantallas en 1952. Vadim creó su imagen de "gatita sexual" para sus películas *Y Dios creó a la mujer* (1956) y *Les bijoutiers du clair de lune* (1958), cuyos éxitos de taquilla la convirtieron en estrella internacional. Desplegó su talento como actriz en largometrajes como *La verdad* (1960), *El desprecio* (1963) y *¡Viva María!* (1965). Fundó una organización defensora del buen trato a los animales en 1987, en su calidad de activista de dicha causa.

Barenboim, Daniel (n. 15 nov. 1942, Buenos Aires, Argentina). Pianista y director de orquesta israelí de origen argentino. Niño prodigio, hizo su debut como pianista a los ocho años. Su familia se trasladó a Israel en 1952 y tocó por primera vez en EE.UU. en el Carnegie Hall en 1957. Llegó a ser conocido como instrumentista por sus interpretaciones coloridas de compositores clásicos y románticos. Empezó a trabajar como director de orquesta profesional en 1962 y dirigió la Orquesta de cámara inglesa (1964–75) y la Orquesta de París (1975–89). Se convirtió en director principal de la Orquesta Sinfónica de Chicago en 1991 y fue nombrado director musical de la Ópera estatal de Berlín en 1992. Ha sido un prominente defensor de la paz en el Medio Oriente.

Barents, mar de Porción exterior del océano ÁRTICO. Se le dio el nombre en honor al explorador holandés Willem Barents. Lo rodean las costas de Noruega y del noroeste de Rusia y el mar de Groenlandia. Se extiende a lo largo de 1.300 km (800 mi) de largo y 1.050 km (650 mi) de ancho y cubre una superficie de 1.405.000 km² (542.000 mi²). Su profundidad media es de 229 m (750 pies), con una profundidad máxima de 600 m (2.000 pies) en la gran fosa de la isla del Oso.

bargello *o* **bordado florentino** Tipo de BORDADO del s. XVII, cuyo nombre deriva del tapizado de un conjunto de sillas italianas del museo Bargello en Florencia. Consiste en un patrón ondulado en zigzag de puntadas verticales planas dispuestas en forma paralela a la trama de la tela, en lugar de cruzar las intersecciones en forma diagonal como la mayoría de las puntadas de bordado, con tonos en gradaciones de un mismo color o en colores contrastantes. La puntada característica recibe el nombre de florentina, de cojín, húngara o puntada de llama (en alusión a la gradación del color de una llama).

Bari *antig.* **Barium** Puerto marítimo (pob., est. 2001: 332.143 hab.), capital de APULIA, en el sudeste de Italia. Existen indicios de que este emplazamiento estuvo habitado desde 1500 AC. En tiempo de los romanos, se convirtió en un puerto importante. En el s. IX DC fue un bastión morisco que pasó a manos de los bizantinos en 885. En 1096, PEDRO EL ERMITAÑO predicó en este lugar la primera cruzada. Destruido en 1156 por los sicilianos, el puerto adquirió nuevo esplendor en el s. XIII bajo FEDERICO II. En el s. XIV, se convirtió en un ducado independiente, para luego, en 1558, pasar a formar parte del reino de NÁPOLES y finalmente integrarse al reino de Italia en 1861.

bario ELEMENTO QUÍMICO, uno de los METALES alcalinotérreos, símbolo químico Ba, número atómico 56. Es muy reactivo y en los compuestos siempre tiene VALENCIA 2. En la naturaleza se encuentra principalmente como minerales de BARITINA (sulfato de bario) y witerita (carbonato de bario). El elemento químico se emplea en METALURGIA, y sus compuestos se utilizan en fuegos artificiales, minería del petróleo, radiología y como PIGMENTOS y reactivos. Todos los compuestos solubles de bario son tóxicos. El sulfato de bario, una de las SALES conocidas más insolubles, se administra como una "bebida de bario" a fin de producir un MEDIO DE CONTRASTE para el examen de RAYOS X del tracto gastrointestinal.

barión Cualquier miembro de una o dos clases de HADRONES. Los bariones son PARTÍCULAS SUBATÓMICAS pesadas constituidas por tres QUARKS. Se caracterizan por un número bariónico, *B*, igual a 1, y tienen valores de espín iguales a la mitad de un entero. Sus antipartículas (ver ANTIMATERIA), llamadas antibariones, poseen un número bariónico igual a -1. Tanto los PROTONES como los NEUTRONES son bariones.

baritina *o* **espato pesado** El más común de los minerales de bario, sulfato de bario ($BaSO_4$). A menudo forma cristales laminares (conocidos como baritina crestada). La baritina es muy abundante en zonas de España, Alemania y EE.UU. Comercialmente, la baritina molida se usa en barro de sondeo para las perforaciones de petróleo y gas; en la preparación de compuestos de bario; como agente de relleno en papel, tela y discos fonográficos; como pigmento blanco, y como material inerte en pinturas de color.

Ejemplar de baritina crestada de Missouri, EE.UU.

COLECCIÓN DE JOSEPH Y HELEN GUETTERMAN; FOTOGRAFÍA, JOHN H. GERARD

barítono En la música vocal, la categoría más común de voz masculina, intermedia entre el BAJO y el TENOR. Abarca cerca de dos octavas a partir del segundo la debajo del do central. El término *baritonus* se empleó por primera vez en la música vocal para cinco y seis voces del s. XV. Cuando los arreglos a cuatro voces fueron la norma, la parte del barítono fue eliminada y los barítonos naturales fueron forzados a desarrollar su registro de tenor o de bajo. Entre los instrumentos que tocan principalmente en el registro de barítono están el saxofón barítono y el corno barítono.

Barker, Harley ver Harley GRANVILLE-BARKER

Barkley, Alben W(illiam) (24 nov. 1877, cond. Graves, Ky., EE.UU.–30 abr. 1956, Lexington, Va.). Político estadounidense. Terminados sus estudios universitarios, ingresó a la carrera de derecho y en 1901 se tituló de abogado en Kentucky. Fue elegido miembro demócrata de la Cámara de Representantes (1913–27) y del Senado (1927–49), donde fue líder de la mayoría parlamentaria (1937–47). Se distinguió como vocero de las políticas internas e internacionales del pdte. FRANKLIN D. ROOSEVELT. Ocupó el cargo de vicepresidente durante el gobierno del pdte. HARRY S. TRUMAN (1949–53). Más adelante volvió al Senado (1954–56).

Charles Barkley, basquetbolista estadounidense.
FOTOBANCO

Barkley, Charles (Wade) (n. 20 feb. 1963, Leeds, Ala., EE.UU.). Basquetbolista estadounidense. Durante su carrera universitaria fue alero del equipo de la Universidad de Auburn. Jugó en la NBA para los Philadelphia 76ers (1984–91), los Phoenix Suns (1992–95) y los Houston Rockets (1996–99). Es conocido por su estilo de juego agresivo en la cancha y su excesiva franqueza fuera de ella.

Barlach, Ernst (2 ene. 1870, Wedel, Alemania–24 oct. 1938, Güstrow). Escultor, artista gráfico y escritor alemán. Después de estudiar en Hamburgo, Dresde y París, se convirtió en un notable escultor del movimiento expresionista al adquirir una cualidad de labrado tosco que privilegiaba la madera, material usado en la escultura gótica tardía. Incluso, cuando trabajaba con otros materiales más contemporáneos, con frecuencia emulaba la cualidad tosca de la madera para lograr un efecto más brutal. Alcanzó la fama en las décadas de 1920–30 con la ejecución de varios monumentos de guerra para la República de Weimar. Además, escribió obras de teatro expresionistas, las que ilustró con xilografías y litografías. Su taller en Güstrow se convirtió en museo después de su muerte.

Barlovento, islas de Grupo de islas de las ANTILLLAS Menores. Ubicadas en el extremo este del mar CARIBE, incluyen DOMINICA (a veces clasificada como parte de las islas de SOTAVENTO), MARTINICA, SANTA LUCÍA, SAN VICENTE, GRANADA y la cadena de islas pequeñas conocidas como GRANADINAS. A pesar de que están cerca del área general, TRINIDAD Y TOBAGO y BARBADOS no se consideran por lo general parte del grupo.

barmakí *o* **barmécida** Miembro de la familia sacerdotal de origen persa cuyos integrantes se destacaron en el s. VIII como escribas y VISIRES de los califas de la dinastía ABASÍ. Apoyaron las artes y las ciencias, permitieron los estudios religiosos y filosóficos, y fomentaron las obras públicas. El primer barmakí de importancia, Khālid ibn Barmak (m. 781/782), ayudó a establecer el califato abasí; llegó a ser gobernador de Ṭabaristān y más tarde de Fars. Su hijo Yaḥyā (m. 805) y sus nietos al-Faḏl (m. 808) y Ja'far (m. 803) mantuvieron el poder como visires, pero en una vuelta de la fortuna, murieron en prisión o fueron ejecutados, en gran medida debido a que su excesivo poder, riqueza y liberalismo hicieron que los califas los vieran como una amenaza.

Barmen, sínodo de Reunión de líderes protestantes alemanes en Barmen, en mayo de 1934, para organizar la resistencia protestante al nazismo. Asistieron representantes luteranos, reformistas y de las iglesias unidas. Algunos líderes eclesiásticos ya habían optado por limitar sus esfuerzos a una resistencia pasiva, y otros habían sido inducidos a aceptar el régimen nazi. La Liga de emergencia de pastores, encabezada por MARTIN NIEMÖLLER, era la columna vertebral de la resistencia activa. El sínodo fue de gran importancia en la fundación de la Iglesia CONFESANTE por KARL BARTH y otros.

barnacla canadiense GANSO de dorso pardo y pecho claro (*Branta canadensis*) con la cabeza y el cuello negros y las mejillas blancas. Las subespecies varían de tamaño, desde la barnacla de Hutchinsi que pesa 1,4 kg (3 lb) hasta la barnacla canadiense gigante de 8 kg (20 lb) de peso, la cual alcanza una envergadura de hasta 2 m (6,5 pies). Las barnaclas canadienses se reproducen en Canadá y Alaska e invernan principalmente en el sur de EE.UU. y México. Han sido introducidas en Inglaterra y otros países. Son aves de caza importantes. Emiten un graznido casi incesante y llama la atención por su formación en V durante las migraciones. En los últimos años, su población en Norteamérica se ha incrementado notoriamente.

Barnacla canadiense (*Branta canadensis*).
© ENCYCLOPÆDIA BRITANNICA, INC.

barnacla cariblanca Especie de ave acuática (*Branta leucopsis*) parecida a la pequeña BARNACLA CANADIENSE, de dorso negro, cara blanca y cuello y pecho negros. Inverna en las costas de Dinamarca, islas Británicas septentrionales, Alemania y los Países Bajos. En la Edad Media se creía que eclosionaban de los PERCEBES (en inglés *barnacle*), por lo que, considerada "pez", se podía consumir los viernes.

barnacla hawaiana *o* **nene** Especie (*Branta sandvicensis*) de GANSO, ave símbolo del estado de Hawai. Emparentada con la BARNACLA CANADIENSE, la hawaiana es una especie que no es migratoria ni acuática, de alas cortas y semipalmípeda. Mide aprox. 65 cm (25 pulg.) de largo y tiene un cuerpo listado gris marrón y cara negra. Se alimenta de bayas y pasto en las laderas de lava. La conducta predatoria de mamíferos introducidos (perros, gatos, cerdos y mangostas) y la caza había reducido la población a unas cuantas bandadas exiguas en 1911. Desde entonces se ha reproducido con éxito en cautiverio, pero las bandadas liberadas no han podido formar colonias autosustentables.

Barnard, Christiaan (Neethling) (8 nov. 1922, Beaufort Occidental, República de Sudáfrica–2 sep. 2001, Paphos, Chipre). Cirujano sudafricano. Demostró que la atresia intestinal es causada por insuficiente suministro sanguíneo fetal, lo que condujo al desarrollo de un procedimiento quirúrgico para corregir el defecto otrora fatal. Introdujo la cirugía a corazón abierto en Sudáfrica, diseñó una nueva válvula cardíaca artificial y realizó experimentos de trasplante de corazón en animales. En 1967, su equipo efectuó el primer trasplante de corazón en humanos, reemplazando el de Louis Washkansky por el de una víctima de un accidente. El trasplante fue exitoso, pero Washkansky, que recibió medicamentos inmunosupresores para evitar el rechazo del corazón, murió de neumonía 18 días después.

Barnard, estrella de Estrella ubicada en la constelación de Ofiuco, distante cerca de seis años-luz del Sol, la más cercana a él después del sistema ALFA CENTAURO. Llamada así en honor a Edward Emerson Barnard (n. 1857–m. 1923), quien la descubrió en 1916, es la estrella con el mayor MOVIMIENTO PROPIO conocido. Se acerca gradualmente al sistema solar; atrajo la atención de los astrónomos en la década de 1960, cuando se afirmó que las desviaciones periódicas observadas en su movimiento propio se debían a la atracción gravitacional ejercida por dos planetas (ver PLANETAS EXTRASOLARES). Después se demostró que dichas desviaciones no eran reales, sino que un efecto de las mediciones.

Barnard, Henry (24 ene. 1811, Hartford, Conn., EE.UU.–5 jul. 1900, Hartford). Educador estadounidense. Estudió derecho e ingresó al cuerpo legislativo estatal, desde donde contribuyó a la creación de un consejo del Estado de educación y del primer instituto de formación de profesores (1839). En conjunto con HORACE MANN, llevó a cabo la reforma de las escuelas públicas del país; fue un innovador al instituir la inspección en las escuelas, la revisión de los textos de estudio y las organizaciones de padres y profesores. En su calidad de primer comisionado de educación de Rhode Island (desde 1845), luchó por el aumento del salario de los profesores, la reparación de edificios y la obtención de mayores asignaciones para la educación. En 1855 participó en la fundación del *American Journal of Education*. Fue rector de la Universidad de Wisconsin (1858–61). En 1867 se transformó en el primer comisionado de educación de EE.UU., cargo desde el cual creó una agencia federal para recopilar datos sobre la educación en el país.

Henry Barnard, detalle de un retrato de un artista desconocido; colección de la Universidad de Wisconsin, Madison, EE.UU.
GENTILEZA DE LA UNIVERSIDAD DE WISCONSIN, MADISON, EE.UU.

Barnburners ver HUNKERS Y BARNBURNERS

Barnes, Albert C(oombs) (2 ene. 1872, Filadelfia, Pa., EE.UU.–24 jul. 1951, cond. de Chester, Pa.). Fabricante farmacéutico y coleccionista de arte. Obtuvo el título de médico y más tarde estudió en Alemania. En 1902 hizo fortuna con su invento del antiséptico Argyrol. Después de construir una mansión en Merion, Pa., en 1905, comenzó a coleccionar arte en forma seria, acumulando unas 180 pinturas de PIERRE-AUGUSTE RENOIR, 66 de PAUL CÉZANNE, 35 de PABLO PICASSO y una extraordinaria colección de 65 obras de HENRI MATISSE. La Fundación Barnes, albergada en recintos cercanos a su hogar en Merion, obtuvo permiso legal el 4 de dic. de 1922 y abrió sus puertas en 1925. La estructura de 22 salas presentaba su colección de un modo muy personal, evitando la práctica museística tradicional. Asimismo, la fundación tenía la intención de promover la educación del arte mediante el ofrecimiento de clases y el establecimiento de un programa de publicaciones. (El mismo Barnes escribió y fue coautor de un buen número de libros de arte). En 1961, luego de extensos litigios, sus galerías se abrieron al público.

Barnes, Djuna (12 jun. 1892, Cornwall-on-Hudson, N.Y., EE.UU.–¿18? jun. 1982, Nueva York, N.Y.). Escritora estadounidense. Durante su juventud trabajó como artista y periodista. Se trasladó a París en 1920, donde se transformó en una figura conocida en los círculos literarios. Escribió obras de teatro, cuentos y poemas, pero su obra maestra es la novela *El bosque de la noche* (1936), que narra los amores heterosexuales y homosexuales de cinco extraordinarios personajes. Luego de volver a Nueva York en 1940, escribió poco y llevó una vida recluida.

Barnet, Charlie *orig.* **Charles Daly Barnet** (26 oct. 1913, Nueva York, N.Y., EE.UU.–4 sep. 1991, San Diego, Cal.). Saxofonista y director de grandes orquestas de jazz estadounidense de la era del SWING. Nacido en el seno de una familia acomodada, Barnet aprendió saxofón en su niñez y con el tiempo llegó a tocar saxofón tenor, alto y soprano. Su gran orquesta fue una de las primeras en estar integrada por músicos blancos y afroamericanos, y su abierta admiración por DUKE ELLINGTON y COUNT BASIE resultó en una síntesis efectiva de sus estilos. Su grabación más conocida es "Cherokee" (1939).

barniz desértico *o* **pátina** Revestimiento mineral fino, de color rojo oscuro a negro (generalmente sílice y óxidos de hierro y manganeso), depositado en guijarros y rocas que están en la superficie de las áreas desérticas. A medida que el rocío y la humedad del suelo llevada a la superficie por capilaridad se evaporan, sus minerales disueltos se depositan en la superficie de las piedras. La abrasión del viento remueve las sales más blandas y pule la superficie hasta darle un acabado brillante. Para la formación del barniz desértico se requieren altas tasas de evaporación así como precipitaciones suficientes.

Barnsley Ciudad y municipio metropolitano (pob., 2001: 218.062 hab.) del norte de Inglaterra. Situada a orillas del río Dearne, al nordeste de Manchester, Barnsley es la capital administrativa de YORKSHIRE MERIDIONAL. Experimentó su mayor crecimiento en el s. XIX como ciudad minera en el corazón de los yacimientos de carbón de Yorkshire. La explotación del carbón ha disminuido desde comienzos del s. XX, por lo que se ha fomentado la industria liviana.

Barocci, Federico (c.1526, Urbino, ducado de Urbino, Estados Pontificios–1612, Urbino). Pintor italiano. Con excepción de dos visitas a Roma (a mediados de 1550, 1560–63), donde pintó frescos para el casino del papa Pío IV en los jardines vaticanos, pareciera haber pasado toda su vida en y cerca de Urbino. Realizó retablos y pinturas devotas en un estilo que se caracterizaba por sutiles armonías de color y calidez de sentimiento. Entre sus mecenas figuran el duque de Urbino y el emperador Rodolfo II (n. 1552–m. 1612), y recibió trabajos por encargo de las catedrales de Génova y Perugia. Entre sus obras más famosas se encuentran la *Deposición* (1567–69) y *La Madona del pueblo* (1579). Dibujante prolífico, fue uno de los primeros artistas en utilizar clariones de colores. Disfrutó de una carrera larga y productiva, convirtiéndose en uno de los principales pintores de Italia central.

Baroda ver VADODARA

Baroja (y Nessi), Pío (28 dic. 1872, San Sebastián, España–30 oct. 1956, Madrid). Escritor vasco, miembro de la llamada GENERACIÓN DE 1898. Escribió 11 trilogías que abordan problemas sociales contemporáneos, de las cuales *La lucha por la vida* (1904) es la más conocida. Su proyecto más ambicioso fue un largo ciclo de obras sobre un insurgente del s. XIX y la época en que vivió. Escribió casi 100 novelas, entre ellas *Zalacaín el aventurero* (1909). Su narrativa nunca alcanzó gran popularidad debido a sus ideas anticristianas, su obstinado inconformismo y su tono un tanto pesimista. Con todo, es considerado el principal novelista español de su tiempo.

barómetro Dispositivo usado para medir la PRESIÓN ATMOSFÉRICA. Puesto que esta cambia con la distancia sobre o bajo el nivel del mar, también se puede utilizar un barómetro para medir la altitud. En el barómetro de mercurio, la presión atmosférica equilibra el peso de una columna de MERCURIO, cuya altura se puede medir con precisión. La presión atmosférica normal es cercana a 1 kg por cm^2 (14,7 lb por pulg.^{2}), equivalente a 760 mm (30 pulg.) de mercurio. Se pueden usar otros líquidos en los barómetros, pero el mercurio es el más común a causa de su gran densidad. Un barómetro aneroide indica la presión en un dial mediante una aguja conectada mecánicamente a una cámara con un vacío parcial, la cual responde a los cambios de presión.

barón Título de nobleza que en tiempos modernos se ubica inmediatamente debajo de un VIZCONDE o de un CONDE (en los países sin vizcondes). La esposa de un barón es una baronesa. En sus inicios, en la temprana Edad Media, el término designaba a un arrendatario de cualquier rango que recibía la tenencia de una baronía directamente del rey. En forma gradual comenzó a designar a una persona poderosa y por consiguiente a un magnate. Los derechos y el título pueden ser conferidos por un servicio militar o algún otro servicio honorable.

Barón Rojo ver barón von RICHTHOFEN

baronet Rango honorífico británico de carácter hereditario, creado por primera vez por JACOBO I en 1611 para reunir fondos destinados, aparentemente, a sostener a las tropas en Ulster. El baronetaje no es parte de la nobleza, ni es una orden de caballeros. Un baronet está por debajo de un BARÓN, pero por encima de todos los CABALLEROS, excepto un caballero de la Jarretera (ver ORDEN DE LA JARRETERA). El rango es heredado por los descendientes varones.

barotsé ver LOZI

Barquisimeto Ciudad (pob., est. 2000: 875.790 hab.) del noroeste de Venezuela, capital del estado de Lara. Está localizada en el extremo norte de la cordillera de Mérida, a una altitud de 500 m (1.800 pies). Fundada en 1552 como Nueva Segovia, es una de las ciudades más antiguas del país. Casi destruida por un terremoto en 1812, posteriormente sufrió daños adicionales en la guerras civiles del s. XIX. Es el centro de transporte y comercio de una región agrícola.

barra de torsión Varilla o barra que resiste la torsión (ver TORQUE) y tiene una fuerte tendencia a volver a su posición original cuando se la tuerce. En un AUTOMÓVIL, una barra de torsión es un muelle largo de acero con un extremo sujeto rígidamente al bastidor, mientras el otro extremo es torcido por una palanca conectada al eje de rueda. Proporciona así una acción de RESORTE al vehículo.

barra fija Disciplina de las competencias de gimnasia masculina, en la que una barra de acero sujeta a unos 2,4 m del piso (8 pies), se usa para ejercicios basculantes. Los competidores generalmente emplean protectores de manos y realizan pruebas que duran entre 15 y 30 s. Los ejercicios incluyen la gran vuelta de barra y varios saltos, como el salto a horcajadas. Ha sido un deporte olímpico desde la reanudación de los Juegos Olímpicos de la era moderna, en 1896.

Barrabás En el NUEVO TESTAMENTO, prisionero o criminal liberado para complacer a la plebe antes de la crucifixión de JESÚS. Descrito como un ladrón o un insurgente, Barrabás es mencionado en los cuatro EVANGELIOS. Siguiendo la costumbre, se concedía la libertad a un preso elegido por el pueblo en víspera de la PASCUA JUDÍA; Poncio PILATOS sugirió perdonar a Jesús, pero la muchedumbre protestó y exigió la liberación de Barrabás. Pilatos cedió a la presión de la multitud y envió a Jesús a la muerte.

barracuda Cualquiera de unas 20 especies de peces marinos (familia Sphyraenidae) predatorios que se encuentran en todas las regiones cálidas y tropicales y en algunas zonas más templadas. Veloces y poderosas, las barracudas son esbeltas y tienen escamas pequeñas, una mandíbula inferior sobresaliente y una gran boca provista de muchos dientes grandes y afilados. Su tamaño varía desde relativamente pequeño hasta medir 1,2–1,8 m (4–6 pies) de largo. Comen principalmente peces. Son muy populares para pesca deportiva y también comestibles, aunque en ciertos mares pueden estar contaminadas con sustancias tóxicas. Audaces y muy curiosas, las barracudas de gran tamaño pueden llegar a ser potencialmente peligrosas para el hombre.

Barracuda (*Sphyraena barracuda*).

Barranquilla Ciudad (pob., 1999: 1.226.292 hab.) del norte de Colombia. Fue fundada en 1629 a unos 16 km (10 mi) de la desembocadura del río MAGDALENA. Permaneció sin relevancia hasta la década de 1930, tiempo en que se dragaron los bancos de arena para convertirla en un importante puerto del mar Caribe. Ha competido desde entonces con el puerto de Buenaventura en el Pacífico, pero continúa controlando las mercancías del interior, y es el terminal de los ductos de gas natural procedentes del norte de Colombia.

Barraqué, Jean (17 ene. 1928, Puteaux, Francia–17 ago. 1973, París). Compositor francés. Estudió en el conservatorio de París con Jean Langlais (n. 1907–m. 1991) y OLIVIER MESSIAEN. Su obra principal, que emplea un estilo que evita radicalmente las repeticiones, fue una reflexión sobre la novela *La muerte de Virgilio* de HERMANN BROCH. Obra planificada en cinco partes, antes de su prematura muerte completó tres de ellas, *. . . au-delà du hasard* (1959), *Chant après chant* (1966) y *Le temps restitué* (1968). Compuso también una extensa sonata para piano (1952) y un concierto para clarinete (1968).

barras paralelas Disciplina de la gimnasia masculina en la que se usan dos barras de madera, sujetas horizontalmente a la misma altura del piso, para ejecutar pruebas acrobáticas. Los competidores combinan series de movimientos con giros, balanceos, cambios de agarre y saltos con posiciones estacionarias que requieren fuerza y equilibrio, siendo los primeros tipos de ejercicio los predominantes. Forma parte de las disciplinas gimnásticas de los Juegos Olímpicos desde que se reanudaron en 1896. Ver también BARRAS PARALELAS ASIMÉTRICAS.

Demostración en barras paralelas.

barras paralelas asimétricas Disciplina de la gimnasia femenina en la que se usan dos barras de madera, sujetas horizontalmente a diferentes alturas del piso, para ejecutar figuras acrobáticas. El aparato permite una gran variedad de movimientos, pero predominan los ejercicios de suspensión y basculantes que comienzan en la barra más elevada, incorporando varios cambios de barra, piruetas y sueltas. Los movimientos exigen fuerza, coordinación y gran precisión. Se convirtió en especialidad olímpica en 1936. Ver también BARRAS PARALELAS.

Barras, Paul-François-Jean-Nicolas, vizconde de (30 jun. 1755, Fox-Amphoux, Francia–29 ene. 1829, Chaillot). Revolucionario francés. Noble de una familia de Provenza, se desencantó con el régimen monárquico y apoyó la REVOLUCIÓN FRANCESA. Elegido a la CONVENCIÓN NACIONAL (1792), desempeñó un papel clave en el derrocamiento de MAXIMILIEN DE ROBESPIERRE y se convirtió en el comandante del ejército del interior y de la policía. En 1795, junto con NAPOLEÓN I, defendió el régimen contra una insurrección monárquica y estableció el DIRECTORIO. Fue el principal de los cinco directores. El golpe de Estado del 18 de FRUCTIDOR le dio más poder aún, pero fue derrocado en 1799 y exiliado de París bajo sospecha de conspirar para restaurar la monarquía.

Barrault, Jean-Louis (8 sep. 1910, Le Vésinet, Francia–22 ene. 1994, París). Actor y director francés. Debutó como actor en París (1931) y se unió a la compañía de la COMÉDIE-FRANÇAISE (1940–46) como actor y director. Junto con su esposa, Madeleine Renaud, formó su propia compañía (1946–58) en el Teatro Marigny. En él representaron clásicos franceses y extranjeros además de obras modernas que ayudaron a revitalizar el teatro francés después de la segunda guerra mundial. Fue nombrado director del Théâtre de France (1959–68) para después dirigir en otros teatros de París (1972–81). Actuó en más de 20 películas y el papel que lo hizo más conocido fue el de *Los niños del paraíso* (1945).

KINDERGARTEN MATH

Practice for Kindergarten

Packed with Math activities!

ADDITION
SUBTRACTION
PATTERNS
GAMES

1. 3, 7, 2, 4 ☐, ☐, ☐, ☐
2. 9, 0, 5, 6 ☐, ☐, ☐, ☐
3. 1, 10, 8, 3 ☐, ☐, ☐, ☐
4. 9, 7, 1, 4 ☐, ☐, ☐, ☐
5. 8, 3, 2, 7 ☐, ☐, ☐, ☐
6. 0, 10, 5, 4 ☐, ☐, ☐, ☐
7. 2, 6, 0, 3 ☐, ☐, ☐, ☐
8. 4, 8, 9, 0 ☐, ☐, ☐, ☐

Designed by Flowerpot Press
www.FlowerpotPress.com
PAB-0811-0167
ISBN: 978-1-4867-1478-0
Made in U.S.A/Fabriqué aux États-Unis

TABLE OF CONTENTS

A GREAT CANADIAN WORKBOOK

The Great Canadian Workbook series from Flowerpot Press was developed with your child's success and enjoyment in mind. The activities are carefully organized to progress in a logical manner, but also varied to keep children motivated and entertained. The series is sure to appeal to the needs of all children, whether they need some extra practice or want a chance to work ahead. The journey through an individual workbook is easy to follow, and the content and complexity of each level builds on the previous workbook and flows naturally into the next.

Kindergarten Math is the third mathematics workbook in the series. It is ideal for children who can count up to ten and have a basic knowledge of shapes and patterns. Your child will begin with a fun counting and shapes review, and by the end of the workbook they will be able to count up to twenty, understand a variety of fundamental math concepts, and solve simple addition and subtraction problems.

The learning adventure doesn't end here. Continue to develop your child's skills and love of learning with the other workbooks in the Great Canadian Workbook series:

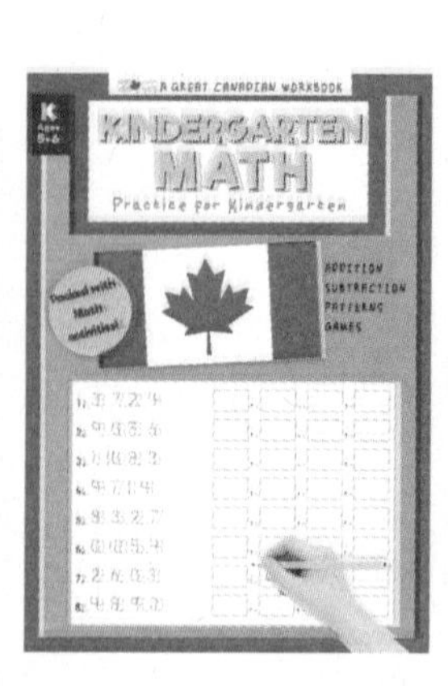

Colour the picture using the key.

1 = 2 = 3 = 4 = 5 = 6 = 7 =

Learning Goal: Read and respond to directions.

Write the numbers in order from smallest to largest.

3, 0, 2, 1 ___, ___, ___, ___

8, 6, 9, 7 ___, ___, ___, ___

4, 3, 2, 5 ___, ___, ___, ___

10, 9, 8, 7 ___, ___, ___, ___

Learning Goal: Review writing numbers zero through ten from smallest to largest.

Count the items. Then colour the group with the MOST items.

Learning Goal: Review the difference between most and least.

Count the number of each decoration on the tree. Write your answers on the lines below. Then colour the picture.

Learning Goal: Read and respond to directions. Review counting.

Draw extra items so that each row has 5 items total.

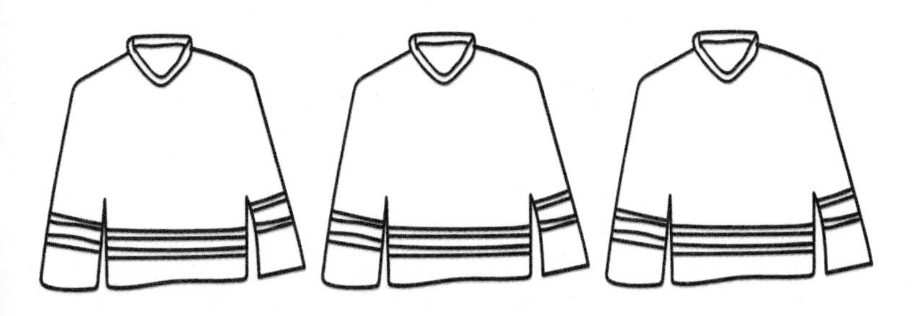

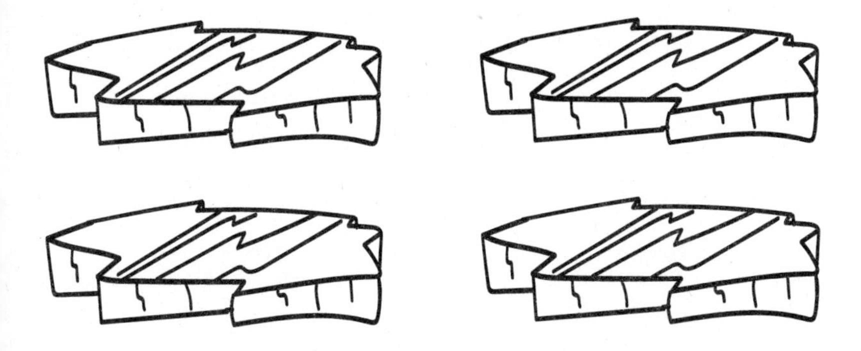

Learning Goal: Recognize the number five represented by objects.

Colour the picture using the key.

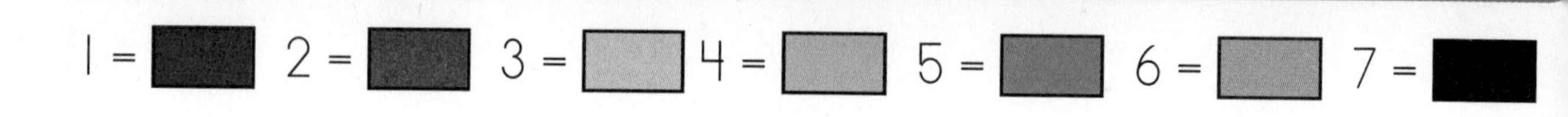

5

Learning Goal: Read and respond to instructions.

Write the numbers in order from smallest to largest.

5, 4, 6, 7 ☐, ☐, ☐, ☐

2, 5, 3, 4 ☐, ☐, ☐, ☐

1, 4, 2, 3 ☐, ☐, ☐, ☐

6, 5, 8, 7 ☐, ☐, ☐, ☐

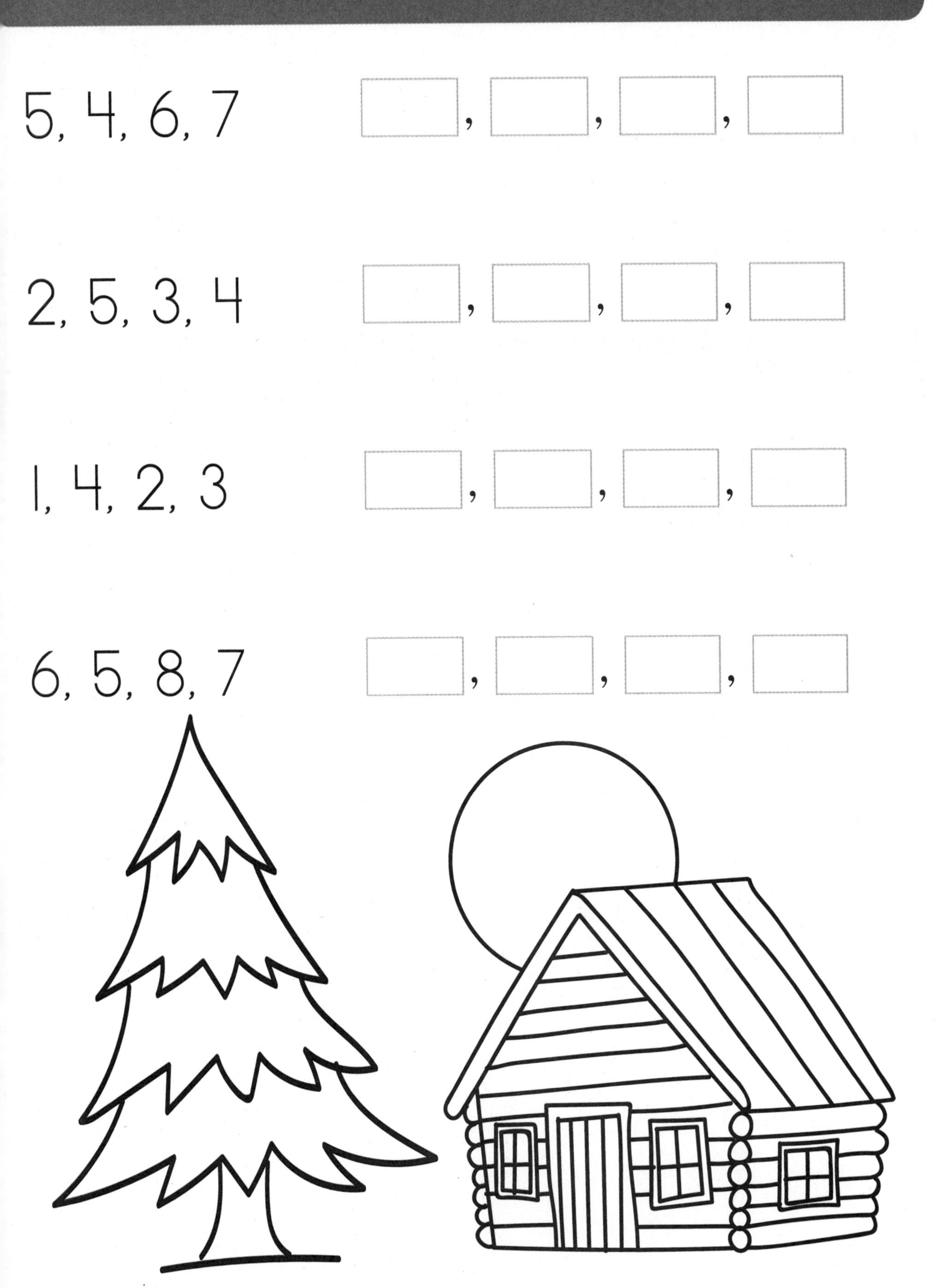

Learning Goal: Review writing numbers zero through ten from smallest to largest.

Colour the groups with the LEAST amount of items.

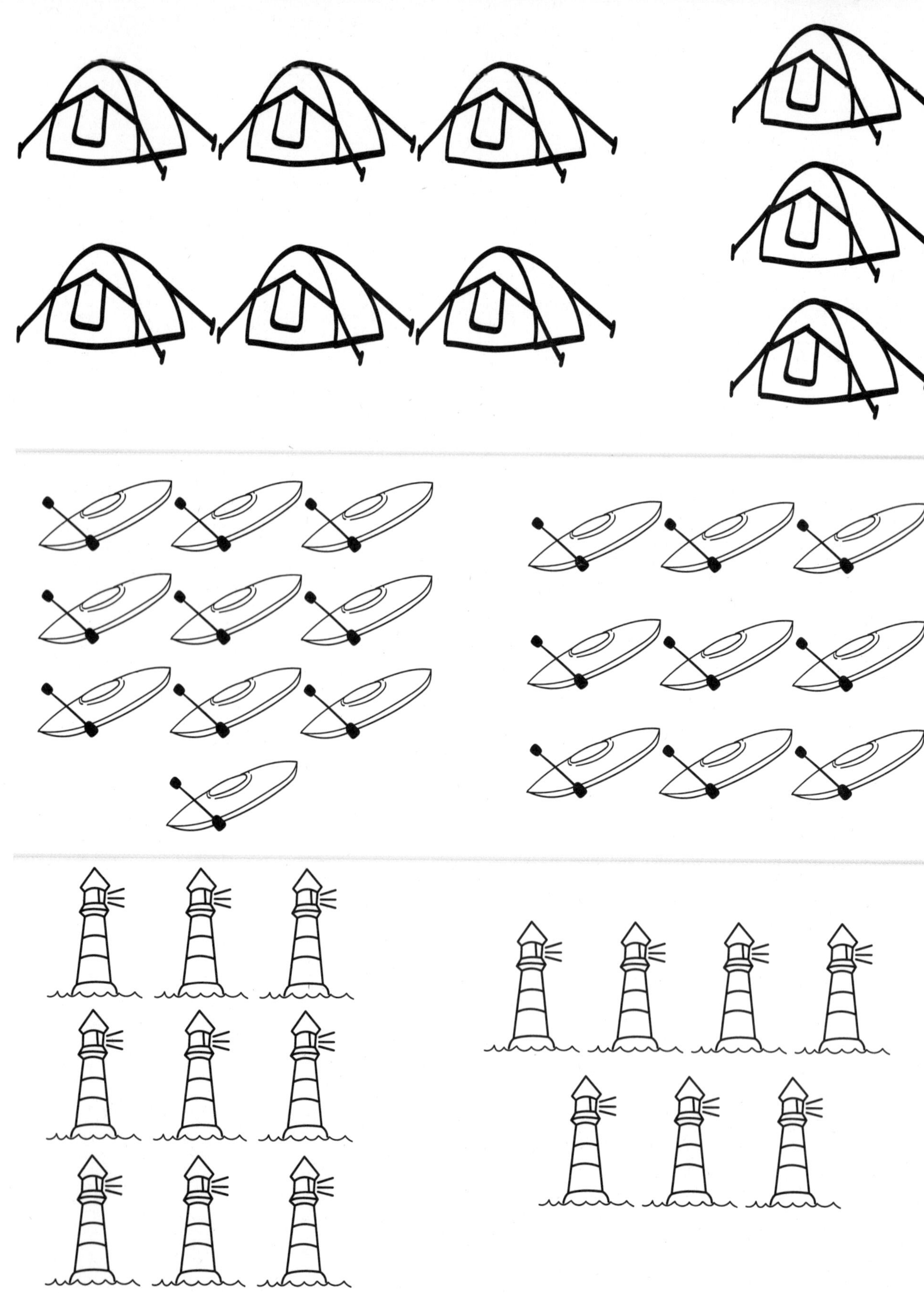

Learning Goal: Review the difference between most and least.

Count the items in the picture below. Write how many of each item you can find on the lines. Then colour the picture.

Learning Goal: Read and respond to directions. Review counting.

Draw items so that each row has 10 items total.

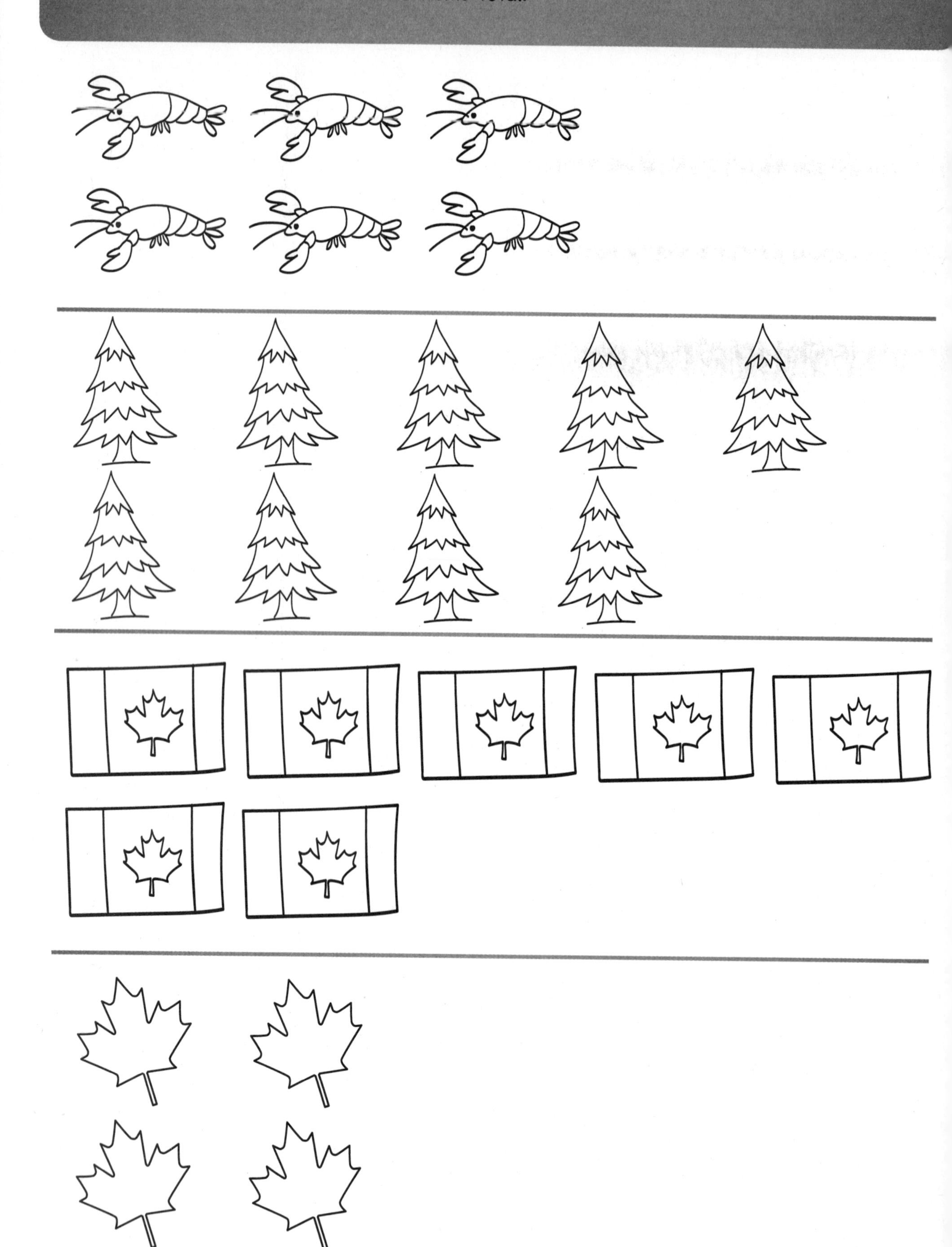

Learning Goal: Recognize the number ten represented by objects.

Colour the picture using the key.

1 = 2 = 3 = 4 = 5 = 6 =

Learning Goal: Read and respond to instructions.

Write the numbers from smallest to largest.

2, 0, 5, 7 ___, ___, ___, ___

6, 1, 3, 9 ___, ___, ___, ___

10, 3, 5, 7 ___, ___, ___, ___

2, 6, 8, 4 ___, ___, ___, ___

Learning Goal: Review writing numbers zero through ten from smallest to largest.

Follow the maze to help the husky find the sled. Collect numbers 1 through 10 along the way.

Learning Goal: Read and respond to directions. Review counting to ten.

Count the items in the picture below. Write how many of each item you can find on the lines. Then colour the picture.

Learning Goal: Read and respond to directions. Review counting.

Draw items so that each row has 7 items total.

Learning Goal: Recognize the number seven represented by objects.

Follow the maze to help the deer find the forest. Collect numbers 1 through 10 along the way.

Learning Goal: Read and respond to directions. Review counting to ten.

Write the numbers in order from largest to smallest.

4, 3, 1, 2   ___, ___, ___, ___

2, 5, 3, 4   ___, ___, ___, ___

6, 9, 8, 7   ___, ___, ___, ___

7, 8, 9, 10   ___, ___, ___, ___

Learning Goal: Review writing numbers zero through ten from largest to smallest.

Write the numbers from largest to smallest.

5, 4, 2, 7 ☐, ☐, ☐, ☐

6, 9, 3, 1 ☐, ☐, ☐, ☐

3, 8, 9, 4 ☐, ☐, ☐, ☐

6, 0, 10, 7

Learning Goal: Review writing numbers zero through ten from largest to smallest.

Count the items in the picture below. Write how many of each item you can find on the lines. Then colour the picture.

Learning Goal: Read and respond to directions. Review counting.

Draw items so that each row has 8 items total.

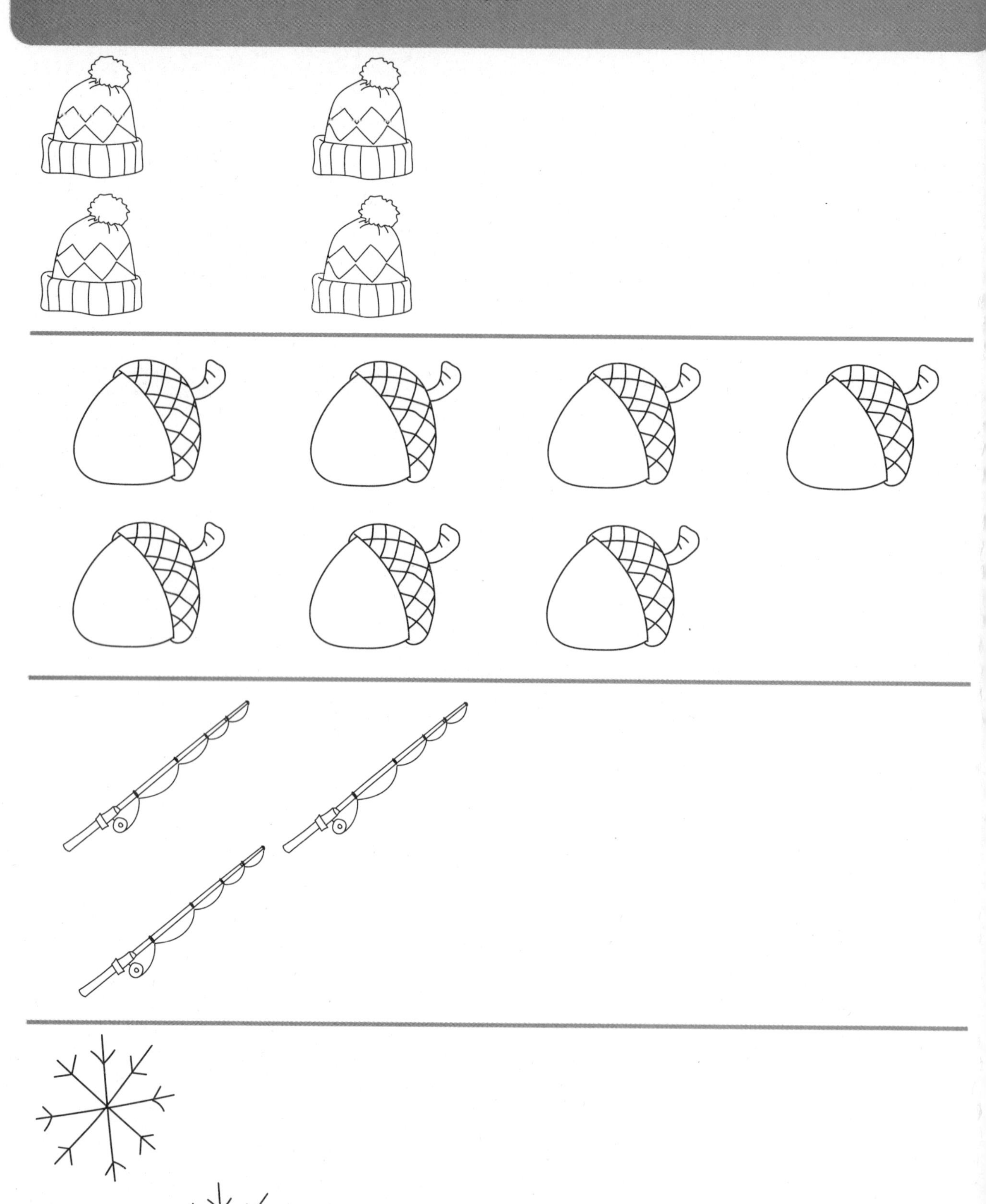

Learning Goal: Recognize the number eight represented by objects.

Follow the maze to see which of the skiers will reach the finish line. Collect numbers 1 through 10 along the way.

Learning Goal: Read and respond to directions. Review counting.

Use your finger to trace the number and word at the top of the page.
Then practice writing the number 11 with your pencil below.

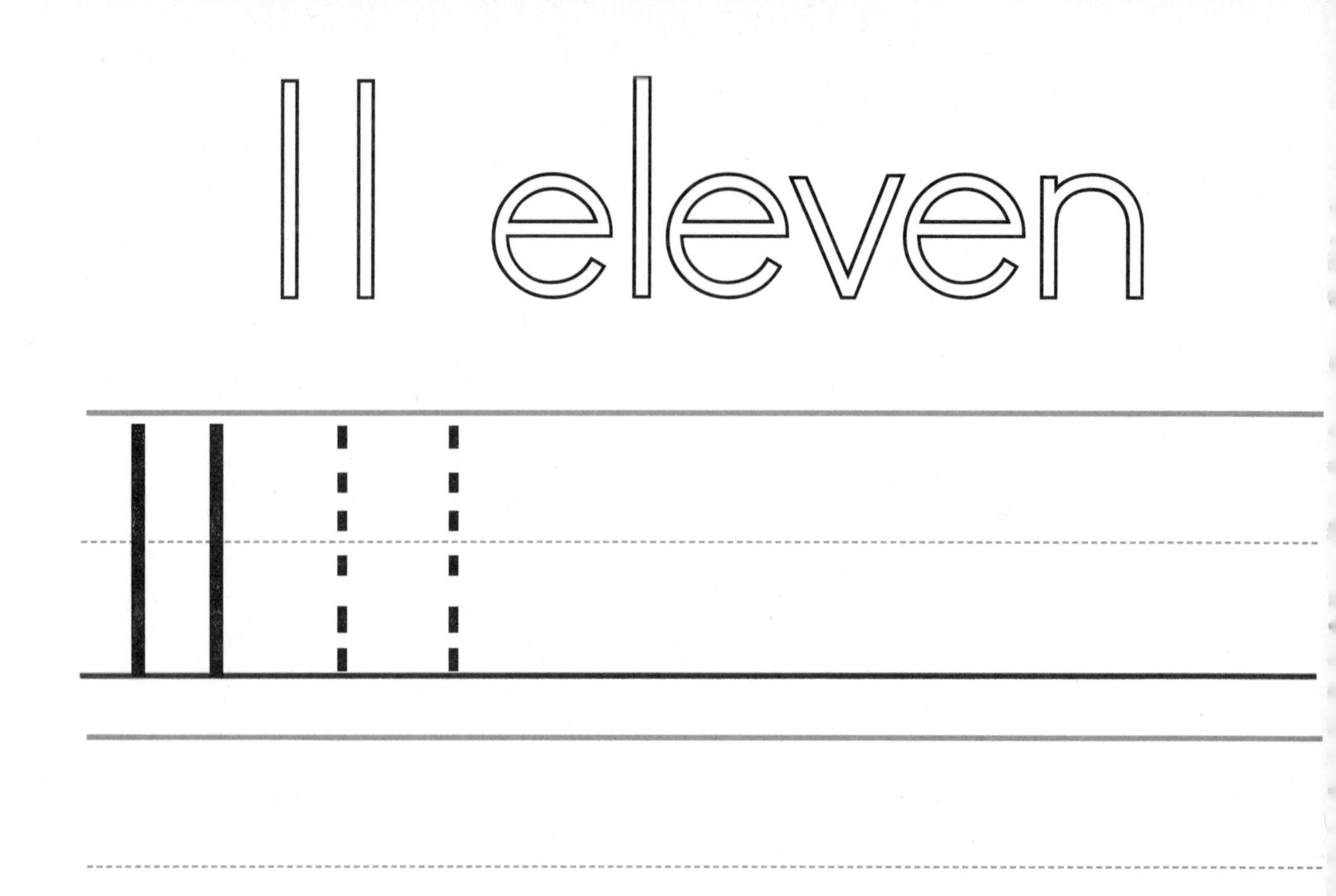

Colour 11 maple leaves.

Learning Goal: Recognize the number and word eleven and be able to write the number. Recognize the number eleven represented by objects.

Find and circle the eleven cupcakes that are identical.

Learning Goal: Recognize the number eleven represented by objects.

Use your finger to trace the number and word at the top of the page.
Then practice writing the number 12 with your pencil below.

12 12

Colour 12 snowflakes.

Learning Goal: Recognize the number and word twelve and be able to write the number. Recognize the number twelve represented by objects.

Colour 12 moose.

Learning Goal: Recognize the number twelve represented by objects.

Use your finger to trace the number and word at the top of the page.
Then practice writing the number 13 with your pencil below.

13 thirteen

13 13

Colour 13 stars.

Learning Goal: Recognize the number and word thirteen and be able to write the number. Recognize the number thirteen represented by objects.

Add beads to each row so that each row has 13 beads total.

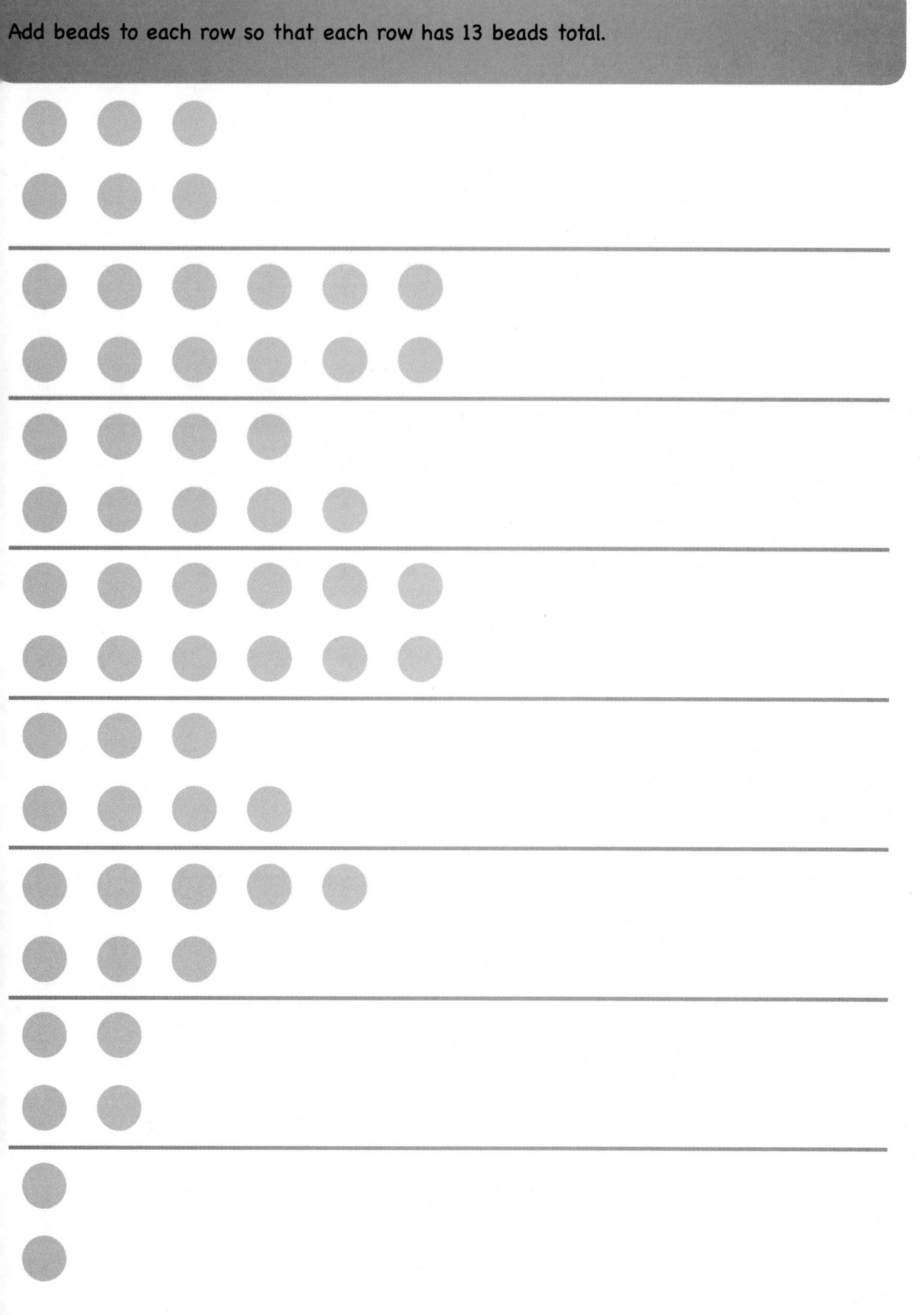

Learning Goal: Recognize the number thirteen represented by objects.

Use your finger to trace the number and word at the top of the page.
Then practice writing the number 14 with your pencil below.

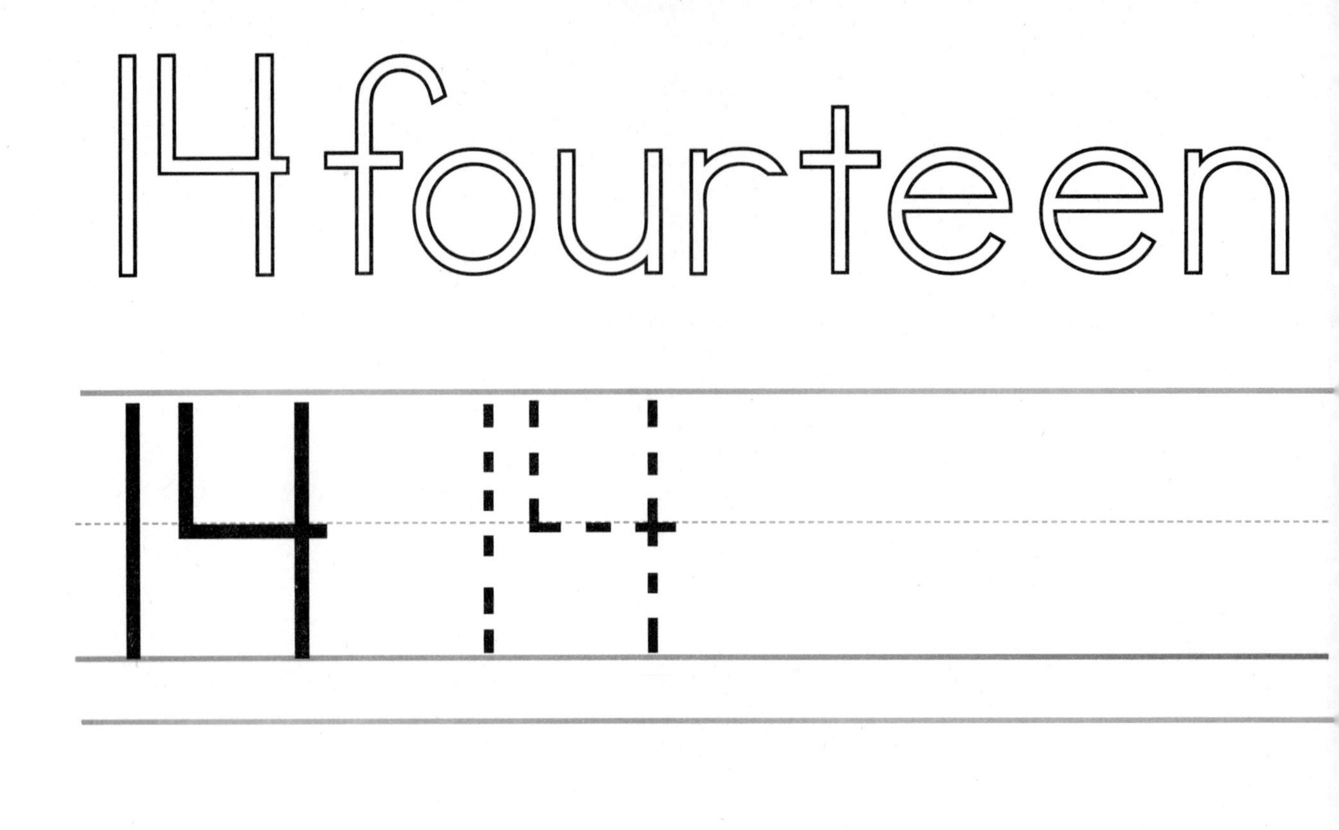

Colour 14 Canadian flags.

Learning Goal: Recognize the number and word fourteen and be able to write the number. Recognize the number fourteen represented by objects.

Colour 14 flowers.

Learning Goal: Recognize the number fourteen represented by objects.

Use your finger to trace the number and word at the top of the page.
Then practice writing the number 15 with your pencil below.

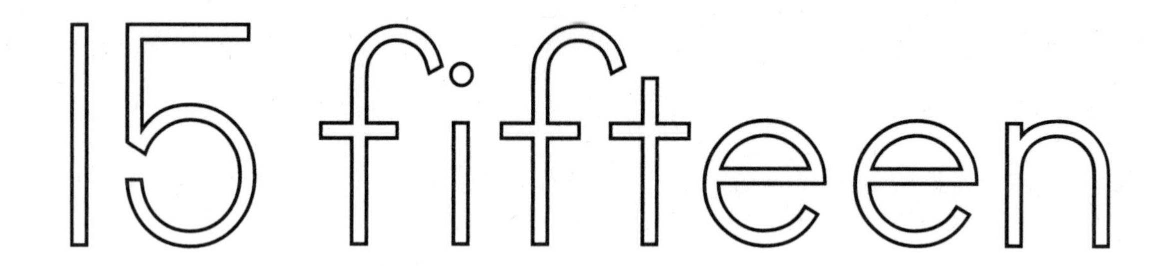

15 15

Colour 15 paw prints.

Learning Goal: Recognize the number and word fifteen and be able to write the number. Recognize the number fifteen represented by objects.

Fill in the missing numbers below. What number is last?

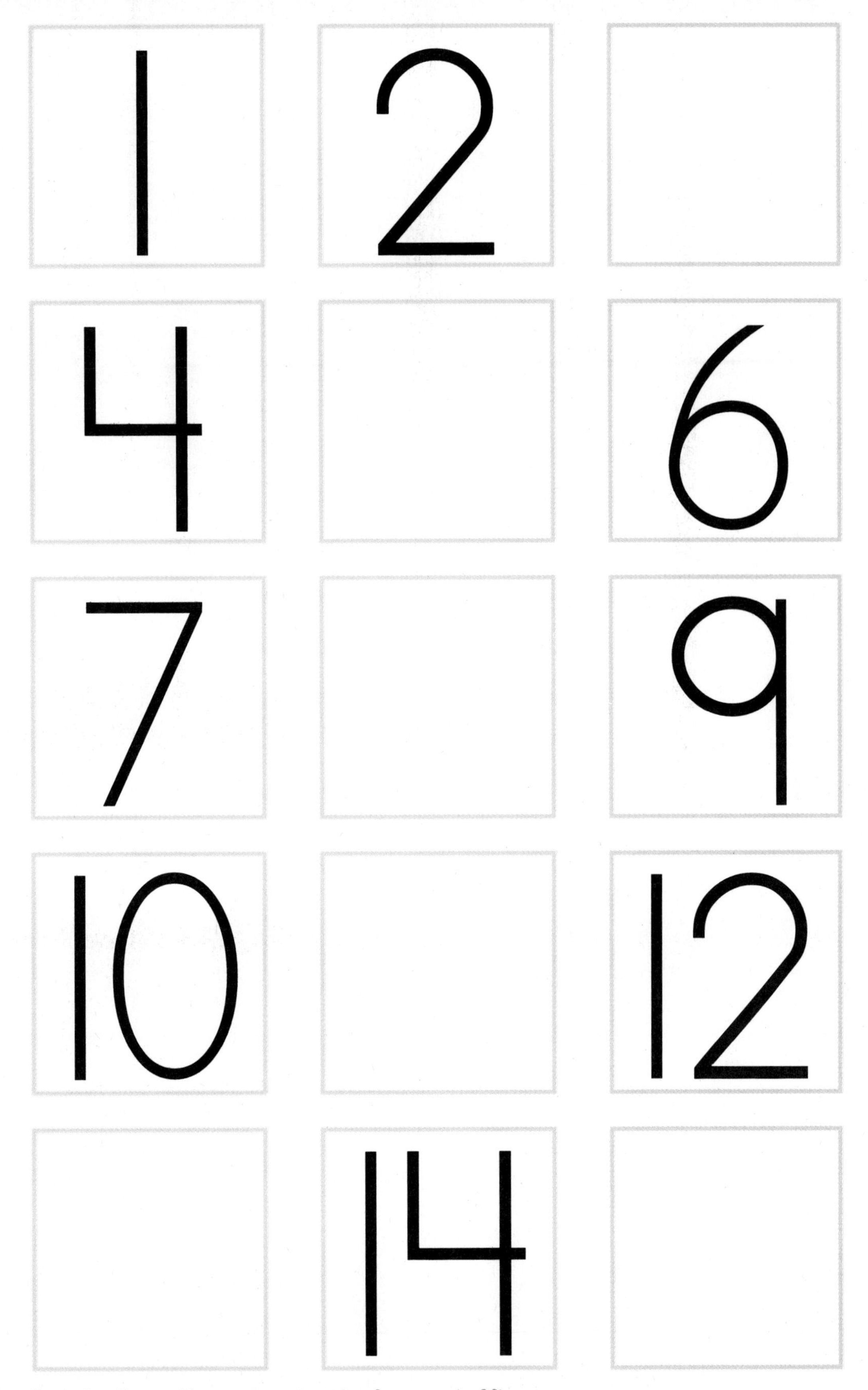

Learning Goal: Practice writing numbers in order from one to fifteen.

Use your finger to trace the number and word at the top of the page.
Then practice writing the number 16 with your pencil below.

16 16

Colour 16 clouds.

Learning Goal: Recognize the number and word sixteen and be able to write the number. Recognize the number sixteen represented by objects.

Count the cookies below. Then count how many chocolate chips each cookie has and write your answers on the lines.

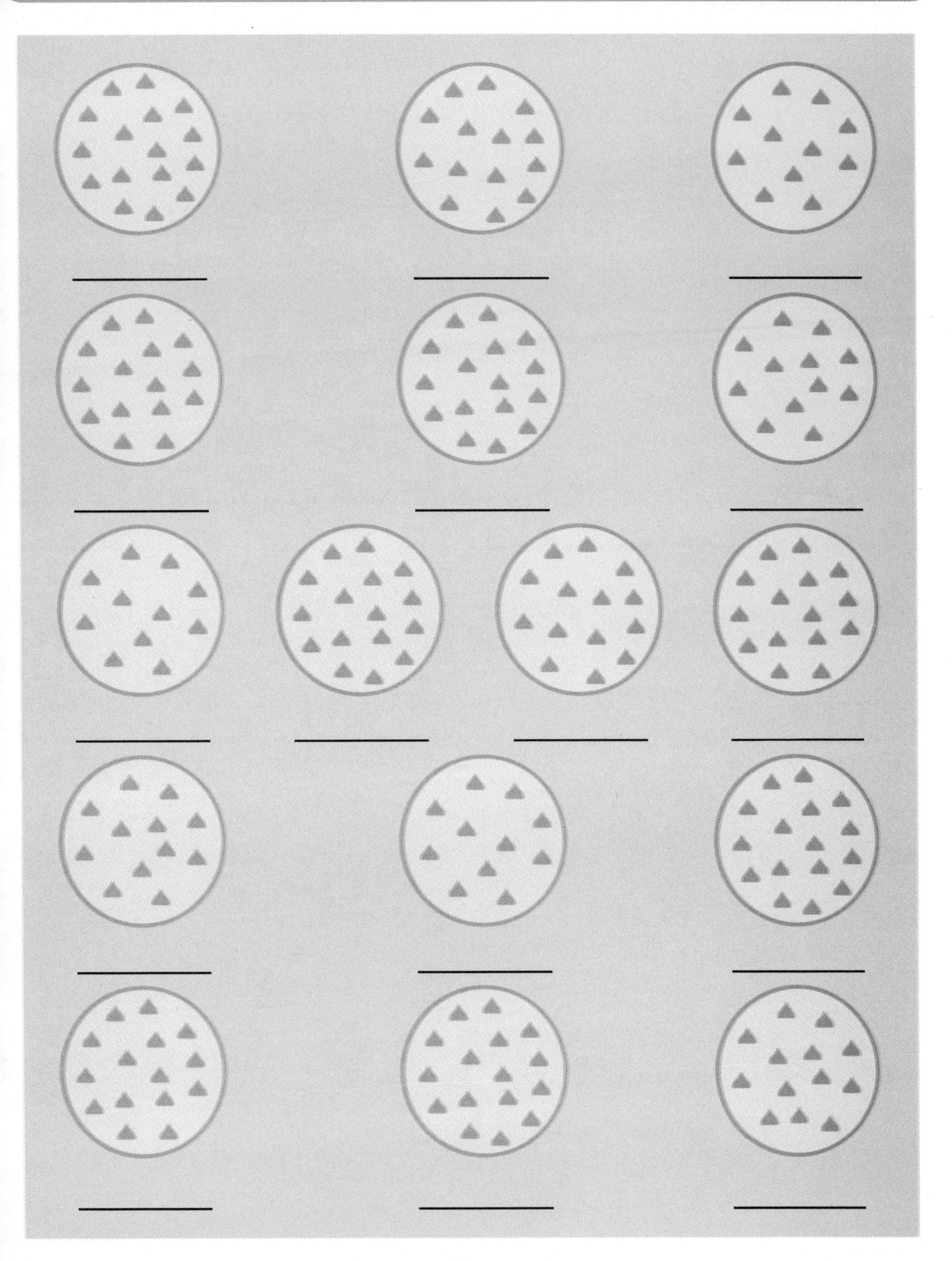

Learning Goal: Recognize the number sixteen represented by objects.

Use your finger to trace the number and word at the top of the page.
Then practice writing the number 17 with your pencil below.

17 seventeen

17 17

Colour 17 sleds.

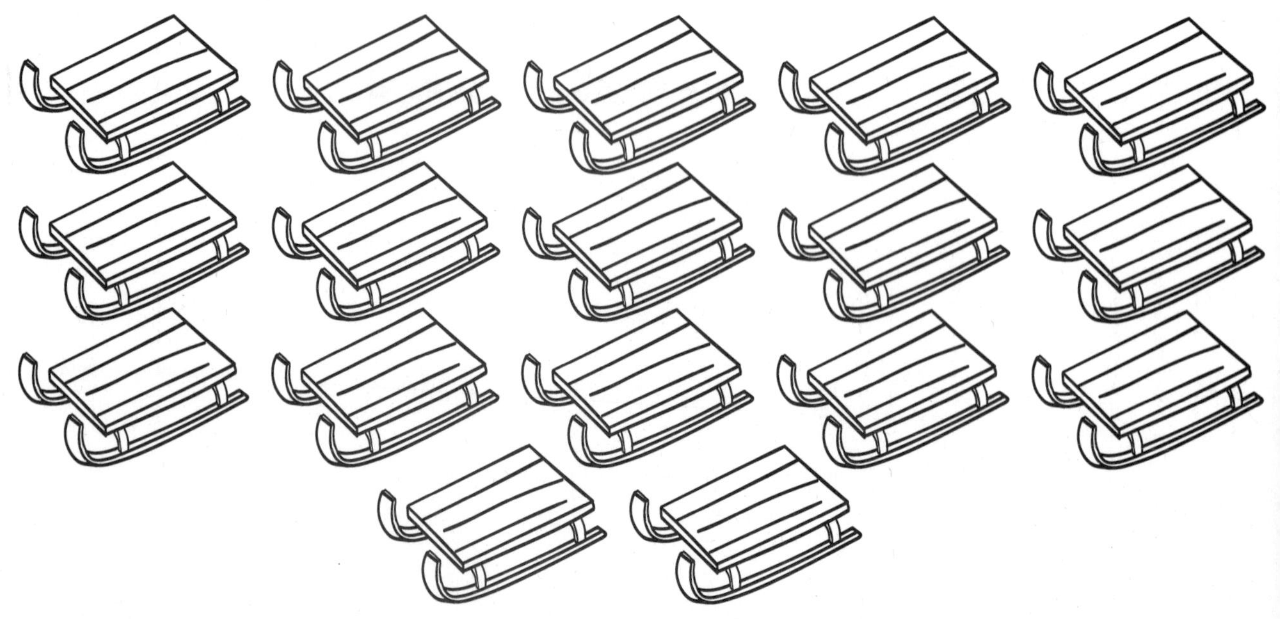

Learning Goal: Recognize the number and word seventeen and be able to write the number. Recognize the number seventeen represented by objects.

Colour 17 wolves.

Learning Goal: Recognize the number seventeen represented by objects.

Use your finger to trace the number and word at the top of the page.
Then practice writing the number 18 with your pencil below.

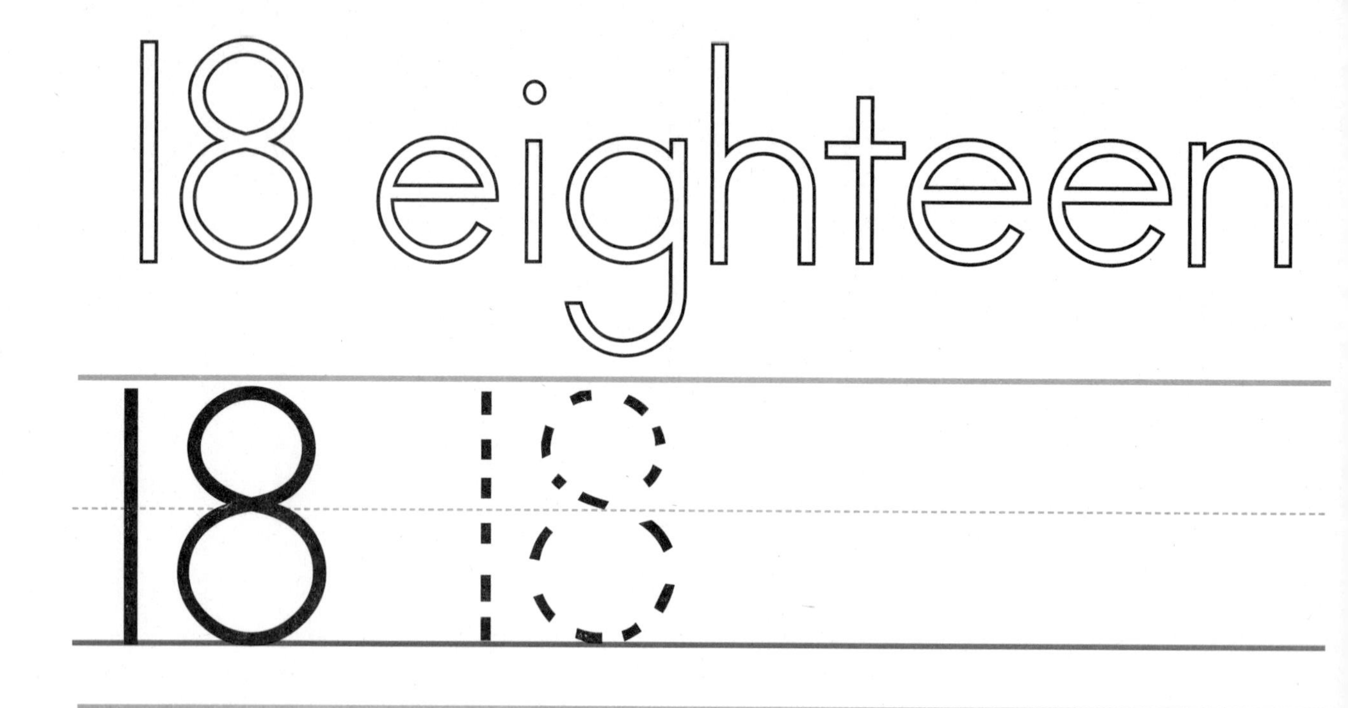

Colour 18 bats.

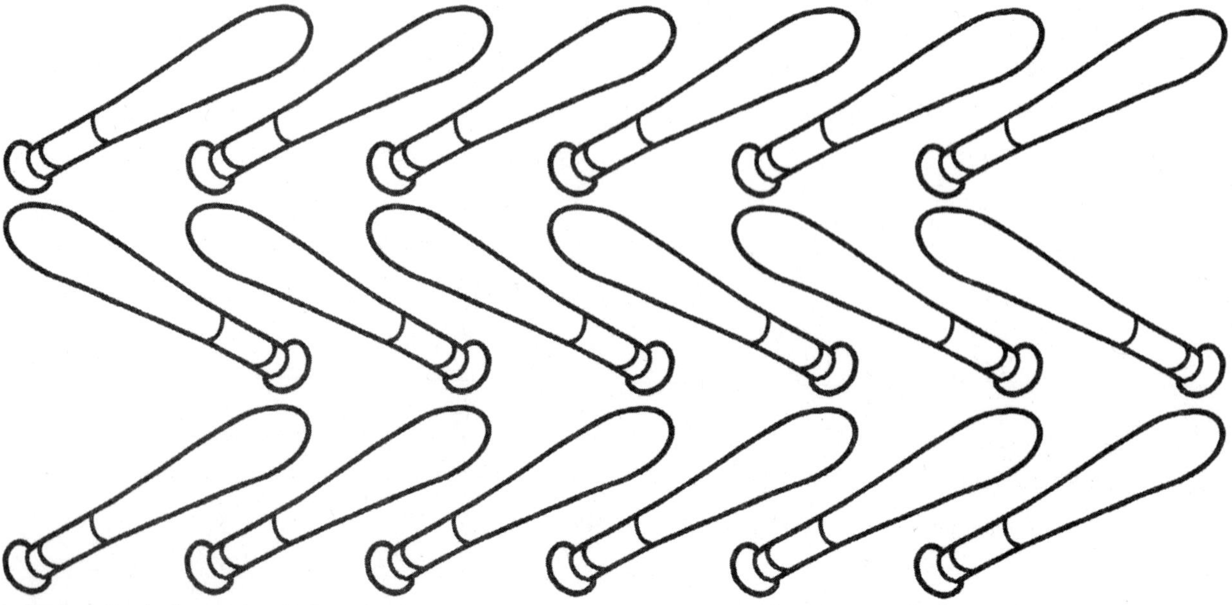

Learning Goal: Recognize the number and word eighteen and be able to write the number. Recognize the number eighteen represented by objects.

Draw a line to match the number to the correct number of items.

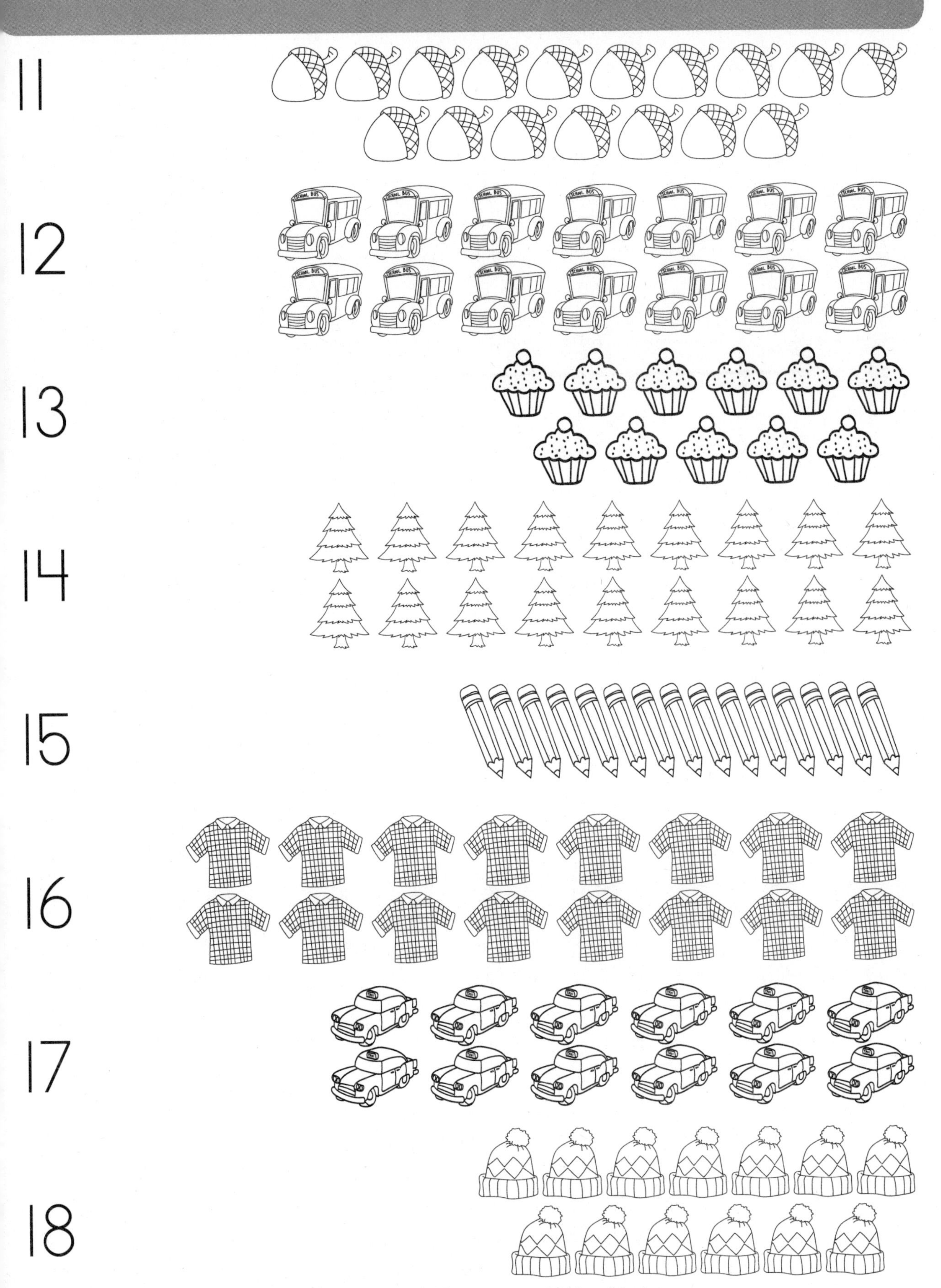

Learning Goal: Recognize numbers eleven through eighteen represented by objects.

Use your finger to trace the number and word at the top of the page.
Then practice writing the number 19 with your pencil below.

19 nineteen

19 19

Colour 19 beavers.

Learning Goal: Recognize the number and word nineteen and be able to write the number. Recognize the number nineteen represented by objects.

Colour 19 cabins.

Learning Goal: Recognize the number nineteen represented by objects.

Use your finger to trace the number and word at the top of the page.
Then practice writing the number 20 with your pencil below.

20 twenty

20 20

Colour 20 deer.

Learning Goal: Recognize the number and word twenty and be able to write the number. Recognize the number twenty represented by objects.

Fill in the missing numbers. What number is last?

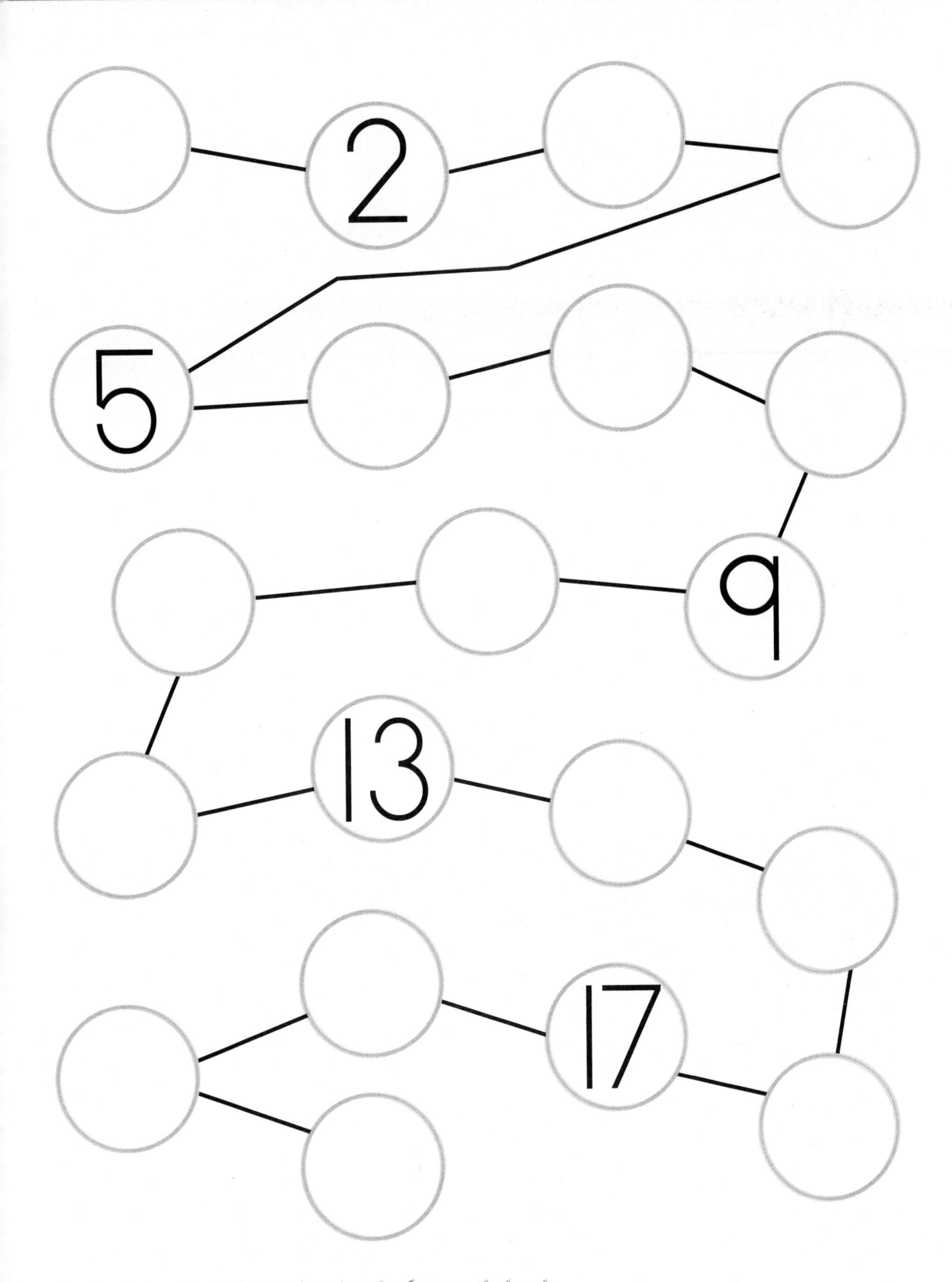

Learning Goal: Practice writing numbers in order from one to twenty.

Count the red and green apples in each box and write the number of each apple on the lines below.

red apples ______________ green apples ______________

red apples ______________ green apples ______________

Learning Goal: Recognize numbers zero through twenty represented by objects.

Count the red and green apples in each box and write the number of each apple on the lines below.

red apples ________ green apples ________

red apples ________ green apples ________

Learning Goal: Recognize numbers zero through twenty represented by objects.

Read the instructions below the graph and colour. The first one is done for you.

A					
B					
C					
D					
E					
	1	2	3	4	5

E1 = red C3 = blue E2 = yellow

B5 = pink D3 = green A4 = orange

Find the animals. Write the letter and number where each animal is found.
The first one is done for you.

pig A1 horse goat 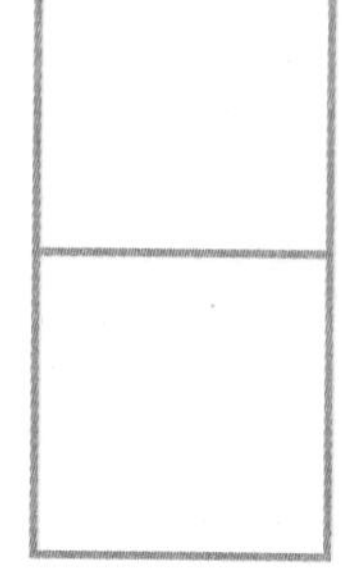 rooster 

cow sheep dog

Learning Goal: Read and follow directions while practicing graphing concepts.

Label each line from 1 to 8. 1 being the shortest and 8 being the longest.

Learning Goal: Learn simple measurements and comparisons.

Write the missing number in the patterns below.

3 5 3 5 _ 5 3 5 3

1 1 2 2 1 1 _ 2

8 9 _ 8 9 9 8 9 9

0 2 4 0 2 4 0 2 _

6 4 3 3 _ 4 3 3

Learning Goal: Recognize patterns using numbers.

Complete the shape and letter patterns below.

AKBAKB_KB

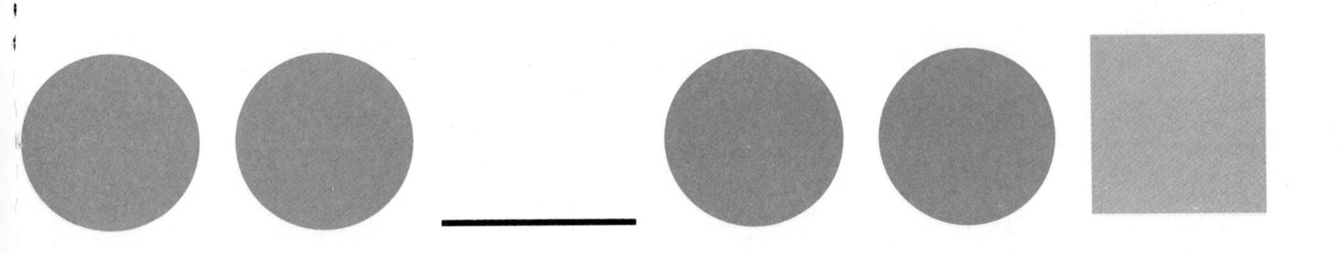

UVXU_XUVX

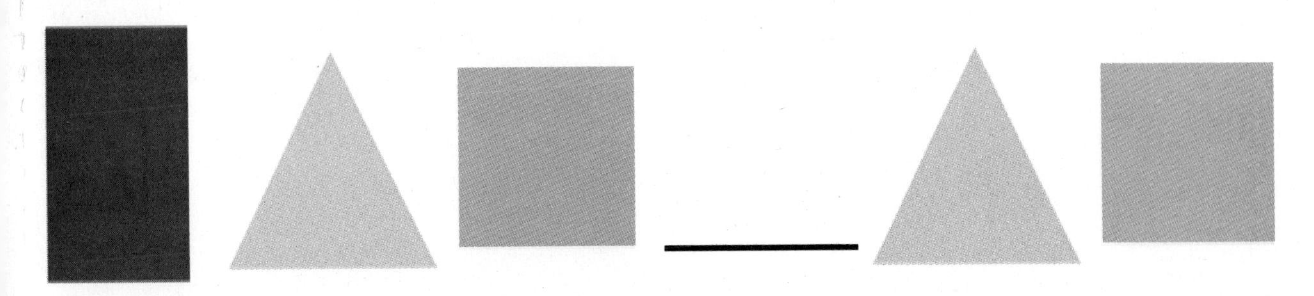

Learning Goal: Recognize patterns using shapes and letters..

Read the instructions below the graph and colour. The first one is done for you.

A					
B					
C					
D					
E					
	1	2	3	4	5

A1 = red D3 = blue E5 = yellow

C4 = pink E4 = green C2 = orange

Find the bugs. Write the letter and number where each bug is found.
The first one is done for you.

slug B1

worm

bee

spider

firefly

snail

ant 

Learning Goal: Read and follow directions while practicing graphing concepts.

Read the clues above each set of pictures and write the correct word under the picture it best describes.

HEAVY HEAVIER HEAVIEST

LONG LONGER LONGEST

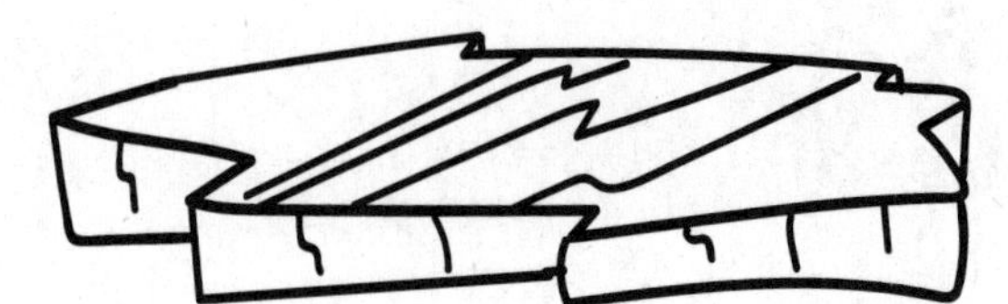

Learning Goal: Learn the difference between objects pertaining to weight and length.

Complete the shape patterns below.

Learning Goal: Recognize patterns using shapes.

Write the missing number or letter below.

12345678_

98765432_

ddwwddw_

qrs_rsq

543543_43

Learning Goal: Recognize patterns using numbers and letters.

Connect the dots to complete the picture. Then colour the picture.

Learning Goal: Practice counting numbers one through twenty in order.

Read the clues above each set of pictures and write the correct word under the picture it best describes.

LIGHT LIGHTER LIGHTEST

__________ __________ __________

SMALL SMALLER SMALLEST

__________ __________ __________

Learning Goal: Learn the difference between objects pertaining to weight and size.

Write the missing number in the patterns below.

246_46246

100_00100

35_357357

4447774_4

5675_7567

Learning Goal: Recognize patterns using numbers.

Complete the shape and letter patterns below.

HHLHH _ HH

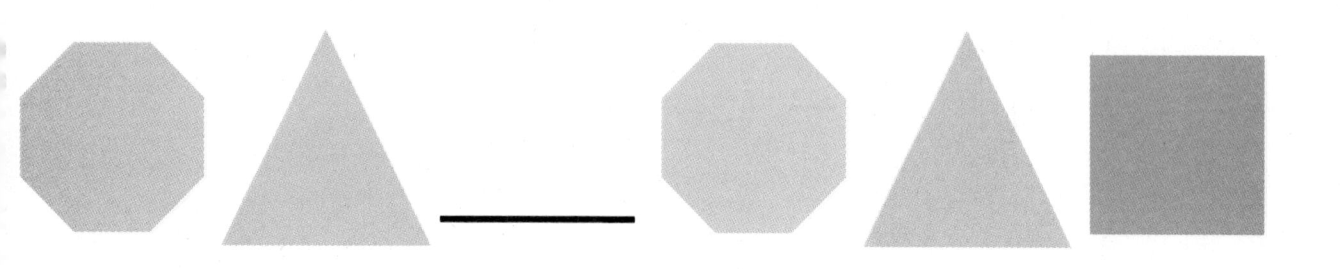

YYZZ _ YZZ

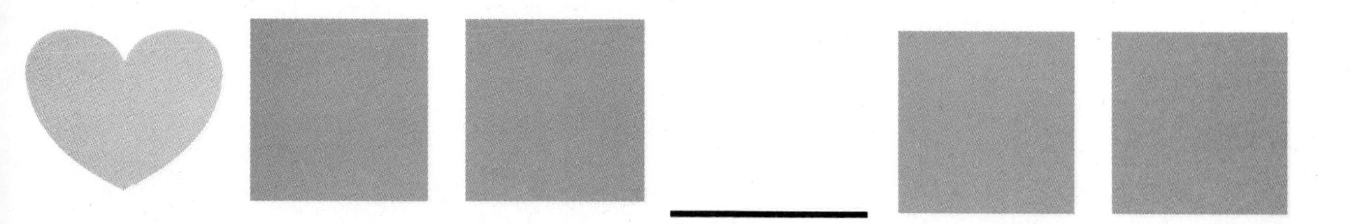

Learning Goal: Recognize patterns using shapes and letters .

Connect the dots to complete the picture. Then colour the picture.

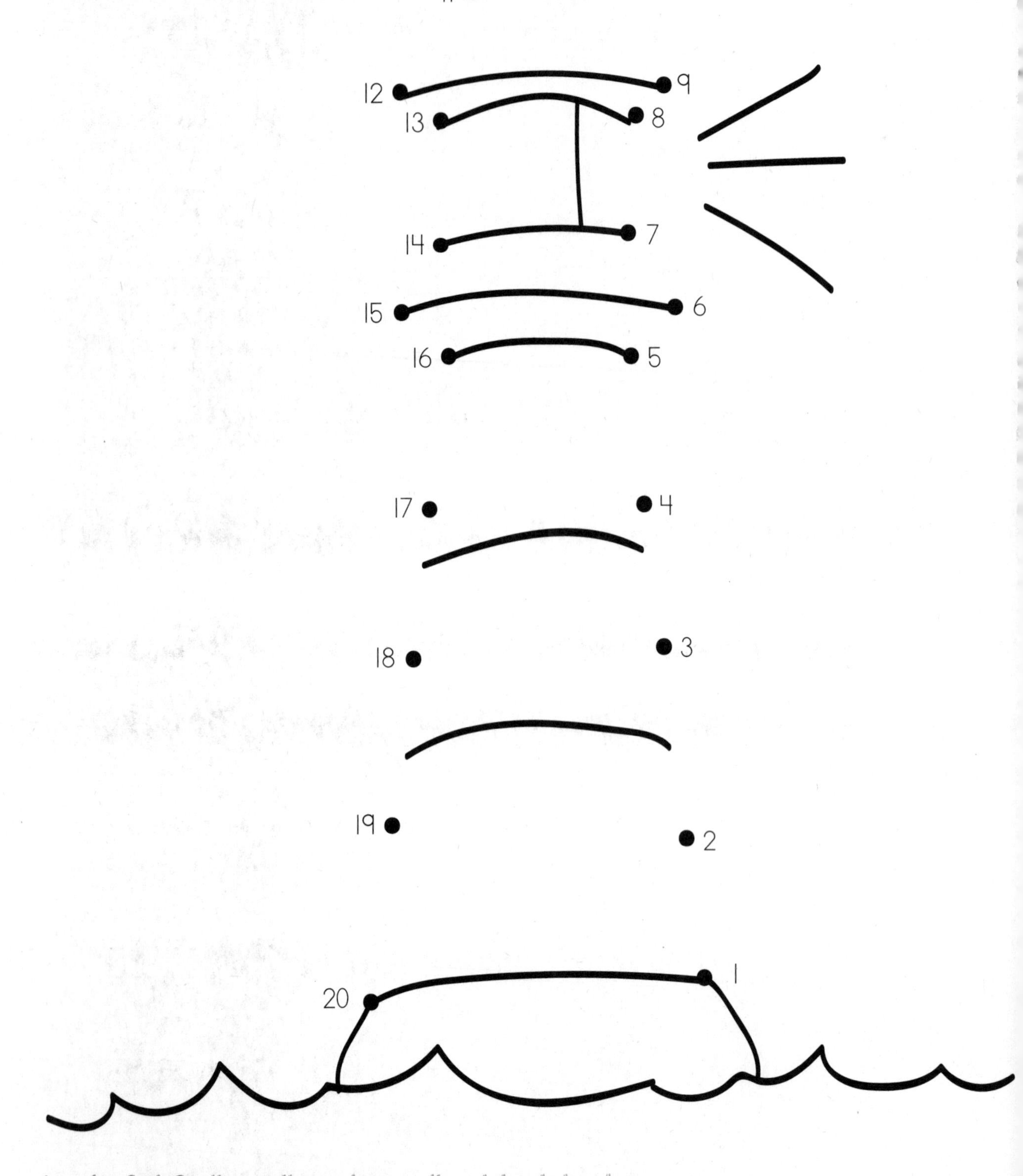

Learning Goal: Practice counting numbers one through twenty in order.

Follow the directions below to colour the snowmen.

Colour the large snowman's scarf green.
Colour the small snowman's hat yellow.
Colour all their noses orange.
Colour the small snowman's scarf **red**.
Colour the medium snowman's hat **purple** and colour his scarf blue.
Colour the large snowman's hat **brown**.
Colour all their buttons **black**.

Learning Goal: Compare and contrast size differences.

Complete the shape patterns below.

Learning Goal: Recognize patterns using shapes.

Write the missing number or letter in the patterns below.

s z u _ z u s z u

6 5 5 _ 5 5 6 5 5

y y _ y y n y y n

0 4 7 0 _ 7 0 4 7

i t k i _ k i t k

Learning Goal: Recognize patterns using numbers and letters.

Where is the beaver relative to the circle? Use the word bank to write the correct answer under each picture.

on the left in the middle below
on the right above

Learning Goal: Recognize directional and spacial placement of objects.

Where is the puck relative to the hockey player? Use the word bank to write the correct answer under each picture.

on the left   behind   below
on the right   above

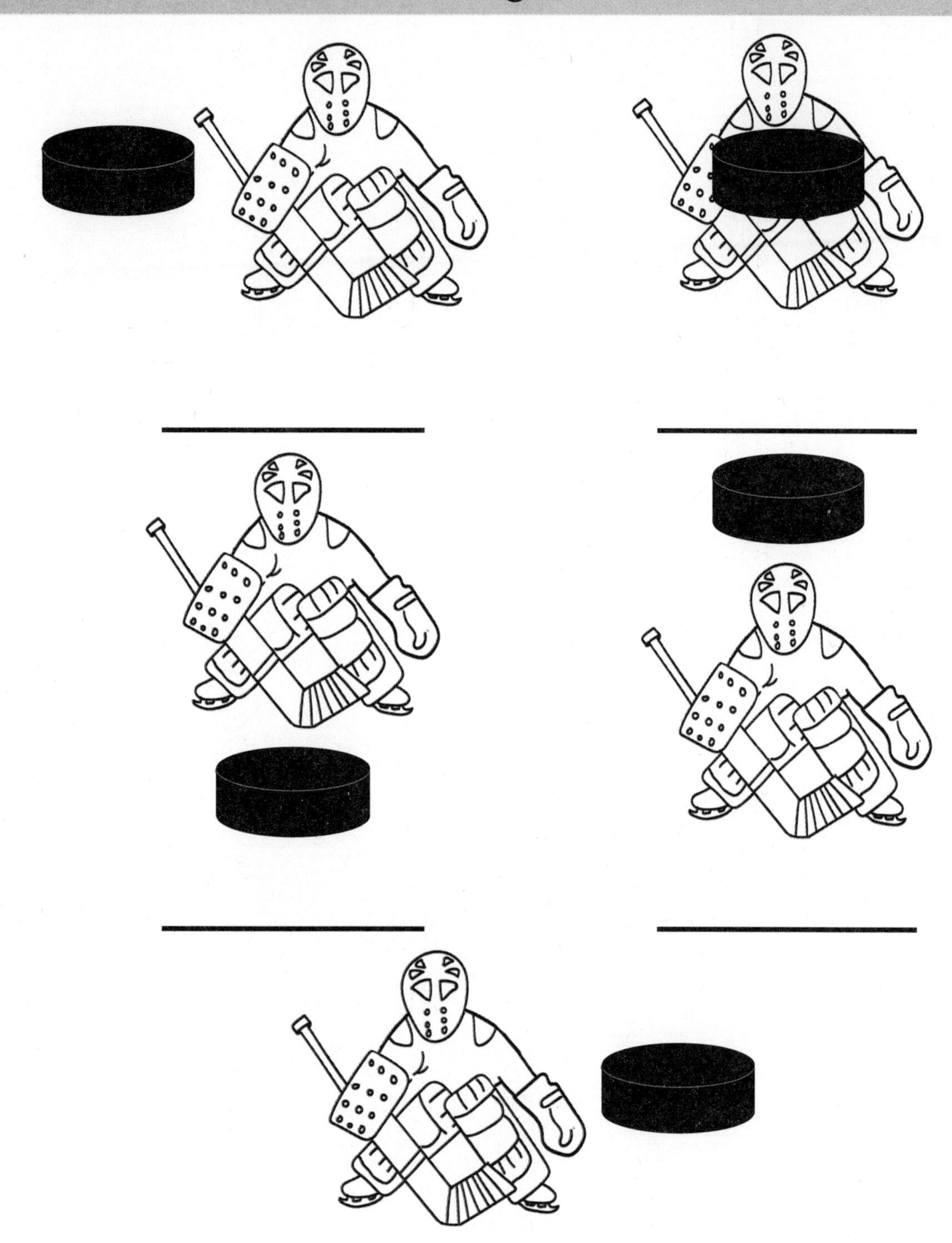

____________   ____________

____________   ____________

____

Learning Goal: Recognize directional and spacial placement of objects.

Where is the polar bear relative to the ice floe? Use the word bank to write the correct answer under each picture.

on the left behind below
on the right above

Learning Goal: Recognize directional and spacial placement of objects.

Help the puppy find his bone by following the directions below.

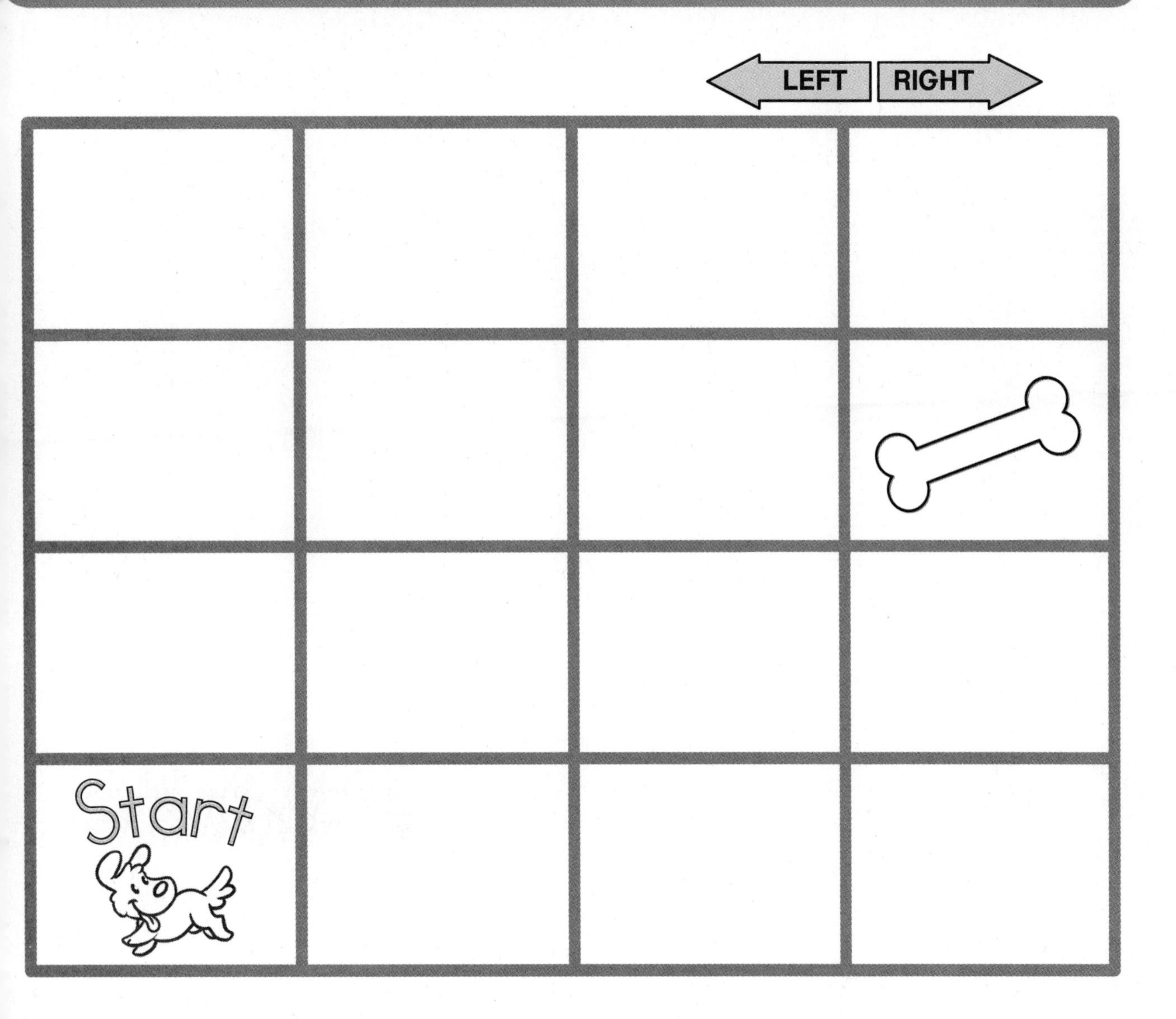

1. Move two boxes to the right.
2. Go up one box.
3. Move one box to the left.
4. Go up one box.
5. Move two boxes to the right.

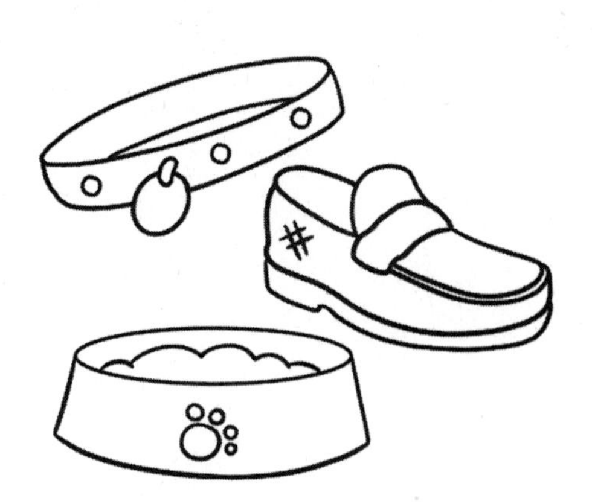

Learning Goal: Read and select the correct option. Practice graphing.

Colour the group with the MOST items.

Learning Goal: Recognize the difference between most and fewest.

Colour the group with the FEWEST items.

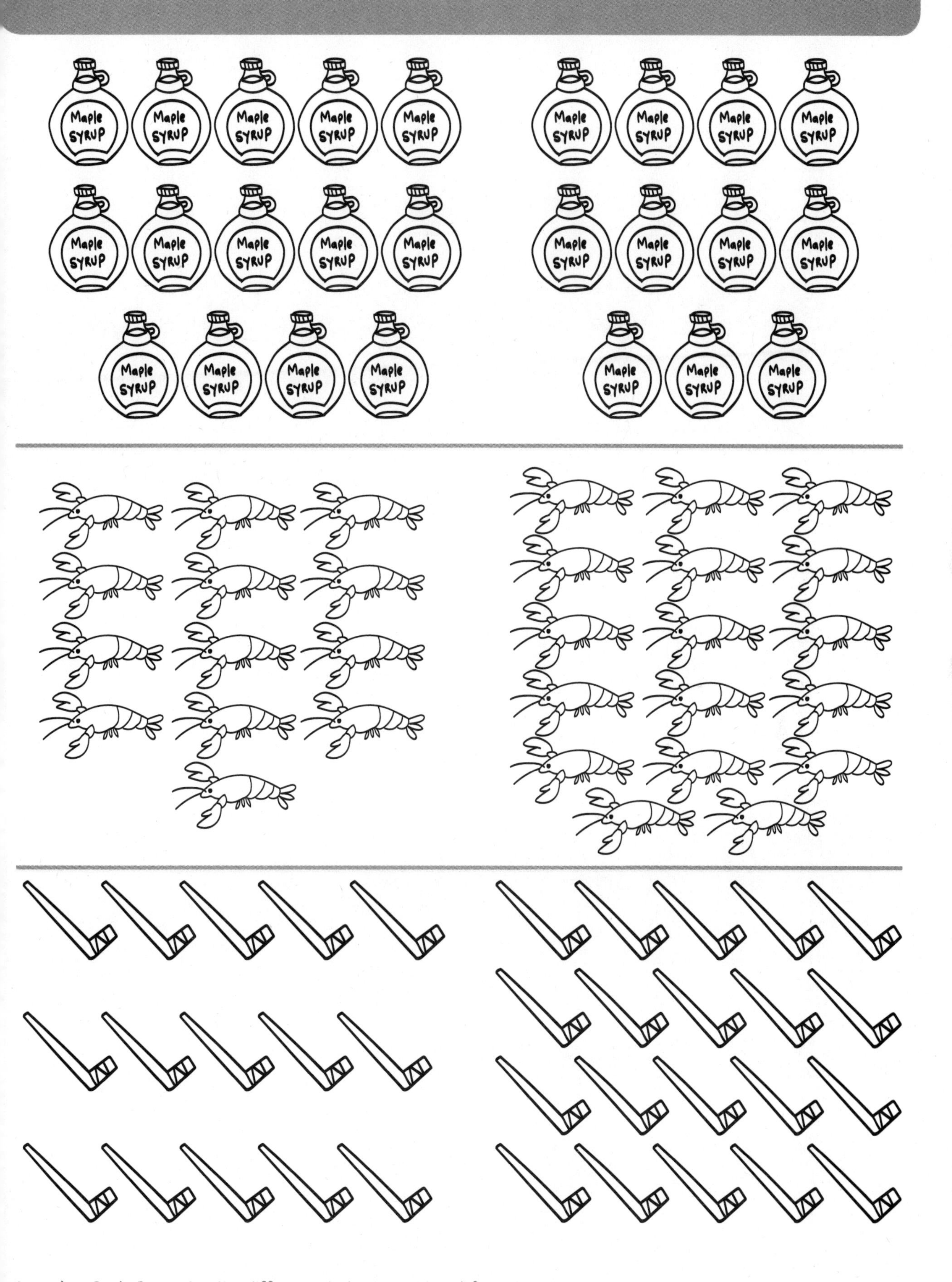

Learning Goal: Recognize the difference between most and fewest.

Circle the first cupcake.

Circle the second piece of candy.

Learning Goal: Learn ordinal numbers up to fourth.

Circle the third doll.

Circle the fourth ice cream cone.

Learning Goal: Learn ordinal numbers up to fourth.

Read the clues below. Cross out the numbers that do not fit the clues. Circle the correct number.

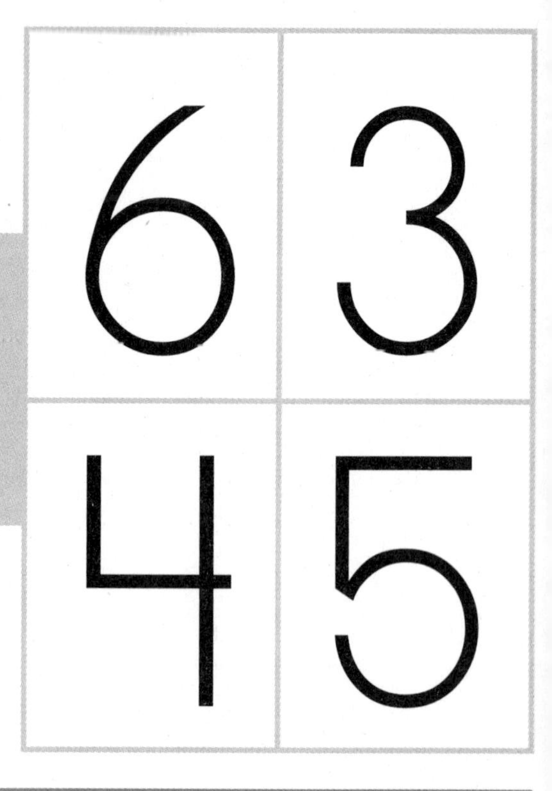

The number is less than 6.

The number is less than 5.

The number is not 4.

2	9
0	13

The number has one digit.

The number is less than 9.

The number is greater than zero.

Learning Goal: Read and respond to directions. Learn greater than versus less than.

Read the clues below. Cross out the numbers that do not fit the clues. Circle the correct number.

The number is greater than 9.

The number is greater than 12.

The number is less than 17.

9	17
12	13

The number is greater than 2.

The number has two digits.

The number is also called a dozen.

7	12
2	3

Learning Goal: Read and respond to directions. Learn greater than versus less than.

Add the ice cream scoops. Write the numbers below each picture to help solve the addition problems. The first one is done for you.

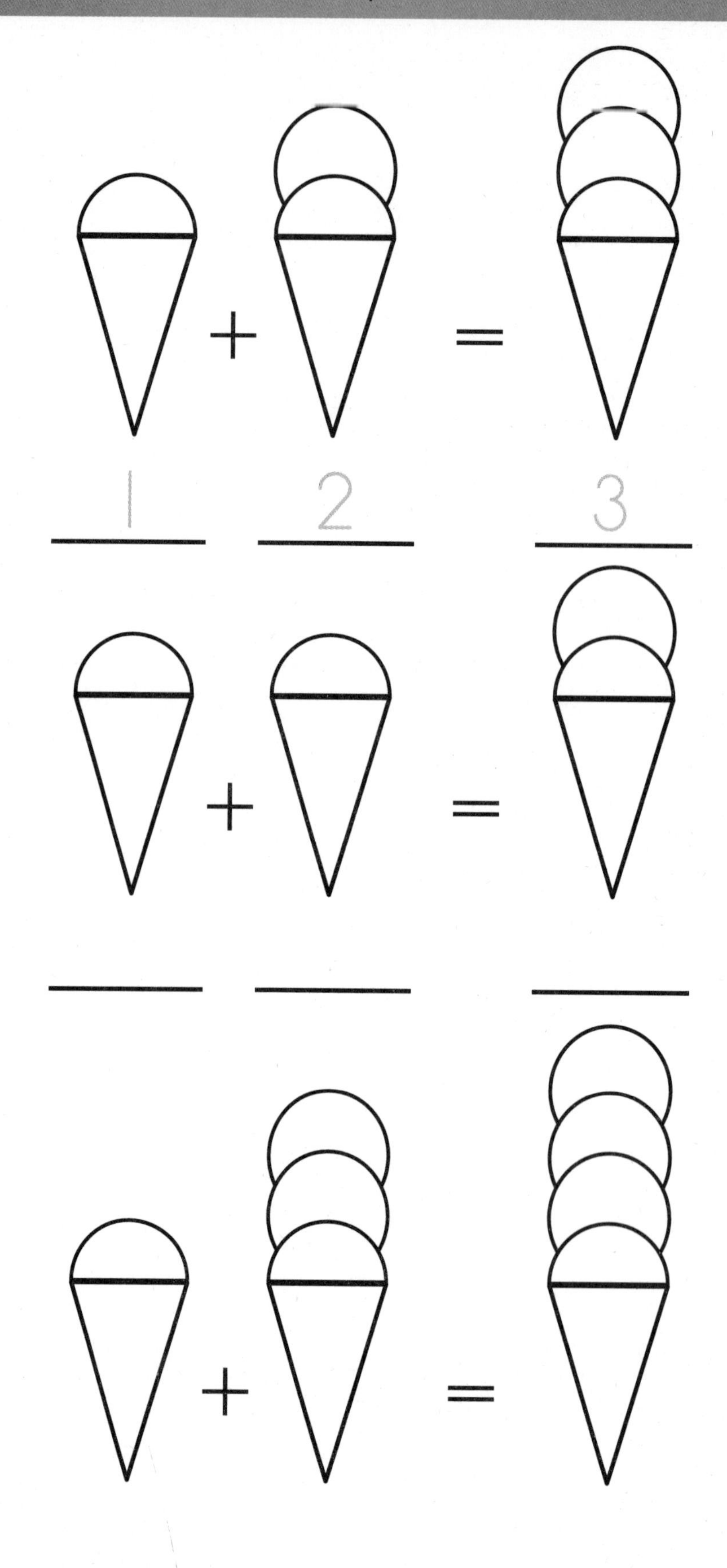

Learning Goal: Learn simple addition using objects.

Add the pictures. Write the numbers below each picture to help solve the addition problems. The first one is done for you.

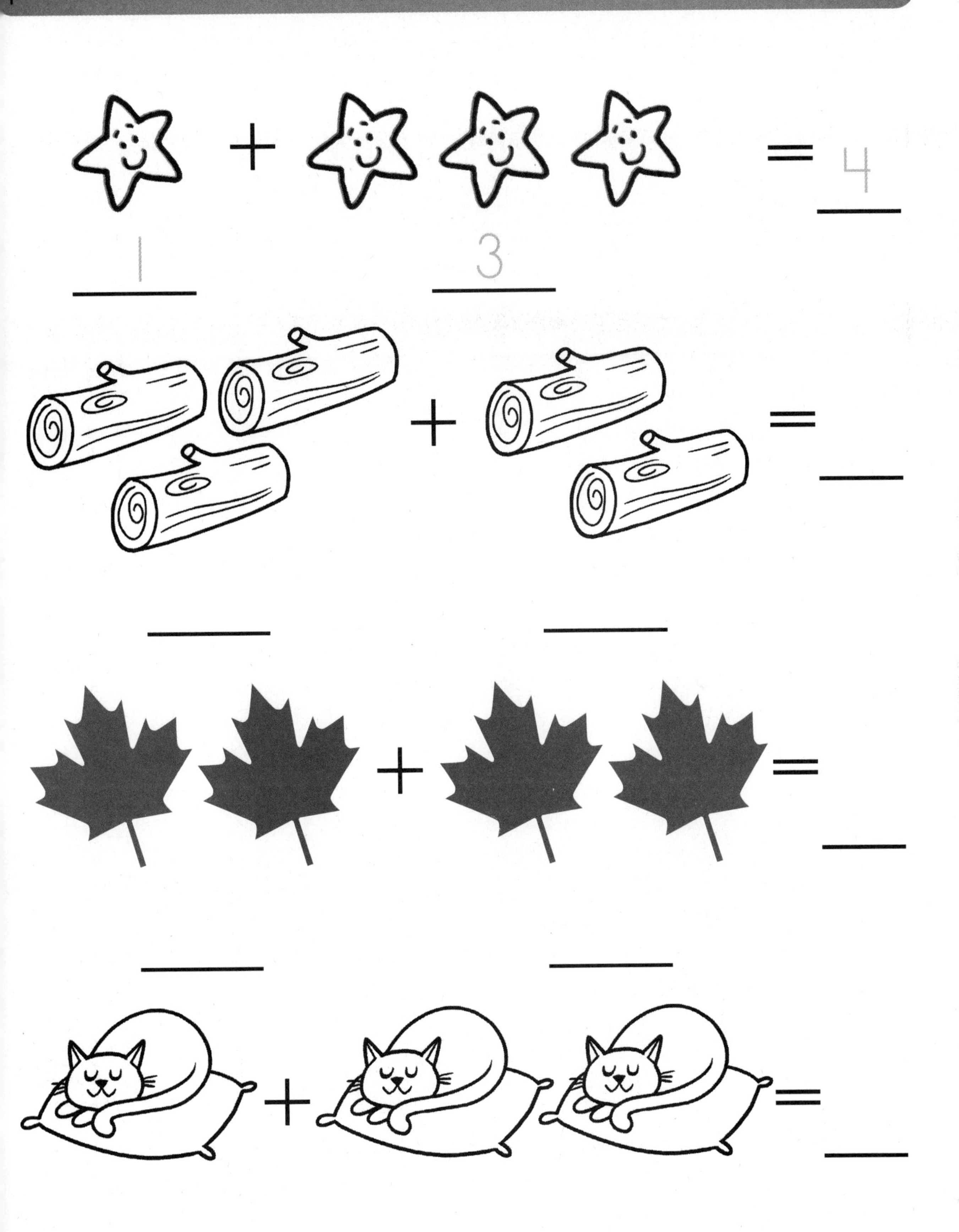

Learning Goal: Learn simple addition using objects.

Add the popcorn kernels. Draw the totals.

+ =

+ =

+ =

+ =

Learning Goal: Learn simple addition using objects.

Add the pictures. Write the totals on the lines.

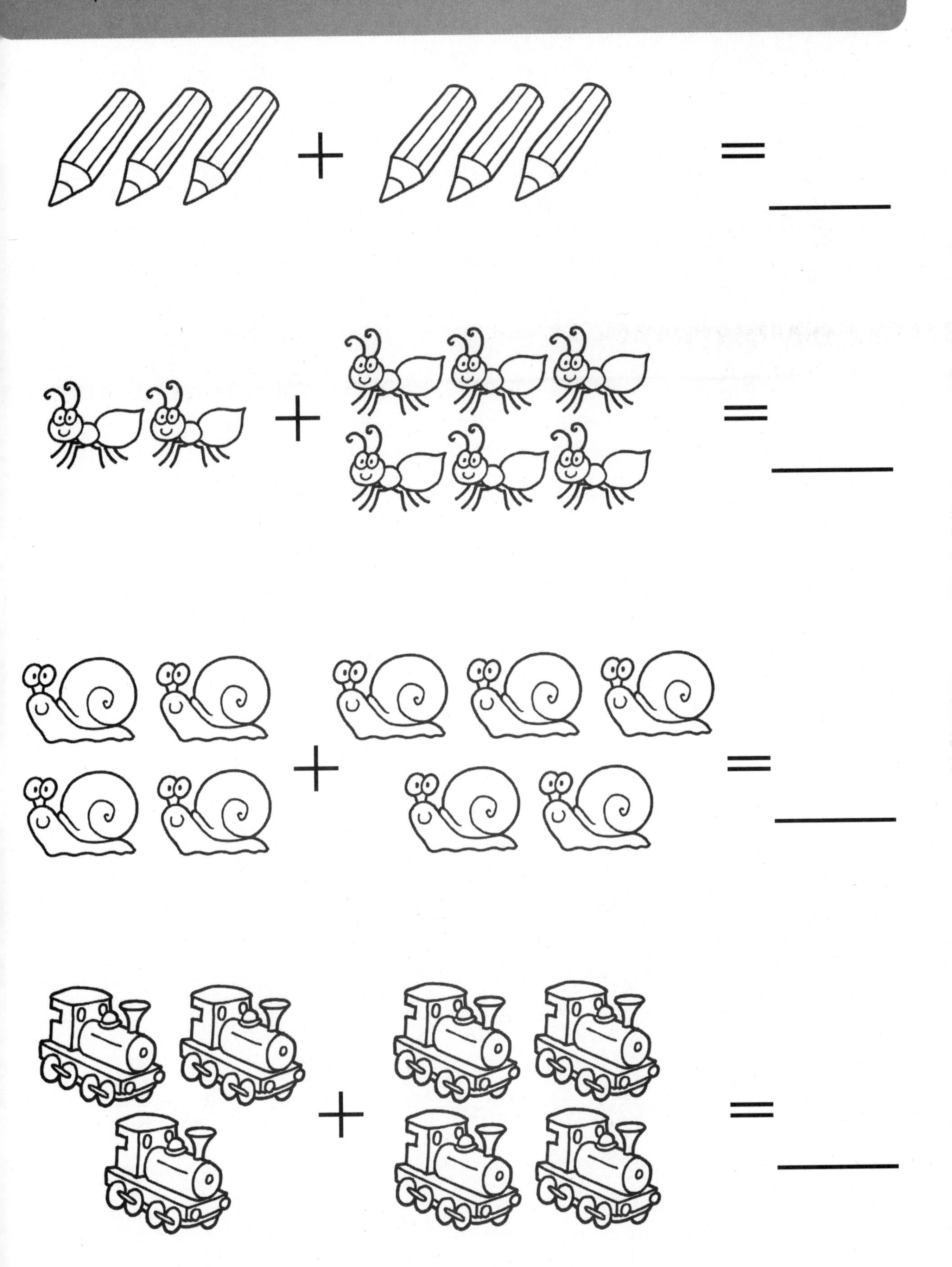

Learning Goal: Learn simple addition using objects.

Complete the addition problems below.

$4 + 6 =$ ___	$3 + 2 =$ ___	$1 + 1 =$ ___	$2 + 4 =$ ___
$6 + 1 =$ ___	$9 + 0 =$ ___	$3 + 5 =$ ___	$4 + 1 =$ ___

Learning Goal: Practice addition using only numbers.

Complete the addition problems below.

$$\begin{array}{r} 8 \\ +\ 2 \\ \hline \end{array} \quad \begin{array}{r} 1 \\ +\ 4 \\ \hline \end{array} \quad \begin{array}{r} 1 \\ +\ 5 \\ \hline \end{array} \quad \begin{array}{r} 1 \\ +\ 8 \\ \hline \end{array}$$

$$\begin{array}{r} 7 \\ +\ 3 \\ \hline \end{array} \quad \begin{array}{r} 2 \\ +\ 7 \\ \hline \end{array} \quad \begin{array}{r} 7 \\ +\ 0 \\ \hline \end{array} \quad \begin{array}{r} 4 \\ +\ 4 \\ \hline \end{array}$$

Learning Goal: Practice addition using only numbers.

Subtract the suns. Write the numbers below the pictures to solve the subtraction problems.

− =

___ ___ ___

− =

___ ___ ___

− =

___ ___ ___

− =

___ ___ ___

Learning Goal: Learn simple subtraction using objects.

Subtract the pictures. Write the numbers below the pictures to solve the subtraction problems.

Learning Goal: Learn simple subtraction using objects.

Subtract the balls. Draw the answers.

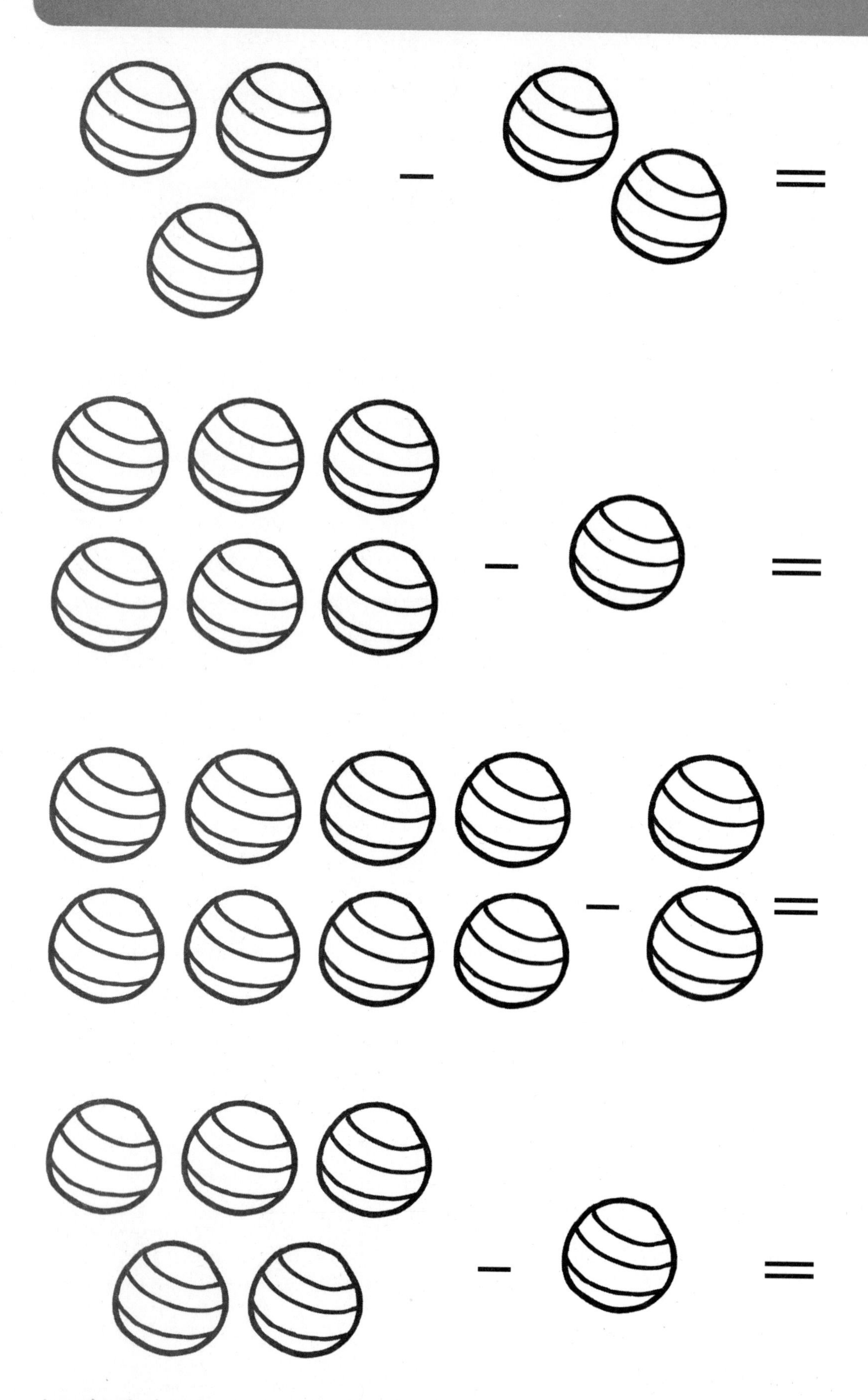

Learning Goal: Learn simple subtraction using objects.

Subtract the pictures. Write the answers on the lines.

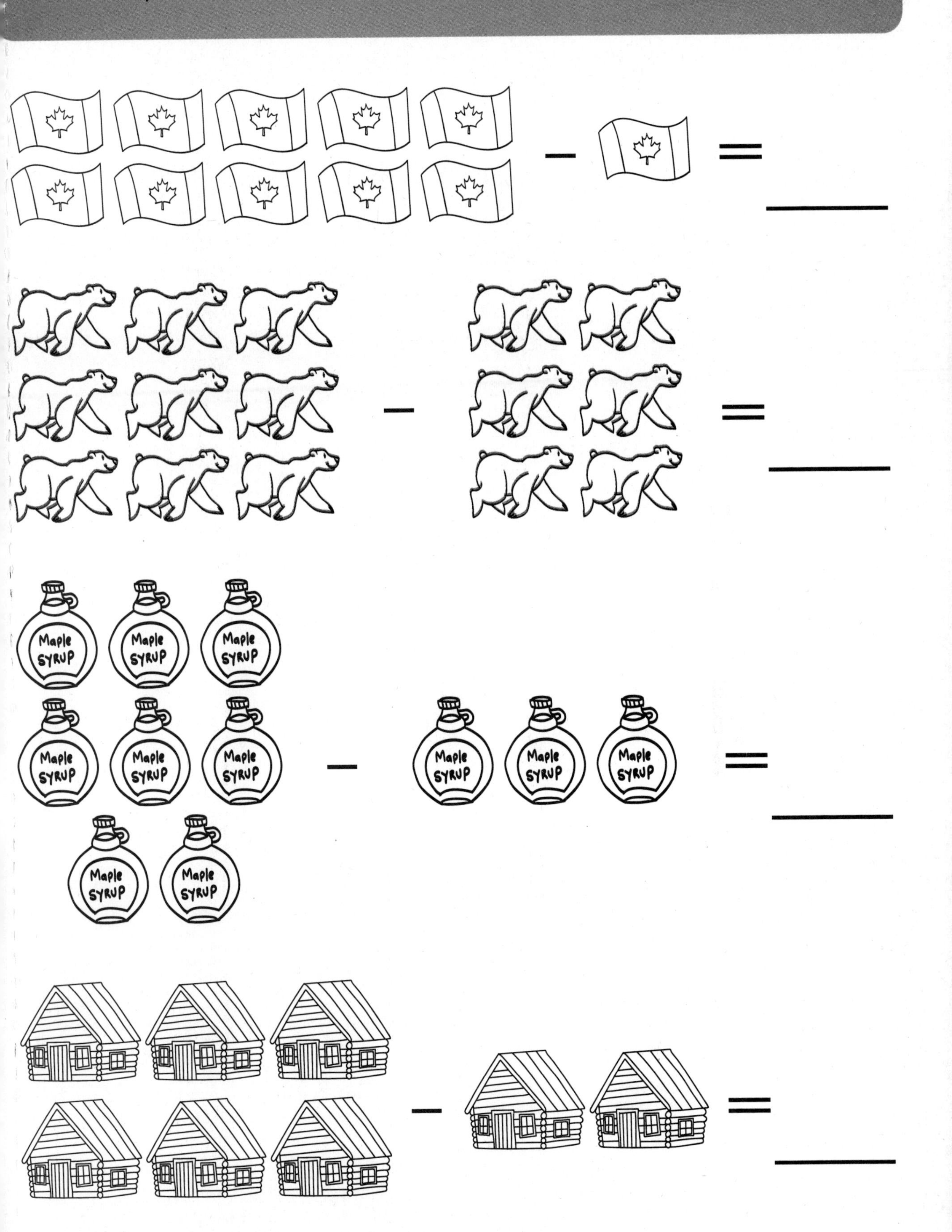

Learning Goal: Learn simple subtraction using objects.

Complete the subtraction problems below.

$$\begin{array}{r} 3 \\ -\ 2 \\ \hline \end{array} \qquad \begin{array}{r} 9 \\ -\ 7 \\ \hline \end{array} \qquad \begin{array}{r} 4 \\ -\ 2 \\ \hline \end{array} \qquad \begin{array}{r} 6 \\ -\ 1 \\ \hline \end{array}$$

$$\begin{array}{r} 9 \\ -\ 0 \\ \hline \end{array} \qquad \begin{array}{r} 10 \\ -\ 7 \\ \hline \end{array} \qquad \begin{array}{r} 7 \\ -\ 4 \\ \hline \end{array} \qquad \begin{array}{r} 8 \\ -\ 4 \\ \hline \end{array}$$

Learning Goal: Practice subtraction using only numbers.

Complete the subtraction problems below.

$$\begin{array}{r} 7 \\ -\ 0 \\ \hline \end{array} \quad \begin{array}{r} 5 \\ -\ 2 \\ \hline \end{array} \quad \begin{array}{r} 6 \\ -\ 4 \\ \hline \end{array} \quad \begin{array}{r} 8 \\ -\ 3 \\ \hline \end{array}$$

$$\begin{array}{r} 4 \\ -\ 1 \\ \hline \end{array} \quad \begin{array}{r} 8 \\ -\ 7 \\ \hline \end{array} \quad \begin{array}{r} 9 \\ -\ 9 \\ \hline \end{array} \quad \begin{array}{r} 5 \\ -\ 2 \\ \hline \end{array}$$

Learning Goal: Practice subtraction using only numbers.

Complete the math problems below.

$5 + 1 =$ ___

$9 + 1 =$ ___

$0 + 2 =$ ___

$6 - 4 =$ ___

$4 - 1 =$ ___

$7 - 1 =$ ___

$9 - 8 =$ ___

$6 + 4 =$ ___

$6 + 1 =$ ___

$5 + 3 =$ ___

Learning Goal: Practice both addition and subtraction using only numbers.

Draw a line to match the math problem to the correct answer.

1 + 1 =	8
4 - 1 =	5
3 + 2 =	1
4 - 3 =	2
4 + 2 =	3
5 + 3 =	7
3 + 4 =	6
6 - 2 =	10
9 + 1 =	4

Learning Goal: *Practice both addition and subtraction using only numbers.*

Draw a line to match the name of the shape to the correct picture.

square

rectangle

triangle

heart

circle

octagon

star

oval

pentagon

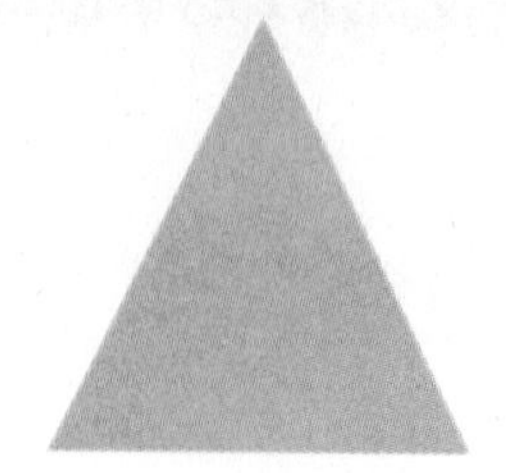

Learning Goal: Recognize familiar shapes and learn new shapes.

Find the following shapes in the picture and circle them: square, triangle, rectangle, star, oval, and circle. Then colour the picture.

Learning Goal: Read and respond to directions. Recognize familiar shapes.

Count the shapes in the picture and write the answers on the lines below.
Then colour the picture.

squares ______ triangles ______

rectangles ______ hearts ______

circles ______ stars ______

Learning Goal: Read and respond to directions. Recognize familiar shapes.

Match the shapes at the top to the shapes at the bottom by writing the corresponding number in the squares next to the matching shape.

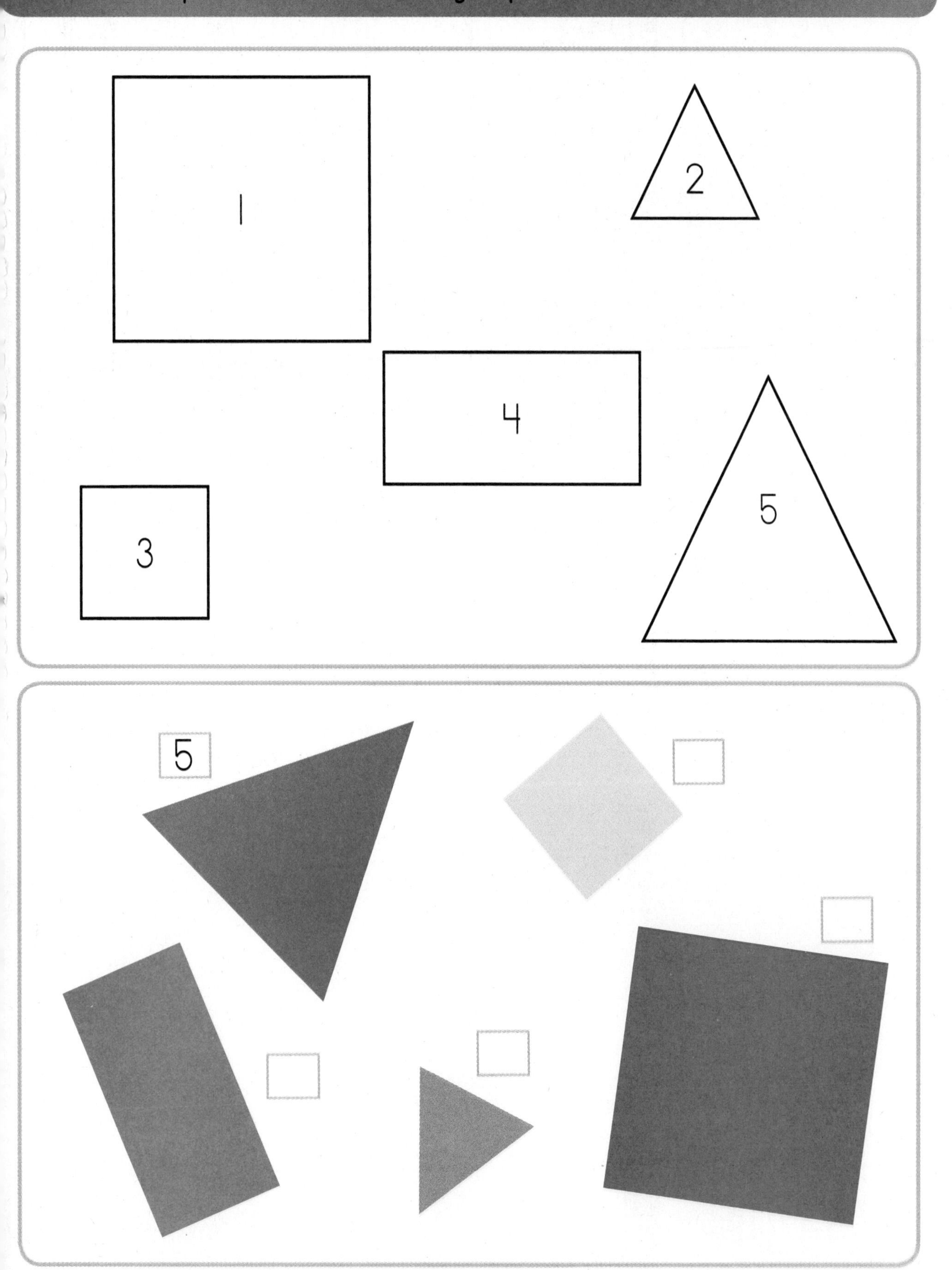

Learning Goal: Read and respond to directions. Recognize familiar shapes.

Complete the graph below by colouring in the number of each shape on the graph.
The first one is done for you.

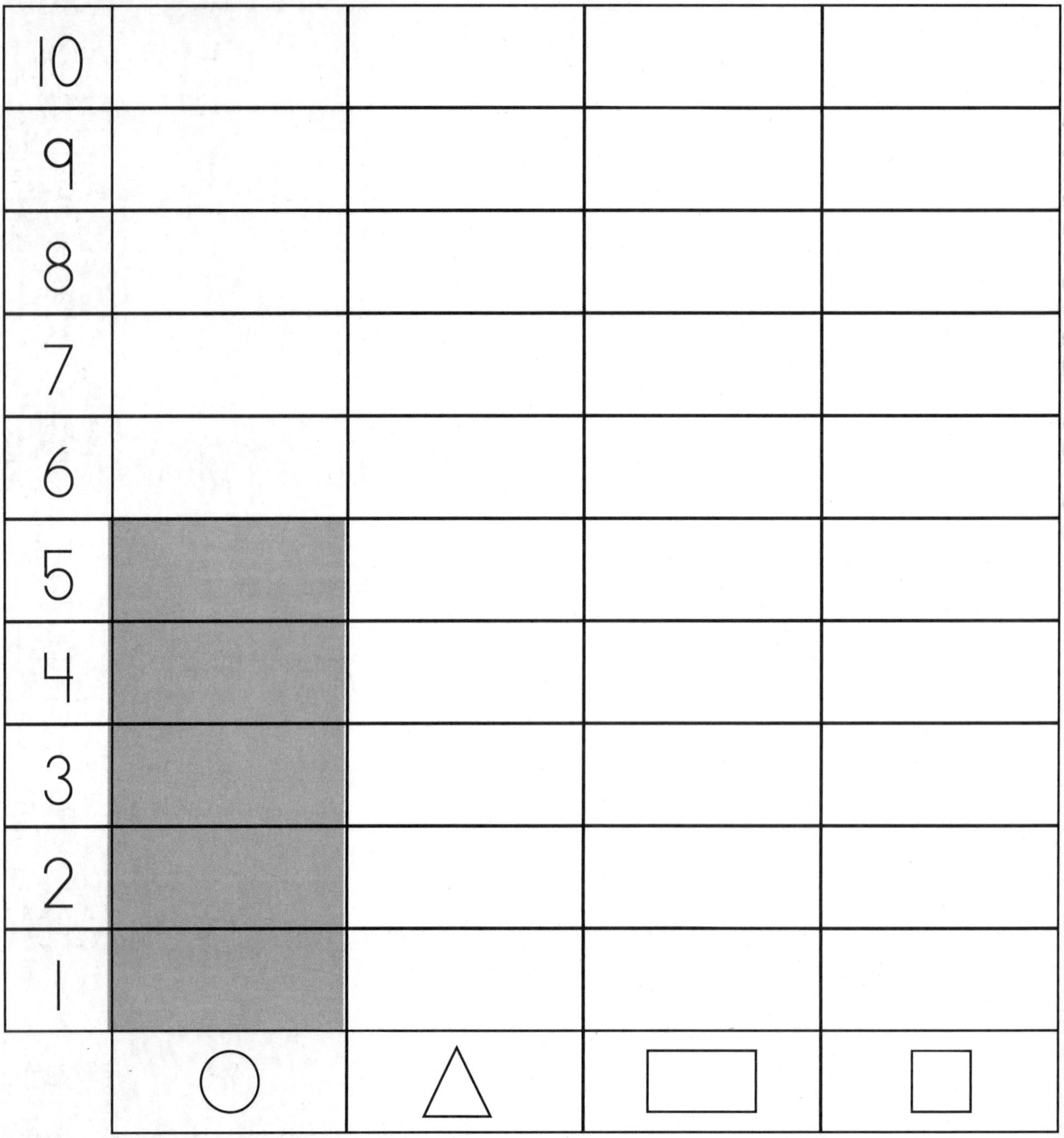

10				
9				
8				
7				
6				
5				
4				
3				
2				
1				
	○	△	▭	□

Learning Goal: Read and respond to directions. Recognize familiar shapes. Practice graphing.

Read the graph below and answer the questions.

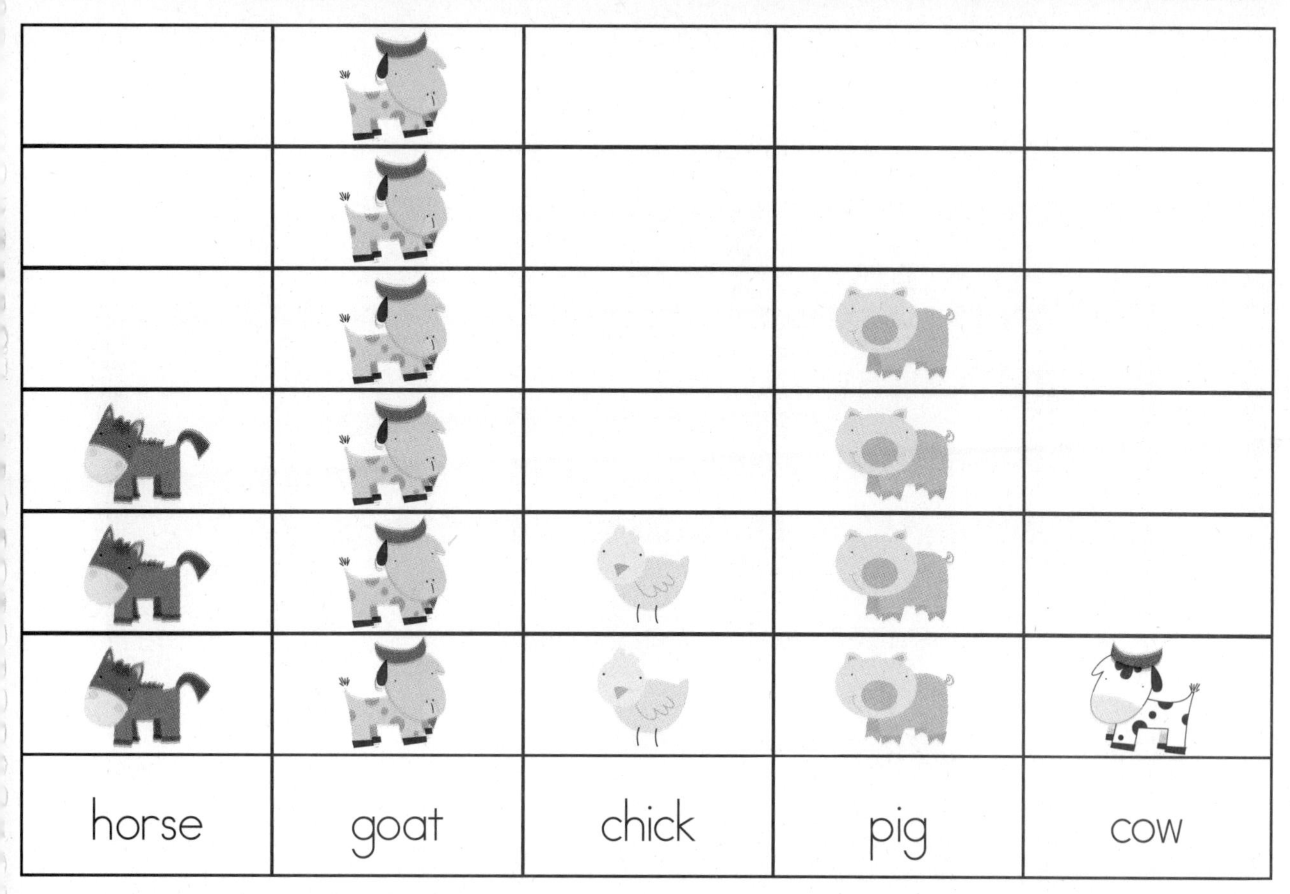

Circle the correct answer below each question.

1. Which animal are there the MOST of on the farm?

2. Which animal are there the LEAST of on the farm?

cow chick horse goat

3. How many more goats are there than horses?

3 2 4 1

Learning Goal: Learn to read a simple graph and respond to questions about the graph.

Follow the maze to guide the boy to his campsite. Collect numbers 1 through 10 along the way.

Learning Goal: Read and respond to directions. Practice counting.

Follow the maze to put the maple leaf on the flag. Collect numbers 11 through 20 along the way. Draw the maple leaf on the flag when you reach the end.

Learning Goal: Read and respond to directions. Practice counting.

CONGRATULATIONS!

This is to certify that

____

Name

has completed Kindergarten Math and is ready to advance to Grade One Math!

Date: ________

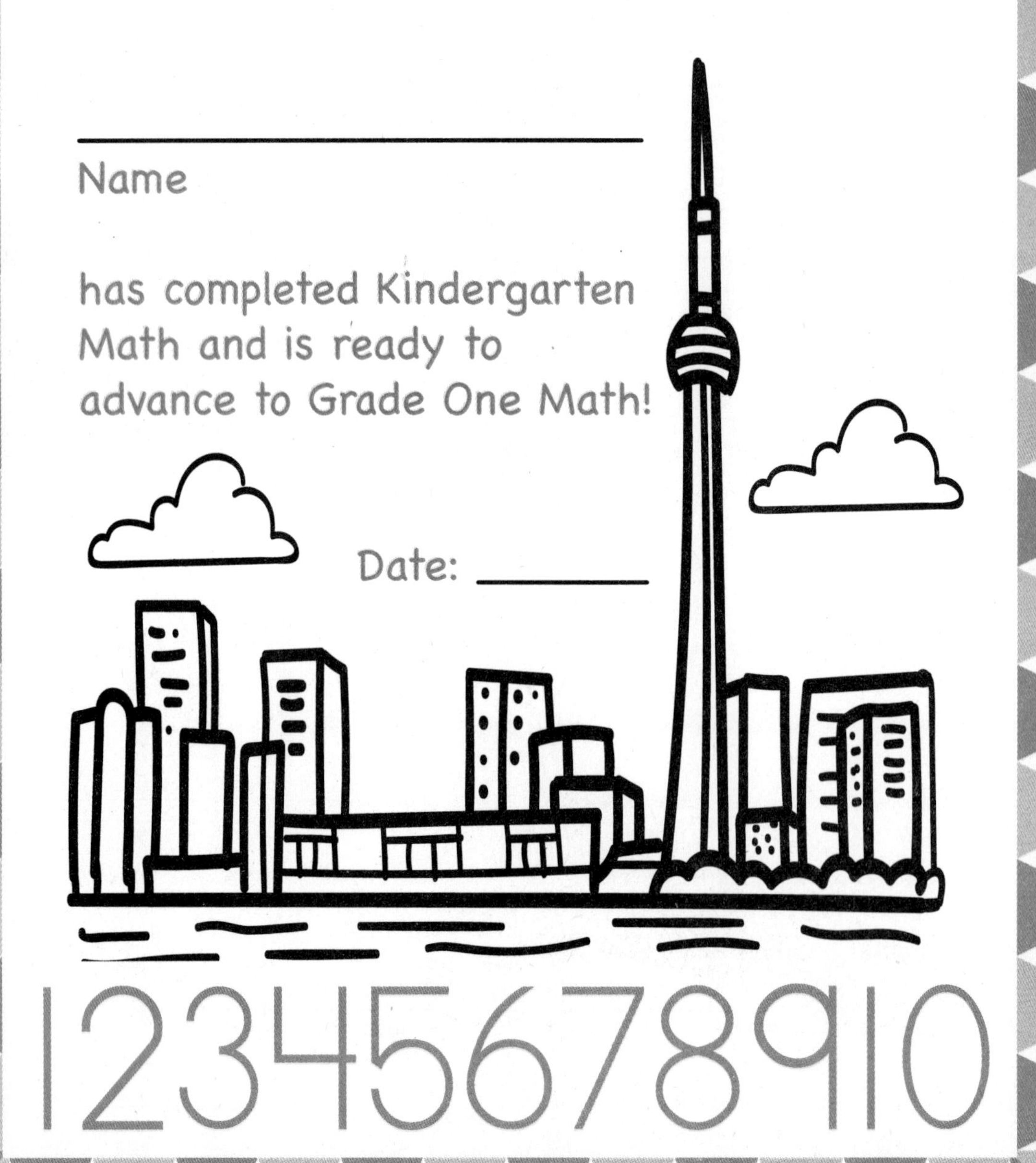

12345678910